KB033195

SEMANTIC
ERROR

스
맨
틱
오
류

저수리 장편소설

1

SEMANTIC
ERROR

TONE

TABLE OF CONTENTS

⟨0⟩ ·································· 7

⟨1⟩ ································· 15

Red ······························ 49

⟨10⟩ ····························· 65

Green ···························· 99

⟨11⟩ ···························· 107

⟨100⟩ ··························· 151

Blue ···························· 217

Cyan ···························· 231

⟨101⟩ ·························· 299

⟨110⟩ ·························· 309

Magenta ······················ 357

⟨111⟩ ·························· 393

La dame du mercredi ······ 447

⟨1000⟩ ························ 465

Yellow 1 ······················ 507

〈0〉

한 대학의 세미나실, 절반도 넘는 학생들이 잠들어 있었다. 100명도 넘는 학생이 수강하는 대형 강의에서 모두를 집중하게 하는 건 교수에게조차 불가능했다. 더군다나 단상에 나온 발표자는 외모에 눈길을 끄는 구석이 없었다.

발표자는 품이 넉넉한 체크 남방에 유행을 타지 않는 진한 색 청바지 차림인 데다 검은 볼캡을 눌러써서 얼굴이 잘 보이지 않았다. 그러나 그가 레이저 포인터를 눌러 프레젠테이션 자료를 열자 지루해하던 구경꾼들의 눈이 경악으로 물들었다.

한국대학교 학생의 바람직한 인성상과 사회에서의 소임과 역할

93포인트로 쓴 듯한 글자 크기도 압박이었지만 폰트가 굴림체라는 점이 무엇보다 놀라웠다. 배경에 흐릿하게 먹인 보×보노가 가장 심각한 문제일까. 아니면 제목 글자마다 무지개색으로 일일이 칠한 정성이 문제일까?

"발표 시작하겠습니다."

발표자는 청중의 반응을 비웃듯 무심한 표정으로 다음 슬라이드로 넘어갔다. 이번에는 검은 배경에 노란 글씨로 소제목만 적혀 있었지만 가독성 나쁜 폰트와 무시무시한 글자 크기는 여전했다.

"저는 이 발표에서 사회에 알려진 한국대학교 유명 졸업생들의 평판을 통해 한국대가 추구하는 인재상인 정직인, 창의인, 열정인이 얼마나 효과적으로 배출되고 있는지의 여부를 알아보는 한편, 바람직한 인성상을 재규정하고 재학생이 미래에 어떤 소임과 역할을 해 나가야 할지를 모색하며……."

빔 프로젝터로 확대된 충격적인 PPT 화면을 보고 잠이 달아났던 학생들은 금세 다시 졸기 시작했다. 발표자의 목소리는 무미건조했고 높낮이가 없었다. 게다가 아무리 기다려도 첫 문장이 끝나지 않았다.

"첫 번째, 정직인에 해당하는 인재입니다."

발표자는 한국대 홈페이지에 나와 있는 인재 양성 시스템이 실제로 작동하는지 자세히 조사하고 아니라는 결론을 내렸다. 그가 예시로 든 졸업생들은 사기 전과로 국회의원 자격을 박탈당한 정치인, 논문을 조작한 교수, 돈을 받고 취직 청탁을 받아 준 기업인 등이었다.

내용은 보기 드물게 깊이 있었고 발표는 논리적이었다. 고작 2학점짜리 수업의 조별 과제에 이렇게까지 성실하게 임하는 학생은 희귀했다. 그러나 안타깝게도 발표가 끝날 즈음에 듣고 있는 사람은 교수까지 포함해 열 명도 되지 않았다. 발표자는 정직과 형평을 강조하며 10분을 조금 초과한 발표를 끝맺었지만 박수 소리는 작았다.

"이상입니다."

그가 마지막 페이지를 튼 순간, 작은 규모의 청중이 경악스러운 탄성을 터뜨렸다. 발표에 관심 없이 졸던 학생들마저 발표 화면을 주목했다.

조장: 추상우
발표자: 추상우
part1 자료 조사: 추상우
part2 자료 조사: 추상우
자료 취합: 추상우
발표 자료 제작: 추상우
참여한 조원 명단: 추상우

교수는 황당하다는 얼굴로 안경을 추어올렸고 학생들은 웅성거렸다. 술렁이는 강의실을 보며 발표자, 추상우는 배경에 넣은 인기 캐릭터가 좋은 호응을 이끌어 냈다고 생각했다.

return 0;

교수 연구실에 모자를 푹 눌러쓴 학생이 들어섰다. 교수는 난감한 표정으로 그에게 앉으라고 권했다.

"잘 왔어요, 상우 학생. 다름이 아니라 오늘 발표 때문에 불렀어요."

"문제가 있었나요?"

"내용은 인상적이었습니다. 하지만……."

교수가 난감하다는 얼굴로 출석부를 들추었다. 추상우 학생은 혼

자서 놀라울 정도로 심도 깊은 내용을 발표했지만 이것은 어디까지
나 합동 과제였다. 그의 조에는 세 명이나 더 있었던 것이다.

"다른 조원들은 전혀 참여하지 않았나요?"

"네."

학생이 표정 변화 없이 대답했다.

"구체적으로 말해 보세요."

"원래 저는 1부 자료 조사와 프레젠테이션 자료 제작만 하기로 되
어 있었습니다. 그런데 2부 자료 조사를 하기로 한 사람이 어제 6시
까지 내용을 보내기로 한 약속을 지키지 않아서 대신 완수했습니다.
발표자는 이모할머니가 돌아가신 슬픔에 수업에 참석하기 어렵다더
군요. 그래서 발표도 제가 했습니다."

"한 명이 더 남네요."

"그 사람은 처음부터 본 적이 없습니다."

교수는 고개를 끄덕이더니 출석부에 세 차례 체크했다. 그러다 그
가 무언가를 발견했는지 출석부를 자세히 들여다보았다.

"그 조에 졸업 예정자가 있네요. 공모전 수상식에 참가하느라 해
외에 있어서 이번 주는 부득이하게 출석할 수 없다고 메일로 양해를
구했어요."

"공모전 하는 사람이 있다고 듣기는 했어요."

교수는 학생을 바라보았다.

"사정이 있는데 이름을 빼 버리는 건 너무하지 않나요?"

"아니요. 그렇게 생각하지 않습니다."

"왜지요?"

"그동안 기여하다가 오늘 수업만 빠졌다면 사정을 고려하겠지만,
그 사람은 이제까지 수업 시간에 하는 회의에 한 번도 참석하지 않

앗고 과제에 아무런 도움도 주지 않았습니다."

교수가 출석부를 앞으로 내밀었다.

"여길 봐요. 지난 시간과 이번 시간을 제외하고 모두 출석했다고 되어 있는데……."

"글쎄요. 대리 출석이라도 했나 봅니다."

학생의 대답에 교수의 표정이 기묘하게 바뀌었다.

"그렇군요. 알겠어요. 이만 가 봐요, 추상우 학생."

"네."

학생은 고개를 꾸벅 숙이더니 들어왔을 적과 마찬가지로 무덤덤한 얼굴로 연구실에서 나갔다.

〈1〉

⟨1⟩

3학년 1학기가 끝났다. 23학점으로 **빡빡한** 학기를 보낸 상우를 가장 힘들게 한 건 어렵기로 악명 높은 전공과목이 아닌 2학점짜리 교양 수업이었다. 수강하지 않으면 졸업할 수 없는 교양 필수 강의, '한국대생 인성 교육'은 평이한 강의와 간단한 합동 발표 과제로 이루어져 있었다.

발표 주제가 워낙 쉬워서 처음에는 우습게 생각했다. 조원 중 하나가 공모전을 핑계로 수업에 아예 오지 않는 걸 알고서도 대수롭지 않게 여겼다. 그러나 누군가는 상을 당하고 누군가는 발표 전날 잠수를 탔다. 처음부터 혼자 했으면 하루 만에 해치웠을 과제인데, 조원들에게 연락하고 자료를 보내느라 시간은 시간대로 들이고 신경은 신경대로 쓴 것이다.

상우는 짜증이 났지만 발표가 끝난 뒤에는 나쁜 기억을 잊어버렸다. 그런데 학점이 나오고서 사소한 문제가 생겼다.

[무임승차1: 형 제이름 빼셧어요?? 할머니돌아가셔서 참석못한건 대 어떻게 그러실수잇어요???] 10:04

[무임승차2: 결국 인성 F떴네요 만족하시나요?^^ㄴ] 15:29

[무임승차3: 덕분에졸업못하게생겼네나좀봐요후배님] 20:23

점수가 뜬 날 상우에게 메시지가 쇄도했다. 두 명은 메시지 하나씩 보내고 끝이었지만 한 명은 만나서 얘기하자고 계속 조르는 데다 전화까지 해서 번호를 차단해 버렸다.

그리고 방학이 되었다. 상우는 그다음 학기에 수업을 줄이고 모바일 게임을 제작할 계획이었다. 그를 위해 주중에 프로그래밍 언어를 독학했으며 주말에는 PC방에서 아르바이트를 했다. 일상은 순조롭게 흘러갔지만 신경 쓰이는 일이 하나 생겼다.

여느 때처럼 PC방에서 일하던 토요일, 대학생 둘이 들어와 종일 게임하고 간 날이었다. 상우는 계산대 앞에서 그들의 대화를 들었다.

'모르냐? 재영이 졸업 못 하게 생겼어.'

'왜? 유학 간다고 했잖아.'

'2학점짜리 교필, 그…… 인성. 누가 대리 출석 꼰질러서 F 떴어.'

'정정 안 돼?'

'교수가 제보자 낯을 봐서라도 봐줄 수 없다고 그랬나 봐.'

'당사자랑 얘기하란 소리네.'

어디서 많이 들어 본 이야기였다. 상우는 카운터를 뒤지는 척하면서 대화를 계속 엿들었다.

'근데 그 새끼가 전화를 안 받는대.'

'어느 과인데?'

'기곈가 컴공인가. 찾으면 죽여 버린다고 주소 수소문하는데, 아무

도 아는 사람이 없대. 좋됐지 뭐.'

'와, 그걸 꼰지르다니. 법 없이도 살 새끼인가 보네.'

아무래도 상우는 질 나쁜 사람한테 휘말린 듯했다. 대학교를 다니며 갈등이 종종 있었지만 이제까지 괜찮게 해결해 왔다. 신입생 때는 폭탄주를 억지로 마시게 한 선배와 주먹다짐까지 갈 뻔했고, 학생회비를 내지 않겠다고 버티다가 신문사에서 취재해 가기도 했다. 길에서 행인과 부딪혔다가 싸움으로 번진 적도 있었고 새치기한 사람과 다투는 바람에 경찰서까지 간 사건도 있었지만, 다 졸업 못 하는 것에 비하면 사소한 일이었다.

상우는 전화번호를 바꿀까 진지하게 고민했지만 잘못한 것도 없는데 지레 겁먹는 것도 우스워서 아무 행동도 하지 않았다. 그러나 그날 이후 상우에겐 핸드폰에 알림이 뜰 때마다 긴장하는 버릇이 생겼다.

[시각디자인과 한수영 선배: 개발자 후배님^^! 급하게 취업할 기회가 생겨서 플젝 못하게될거같애 미안~ 대신 실력있는 동기한테 미팅 대신 나가달라고 말해놨어] 12:31

오랜만에 도착한 메시지는 절망적인 내용을 담고 있었다. 한수영 선배는 너무 바빠서 진행이 더디긴 했어도 그림만은 끝내줬으니까. 상우는 이미 그녀의 스타일에 맞춰 게임을 구상한 상태였으니, 디자이너가 바뀌는 건 나쁜 소식이었다.

학교에는 책임감 없는 사람이 너무 많았다. 그나마 이 사람은 후임자를 꽂아 놓고 튀니 다행인가. 그마저도 실력 있는 학생이란 보장은 없었지만.

[나: 아쉽네요. 선배님 그림체 마음에 들었는데요.] 12:33

[시각디자인과 한수영 선배: 그 친구는 나보다 더 잘해~ 걱정 없음!] 12:34

[나: 전화번호라도 주세요.] 12:34

[시각디자인과 한수영 선배: 얼마전에 전화번호부가 날아가서 연락처가 없네;; 어제 만났을때 미팅장소랑 시간 정확히 알려줬어. 나랑 같은 학번이고 이름은 장재영이야!^^] 12:40

[나: 알겠어요.] 12:41

상우는 그녀와 대화를 마무리하고 학교로 향했다. 미팅은 4시였지만 3시간 일찍 도착해 캐릭터 초안과 스케치를 정리했다. 시각디자인과 장재영 선배. 남자일지 여자일지, 어떤 스타일일지, 메시지만 봐서는 실력이 있다는 모호한 정보 외엔 아무것도 알 수 없었다. 고학번이라 바쁘지 않을까, 한수영 선배처럼 취업한다고 중간에 사라져버리지 않을까, 의심이 들었지만 일단은 만나 봐야겠다고 생각했다.

상우는 15:55에 자리를 정리하고 계단을 올랐다. 온라인으로 미리 예약해 둔 도서관 3층 소규모 회의실에 약속 시간 1분 전에 도착해 노트와 필기구를 꺼내 놓았다.

그러나 디자이너는 나타나지 않았다.

다른 약속 같았으면 뒤도 돌아보지 않고 떠났겠지만, 혼자서 할 수 없는 프로젝트라 디자이너가 꼭 필요했다. 상우는 모바일 게임을 하며 10분을 때웠다.

디자이너는 나타나지 않았다.

시간을 착각한 건 아닐까, 한수영 선배가 약속 시간과 장소를 잘못 전한 건 아닐까, 아니면 변심했을까, 바쁜 일이 생겼을까. 답을 알 길이 없는 질문을 떠올리는 사이 10분이 더 지났다.

디자이너는 나타나지 않았다.

'인성 쓰레기네.'

시간 안 지키는 사람 치고 제대로 된 사람이 없지 않나. 그런 사람 하고 같이 프로젝트를 해서 잘될 리가 없다. 속으로 부글부글 끓는 사이 10분이 더 지났다.

디자이너는 나타나지 않았다.

'진짜 마지막이다.'

상우는 실력 있고 친절했던 한수영 선배의 낯을 봐서 10분을 더 기다렸다. 도인 같은 심정으로 인내했지만 디자이너는 끝내 나타나지 않았다.

그는 이를 꽉 악문 채 자리에서 거칠게 일어났다. 상우는 모든 종류의 낭비를 꺼렸지만 그중 시간 낭비가 가장 싫었다. 그런데 손잡이를 잡아채려는 순간에 문이 휙 열어졌다.

"여기 맞나?"

상우는 화난 표정 그대로 상대를 바라보았다. 검은 비니 모자를 느슨하게 쓴 남자는 뻔뻔한 표정으로 걸어 들어와 상우의 맞은편에 앉았다. 코끝에 알이 큰 안경이 걸쳐 있었고 한쪽 귀에는 금속 피어스가 세 개나 달려 있었다. 미팅하러 왔으면서 빈손이었다. 그는 주머니에 넣고 있던 손을 빼서 마주 비비더니 고개를 들었다.

"어!"

둘의 눈이 마주친 순간, 그가 상우를 손가락으로 가리켰다.

"왜요?"

상우는 제 얼굴에 뭐가 묻었나 싶어 무심코 볼을 만졌다. 상대는 놀란 표정이었지만 크게 뜬 눈은 조금씩 작아지다 원래 크기가 되었다. 상우는 이 사람과 일할 생각이 없었지만 최소한의 절차는 밟아야 한다는 생각에 억지로 앉았다. 남자의 얼굴을 일부러 보지 않으며 펜을 쥐었다.

"디자이너 선배님이시죠?"

"네."

"뭐 하는지 듣고 오셨죠?"

"대충?"

"2D 액션 게임 제작 진행하고 있어요. 크리에이터2dx 프레임워크 기반이고 장르는 어린이용 주인공 시점 어드벤처로 잡아 놨어요."

남자는 상우의 말을 듣지 않는 것 같았다. 그는 뻐딱한 자세로 다리를 떨다가 허락도 없이 상우의 공책을 가져가 후루룩 넘겼다.

"열심히 했네."

상우는 공책을 다시 빼앗아서 빈 페이지를 펴고 책상에 놓았다. 그는 가방에서 폴더를 꺼내 전임 디자이너가 잡아 놓은 초안을 남자에게 내밀었다. 종이에는 게임 제목과 전체적인 콘셉트, 캐릭터 디자인이 자세히 나와 있었다. 남자는 눈을 내리깔고 말없이 문서를 보았다.

"드럽게 재미없네."

그는 다 들리게 혼잣말을 중얼거리고서 '야채맨' 초안이 정성스럽게 정리된 종이에서 눈을 뗐다.

"원래 잘하는 친군데 대충했네요. 콘셉트 짜는데 아무 노력도 안 했고 스케치도 건성건성."

남자가 문서를 앞으로 밀자 종이가 바람에 들리며 모서리가 상우의 코에 찍혔다. 상우는 굳은 표정으로 종이를 노트 위에 내려놓았다. 거절하게 되더라도 설명 정도는 다 하려고 했는데, 인내심이 바닥을 보였다. 상우는 쓸데없는 데 에너지 낭비하지 않고 자리를 정리하는 게 낫다고 생각했다.

"저랑 안 맞으시는 것 같아요. 다른 디자이너 구해 볼게요."

노트와 문서를 가방에 집어넣으려는데 남자가 불쑥 물었다.

"코딩을 그렇게 잘해요? 내가 뭐 구현해 달라고 하면 어디까지 해 줄 수 있어요?"

"디자인만 좋다면 뭐든지요. 2D 액션 게임에서 필요한 기능은 거의 다 구현할 수 있어요."

"되게 자신만만하네."

그 말은 꼭 상우를 무시하는 것처럼 들렸다. 학생이라고 이러는 건가, 아니면 제대 후 복학한 지 얼마 안 된 걸 알아채고 이러나. 상우는 약간 오기가 생겨서 힘주어 대답했다.

"특히 디버깅, 최적화는 자신 있습니다. 고등학교 때 가계부 앱을 제작한 적이 있고 HTML5 기반 아케이드 게임도……."

"그런 말이 아니고."

남자가 안경을 조금 올려 쓰며 말을 끊었다. 그는 '야채맨' 초안이 정리된 종이를 손가락으로 쿡쿡 찌르며 말을 이었다.

"잘 구동된다고 다가 아니니까. 게임은 재미있어야 되잖아요. 타격감이나 애니메이션이 얼마나 자연스러운지가 흥행 요소고 그래픽뿐 아니라 BGM도 중요해요. 그래서 이따위 기획을 오케이한 안목이 못 미덥다고. 내가 후배님 믿고 금쪽같은 시간 투자해도 되겠어요?"

종잡을 수 없는 사람이었다. 깃털처럼 가벼운 듯하더니 갑자기 진지한 모습을 보여서 상우는 덜컥 긴장하고 말았다.

"맡겨 주시면 최선을 다해 볼게요."

얌전하게 대답하고 나니 억울하게 느껴졌다. 자신이 사장이고 고용주인데 하청받는 사람처럼 굽실거릴 이유가 없었다. 상우는 허리를 펴고 바르게 앉아 팔짱을 꼈다.

"그런데 선배님, 모바일 게임 제작에 참여해 본 경험은 있으세요?"

적절한 시기의 적절한 반격이었다. 만일 실력도 없이 나불거리는 거면 뒤도 보지 않고 회의실을 떠날 생각이었다.

"없어요."

"안녕히 계세요."

"웹 쪽 경험은 꽤 있는데."

일어나려던 상우는 잠시 멈칫했다. 만일 웹 UI 디자인을 잘한다면 앱 개발을 못하기 어렵다. 오브젝트 크기가 더 작고 최적화에 신경 써야 하지만 본질적으로 비슷하니까. 게다가 이 날라리를 소개해 준 선배는 그가 굉장한 실력자라는 듯이 말했다.

"포트폴리오 볼 수 있을까요?"

남자는 비웃음을 흘리더니 외투 안주머니에서 태블릿 컴퓨터를 꺼냈다. 터치를 몇 번 하더니 기기를 상우에게 넘겼다.

상우는 흰 배경에 작품이 진열된 횡 스크롤 포트폴리오 페이지를 바라보았다. 섬네일을 눌러 하나씩 확대해 보며 작업물을 꼼꼼히 확인했다. 웹, 포스터, 로고 그리고 일러스트레이션. 남자는 할 줄 아는 게 많았다. 게다가 하나같이 학생 작품답지 않게 완성도가 높아 보였다.

'웬만한 프로보다 낫잖아.'

UI 효율성 합격. UI 간결성 합격. 컬러 사용 합격. 일러스트레이션 적격성 합격. 특히 그의 그림체는 개성 있고 생동감이 넘쳤다. 상우는 마음에 쏙 들었던 '야채맨' 초안을 머리에서 지워 버렸다.

"어디 가서 실력 없단 소리는 안 들어요."

그가 상우의 표정을 힐끔 보더니 말했다.

"다 선배님이 하신 거 맞죠?"

남자는 상우의 타당한 의문을 웃어넘기곤 펜을 집어 공책에 쓱쓱 스케치하기 시작했다. 그는 전임자와 완전히 다른 스타일로 20초 만에 당근을 하나 그렸다. 전보다 반항적이고 퇴폐적인 당근이었지만 무척 스타일리시했다. 그가 큰소리 뻥뻥 칠 만하다고 상우는 납득하고 말았다.

'끝내주는데.'

가슴이 두근거렸다. 상우는 기대감이 걷잡을 수 없이 커지기 전에 의도적으로 제동을 걸었다. 신경 쓰이는 것이 없지 않았다.

"다음 학기 내내 시간 투자하실 수 있는 거예요?"

"네. 졸업에 차질이 생기는 바람에 할 게 없어져서."

"만일 한수영 선배님처럼 중간에 취업하시면……."

"한번 맡은 프로젝트는 끝까지 해요."

40분이나 지각해서 전혀 못 믿겠다고 생각한 사람이 갑자기 미더워 보이는 효과가 일어났다. 상우는 그 정도 실력이면 어느 정도의 불성실함도 용인할 의향이 있었다. 무엇보다도 성실성을 중요시하는 그로서는 대단한 결심이었다.

"그럼 전화번호 좀 주세요."

상우가 핸드폰을 정중하게 내밀자 상대가 받아서 번호를 찍었다. 그러던 중 그의 안색이 변했다. 잔뜩 찌푸린 눈매가 상우에게 천천히 향했다.

"내 번호, 저장돼 있는데?"

"그럴 리가요."

"봐요, 여기."

남자의 목소리는 몹시 날카로웠다. 상우는 영문을 모른 채 그의 손에서 기기를 돌려받았다.

무임승차3에게 전화 거는 중······

그리 적힌 글자를 상우와 남자는 동시에 보고 있었다. 곧 벨소리
가 울렸다. 차가운 표정으로 외투 주머니에서 핸드폰을 꺼내 든 남
자가 헛웃음을 지었다. 상우는 그의 폰에 자신이 뭐라고 저장되어
있는지를 보고 말았다.

씹새끼에게 전화 왔어요!

상우는 너무 당황한 나머지 노트와 필기구를 챙기지도 못한 채 회
의실에서 뛰쳐나왔다. 뒤도 돌아보지 않고 도망치느라 남자가 저를
불렀는지, 쫓아왔는지, 가만히 있었는지조차 알지 못했다.
　근 20분의 기억은 깨끗하게 사라져 있었다. 집에 들어온 상우는
문을 삼중으로 걸어 잠그고 숨을 골랐다. 층계를 오르다 넘어지는 바
람에 무릎이 얼얼했다. 그는 냉장고에서 생수병을 꺼내 목을 축였다.
　"말도 안 돼."
　상우는 한동안 멍하니 있다가 용기 내어 핸드폰을 꺼냈다. 아무
연락도 와 있지 않았다. 떨리는 손으로 '무임승차3'에게 걸어 놓은
차단을 풀자 메시지와 부재중 전화 몇 통이 떴다. '무임승차3', 장재
영은 5일 전에 상우에게 양해를 구하며 만나 달라는 장문의 메시지
를 보냈다. 조장에게 직접 연락하지 않은 건 자기 잘못이지만 다른
조원에게 사정을 설명했다는 것이다. 그 외에도 협박하는 듯한 메시
지가 몇 개 와 있었다.

　[무임승차3: 너이러다후회한다] 2일 전

그게 마지막이었다.

메시지를 쭉 읽어 보던 상우는 다시 차분해졌다. 유능한 디자이너인 줄 알았던 사람이 알고 보니 무양심, 적반하장, 인성 쓰레기였던 것뿐이다. 차라리 프로젝트가 시작하기 전에 알게 되어 다행이었다. 그의 일러스트레이션을 보고서 기대감이 커진 상태라 아쉬움도 그만큼 강했지만 깨끗하게 포기하는 수밖에 없었다. 상우는 양아치와 협업할 생각이 눈곱만큼도 없었고 그놈 또한 상우와 일하고 싶지 않을 것이 분명했다.

'난 잘못이 없어.'

뜻밖에 갈등을 빚었지만 모두 그놈 잘못이고 상우는 떳떳했다. 그런데도 찝찝한 기분은 사라지지 않았다. 상우는 그럴 이유가 전혀 없었지만 휴대폰을 곁눈질로 확인하다가 늦은 새벽에 잠들었다.

다음 날 일어나니 메시지가 와 있었다.

[무임승차3: 상우야얘기좀하자] 08:56

상우는 졸린 눈을 비비고 화면을 한참 동안 들여다보았다. 그는 아주 어릴 적부터 동네에서 별명으로만 불렸으며 그 때문에 학창 시절 내내 이름 없이 살았다. 대학교 진학해서는 상우 학생, 상우 선배, 추상우 씨. 군대에서는 추이병, 추일병, 추상병, 추병장. 그를 '상우야'라고 부르는 사람은 세상에 부모님밖에 없었다.

[나: 전화번호 잘못 아셨어요. 수고하세요.] 09:01
[무임승차3: 추상우/25세/컴공3학년/군휴학후9월학기복학/동아리없음/학생회활동없음] 09:02

[무임승차3: 자퇴할거아니면좋은말로할때보자] 09:02

메시지는 좀 무서운 내용을 담고 있었다. 상우는 화면을 뚫어지도록 쳐다보며 여러 번 반복해서 읽었다. 그러던 중에 새로운 메시지가 도착했다.

[무임승차3: 오늘6시까지학교정문으로나와] 09:05
[무임승차3: 때리진않을게] 09:06

"웃기고 있네."
상우는 차갑게 웃으며 핸드폰을 꼭 쥐었다. 대체 뭘 잘못한 것도 아니고, 왜 그의 말을 들어야 한단 말인가.
'내 뒷조사를 했으면 어쩔 건데. 경찰에 신고라도 하시게?'
상우야말로 공권력을 적극적으로 이용하는 편이었다. 그는 어떤 상황에서 경찰에 신고해야 하는지 정확히 알고 있었다.
핸드폰을 들어 메시지를 차근차근 다시 읽어 보았다. 만나서 뭘 하자는 건지 몰라도 명백한 협박이었다. 그러나 상대가 자신을 해칠 방법이 한 가지도 없었기 때문에 두렵지 않았다. 상우는 수업만 듣고 다른 학교 활동을 전혀 하지 않는 성실한 학생이었다. 학교에서 그에게 타격을 줄 수 있는 사람은 교수 외엔 아무도 없었다.

return 0;

3일이 지났다. 상우는 더러운 분쟁이 종결되었다고 생각했으나 어리석은 착각이었다. 냉정하게 생각하면 당연한 일이었다. 학교 근처

PC방에서 일하며 같은 학교 학생을 언제까지 피해 갈 수 있었을까.

한 패거리가 문을 열고 우르르 들어왔을 때 상우는 선반에 과자를 채워 넣고 있었다. 그중 키가 가장 큰 남자가 상우를 보고서 발걸음이 느려졌다.

"사귀긴 뭘 사귀어? 밥 한 끼 같이 먹은 것뿐인…… 데."

시선이 그토록 강렬한 방식으로 마주치지 않았다면 그놈을 못 알아봤을지도 모른다. 그들은 시간이 멈춘 것처럼 서로를 바라보았다. 커다란 안경알 너머, 아무 감정 없던 눈이 커졌다가 몹시 가늘어졌다. 배경이 사라진 듯 오직 그 새끼만 눈에 보였다. 한순간 '망했다', '짜증 난다', '도망가고 싶다' 등 여러 생각이 머릿속을 스쳐 지나갔다. 상우는 그럴 이유가 없는데도 약간 긴장해서 과자를 떨어뜨렸다.

그는 내심 싸움이 일어날 것을 대비했으나, 장재영은 상우를 알은척하지 않고 카드를 집어 갔다. 모두 다섯인 일행이 흡연실로 사라진 뒤 상우는 다시 카운터에 앉았다. 전공 서적과 노트로 눈을 돌렸지만 집중이 잘되지 않았다.

고개를 들자 모니터 위로 튀어나온 재영의 머리가 살짝 보였다. 상우의 시선이 유저가 무슨 프로그램을 사용하는지 알려 주는 화면으로 향했다. 재영은 온라인 RPG게임에 접속 중이었다. 그가 FPS 장르를 거쳐 MMORPG로 넘어가는 동안 상우는 책을 보았지만 페이지는 좀처럼 넘어가지 않았다.

'이대로 지나가려나.'

메시지로 협박하길래 만나면 폭력이라도 쓸 줄 알았는데, 잠잠한 걸 보면 재영은 이 사건을 그대로 묻을 생각인 모양이었다. 상우는 그보다 좋은 결말은 없다고 생각했다. 그러나 그것은 희망 섞인 착각이었다.

32번 손님 주문: 불꽃매운라면

'그럼 그렇지.'

상우는 한숨을 쉬며 일어나서 라면을 끓였다. 조리법대로 물 450ml를 계량하고 끓이는 시간이 평소보다 길게 느껴졌다. 면을 반 쪼개서 냄비에 넣고 스프를 뿌리는 동안 상우는 자신이 과거에 갈등을 어떻게 해결했는지 떠올렸다. 그의 적수들은 분노에 휩싸여 욕설을 내뱉었고 몇몇은 주먹을 휘두르기까지 했다. 상우는 감정적으로 흥분하지 않고 논리적으로 그들의 허점을 반박했으며, 폭력에 폭력으로 맞대응하기보다 한 발짝 피한 후에 경찰에 신고했다. 이번에도 그럴 생각이었다.

흡연실은 담배 연기로 자욱했다. 상우는 라면 그릇을 올린 쟁반을 들고 32번 자리 앞에 섰다. 의자에 등을 푹 기댄 남자는 담배를 피우고 있었다. 쟁반을 내려놓자 그가 의자를 돌리고서 상우를 빤히 올려다보았다. 오늘 그는 보고 있기만 해도 정신병 걸릴 것 같은 무늬가 가슴에 박힌 새빨간 맨투맨 티를 입고 있었다. 그 모습이 정말 양아치처럼 보였다.

'진짜 싫다.'

상우가 등을 돌리려는 순간 그가 말했다.

"우리 대쪽 같은 후배님께서 여기서 일하시는 줄은 몰랐네."

장재영이 미간을 살짝 찌푸리며 담배를 재떨이에 비벼서 껐다. 그리고 느릿하게 눈동자를 굴려 상우를 다시 보았다.

"왜 형 연락을 씹어? 기분 나쁘게."

상우는 어떻게 대응해야 할지 감을 잡지 못했다. 그는 누가 아무리 무섭게 협박하고 폭력을 휘둘러도 담대하게 맞설 자신이 있었지만, 이렇게 조용한 방식으로 싸움을 걸어온 상대는 이제껏 한 명도 없었다.

"상우야, 대답 안 해?"

재영의 목소리는 시비 거는 것치고 너무 부드러웠다. 상우는 그가 본색을 드러낼 때까지 몸을 낮추고 사리기로 했다.

"말씀하세요."

"대화할 땐 눈을 맞춰야지."

어려운 요청 사항은 아니었다. 상우가 고개를 들어 시선을 맞추자 이번에는 그가 눈을 피했다. 그는 담배를 한 대 더 꺼내 불을 붙이고선 한동안 말없이 연기만 내뿜었다. 그러다 다시 상우의 눈을 보며 오른손을 불쑥 내밀었다.

"같이 게임도 만들어야 하는데, 우선 화해하는 게 어때?"

저를 향해 뻗은 커다란 손은 도무지 현실성이 없었다. 상우는 의아함을 느꼈다.

"싸운 적이 없는데 어떻게 화해를 하나요? 그리고 선배님하고 일 안 합니다."

재영이 어이없다는 듯 헛웃음을 지으며 손을 거두었다.

"내가 널 왜 만나자고 했을까?"

"전혀 모르겠어요."

"상상력이 부족하네."

"절 만난다고 성적이 바뀌는 것도 아닌데. 적어도 대학교 입학할 정도의 지능 지수는 될 테니 선배님도 그 정도는 아시겠죠."

재영이 팔짱을 끼며 비틀린 미소를 지었다.

"성적은 무슨, 정정 기간 끝난 지가 언젠데."

"그럼 왜 저를 붙잡고 괴롭히시는 거예요?"

"괴롭히긴 뭘 괴롭혀? 수영이가 소개해 준 후배고 프로젝트도 걸려 있으니 이야기하려고 했을 뿐이야. 네 사연도 들어 보고, 오해가 있으면 풀고, 좋게 넘어가려고 했어."

"전 선배님과는 아무 이야기도 하고 싶지 않아요."

"그럼 그렇게 답장했어야지."

상우는 상대의 말투가 날카로워진 것을 느꼈다.

"응? 상우야. 예의는 씨발, 어디다 팔아먹었어?"

욕을 하면서도 조곤조곤한 말투를 유지하는 스킬이 신기하다고 상우는 생각했다. 폭력의 기미가 보이면 곧바로 신고하려고 폰을 만지작거리고 있었지만 이 정도는 너무 약했다. 상우는 어떻게 대응해야 할지 갈피를 잡지 못했다.

"진짜 이야기만 하려고 했다고 믿기 어려운데요. 저 때문에 졸업 못 했다고 착각하며 앙심 품고 계시잖아요."

여기서 사과하면 그냥 넘어갈 수 있을지도 모른다는 느낌이 들었지만 상우는 매뉴얼대로 행동했다. 그에게는 이미 '적대' 명령이 입력되어 있었다.

"그게 왜 제 잘못인지 모르겠네요."

중학교 때 이런 식으로 말대꾸했다가 선생에게 뺨을 맞았다. 나중에 사회생활 잘하려면 고치라는 충고를 수도 없이 받았기에 자제하면서 살고 있었지만 날카로운 말투가 입에서 튀어나왔다. 그러나 재영은 대수롭지 않다는 듯이 답했다.

"네가 교수한테 쓸데없는 말만 안 했다면 졸업했겠지? 유학 결정됐는데 너 때문에 취소되게 생겼잖아. 좆도 아닌 2학점 때문에."

"제 잘못 아니잖아요."

"상우야."

"친한 척하지 마세요. 대리 출석해서 졸업할 수 있으면 수업 듣는 학생은 죄다 바보겠네요. 아무것도 안 하고 학점 따려는 양아치 이름을 과제에 넣어 줄 호구 새끼로 보이십니까, 제가."

재영은 상우의 반론에 놀라는 기색이 조금도 없었다.

"이런 스타일이구나. 그런 것 같았어."

"가도 될까요, 선배님?"

"아니, 아직 할 말 남았어."

그는 담배를 깊이 빨아들였다가 연기를 내뱉었다.

"너한테 재판받을 생각 없어. 네가 목사야, 경찰이야. 설교하지 말라고, 이 새끼야."

"알겠어요. 앞으로도 그렇게 쓰레기같이 사시고 저한테 연락만 하지 마세요."

"씨발, 진짜 대단하네."

재영은 싸늘한 표정으로 담배를 재떨이에 끄고서 상우의 눈을 마주했다.

"내가 무릎 꿇고 사과라도 하라디? 교수한테 가서 대신 학점 빌어 달라고 했어? 좋게 넘어가자고 했으면 민망한 척이라도 해야 할 거 아냐. 내가 너한테 체포당하려고 이러고 있냔 말이야, 지금."

그는 화를 내고 있는 듯했지만 상우는 복잡한 말을 잘 이해할 수 없었다.

"무슨 말인지 모르겠으니 원하는 게 있으면 똑바로 요구하세요."

딱히 그럴 의도는 아니었는데 재영은 공격당한 표정이었다. 그는 황당하다는 듯 입을 몇 번 벌렸다 다물기를 반복하더니 팔짱을 끼고 등을 뒤로 푹 기댔다. 그리고 불만 가득한 얼굴로 내뱉었다.

"'좋은 유학 자리를 저 때문에 놓치게 돼서 유감이네요'라고 말해 봐."

어려운 과제는 아니었다. 상우는 자신 있게 입을 열었지만 말이 나오지 않았다. 문장에 사실이 아닌 부분이 섞여 있었기 때문이다.

"오류 두 가지만 고쳐 주시면요. 졸업 못 하신 건 저 때문이 아니라 출석 일수와 과제 점수가 모자라서예요. 그리고 저는 유감스럽지 않아요."

피드백을 적용하면 '좋은 유학 자리 놓치셨네요'가 된다. 그 정도면 사실 기술이니 말해도 상관없다고 생각하고 있는데 빈정거리는 소리가 들렸다.

"이 새끼, 완전히 또라이네."

많이 들어 본 소리라 상우는 전혀 타격받지 않았다. 재영은 의자를 다시 모니터 쪽으로 돌리더니 젓가락을 들어 그릇을 휘저었다.

"다 불었어, 씨발."

그는 라면이 담긴 쟁반을 다시 상우에게 내밀었다.

"가져가."

상우는 말없이 쟁반을 받아 들었다. 퇴장하려는데 재영이 그를 불렀다.

"야."

"왜요?"

"다시는 보지 말자."

듣던 중 반가운 소리였다. 상우는 의도치 않게 적을 퇴치한 듯했다. 그가 질렸다는 표정으로 손사래 치고 있었으니까.

"저 10시에 일 끝나니까 꼭 그 뒤에 나오세요."

"미친 새끼."

'뭐래? 인간 말종 양아치 새끼가.'

상우는 속으로 욕설을 내뱉으며 흡연실에서 나왔다.

return 0;

더러운 분쟁을 해결하고서 일상은 똑같이 흘러갔다. 방학이지만 매일 학교 도서관에서 공부하는 생활이 계속되었다. 한 가지 심각한 문제가 있었는데, '야채맨' 프로젝트의 디자이너 자리가 다시 공석이 되었다는 점이었다. 학교 커뮤니티에 액션 게임 그래픽 전담 디자이너를 구한다는 글을 다시 올렸는데 아무에게서도 연락이 오지 않았다. 다음 학기는 게임을 제작할 생각으로 시간표를 일부러 한가하게 짰기에, 만일 디자이너가 안 구해지면 시간이 붕 뜨게 된다.

그 외에는 아무런 문제가 없었다. 그날도 상우는 목표치만큼 공부하고 식당으로 향하는 길이었다. 별생각 없이 걷던 그는 저 앞에서 웬 걸어오는 상자를 보았다.

한 학생이 커다란 상자 위에 작은 상자를 얹고 힘겹게 운반하고 있었는데 시야가 가려져 앞이 안 보이는 듯했다. 그녀의 보폭을 고려할 때 곧 발이 턱에 걸릴 것을 예측할 수 있었다. 얼마 지나지 않아 고함이 들려왔다.

"안 돼!"

여학생은 손을 뻗으며 달려 나갔지만 얹어 놓은 상자가 땅에 떨어지면서 잡동사니가 길에 쏟아졌다. 독서대나 과자 상자, 테이프 따위가 경사로를 데굴데굴 굴렀다. 그 학생의 신세야 안됐지만 상우는 식당에 가는 길이어서 그냥 지나가려던 참이었다.

"저기요!"

그런데 그 순간에 그녀가 상우를 불렀다. 상우는 멈춰 섰다.

"진짜 죄송한데 저 좀 도와주시면 안 될까요? 힘들어서 죽을 것 같아요……. 도와주시면 제가 밥 사 드릴게요."

"어디까지 가는데요?"

"도서관 3층 사물함이요."

도서관이라면 빠른 걸음으로 7분 거리. 학식 가격과 비교해 볼 필요도 없이 최저임금을 훌쩍 웃도는 거래였다. 상우는 알겠다고 대답한 뒤 그녀와 함께 떨어진 물건을 주워 박스에 넣었다. 커다란 상자를 양손으로 받치고 번쩍 들자 학생이 놀란 표정을 지으며 어쩔 줄 몰라 했다.

"많이 무거우시죠? 작은 건 제가 들게요."

"네, 많이 무겁네요. 뭐 들었어요?"

"책이랑 이것저것……."

박스는 정말 무거웠다. 상우는 중간에 두 번이나 쉬었으며 땀이 나서 패딩도 벗었다. 7분 거리는 15분으로 늘어났고 3층까지 옮기고 나니 힘이 쭉 빠졌다. 밥 한 끼로 퉁 치기에는 체력 소모가 심했다. 상우는 어리석은 결정을 후회하고 있었다.

"오빠 덕분에 살았어요. 정말 감사드려요."

그 15분 동안 상대, 류지혜는 상우에게서 통성명을 이끌어 냈고 그의 학번이나 학과 같은 기본적인 정보를 캐 갔다. 어느새 호칭은 '저기요'에서 '오빠'로 변해 있었다. 도서관에서 나오며 그녀가 물었다.

"드시고 싶은 거 있으세요?"

"식권이나 한 장 줘요."

"에이, 무슨 학식이에요?"

상우는 인상이 어두운 편이라 사람들이 쉽게 말을 걸지 않았다.

그러나 지혜는 다른 후배들과 달리 겁이 없었다.

"제가 너무 감사해서 진짜 맛있는 거 사 드려야겠어요. 저만 따라 오세요."

"알았어요."

"말 놓으시라니까요."

"알았어."

그들은 걷기 시작했다. 지혜는 10분만 걸으면 된다고 했지만 결과적으로 그보다 더 오래 걸렸다. 상우는 고작 식사하기 위해 짧지 않은 거리를 이동해야 하는 상황이 마음에 들지 않았으나 이미 메뉴 선택권을 지혜에게 넘겼기 때문에 말없이 그녀를 따랐다.

"파스타 집인데 진짜 맛있어요. 파스타도 다 맛있고 피자도 도우가 얇아서 엄청 잘 들어가요. 지난번에는 빠네 먹었는데 접시까지 다 먹을 뻔……. 게다가 학생 할인도 10% 되고요. 알바생 언니 오빠들도 다 너무 예쁘시고 잘생기셨고……."

지혜는 수다스러운 편이어서 상우가 대답하지 않아도 혼자 잘 주절거렸다. 그들은 학교를 벗어나 학생들이 바글거리는 술집 거리를 지났다. 지혜는 비교적 조용한 골목으로 거침없이 걸어가 2층을 가리켰다. 나무가 그려진 간판에서 여느 싸구려 가게가 아니라는 고고한 자신감이 풍겼다.

계단을 올라 큼직한 문을 열자 딸랑거리는 종소리가 났다. 널찍한 가게는 조명이 어두웠고 따뜻한 분위기로 인테리어 되어 있었다. 예약했냐, 몇 명이냐 따위의 문답이 오간 뒤 그들은 빈자리로 안내되었다.

"여긴 알바생을 얼굴로 뽑는 게 확실해요. 장난 아니에요, 진짜."

지혜는 주변을 둘러보며 쓸데없는 소리를 했다. 상우는 자리에 앉자마자 메뉴판을 훑어보며 품목을 분석했다.

'내 눈이 잘못된 건 아니겠지.'

단품 최저 가격조차 그의 평소 식대의 세 배가 넘었다. 주요 메뉴가 밀가루 면 삶은 요리란 걸 고려할 때 불가해할 정도로 비싼 가격이었다. 짐 한 번 들어 주고서 받을 만한 대가는 아니었다.

"너, 이 가격 괜찮겠어?"

"가끔 기분 내는 거죠, 뭐. 월말에 굶으면 돼요."

납득할 만한 대답은 아니었지만 남의 주머니 사정이야 신경 쓸 필요 없었다. 상우는 지혜가 그 덕에 죽다 살아났다며 노고를 입이 마르도록 칭찬하는 동안 이름 낯선 음식들을 다시 살펴보았다. 프레스까 시트러스 샐러드, 카츄꼬 로쏘, 프리띠 이탈리아니…….

"주문하시겠어요?"

메뉴판에 코를 박고 있는데 사근사근한 목소리가 가까이에서 들렸다. 지혜가 먼저 입을 열었다.

"저는 봉골레 파스타 하나요."

"저는…….."

메뉴에서 가장 비싼 파스타를 주문하려고 고개 든 순간, 상우는 가게 직원과 눈이 마주쳤다. 지혜의 말은 사실이었다. 평소에 남의 외모에 전혀 관심 두지 않는 상우의 눈에도 직원은 보기 드문 미남이었다.

단정한 머리카락 아래로 갸름한 얼굴이 살짝 미소 짓고 있었다. 쌍꺼풀 없는 눈은 시원시원하게 크며 콧날은 곧고 코끝이 오뚝했다. 흰 셔츠와 허리에 두른 검은 앞치마가 잘 어울리는, 반듯한 사람이었다.

'그런데, 어디서 본 적이 있었나.'

남자의 얼굴에는 낯익은 구석이 있었다. 어쩌면 옷 광고 같은 곳에서 보았는지도 모르겠다는 생각이 스쳤을 때 그가 한쪽 입가를 구기며 웃었다.

"오빠, 뭐 하세요!"

지혜의 재촉에 상우는 정신이 들었다. 그는 얼른 바닷가재가 든 파스타를 주문했다. 직원은 메모지에 주문을 받아 적더니 그들이 시킨 메뉴를 다시 확인했다.

"더 필요한 건 없으세요?"

"한국대생 할인되죠?"

"그럼요. 나랑 동문이네요."

직원이 얼굴에 미소를 띠며 계산서에 무언가를 표시했다. 지혜는 지갑에서 학생증을 꺼내 보이며 신나서 나불거리기 시작했다.

"알아요. 예술대 앞 지나다니면서 오빠 몇 번 뵌 적 있어요. 작년에 세일즈맨 연극도 봤고요. 어휴, 표 구하느라 힘들었던 기억이 새록새록 나네요."

직원은 지혜의 학생증을 받아서 자세히 보더니 돌려주었다.

"프어과네……. 하긴, 그 과에 취향 독특한 친구들이 많지."

그는 이상하게도 상우를 똑바로 보며 말했다. 그 시선이 그다지 호의적으로 보이지 않았다.

"하하! 저만 불어불문학과고 이 오빠는 아니에요. 상우 오빠, 무슨 과였죠?"

상우는 모르는 사람에게 과를 떠벌리고 싶지 않았다. 또한, 남자가 초면에 자신을 쏘아보는 것이 상당히 부당하다고 생각했다.

"일 안 하세요? 주문받았으면 그만 가세요."

그 말을 내뱉은 순간 정적이 찾아왔다. 지혜는 공포 영화를 보는 사람 같은 표정을 지었지만 직원의 비틀린 미소는 왜인지 모르게 더욱 진해졌다.

"한결같아서 좋네."

그는 들릴 듯 말 듯하게 중얼거리더니 계산서와 펜을 정리해 들었다. 그러고선 음식이 나올 때까지 20분쯤 걸린다는 말을 남겼다. 그가 떠나자 지혜가 상우의 눈치를 보며 물었다.

"오빠, 화나셨어요?"

"아니."

상우는 사실대로 대답했지만 지혜는 믿지 않는 듯했다.

"제가 정말로 기분 나쁘게 해 드리려던 건 아니에요. 마음 상하셨으면 죄송해요. 제가 가끔 말실수를 해요."

"아니라고 했잖아."

"죄송해요!"

지혜는 고개를 숙이면서 파리처럼 손을 마주 비볐다.

"그만 좀 해. 아니라니까."

"네…… 하지만…….."

"그만하라니까."

상우는 짜증스럽게 고개를 돌렸다가 그들의 주문을 받아 간 남자 직원과 눈이 마주쳤다. 의도한 건 아니었다. 그저 허공을 보았을 뿐이니까. 남자는 눈을 피하기는커녕 형겊으로 와인 잔을 닦으며 상우를 더 빤히 바라보았다. 상우는 그와 한동안 눈싸움을 하다가 먼저 고개를 돌려 버렸다.

"저 사람이 자꾸 나 째려보는데."

"그럴 리가요……. 헐, 정말이네."

"나한테 앙심 품은 것 같아."

"에이, 설마요."

그들은 쓸데없는 얘기를 하면서 20분을 때웠다. 예를 들어, 지혜는 상우에게 저 직원과 싸우면 이길 수 있을 것 같으냐고 아주 작게 물었다. 상우는 자신이 폭력을 좋아하지 않으며 정 싸움이 일어난다면 한 대 맞아 주고 경찰에 신고하는 것이 가장 낫다고 대답했다.

"하하하. 오빠 진짜 웃겨요. 안 그렇게 생기셔서……."

"무슨 뜻이야?"

"농담 같은 거 모르실 것 같아요."

"농담 아니었어."

지혜는 머쓱한 표정으로 입을 다물었다.

말없이 기다리는 동안 음식이 나왔다. 그릇 두 개를 한 팔에 들고 온 직원은 묘한 표정을 짓고 있었다. 그는 지혜 앞에 접시를 내려놓고서 굳이 빙 돌아서 상우 곁으로 와 나머지 하나를 내려놓았다. 그러더니 그만 들을 수 있는 높낮이로 속삭였다.

"그냥 지나려고 했는데, 생각해 보니 열 받네."

"뭐요?"

"여긴 왜 왔어, 이 또라이 새끼야. 한번 해 보자는 거야?"

상우는 좀 놀라서 남자를 올려다보았다. 차갑게 뜬 눈에 적개심이 가득했다. 말 한마디 때문에 저렇게 화났다는 건 이해하기 어려웠다. 상우는 그가 사람을 착각했다는 결론을 내렸다.

"저 아세요?"

상우의 대답에 남자의 입이 벌어졌다. 그는 한동안 황당하다는 표정으로 있다가 날카로운 웃음을 터뜨렸다. 이윽고 그가 상우를 쏘아보며 앞치마에서 안경을 꺼내 썼다. 커다란 알 사이로 눈이 마주치며 상우의 뇌리에 깨달음이 스쳤다.

도서관 회의실에서 만난 껄렁한 양아치도 비슷한 모양 안경을 쓰고 있었다. 그러고 보니 키도 컸던 것 같고. 옷차림이 너무나 다른 데다 귀걸이도 없고 분위기도 천지차이였지만, 아무래도 그 둘은 같은 사람인 듯했다.

"아……. 김영재."

상우는 "선배님."하고 덧붙였지만 남자는 이미 열 받은 것 같았다. 그가 자세를 굽히더니 상우의 귀에 귓속말했다.

"너, 내가 다시는 보지 말자고 했지? 뒤질려고 진짜."

"일부러 그런 거 아니에요. 진짜예요."

"상우야."

쓸데없이 다정한 목소리에 소름이 돋았다. 상우는 몸서리를 치며 의자를 뒤로 조금 뺐다. 그러자 쌍꺼풀 없는 눈이 그만큼 다가왔다.

"상우야, 형이 부르잖아."

"저 누나밖에 없는데요."

대답을 짤막하게 했는데도 목소리가 갈라져서 나왔다.

"너 진짜 안 되겠다. 혹시 싫어하는 거 있어?"

"선배님이요."

상우는 솔직하게 대답했으나 상대는 눈 하나 깜짝하지 않았다.

"싫어하는 색깔은?"

"빨강이요."

에러의 색, 빨강. 상우는 대체로 모든 색에 유감이 없었지만 적색만은 달갑게 생각해 본 적이 없었다.

"싫어하는 동물은?"

"호모 사피엔스요."

인간만큼 불완전한 동물도 있을까. 강인한 발톱도, 튼튼한 피부도, 치명적인 독도 없는 데다 충동과 감정에 휩쓸린다. 상우는 그의 눈앞에 서 있는 비이성의 결정체를 노려보았다.

"싫어하는 음식은?"

"파스타요."

상우는 음식을 가리지 않았지만 이 순간만은 남자와 관련된 모든 것이 싫었다.

"싫어하는 장소는?"

"선배님 반경 10m요."

'그러니까 제발 좀 꺼져.'

건조한 문답이 오간 뒤 남자가 경직된 웃음을 흘리며 낮게 속삭였다.

"네가 정상은 아닌 것 같아서 그냥 넘어가려고 했는데, 마음 바뀌었어. 다음 학기 기대해라."

"아, 예. 조폭이라도 고용하세요. 112 눌러 놓고 있을 테니."

"상상력 부족하긴."

상우가 받아칠 말을 떠올렸을 때 그의 뒷모습은 이미 멀어진 뒤였다.

"저 오빠랑 엄청 친하신가 봐요?"

지혜가 해맑게 말했다. 그녀는 벌써 파스타를 반쯤 해치운 상태였다.

"아니, 전혀."

"하긴. 저 오빠 이름, 영재가 아니고 재영이에요."

상우는 접시에 포크를 밀어 넣었으나 식욕이 들지 않았다.

"유명한 연극부원이잖아요? 제 친구가 저분 공연 챙겨 보고 디자인과 수업 청강 다녀서 저도 좀 알죠. 스무 살 땐 JS엔터에서 배우하자고 따라다녔다는데……."

"그만."

"네?"

"다른 얘기 하라고."

어떤 상황에서도 꿋꿋하게 이야기하던 지혜는 이번만은 시무룩한 표정으로 말이 없어졌다. 상우는 학식보다도 못하게 느껴지는 파스타를 입에 욱여넣으며 불안감을 삭였다.

마음이 바뀌었다는 게 무슨 의미일까. 신경 쓰이지 않을 수 없었다. 그는 다시는 저 양아치와 엮이고 싶지 않았다.

return 0;

주중에 공부하고 주말에 알바하는 사이 새 학기가 훌쩍 다가왔다. 상우는 남아도는 시간에 다음 학기에 들을 수업을 예습하고 책을 미리 읽어 보았다. 공대생도 인문학을 알아야 한다는 미명하에 필수적으로 수강해야 하는 교양 과목 두 가지를 제외하고는 다 전공과목이라 어려울 것이 없어 보였다.

이제까지 매 학기에 20학점 이상 수강해 왔지만, 이번 학기는 게임을 제작하기 위해 시간을 텅텅 비워 놓았다. 디자이너 문제로 말썽이 생긴 뒤 적당한 사람이 구해지지 않는 바람에 계획이 틀어진 상태였다. 하지만 이미 수강 신청 기간은 끝난 지 오래였고 완벽하게 짜 둔 시간표를 고치고 싶지도 않았다. 상우의 시간표는 월화수목금 완벽한 밸런스를 이룬 데다 수업을 마치고 점심을 곧바로 먹을 수 있게끔 설계되어 있었다.

월: (1) 중급 중국어 (2) 공학수학2

화: (1) 임베디드 시스템 (2) 알고리즘

수: (1)(2) 대중문화와 문화 이론

목: 월요일과 동일

금: 화요일과 동일

새 학기가 시작되었다.

상우는 언제나처럼 8:30에 일어나 간단하게 운동한 뒤 샤워를 마치고 시리얼을 우유에 타 먹었다. 그다음 순서는 양치와 환복이었다. 행거 위 단에는 상의, 아래 단에는 하의가 세탁한 순서대로 걸려 있었다. 오늘은 검은 티셔츠에 검은 면바지를 입을 차례였다.

허리에 벨트를 매고 머리카락을 손가락으로 빗은 뒤 검은 볼캡을 눌러썼다. 검은 패딩을 걸치고 목에 목도리를 여몄다. 배낭을 어깨에 메고 자취방에서 나와 자전거에 타니, 늘 그렇듯 전자시계에 9:16이 찍혀 있었다.

정문을 통과하는 시각은 언제나처럼 9:24이었다. 기분 좋은 시작이었다. 교통 상황 때문에 1분이나 2분 늦어지기라도 하면 기분이 상하곤 했지만 그런 일은 거의 일어나지 않았다.

자전거를 보관소에 매어 두고 인문대로 향했다. 건물에 들어서자 층계가 펼쳐졌다. 계단 하나를 오르는 데 소요되는 시간은 0.9초. 단은 전부 64개였으며 열여섯 개가 끝날 때마다 짧은 복도가 있었다. 중국어 강의실이 있는 4층까지 도착하는 데 61초가 걸렸다.

수업 시작하기 30분 전, 403호 문을 열고 들어섰다. 강의실에는 미리 와서 앞자리를 차지한 학생이 한 명 있었다. 상우는 당연하다는 듯이 네 번째 줄로 향했다.

"……뭐야?"

그러나 오늘은 가장 오른쪽 책상 위에 가방이 올려져 있었다. 상우는 믿기 어려운 광경을 보고서 눈만 깜빡거렸다. 그는 여섯 학기 동안 자리를 빼앗긴 역사가 한 번도 없었다. 늘 같은 자리에 앉았고 그 자리가 아닌 곳에 앉아서 수업을 듣는다는 가정은 하기조차 어려웠다.

넷째 줄 가장 오른쪽. 고개를 꺾어 단상을 힘겹게 올려다볼 필요 없이 눈높이에서 교수의 눈을 마주칠 수 있는 그 자리에서는 시각 자료나 판서가 한눈에 들어오면서도 글자가 안 보이는 일이 없었다. 히터와 에어컨 바람이 직격으로 피부에 닿지 않는 데다 창문이 없어 열전도율이 낮았다. 또한, 한쪽이 벽이라 사방이 다른 학생들에게 둘러싸인 다른 자리에 비해 압도적인 심리적 안정감을 주었다.

'대체 누구야?'

상우는 살짝 짜증이 났지만 강의실에는 도서관처럼 자리를 예약하는 시스템이 없어서 누구나 자리를 자유롭게 선택할 수 있다. 어쩔 수 없이 그 왼쪽에 앉으면서도 상우는 계속해서 옆자리가 신경 쓰였다. 중국어 교재를 폈지만 전혀 집중할 수 없었다.

'자리 바꿔 줄 수 있냐고 정중하게 물어봐야겠다.'

그리 마음먹으니 심리적으로 조금 안정되었다. 첫 단추 운운하는 징크스 같은 걸 믿지는 않았지만, 상우는 학기 첫 시간부터 엉뚱한 자리에 앉아 낯선 기분을 느끼고 싶지 않았다.

수업 시간이 다가오자 학생들이 하나둘 들어와 앉았다.

"아, 안녕하세요."

어려 보이는 남학생이 그에게 꾸벅 인사했지만 상우는 모른 척했다. 처음 보는 사람이었다.

"앗! 여기서 또 보네요?"

이번에는 여학생 하나가 인사하고 갔지만 상우는 그녀가 누군지 몰랐다.

학생들이 강의실로 계속해서 들어왔지만 가방 주인은 여전히 나타나지 않았다. 끈이 길어서 옆으로 멜 수 있게 된 가죽 가방. 상우는 마음 같아선 그걸 슬쩍 치워 버리고 옆으로 자리를 옮기고 싶었지만 애써 참았다. 특정한 장소에 가방을 놓는 행위는 자리를 맡는 다는 의미로 형성된 암묵적 규칙이었으니까.

10시 정각이 되기 3분 전, 교수가 들어와서 프린트물을 나눠 주었다. 그녀는 반갑다는 말을 몇 마디 하더니 어떤 학생을 찾았다.

"우리 조교 학생 아직 안 왔나?"

교양 과목의 조교를 미리 선점한 학생이 있다니, 대단한 열정이었다. 조교로 자원하면 가산점을 받는 데다 교수와 친해지는 기회가 되기도 하지만 자질구레한 일을 해야 해서 많은 학생이 꺼려했다. 학생들이 호기심 어린 눈으로 여기저기 둘러보는데, 막 후문으로 들어온 학생이 손을 들었다.

"여기요, 교수님!"

"재영! 너무 오랜만이네. 갑자기 웬 '중급 중국어'?"

"학점이 남아서요. 언어는 연습 안 하면 녹슬잖아요."

"그렇지. 참 좋은 자세예요. 여러분, 한 학기 동안 우릴 도와줄 재영 학생이에요. 홍콩에서 살다 온 여러분 선배니까 모르는 거 있으면 많이 물어보고. 앞으로 과제는 저 학생에게 내면 돼요."

자료를 훑어보던 상우는 흠칫 놀랐지만 동명이인이라고 여겼다. 그만큼 흔한 이름이니까.

그때 오른쪽 책상에 놓여 있던 가죽 크로스백이 들리며 누군가가 자리에 털썩 앉았다. 그쪽을 보고 싶지 않아도 고개가 저절로 돌아갔다.

빨간 털모자에 빨간 패딩은 돋보여도 너무 돋보였다. 패딩을 벗자 빨간 저지가 나왔다. 손에는 빨간 콜라 캔을 들고 있었다. 그나마 빨간 바지를 입지 않아서 다행인가. 상우는 입을 벌렸지만 너무 어이가 없어서 아무 말도 나오지 않았다.

"너도 이거 듣는 줄 몰랐네."

장재영은 뻔뻔한 얼굴로 콜라를 한 모금 마셨다.

'누가 누구더러 또라이래?'

상우는 수업이 시작되었는데도 입을 다물지 못했다.

Red

Red

또라이를 처음 본 건 3학년 1학기 신입생 환영회에서였다. MT 장소를 합동으로 집은 탓에 시디과와 컴공과 신입생들은 사이에 테이블 몇 개를 두고 같은 고깃집에 앉아 있었다. 같은 나이인데도 종족이 다른 느낌. 누구나 특이해 보이려고 애써서 눈이 어지러운 디자인과 식탁과 달리 컴공과 쪽은 무채색 바다라, 튀면 잡혀가는 규칙이라도 있는 듯했다. 염색한 애들 머릿수만 비교해 봐도 개성 표현에 대한 관점이 얼마나 다른지 티가 났다고나 할까.

(1)

별일 없이 신입생들 술이나 먹이며 취해 가고 있던 도중에 재영은 그를 발견했다.

'싫어요.'

재영은 눈썰미가 좋은 편이었지만 4년 전에 본 사람의 외양을 자세히 기억하기는 불가능했다. 게다가 그는 외모가 남달리 눈에 띄는 편도 아니었다. 지금까지 남은 건 적당히 평범하며 제법 성깔 있게 생겼다는 인상 정도였다. 특이한 점 하나라면, 목이 유난히 가늘어서 눈길이 머물렀었다.

'너 술 못 마셔? 종교 믿어?'

'마셔도 상관없는데 지금은 마시기 싫어요.'

과대와 신입생은 막걸리 그릇에 말아 놓은 폭탄주를 놓고 대치하고 있었다. 그 시점에 디자인과에서는 옆 과에 또라이가 등장했다고 난리도 아니었다. 대표들은 하던 일도 멈추고 옆 테이블에 난 불을 구경했다.

'너 선배가 우습게 보여? 반항하는 거야?'

'선배님께서 주신 술이라서가 아니라 이 시점에 마시기 싫은 거예요.'

씨알도 안 먹힐 소리를 정성스럽게도 한다고 혀를 찼던 것을 재영은 기억한다. 남학생이 90%인 컴공과에는 까라면 까는 문화가 스며 있었다. 술 안 마시겠다고 뻗대는 별종은 끽해야 종교인이나 알레르기 보유자인데 아무 이유 없이 저러니 컴공 과대가 빡돌 만도 했다. 그러다 끝났으면 좋았을걸, 술에 어느 정도 취한 과대가 빠따 가져오라고 소리 지르면서 일은 커졌다. 보통 애들 같으면 그때 굴복했을 텐데, 또라이는 핸드폰을 들었다.

'너 뭐야? 어디다 전화해?'

'경찰서요.'

정말로 난리가 났다. 한쪽에선 핸드폰을 빼앗으려고 손을 뻗고, 또라이는 그들을 피해 고깃집을 뛰어다니고, 컴공 과대는 빠따 가져오라고 고래고래 소리 지르고. 기가 막힌 광경이었다.

옆 동네 불구경을 하던 재영은 사태가 심각해지면서 끼어들었다. 육탄전을 통해 핸드폰을 빼앗아 던져 버린 뒤 프라이팬 들고 설치

는 컴공 과대를 막아서며 또라이를 피신시킨 업적은 바로 재영의 것
이었다. 그러다 얻어맞아서 볼에 멍이 들었던가. 정확히는 기억나지
않았다.

　MT는 개판이 되었지만 대학생들은 그 엉망진창 위에서 술을 진탕
마시고 놀았다. 신선한 술안주가 된 또라이는 가루가 되도록 까이고
오징어처럼 씹혔더랬다. 컴공 과대는 급기야 그 씨발놈을 죽여 버리
겠다고 선포했는데…….

　또라이가 아직까지 멀쩡히 고개 들고 다니는 걸 보면 말처럼 쉽지
는 않았던 것 같다. 사실 동아리도 안 하고 학생회 활동도 안 하며
수업만 듣는 그를 괴롭히기란 어려웠을 것이다. 컴공 과대는 대학교
2학년짜리가 생각할 수 있는 악행은 전부 시도한 모양이었지만, 또
라이는 전혀 타격을 입지 않았다고 들었다. 당연하다는 듯이 혼자
밥 먹고, 욕 들어 먹어도 무시하고, 가끔 괴롭힘이 지나칠 때는 (폭
행의 기미가 보인다든지, 길을 막아서 수업에 갈 수 없게 한다든지)
핸드폰에 112 치고.

　더 놀라운 건 또라이가 매우 성실한 데다 탁월하기까지 한 학생이
라는 점이었다. 컴공과 애들 사이에선 그가 기계라 프로그래밍 언어
를 모국어처럼 구사한다는 말이 돌 정도였으니까. 그가 갖은 훼방에
도 불구하고 과탑을 차지해 버린 사건은 컴공 과대의 흑역사로 남았
을 것이다.

　이때까지만 해도 또라이는 재영에게 먼 가십거리일 뿐이었다.

(2)

그다음 학기에 들은 교양 수업에 그가 앉아 있었다.

그 당시 재영은 대체로 늦게까지 술을 마시느라 아침에 일어나는

게 불가능했다. 늘 지각해서 선택의 여지 없이 맨 뒷자리에 앉았는데, 또라이가 항상 같은 자리인 그의 앞자리에 앉아 있었다. 몽롱한 정신에도 목선이 이상하리만치 예쁘고 남자치고 살갗이 희다는 감상이 생생하게 남아 있었다. 어차피 집중하지 않았을 수업이긴 하나 재영은 그의 목을 보고 있느라 정말로 집중하지 못했다.

그러나 둘 사이에 대화는 전혀 오가지 않았다. 재영이 중간부터 귀찮다는 이유로 그 수업에 나가지 않으면서, 또라이는 기억에서 잊혔다.

(3)

어느 날 재영은 편의점 앞에서 또라이를 마주쳤다. 약간 치켜 올라간 동시에 세상사에 무관심한 분위기를 풍기는 눈매로 그가 재영을 바라보았다.

'선배님, 3일 전에 빌려 가신 850원 돌려주세요.'

그는 대뜸 그렇게 말했다. 늘 훔쳐보던 목덜미의 주인이라 그런지 재영은 황당해하면서도 천 원짜리 지폐를 꺼내 주고 말았다. 또라이는 돈을 받더니 눈을 내리깔며 위조지폐라도 되는 양 확인했다. 속눈썹이 빽빽했다. 모자 챙 때문에 눈이 잘 안 보여서, 재영은 그의 머리에 박제된 듯한 볼캡을 벗겨 보고 싶다고 느꼈다.

'거스름돈 드려야 하는데 동전이 없어요.'

'안 줘도 돼요.'

그는 재영의 만류에도 불구하고 편의점으로 달려갔다. 그러곤 곧 다시 돌아와 재영의 손바닥에 150원을 올려놓았다. 그 순간에 또라이가 덩치 큰 남학생과 마주치면서 일종의 삼각 구도가 형성됐다. 남학생이 인사를 건네자 또라이가 당황스러운 듯 그 학생과 재영을 번갈아 가며 보았다.

'가만, 내가 너한테 돈 빌렸던가? 다른 애였나?'

덩치 큰 남학생이 또라이에게 말했다.

'저예요. 그리고 850원이에요.'

'됐어. 1,000원 받아.'

또라이는 남학생에게 돈을 받아서 그대로 재영에게 전달했다.

'제가 다른 사람하고 착각했어요. 150원 다시 주세요.'

재영은 바보가 된 기분으로 지폐를 받고 동전을 돌려주었다. 또라이는 그 동전을 남학생에게 건네고서 홀연히 사라져 버렸다. 재영은 그 자리에 한참을 서 있고 나서야 상황을 이해할 수 있었다. 키 큰 남학생은 재영과 비슷하게 생긴 구석이 한 군데도 없었지만 딱 한 가지 공통점이 있었다. 머리를 밝게 탈색했던 것이다.

3학년 2학기를 마치고 육군에 입대하면서 그 황당한 사건은 오랫동안 기억 아래 가라앉아 있었다. 전역하고서 복학한 재영은 수업과 외주 작업, 운동에 연극부 활동까지 병행하며 매우 바쁘게 지냈다. 그러니 또라이를 떠올릴 일은 전혀 없었다.

4학년 2학기, 눈코 뜰 새 없이 바쁜 마지막 학기에 재영은 학교 축제에서 MC를 맡아 달라는 후배의 간곡한 청을 거절하지 못했다. 그는 행사 몇 개를 진행했으며 막간을 이용해 방송부 카메라를 달고 캠퍼스를 돌아다니며 학생들을 인터뷰했다.

(4)

재영은 공학대 앞에서 그를 다시 만났다.

푹 눌러쓴 검은 볼캡, 진한 녹색 바탕의 체크무늬 남방, 어두운 색 일자 청바지, 낡은 운동화. 신입생 때에 비하면 덜 하얗고 여리여리했지만 (피부가 탄 걸 보면 군대에 다녀온 듯했다) 무심하기 짝이 없는 눈빛만은 그대로였다. 재영은 충동적으로 돌진했다.

'축제 어떻게 즐기고 계세요, 학우님?'

그는 오랜만에 만난 또라이가 반가웠고 무슨 자신감에서였는지 그 또한 자신을 알아보리라고 착각했다. 그러나 또라이는 재영의 얼굴조차 보지 않고 대답했다.

'안 사요.'

재영은 그 순간에 짜증이 치밀었는데 왜 그랬는지는 본인도 정확히 모른다. 그는 포기하지 않고, 성큼성큼 걷는 또라이에게 따라붙어서 마이크를 한 번 더 들이댔다.

'카메라가 찍고 있어요, 학우님. 축제 어떻게 즐기고 계세요?'

'이런 문화가 없어져야 돼요. 축제에 관심 없고 전혀 안 즐거우니까 즐기라고 강요하지 마세요.'

재영이 황당한 심정으로 멈춰 선 사이 또라이는 저 멀리 가 버렸다. 겉으로는 별 희한한 새끼가 세상에 다 있다고 방송부 후배와 낄낄거리고 넘어갔지만, 재영은 속으로 열이 받았다.

하지만 그렇게 자질구레한 사건이 기분을 망칠 수 없을 정도로, 그는 승승장구하고 있었다. 졸업을 앞둔 재영은 브랜딩 국제 공모전에서 대상을 받아 싱가포르에서 열린 시상식에 다녀왔으며 몇 가지 수상 내역과 빵빵한 포트폴리오를 바탕으로 미국의 일류 디자인 스쿨 석사 과정에 합격했다. 학기 후반부에는 졸업 예정자라는 신분을 이용해 수업을 거의 듣지 않고 졸업 연극이나 준비하며 탱자탱자 놀러 다녔다. 아쉬울 것 없는 나날이었다. 청천벽력 같은 결과가 나오기 전까지는.

한국대생 인성 교육 (교양 필수) – Fail
판정 – 졸업 불가

2학점짜리 교양 강의가 발목 잡을 줄은 정말로 몰랐다. 100명도 넘는 학생을 강의실에 처넣고 들으나 마나 한 훈화나 주절거리다 막판에 발표로 시간 때우는 무가치한 과목. 누구나 억지로 들어야 하지만 출석만 하면 Pass가 보장되다시피 해서 아무도 신경 쓰지 않는 쓰레기 같은 과목이었다.

재영은 출석을 한 번도 하지 않았다. 성격상 그런 과목이 질색이기도 했고, 공모전과 연극부 활동 때문에 그딴 곳에 신경 쓸 여력이 없기도 했고, 무엇보다 아는 후배가 대리 출석에 조별 과제까지 책임져 준다던 약속을 믿었던 것이다. 그런데 나중에 보니 그 후배도 비슷한 처지에 놓여 있었다.

'형, 진짜 죄송해요. 드릴 말씀이 없는데…… 사실 저도 망했어요. 출석 다 했는데도 과제 점수 0점 떠서 F 나왔거든요. 피도 눈물도 없는 조장 새끼……. 이모할머니 돌아가셔서 슬퍼 죽겠는데 진짜…….'

재영은 부랴부랴 제주도산 녹차 세트를 사서 교수를 찾아가 잘못을 뉘우치고 자신이 얼마나 훌륭한 대학원에 붙었으며 한국대학교와 대한민국의 위상을 어떻게 세계에 떨칠 것인지 설파했지만, 성적정정에 실패하고 말았다. 교수는 피곤하다는 투로 대답했다.

'사정은 안타깝지만 힘들어요. 안 그래도 예술대 행정 실장이 와서 한바탕 하고 갔지만 어쩔 수 없어요. 졸업 예정이라 수업에 참석하기 힘들다면 내게 먼저 말하지 그랬어요? 요즘 대리 출석 이슈, 기사도 나서 그냥 넘어가기가 어렵습니다. 아무도 모른다면 모를까……. 그 학생 고집 세더라고.'

달리 말하면 조장만 설득하면 된다는 소리처럼 들렸다. 재영은 화가 머리끝까지 난 채로 후배에게 조장 놈의 전화번호를 받아서 연락했지만 그 싸가지 없는 새끼는 메시지도 씹고 전화도 안 받았다. 아무래도 재영의 번호를 차단한 듯했다.

방학이라 직접 찾아가야 하는데 주소 알기가 쉽지 않았다. 복학생인 데다 과 활동이 전혀 없어서 컴공 사무실에서도 주소를 모른다고 했다. 영화 감상부, 아카펠라부, 유도부, 어느 동아리 명단에도 추상우란 이름은 없었다. 그렇게 일이 흐지부지되면서 성적 정정 기간이 끝나고 말았다.

재영은 절망했지만 졸업 못 한 원인이 근본적으로 본인의 게으름이다 보니 며칠이 지나자 웃어넘길 수 있었다. 상황이 워낙 우습기도 했고, 술자리에서 하도 놀림감이 되니 익숙해졌고, 친구들과 조장을 잘근잘근 씹고 나니 훌훌 털 수 있게 되었다.

그만큼 재영은 여유가 있었다. 졸업이 늦춰졌다곤 해도 군필인 남학생들 중에선 늦은 편도 아니었다. 게다가 포트폴리오가 워낙 탄탄해서 반년쯤 놀더라도 취업이든 유학이든 거뜬히 할 자신이 있었다.

'야, 너 잘 만났다. 졸업 못 한다고 소문 쫙 났더라? 그런 김에 모바일 게임 플젝 안 할래?'

'웬 게임? 학생 프로젝트야?'

'응. 개발자가 컴공 쪽에 천재라고 소문 난 애라 엄청 잘해. 재미있을걸? 할 일 없으면 놀지 말고 한번 해 보시지?'

'그래 봤자 떠넘기는 거잖아.'

'……맞아.'

한수영은 재영과 동갑이었지만 휴학을 오래 해서 올해 졸업하는 여학생이었다. 그녀는 한국대 대학원에 진학할 예정이었지만 해외 대기업에 입사하게 돼서 급하게 신변을 정리하는 중이었다.

'나 좀 봐줘라. 거기까지 신경 쓸 새가 없어. 개발자가 좀 예민한 애라서 그래. 안 하더라도 미팅 좀 대신 가서 내가 못 하게 됐다고 설명해 줘. 응?'

'맨입으로?'

'당연히 아니지. 좀 한가해지면 바로 술자리 만들게.'

달리 할 일이 없어서 동아리실에서 게임이나 하고 있던 재영이었다. 그는 수영의 청을 못 이긴 척 받아들였다.

(5)

어이없게도 회의실에 또라이가 앉아 있었다. 선배에게 눈 하나 깜짝 안 하고 말대꾸하던 신입생, 목덜미가 눈처럼 희었던 남학생, 몇 번을 마주쳐도 얼굴을 못 알아보던 멍청이가 눈앞에 있었다. 보아하니 이번에도 재영을 못 알아본 눈치였다.

전혀 기대하지 않았던 미팅은 꽤 재미있게 흘러갔다. 또라이는 처음에 재영을 의심스러운 눈초리로 바라보다가 포트폴리오를 보고서 반응이 바뀌었다. 재영 역시 그의 코딩 솜씨에 대해선 괴담 수준의 소문을 들어 왔던 터라 기대감이 점점 커져 갔다. 졸업을 못 하게 돼서 짜증만 났는데 흥미로운 일이 생긴 것이다.

'그럼 번호 좀 주세요.'

또라이한테 번호 따이는 영광도 누리고 말이다. 하지만 또 일이 꼬여 버렸다.

재영이 '또라이 = 조장 (추상우)'이라는 사실을 직면했을 때, 그 새끼는 노트 한 권 남기고 회의실에서 사라진 뒤였다. 고작 2학점 때문에 졸업을 못 했다는, 마음 깊이 가라앉아 있던 설움이 들춰지며 속이 부글부글 끓었다. 그를 불러내서 훈계하며 스트레스라도 풀려고 했지만 또라이는 또 메시지를 씹었다.

재영은 매우, 매우, 매우 화가 났다. 그러나 어차피 성적 정정 기간은 끝난 지 오래였다. 또라이를 족친다고 해서 졸업할 수 있는 것도 아니며 그의 집 주소를 아는 것도 아니었다. 없던 일인 양 넘어가는 수밖에 없었다.

(6)
한가한 어느 주말, 재영은 친구들과 게임하러 갔다가 또라이를 보았다.

안 어울리게 PC방 알바라니. 그를 구박할 방법 몇 가지가 즉석에서 떠올랐지만 어차피 또라이는 평범한 방법으로 괴롭힐 수 있는 상대가 아니었다. 재영은 다른 이들이 실패한 선례를 알고 있었기 때문에 신중하기로 했다.

그러나 그를 앞에 두고 게임을 하자니 속이 뒤집어져서 도무지 집중이 안 되었다. 재영은 충동적으로 라면을 주문했다. 트집 잡으며 몇 번이나 다시 끓여 오라고 다그치려는 속셈은 아니었다. 그저 인지상정으로 미안하다는 기색, 그게 아니어도 난감하다는 표정을 보고 싶었을 뿐이다.

그러나 또라이는 뻔뻔하게 굴었다. 재영은 그를 괴롭히려던 다른 이들의 심정을 공감하며 마지막에는 욕하며 화내고 말았다.

'앞으로도 그렇게 쓰레기같이 사시고 저한테 연락만 하지 마세요.'

이 정도로 사회화가 덜된 새끼는 처음 보았다. 재영은 그를 쥐어패고 싶은 마음이 굴뚝같았지만, 때려 봐야 또라이는 아프다는 기색도 없이 핸드폰에 112를 입력할 것이 불 보듯 뻔했다. 재영은 이날도 참았다.

또라이를 몇 년간 관찰해 오며, 남들이 뭐라고 하든 그에게 막연한 호감을 품고 있었다. 본래 재영은 정상적인 범주에 속하지 않는 이단아 타입에 끌리는 편이었다. 그런데 미친 것도 어느 정도여야지, 막상 본인과 연관되자 흥미롭기보다는 넌더리가 나서 그 새끼가 그만 보고 싶어졌다.

(7)

그러던 어느 날, 다시는 보지 말자고 했던 또라이가 예쁘장한 여자애를 데리고 재영이 일하는 가게에 불쑥 등장했다. 재영은 친한 누나의 부탁으로 그녀가 운영하는 가게에서 오픈부터 일을 도왔기 때문에, 그가 이곳에서 일한다는 사실은 근방에서 꽤 유명했다.

재영은 또라이가 입장하는 순간부터 혈압이 올랐다. 겁대가리 없이 걸어온 싸움을 받으러 직접 다가갔을 땐 심장마저 두근거렸다. 그런데 또라이는 파스타를 주문할 뿐 재영을 못 알아봤다. 연기가 아니었다. 눈이 마주쳤는데도 처음 보는 사람처럼 훑어보고 마는 것이었다. 이제껏 그에게 느꼈던 모든 분노를 합친 것의 곱절만큼 격렬한 감정이 가슴속에서 샘솟았다.

대체 왜일까. 음식이 나오는 동안 왜 이렇게 빡도는지 곰곰이 생각해 봤는데 답은 하나였다 – 극도의 무관심.

신입생 환영회, 850원 사건, 인터뷰 같은 일은 너무 오래되었으니 잊었어도 그러려니 한다. 그러나 자기가 한 행동이 방아쇠가 되어 누군가가 졸업을 못 한 상황에서, 사람 새끼라면 상대 기분을 생각해서 민망하다는 시늉이라도 내야 하는 게 아닐까. 상대가 먼저 호의적인 제스처를 보였다면 더더욱. 이놈 머릿속에는 오로지 자기는 잘못이 없으니 빨리 꺼지라는 생각만 가득한 것 같았다.

'아, 김영재…… 선배님.'

더군다나 재영을 하나의 인격체로 인지하지 않고 무언가가 시끄럽게 짖고 있구나 여긴다는 티가 났다. 그러니까 옷과 액세서리가 조금 바뀌는 것만으로도 아예 못 알아보는 거다. 재영은 이제껏 그처럼 무시당하는 기분을 온몸으로 느끼게끔 하는 상대는 본 적이 없었다.

재영이 느끼는 분노는 조금 이상한 곳을 향했다. 빠따 가져오라고 소리치던 컴공과 과대가 또라이를 짓밟고 싶어 했다면 재영은 그를 신경 쓰게 하고 싶었다. 딱 자신이 신경 쓴 만큼. 재영은 또라이의 무심한 눈깔이 혐오든 뭐든 격렬한 감정으로 인해 찌그러지기를, 그 기계같이 정돈되어 있을 머리통에 장재영이란 이름 석 자가 각인되기를 바랐다.

'싫어하는 거 있어?'

'선배님이요.'

그렇다면 너무나 쉬웠다. 그날 일이 끝나자마자 계획에 착수했다. 또라이가 회의실에 버리고 간 노트에는 다음 학기에 들을 과목이 정리되어 있었다. 재영은 도표를 참고해서 시간표를 다시 짰다. 그다음부터는 발품을 팔았다.

'추상우라는 학생 아세요? 시커먼 옷에 검은 모자를 늘 쓰고 다니는 남학생인데.'

정문과 후문의 경비원, 식당 배식사, 영양사, 편의점 점주, 행정 알바생, 도서관 사서, 풋살장 공사장 인부, 지난 학기에 그와 같은 수업을 들은 학생들을 찾아다니며 물었다. 그러자 웃기는 결과가 나왔다.

'그 학생, 매일 같은 시간에 자전거 타고 등교하니까 잘 알지요.'
(경비원)

'늘 같은 시간에 같은 커피를 사서 마셔요. 다른 건 입에도 안 대더라고.' (편의점 점주)

'그 남학생, 지난 학기에는 하루도 빼놓지 않고 매일 4시 2분에 들어왔어요. 시계가 따로 필요 없었어요.' (도서관 사서)

'매일 혼자 다니는 남자애 말이지? 여기를 정확히 41분에 꼭 지나간다니까. 그리고 저 모퉁이를 돌아서 꼭 두 번째 쓰레기통에 커피캔을 버려. 다른 쓰레기통은 싫은가 봐.' (공사장 인부)

'그분 맨날 똑같은 자리에 앉았죠. 아마 한 학기 내내 그랬을 거예요.' (학생)

그 씹새끼는 생각보다 더 심각한 또라이였다.

일반적인 방법으로 그에게 흠집조차 낼 수 없단 건 이미 다른 이들이 보여 주었다. 그렇기 때문에 역지사지를 통해 또라이스러운 방법을 찾아야 한다. 재영은 추상우의 완벽한 일상을 와르르 무너뜨릴 방책을 강구했다.

개강하기 하루 전, 그는 누구보다도 등교할 날을 고대하고 있었다.

⟨10⟩

⟨10⟩

상우는 중국어 수업에 전혀 집중하지 못했다. 옆에 앉은 방해꾼은 끊임없이 손가락으로 펜을 돌렸고, 쉬지 않고 다리를 떨었으며, 잊을 만하면 한 번씩 팔꿈치로 상우를 툭툭 쳤다. 그 때문에 50분짜리 수업이 5시간처럼 느껴졌다.

수업을 마친 순간이 다행으로 느껴질 정도였다. 상우는 펜으로 책상 끄트머리를 칠하는 데 몰두한 재영을 쳐다보지도 않고 일어났다. 누구보다도 빠르게 다음 수업 강의실로 향했다.

'네가 정상은 아닌 것 같아서 그냥 넘어가려고 했는데 마음 바뀌었어. 다음 학기 기대해라.'

마음 바뀌었다는 게 설마 같은 수업에 참석하며 못 듣게 방해하겠다는 소리일까. 불길한 기분이 마음속에 뭉게뭉게 피어났지만 애써 부인했다. 아닐 것이다. 우연히 과목이 겹친 것이리라.

헐레벌떡 달려간 다음 강의실, 상우가 늘 앉는 자리에는 황당하게도 또 가방이 놓여 있었다. 이번에는 남색 백팩이었다. 이 수업에도 저 자리의 완벽성을 아는 놈이 있다니, 운이 나빴다. 상우는 심호흡으로 마음을 진정시키며 그 옆자리에 앉아 책을 폈지만 너무 화가 나서 글자가 안 보였다. 주먹 놓인 페이지가 땀으로 젖어 들었다. 월요일 아침마다 그 악마를 봐야 한다니, 그리고 그 때문에 수업에 집중할 수 없다니!

속으로 욕을 연발하는 동안 백팩의 주인이 도착했다. 상우는 그가 누군지 관심 없었지만 이번에도 고개가 저절로 돌아갔다. 빨강 패딩, 빨강 저지, 빨강 모자, 코카콜라!

그의 적이 크로스백과 배낭을 둘 다 의자에 걸고 자리에 앉았다. 상우는 30초 동안 그를 멍하니 보기만 했다. 장재영이 콜라를 한 모금 마시곤 피식 웃었다. 상우는 이건 아니다 싶어서 자리를 박차고 일어났지만 수업을 빠질 수는 없었다. 그는 재영에게서 가장 멀리 떨어진 자리로 옮겨 앉았다.

곧 수업이 시작했다. 교수는 출석을 부르다가 재영의 차례에서 안경을 올려 썼다.

"장재영 학생, 시각디자인과네요. 이 수업 괜찮겠어요?"

"제가 수학을 정말 좋아합니다, 교수님."

"그래도 그렇지, 공학수학을?"

교수는 흥미로워했지만 상우는 속이 뒤집혔다. 그는 머리를 쥐어싸매고 절망하다가 수업을 4분이나 놓쳤다. 그 뒤로도 집중하기는 어려웠다. 항상 앉던 자리가 아니라서 교수가 보이는 각도가 달랐고 기분 탓인지 목소리도 잘 안 들리는 것 같았다. 평소보다 분위기도 어수선하게 느껴져서 최악이었다.

수업이 끝났을 때 상우는 총알처럼 교실에서 뛰쳐나갔다. 이토록 강렬한 분노는 느껴 본 적이 없었다. 웬만한 상황에서는 침착함을 유지하는 그인데, 아킬레스건을 찔린 기분이었다.

상우는 달리다시피 해서 식당 앞에 줄을 섰다. 무릎에 손을 짚고 숨을 고르는데 시야 끝에 꼴 보기 싫은 빨간 패딩의 끝자락이 걸렸다. 장재영은 상우가 안중에도 없다는 듯 뒤에 줄 선 학생들과 이야기하고 있었지만 상우는 그가 두려워졌다. 말을 안 거는 게 그나마 다행이었지만 이젠 그가 곁에 있다는 사실만으로 두드러기가 날 것 같았다.

줄이 빠지는 시간이 그날따라 길게 느껴졌다. 한식 코너에서 배식받아 앉았을 때는 평소보다 2분 이른 시간이었다. 그런데도 상우는 불안감에 떨고 있었다.

"아, 저기 마침 자리가 있네!"

'마침?'

더러운 예감은 비껴가지 않았다. 식판을 들고 서성이던 재영은 텅텅 빈 수많은 테이블을 지나 굳이 구석 자리에서 식사하는 상우 곁에 앉았다.

i) 다른 자리로 간다: 그가 따라와서 같은 상황이 벌어진다. 시간을 낭비한다.

ii) 가만히 있는다: 아무 일도 일어나지 않는다.*

상우는 간단한 시뮬레이션을 거쳐 그를 무시하고 밥을 먹었다.

"형, 형, 형! 웬일로 학식이에요?"

"그러게. 너 이 새끼 오랜만이다."

"교수한테 쌍욕 했다가 졸업 못 하셨다고 그러던데 진짜예요?"

"아니 씨발, 누가 그래?"

그리고 놀라운 광경을 보았다. 일부러 한적한 자리를 골랐는데도 옆에 재영이 앉았다는 이유만으로 테이블의 자리가 하나둘 차는 현상을. 상우는 주변을 가득 채운 사람과 과도한 소음 때문에 음식이 입으로 들어가는지 코로 들어가는지 모르고 먹었다.

식사를 마치고 시간을 확인하니 12:22, 평소보다 6분이나 이른 시간이었다. 상우는 빈 식판을 들고 재빨리 일어나 잔반을 신속하게 처리하고 개수대에서 물을 다섯 잔이나 마셨다. 속이 안 좋은 게, 아무래도 밥을 급하게 먹어서 체한 것 같았다.

상우는 뒷문으로 나와 편의점에 들렀다. 그는 매일 식사 후 '블랙홀릭' 브랜드에서 나온 캔 커피를 마셨다. 해당 제품을 선호하는 이유는 가장 저렴하고 양이 적절하기 때문이었다.

과자 코너, 라면 코너, 아이스크림 코너를 지나자 음료수 냉장고 세 개가 나타났다. 상우는 세 번째 냉장고 앞에 서서 다섯 번째 단을 바라보았다.

'뭐야? 어디 있어?'

눈을 아무리 굴려 봐도 늘 마시는 커피가 진열되어 있던 자리는 비어 있었다. 상우는 돌발 상황에 익숙한 타입이 아니었다. 그는 대학교에 진학해 처음 겪는 사태를 맞아 한동안 냉장고 앞에서 망연자실 서 있다가, 편의점을 관리하는 중년 여성에게 다가갔다.

"이제 '블랙홀릭' 안 들여오세요?"

"아, 학생! 그게……."

그녀는 난감하다는 듯 상우의 눈을 피했다.

"어제 오후에 어떤 학생이 다 사 가 버렸어."

상우는 하늘이 무너진 기분을 느꼈다. 어떤 학생이 그랬냐고 굳이 물을 필요는 없었다. 원인은 뻔히 알고 있으니 중요한 건 사후 대처였다.

"그럼 언제 들어와요?"

"잘 팔리는 품목이 아니어서 2주는 걸릴 것 같은데?"

그는 어쩔 수 없이 '블랙홀릭'과 비슷한 디자인의 캔을 집어서 계산하고 비틀거리며 편의점에서 나왔다. 그의 인생에 이 정도로 엉망진창인 날이 있었던가. 이렇게 의도대로 흘러가지 않는 날이 있었던가. 단언컨대 하루도 없었다.

상우는 멍한 기분으로 걸었다. 그가 식사하고 꼭 커피를 마시며 도는 산책로가 있었다. 학교 뒷산의 오솔길을 통과하는 11분짜리 산책은 늘 일상에 활력을 북돋아 주었다.

상우는 천천히 걸으며 오늘 일어난 불쾌한 일들을 떠올렸다. 이상한 점이 한두 가지가 아니었다. 장재영은 상우의 시간표를 어떻게 알았을까. 그리고 그가 어느 자리에 앉는지, 어떤 커피를 마시는지 어떻게 알아냈을까? 마치 스토커처럼 말이다.

"이쪽으로 들어가시면 안 돼요."

"왜요?"

"연극부에서 사용 중이에요."

상우가 늘 이용하는 산책로는 입구가 막혀 있었다. 터무니없는 상황은 아니었으나 하필 오늘 이런 일이 생겼다는 건 의심스러웠다. 이제까지는 한 번도 그런 적이 없었으니까.

상우는 어쩔 수 없이 다른 길로 걸었다. 손에 들고 있던 커피를 뜯어서 한 모금 마셨지만 너무 달아서 얼굴이 저절로 찌푸려졌다. 풋살장을 지나자 공사장 앞에서 쉬고 있던 인부 하나가 상우에게 말을 걸었다.

"학생, 오늘은 왜 거기서 나와?"

초면에 대체 무슨 말을 하는 건지. 이상한 일이 너무 많이 일어나는 날이었다. 상우는 캔 커피를 하수구에 쏟아 버리고 자연대 앞으로 걸어갔다.

늘 사용하는 두 번째 휴지통이 꽉 찬 것도 우연의 일치는 아닐 것이다. 상우는 이제껏 그 쓰레기통에만 캔을 버렸는데, 그 이유는 늘 비어 있어서였다. 세 번째 휴지통에 캔을 던지는 기분은 좋지 않았다. 거기다 캔이 입구를 맞고 떨어져서 주워서 다시 버려야 했으니. 상우는 부들부들 떨며 도서관으로 향했다.

'여기선 나를 괴롭힐 수 없어.'

도서관은 예약제여서 항상 자정에 좌석을 예약하는 상우가 자리를 빼앗길 일이 없었다. 상우는 폭풍처럼 걸어 들어가 컴퓨터 앞에 앉아 필요한 책을 신청하고 선반에 놓인 신간 서적 중 필요한 것을 대출했다. 그리고 열람실에서 미리 예약해 둔 네 번째 책상의 가장 오른쪽 자리에 앉았다. 그 자리는 학생들이 잘 오지 않는 신학 코너 옆이라 번잡하지 않았으며 창문이 없어서 방해 요소가 없었다. 상우는 다른 자리에는 앉아 본 적이 없었다.

옆자리에 가방이 놓인 것을 보고 한순간 가슴이 철렁 내려앉았지만 다행히도 오늘 본 백팩이나 가죽 크로스백이 아닌 흰 에코백이었다.

상우는 전공 서적을 펴서 공부하기 시작했다. 중간에 화장실을 1회 다녀왔다. 다시 자리로 돌아오자 책상에 캔 커피가 놓여 있었다.

i) 내가 구매했는가? N

ii) 물건을 찾는 주인이 보이는가? N

iii) 내게 유용한가? Y (사유: '블랙홀릭'임)

그는 세 단계 알고리즘을 거쳐 캔에 손을 뻗었다. 뚜껑 고리를 따려는 순간에 커피에 붙은 포스트잇이 보였다. 개발새발이란 말도 아까울 정도의 괴필체였다.

장재영의 소유물

상우는 혐오스러운 벌레라도 본 것처럼 눈살을 찌푸렸다. 그때 그의 어깨 뒤에서 손이 불쑥 나타나더니 캔을 채 갔다. 상우의 시선이 위로 올라가 커다란 안경알 너머의 눈동자와 마주쳤다.

"또 보네."

재영은 메고 있던 백팩과 가죽 크로스백, 책상에 놓인 흰 에코백을 의자에 걸었다. 보고서도 믿기 어려웠다. 순전히 남을 농락하기 위해 가방을 세 개씩 갖고 다니는 새끼가 여기 있었다. 그는 빨간 털 모자를 벗어서 책상 위에 올려놓더니 어디론가 가 버렸다.

상우는 손에 힘을 너무 많이 준 탓에 샤프심을 두 번 부서뜨렸다. 바퀴벌레는 눈앞에 있을 때보다 안 보일 때 더 신경 쓰이는 법이다. 상우에게 장재영이 꼭 그랬다. 그가 당장 옆에 앉아 있지 않아도 저 소름 끼치는 빨간 비니를 책상에 올려 두고 무슨 짓을 하고 있을지 신경 쓰여서 공부할 수가 없었다.

재영은 책을 몇 권 들고 돌아왔다. 〈섹스의 역사〉, 〈오르가즘의 본질〉, 〈나체의 아름다움〉. 저 같은 책을 세 권 빌려 온 그는 의자를 뒤로 젖혀 까딱거리며 책장을 스르륵 넘기다 사진이 나오면 자세히 보았다.

'한심한 새끼……'

그쪽을 안 보려고 부단히 노력했으나 자꾸 책 넘기는 소리가 들렸다. 게다가 그가 자꾸 다리로 툭툭 쳐서 책상이 흔들렸다. 다른 학생이 한 명이라도 더 있었다면 힘을 합쳐서 눈치 줬을 텐데, 하필 그 책상에는 상우뿐이었다. 8인용 책상인데 굳이 옆에 바싹 붙어 앉아 책상을 흔드는 심보가 너무 뻔했다.

분노 표출 = 패배
무시 = 승리

상우는 고등학교 때 관심종자와 다툰 적이 있어서 어떻게 대응해야 하는지 잘 알고 있었다. 아무리 대단한 이유를 갖다 붙여도 상대가 놀라길 바라며 바지 벗는 바바리 맨과 비슷한 심리일 뿐이다. 장재영은 상우가 평정심을 잃고 무너지기를, 화내며 욕하기를 바라는 것이다.

그러나 머리로 알면서도 인내심은 자꾸 바닥을 보였다. 상우는 어떻게든 참아 보려고 했지만 책상이 흔들려 샤프심이 부러진 순간, 다리가 저절로 움직여 몸을 일으켰다. 필기구를 정리하고 책을 덮어 거칠게 배낭에 넣자 재영이 기지개를 켜며 일어났다. 그는 당연하다는 듯 뒤를 졸졸 따라왔다. 이제 놀랍지도 않았다.

상우는 그를 무시하기로 마음먹었다. 하지만 계단을 내려가는 동안 분노가 축적되다가 건물 앞에서 그와 부딪힐 뻔한 뒤에는 도저히 못 참겠어서 장재영과 대면하고 말았다.

마치 황야의 결투 장면 같았다. 표정만 보면 얼굴을 일그러뜨린 상우가 빌런이고 여유 넘치는 재영이 히어로처럼 보이겠지만 상황은 반대였다. 상우가 자신을 괴롭히는 악당을 마주 보았을 때, 게임 속 연출처럼 바람 한 줄기가 그들 사이를 스치고 지났다. 상우는 RPG게임 주인공처럼 무기를 꺼내 그를 찌르고 싶었다.

"미치셨어요?"

미약한 공격은 적에게 아무 피해도 입히지 못했다. 재영은 오히려 그런 소리를 들어서 흡족해 보였으니까.

"선배님, 스토커세요?"

"스토커라니, 후배님 행동반경이 뻔한 거지."

재영은 입을 가리며 하품하고선 주머니에 손을 넣었다.

"매일 같은 시간, 같은 자리에서 같은 일 하는 걸 사람들이 다 알더라. 시커먼 옷 입고 다니면 안 보일 줄 알았어? 네 생각보다 네가 훨씬 튀어."

"시간표는 어떻게 아셨어요?"

그가 세 개의 가방 중 하나에서 낯익은 노트를 꺼내 상우에게 던졌다. 회의실에서 두고 나온 노트였고 그 안에 상우의 시간표가 그려져 있었다. 재영이 몇 발짝 다가오자 멀리서 그리 티 나지 않던 키 차이가 확연해졌다. 상우는 지지 않기 위해 눈을 부릅뜨고 그를 올려다보았다.

"이러신다고 졸업할 수 있는 거 아니잖아요. 왜 시간을 낭비하세요?"

"나라고 뭐가 좋아서 귀찮은 짓거리 하겠어. 네가 날 좀 건드렸어야 말이지."

"절 괴롭혀서 무슨 이득이 있어요?"

"그냥…… 기분 문제야."

씩 웃는 장재영은 그야말로 악당 같았다. 상우는 팔에 소름이 돋는 것을 느꼈다. 그가 최소한의 합리성을 가진 인간이라는 전제가 잘못되었을까? 재영은 이해할 수 없는 소리만 해 대고 있었다. 보통은 원하는 목표를 위해 타인에게 위해를 가하지 않나? 그냥 괴롭힘 자체에 즐거움을 느끼는 사디스트라면 어떻게 해야 할까?

"제가 어떻게 하면 멈추실 거예요?"

"글쎄, 그건 아직 생각 안 해 봤어. 지금이라도 고분고분하게 굴어 봐. 그간 싸가지 없이 군 걸 뉘우친다든지."

"뭘 잘못했어야 뉘우칠 거 아니에요."

"아니면 내 마음이 바뀔 때까지 기다리든지. 난 변덕이 심한 편이 거든."

"그냥 쓰레기인 줄 알았는데, 대단한 싸이코셨네요."

"그런 소리 많이 들어."

둘 사이에 눈에 보이지 않는 스파크가 튀는 듯했다. 굳이 애쓰지 않아도 상우의 입가에 조소가 떠올랐다.

"절 아주 호구 새끼로 보시나 본데, 크게 착각하신 거예요. 전 무서운 것도 없고 살면서 또라이, 쓰레기, 관심종자, 다 퇴치해 봤습니다. 선배님 이러시는 거, 제겐 별것도 아니에요."

일부러 허세를 부리자 재영이 기껍다는 듯이 웃었다.

"그 말을 들으니 더 불타오르네."

"어디 한번 잘해 보시죠, 싸이코 선배님."

"응. 어차피 할 일도 없거든, 또라이 후배님 덕분에."

상우는 거칠게 등을 돌려 도서관 앞에 매 둔 자전거에 다가갔다. 재영이 혹시라도 엿보지 못하도록 등으로 가려 가며 잠금을 풀고 자전거에 휙 올라탔다.

'바람 빼 놓은 건 아니겠지.'

만일 자전거를 건드렸다면 그를 곧바로 경찰에 신고할 빌미가 생긴다. 하지만 생각과는 달리 자전거는 멀쩡하게만 달렸다. 상우는 평소보다 집에 일찍 돌아왔을 뿐이다.

원룸 앞에 자전거를 매어 놓고 4층으로 올랐다. 도어록을 풀고 방에 돌아오자 심신이 안정되었다. 상우는 옷도 갈아입지 않은 채 침대에 누워 한동안 휴식했다.

'이게 웬 날벼락이냐.'

온종일 시달렸다. 수업에 집중하지 못했고, 점심 때 먹은 밥은 얹혔으며, 산책을 망쳤고, 도서관에서 공부할 수 없었다. 재영에게 내뱉은 말과 달리 상우는 자신감이 없었다. 이제껏 그를 스쳐 지나간 악당들과는 달랐다, 이 장재영이란 사람은. 용의주도하고 섬세하며 약아빠져서, 불법적인 짓을 저지르며 반격할 기회를 줄 것 같지도 않았다.

'해법은 하나.'

굳건하게 견뎌 내서 그가 제풀에 지쳐 떨어져 나가게 하는 방법뿐이다. 장재영이 아무리 막나간다고 해도, '공학수학2'처럼 소화할 수도 없거니와 꾸역꾸역 수강한다고 해도 도움 안 될 과목을 끝까지 듣지는 않을 것이다. 어차피 길어야 2주일 것이다. 2주간은 수강 과목을 자유롭게 취소할 수 있지만 그 이후로는 불가능하기 때문이다.

2주. 고통스럽기는 하겠지만 한 학기 중에 그리 긴 기간은 아니다. 눈 꼭 감고 버티면 좋은 날이 올 것이다.

'그래도 짜증 난다.'

상우는 마음에 울분이 차오르는 것을 느꼈다. 누구에게도 말할 수 없을 고충이었다. 친구가 거의 없기도 했지만, 고작 자리 빼앗기고 누가 옆에 앉았다는 이유로 스트레스 받는다고 해 봐야 공감하지 못할 테니까. 그날 상우는 잠을 심하게 설쳤다.

return 0;

다음 날, 대망의 새 학기 둘째 날. 상우는 평소보다 1시간 일찍 나와서 힘없이 자전거에 올랐다. 평소에는 늘 양질의 수면을 8시간씩 취했으나 오늘은 악몽을 꾸는 바람에 중간에 한 번 깬 데다 4시간밖에 못 자서 몸 상태가 말이 아니었다. 꿈에 빨간 패딩이 나왔는데, 지퍼를 내리자 날카로운 이빨이 나타나 상우를 물려고 했다. 깨고 나니 우스꽝스럽게 느껴졌지만 꿈에서는 겁에 질려서 도망 다녔다.

'2주만 참자.'

상우는 이를 악물며 마법의 주문을 읊조렸다. 안정된 생활이 무너져 내리리란 근거 없는 불안감이 자꾸 샘솟아서 마음을 자주 다잡아야 했다. 대안은 없었다. 그렇다고 들어야 하는 과목을 바꿀 수도 없고(어차피 장재영이 쫓아올 것이다) 고작 이런 불상사로 휴학할 수도 없으니까.

정문을 통과했을 때는 전자시계에 8:24란 시간이 찍혀 있었다. 전날과 달리 자리를 확실하게 선점하기 위하여 일찍 등교했다. 이른 시간이라 캠퍼스에는 학생이 거의 없었다. 상우는 도서관 앞에 자전거를 매어 놓고 수업이 있는 공학관으로 향했다.

강의실 문을 열고서 곧바로 절망했다. 네 번째 줄 가장 오른쪽 책상에 가죽 가방이 올려져 있었기 때문이다. 대체 언제 와서 자리를 차지한 걸까. 한달음에 달려가 가방을 자세히 관찰했지만 진상은 알 수 없었다.

'설마 어제 놓고 갔나?'

상우는 충격적인 가능성을 떠올리고 말았다. 그 사람은 아무리 봐도 부지런해 보이지는 않았던 것이다. 새벽에 일찍 와서 가방을 놨다기보단 전날 놓고 갔다는 쪽이 더 일리 있는 설명이었다.

어쨌든 오늘도 패배였다. 상우는 어쩔 수 없이 그 자리에서 가장 멀리 떨어진 곳에 앉았다. 아직 히터를 틀지 않은 강의실은 바깥만 큰 추웠다. 패딩과 목도리를 벗지 않고 앉아 있자 졸음이 찾아왔다. 잠을 충분히 못 잤으니 그럴 만도 했다. 예습하려고 책을 펴 놓았지만 글자가 자꾸 흐려 보였다.

'이러다 수업 때 졸면 큰일이다.'

그러느니 차라리 수업 시작하기 전에 좀 자 두는 편이 나을 것이다. 그는 책을 덮고 처음으로 베개로 썼다. 전공서적에 볼을 대고 눈을 감으니 금세 의식이 흐려졌다.

"……30점은 과제, 그리고 나머지 20점은 기말 평가로 구성됩니다. 내 오피스와 메일 주소는 실라버스에 나와 있지요? 면담할 학생은 조교한테 찾아가거나 내게 직접 메일 보내면 되겠어요. 자, 이제 문제지 봅시다."

상우가 다시 눈을 떴을 땐 단조로운 목소리가 들렸다. 그리고 빨간색이 시야를 온통 채우고 있었다. 분명히 그가 맡아 놓은 자리에서 한참 떨어진 곳에 앉았는데, 장재영이 바로 옆에서 비웃음 가득한 표정을 짓고 있었다.

상우는 상체를 재빨리 일으키고 손목시계를 확인했다. 수업이 시작한 지 14분이나 지난 상황이었다. 주변을 보니 학생들이 저마다 출력한 문제지를 한 장씩 보고 있었는데 제 책상에만 아무것도 없었다. 펄럭. 옆에서 재영이 A4용지를 손가락 사이에 끼고 흔들었다.

'저 또라이 새끼…….'

상우는 황급히 다른 학생들을 보았지만 여분의 프린트를 가진 사람은 없었다. 그렇다고 교수의 말을 끊고 새 문제지를 달라고 하자니 이제까지 가만히 있던 터라 난감했다. 상우는 이를 악물고 재영에게 손을 내밀었다. 목소리를 낮춰 말했다.

"내놔요, 제 프린트."

"맡겨 놨어? 이거 내 거야."

"어차피 공부 안 할 거잖아요."

재영의 눈이 가늘어졌다. 그의 손끝에서 얇은 종이가 팔랑거렸다. 상우는 손을 뻗어 집으려고 했지만 재영이 프린트를 뒤로 휙 잡아 빼는 바람에 손도 못 댔다. 재영은 종이를 반으로 접었다. 그러더니 또 반으로 접었다. 상우는 조마조마한 심정으로 그가 하는 짓을 구경했다.

"바라는 게 있으면 정중하게 부탁해야 할 거 아냐."

시뻘건 옷을 입고 껄렁한 태도로 낮게 속삭이는 재영은 악마처럼 보였다. 상우에게 꼭 필요한 인쇄물은 이제 비행기의 형상을 띤 채 그의 검지와 중지 사이에 끼어 있었다.

"주세요."

"더 간절하게."

"달라니까요."

"탈락."

교수가 판서하느라 학생들에게 등 돌린 순간에 종이비행기가 부드러운 포물선을 그리며 살짝 열린 뒷문으로 빠져나갔다. 상우는 치밀어 오르는 분노를 억누르며 자리에서 일어났다. 역시 장재영에게서 뭔가를 얻으려는 건 어리석은 생각이었다. 그는 빽빽하게 놓인 책상 사이를 비집고 앞으로 나가 교단에 쌓인 인쇄물을 한 장 챙겼다. 마침 그때 뒤돌아본 교수가 싸늘한 표정을 지었다.

"학생은 뭐 하는 겁니까?"

"죄송합니다. 자료를 못 받았는데 강의에 방해가 될까 봐 말씀드리지 못했습니다."

"첫 시간부터 졸고 있으니까 그런 거 아니에요."

교수는 혀를 쯧쯧 차더니 한심하다는 표정을 지었다.

"화장실이나 다녀와요."

"네?"

"화—장—실."

상우는 영문도 모른 채 문제지를 챙겨 앞문으로 나갔다. 그는 손들고 발표하거나 따로 연구실에 찾아가는 식의 행동으로 사랑받는 학생은 아니었지만, 과제 완성도와 시험 성적이 높아서 학기말이 되면 자연스럽게 교수들의 신뢰를 얻었다. 이처럼 교수에게 첫날부터 찍힌 적은 이번이 처음이었다. 게다가 최 교수는 주로 4학년 과목을 강의하는 중요한 전공 교수였다.

화장실에 들어선 상우는 하마터면 고함을 지를 뻔했다. 거울에 비친 그의 모습이 이상했다. 검고 짙은 콧수염이 코 밑에 잔뜩 그려져 있었다. 황급히 수도를 틀어 물로 얼굴을 씻어 냈지만 아무 변화도 없었다.

'빨리 돌아가야 하는데…….'

상우는 비누를 손바닥에 문질러 거품을 내고 인중을 빠르게 문질렀다. 까만 낙서는 조금씩 지워졌지만 속도가 아주 느렸다. 상우는 자신이 강의 시간을 이렇게 쓸데없는 일에 허비하고 있다는 걸 도저히 믿을 수 없었다.

'예대생이라고 꼼꼼하게도 칠해 놨네, 개새끼가.'

그렇게 19분을 날렸다. 다시 강의실에 돌아가려고 보니 시간이 5분밖에 안 남아서 괜히 들어갔다가는 교수에게 눈총만 받을 것 같았다.

'내가 뭘 그렇게 잘못했지?'

상우는 문득 억울함을 느꼈다. 혼자 과제를 했기에 교수에게 사실대로 알렸을 뿐이다. 장재영이 졸업 못 한 거, 제 딴엔 억울할지 모르겠지만 따지고 보면 자업자득이었다. 그 때문에 아무 잘못도 없는 자신이 수업 시간 중 강의실 밖에서 등을 대고 기다리는 건 너무 가혹했다.

"에러 같은 새끼!"

상우는 생각할 수 있는 최악의 욕을 내뱉어 보았다. 에러도 에러 나름이었다. 오타나 형식 오류에서 기인한다면 간단히 수정할 수 있지만 논리적 에러는 완벽하게 코딩했다고 생각해도 나타나기 마련이며 전체 코드를 뒤져 봐도 쉽게 잡히지 않는다. 돌연 나타나 상우의 일상을 부숴 버린 장재영은 그러한 시맨틱 에러나 다름없었다.

수업이 끝나고 학생들이 밀려 나왔다. 상우는 그들을 거슬러 자리로 걸어가 배낭을 챙겼다. 시야의 끝에 빨간 패딩이 보였지만 무시하고 교실에서 나왔다. 장재영의 목표는 상우를 열 받게 하는 것이다. 표정을 보여 줘서 그를 의기양양하게 만들고 싶지 않았다.

페이스를 한번 잃고 나자 젠가 조각을 잘못 뺀 것처럼 와르르 무너져 내렸다. 상우는 둘째 줄 가장 왼쪽 자리에서 기둥에 가린 채 교수의 얼굴도 보지 못하며 '알고리즘' 수업 내내 멍하니 앉아 있었다. 그런 자리에 앉으니 수업에 참석하지 않는 게 낫다고 생각했지만 컴공과 전공 수업에 들어와서 가장 좋은 자리를 차지한 재영과 멀리 떨어지려면 어쩔 수 없었다.

그 뒤는 전날과 마찬가지로 흘러갔다. 상우는 한식을 배식받아 식당의 가장 외진 곳에 자리 잡았고 재영은 하고 많은 자리를 두고 그 옆에 딱 붙어 앉아 말없이 식사했다. 엎힐 것 같은 기분으로 식판을 치우고 편의점에 갔지만 당연히 상우가 원하는 커피는 없었다. 연극부 놈들 때문에 산책도 무산되었다.

도서관 예약석에 앉고 나니 진이 빠졌다. 괴롭힘이 시작된 지 고작 이틀째였다. 이래서 저 싸이코의 공습을 2주 동안 어떻게 버틴단 말인가.

"오늘도 열공해, 후배님."

장재영이 대여한 책을 들고 등장했다. 오늘은 판타지 소설이었다. 그는 불량한 자세로 앉아 조용히 책을 폈을 뿐이지만 상우는 눈을 부라렸다. 이젠 그의 얼굴만 봐도 속이 분노로 들끓었다.

'어디에 신고할 수 없나?'

죄목:

- 빨간 옷 입고 돌아다닌 죄 (불법 아님)

- 자리 차지한 죄 (불법 아님)

- 옆에 앉은 죄 (불법 아님)

- 다리 떤 죄 (모호함)

- 펜 돌린 죄 (모호함)

- 커피 매진시킨 죄 (불법 아님)

- 쓰레기통 가득 채운 죄 (불법 아님)

- 프린트물 안 준 죄 (불법 아님)

- 얼굴에 낙서한 죄 (유죄)

- 존재 자체 (불법 아님)

- …….

그의 잘못을 꼽을수록 스스로 초라해지는 것만 같았다. 약아빠진 악당은 책잡힐 만한 폭언을 꺼내지 않고 폭력도 행사하지 않았다. 그는 상우의 머릿속에 들어갔다 나온 것처럼 남들이 보기엔 별거 아니지만 그가 싫어할 만한 일만 골라서 하며 고통을 주었다.

'버그 같은 새끼.'

상우는 책을 보며 키득거리는 재영을 노려보았다. 그는 의자에 등을 완전히 기댄 채 다리 한 쪽을 반대편 무릎에 올려놓고 크게 까딱거리고 있었다. 상우는 빨간 모자로 가려진 뒤통수를 세게 후려치고 싶은 강렬한 욕망을 느꼈다.

한동안 장재영을 신경 쓰느라 아무것도 못했지만 시간이 조금 지나자 사정은 나아졌다. 책을 보던 그의 적이 하품을 하고선 엎드려 자기 시작했기 때문이다. 다행히 재영은 코를 골거나 이를 갈거나 잠꼬대하지 않고 얌전하게 잠들었다.

그가 곯아떨어지고 나자 친구일 것으로 추정되는 이들이 킥킥거리며 사진을 찍어 갔으며 여학생 몇 명이 주변을 서성거리며 속닥거렸지만 크게 방해될 수준은 아니었다. 덕분에 상우는 도서관에 온 목적을 일부 이룰 수 있었다.

2시간이 지난 시점에 상우는 재영이 깨지 않게 조심하며 책과 필통을 가방에 넣었다. 그런데 의자를 뺀 순간에 그가 벌떡 일어났다. 팔꿈치로 치는 바람에 모르는 사람들이 갖다 놓은 음료수와 낱개 포장된 과자 몇 개가 바닥에 떨어졌다.

상우는 재영을 모른 척하며 도서관에서 나왔다. 최대한 빠른 걸음으로 내려갔으나 금세 따라잡혔다. 그러다 그게 경쟁처럼 되어, 그들은 1층 계단을 미친 듯이 달려 내려갔다.

"상우야, 짜증 나지?"

"목소리 듣기 싫으니까 말 걸지 마세요."

"네가 자초한 거야."

상우는 건물에서 성큼성큼 나와 자전거를 매어 둔 곳을 향해 걸었다.

"전 잘못한 거 없어요. 선배가 억지 부리면서 초등학생도 안 할 짓을 하시는 거지, 전······."

"넌 아무 잘못도 없고 나 혼자 지랄하는 거다? 또 그 얘기야?"

넘겨들을 수 없는 소리라 상우는 우뚝 멈춰 섰다.

"제 잘못이 뭐죠? PPT에 이름 뺀 거 말씀하시는 거라면······."

"집어치우고."

재영이 말을 잘랐다. 휙 뒤돌았는데 그가 생각보다 훨씬 가까이에서 있었다. 얄밉게 쪼개고 있을 것을 예상했는데 뜻밖에도 진지한 얼굴이었다. 어둑한 하늘을 배경으로 상우는 붉은 비니 모자를 쓴 재영과 눈이 마주쳤다.

"믿기 어렵겠지만, 난 너랑 잘 지내고 싶었어."

상우는 입을 다물었다. 재영의 얼굴을 이렇게 가까이서 본 게 처음은 아니었다. 하지만 자세히 관찰한 적은 없었다. 안경 뒤의 눈이 약간 치졌다는 걸, 단정하게 차려입었든 날라리처럼 하고 있든 그의 콧날이 곧다는 걸, 눈동자도 머리카락도 완전히 검지 않다는 걸 그 전까지는 몰랐고 관심도 없었다.

"사람은 감정의 동물이야. 네가 날 그렇게 무시하지만 않았다면 PPT 같은 건 웃어넘기고 말았을 텐데."

"그럼 제가 사과하면 그만두실 거예요?"

재영은 황당하다는 표정을 짓더니 소리 내어 웃었다.

"바보 아냐? 너 코딩 천재라며. 아, 기계라서 사람 심리는 잘 모르나?"

"그게 무슨 소리예요?"

"그렇게 단순한 문제였으면 여기까지 왔겠냐, 어?"

그의 아리송한 말은 이제까지 풀었던 어떤 문제보다도 막막하게 느껴졌다. 마치 끝이 없는 암흑을 내려다보는 느낌이었다. 상우에게는 뜬구름 잡는 소리로만 들릴 뿐이었다.

"합리화하지 마세요. 선배는 인간 말종, 양아치, 사디스트, 그 이상도 이하도 아니니까."

재영은 그 말에 화내기는커녕 재미있다는 표정을 지었다.

"너한테 칭찬 들으니까 기쁘다."

"미치셨어요?"

"그래. 너도 조심해서 가."

'또라이 새끼.'

상우는 속으로 중얼거리며 자전거 잠금을 풀었다. 그는 자전거에 올라탄 뒤 뒤도 돌아보지 않고 달렸다.

return 0;

수요일에는 '대중문화와 문화 이론' 강의가 연달아 있었다. 어렵다는 평이 많은 수업이었지만 이 시간대에 들을 수 있는 인문학 교양 강의가 이것밖에 없었다. 강의 계획서에는 프랑크푸르트학파니 오리엔탈리즘이니 알 수 없는 용어가 가득했고 책을 예습해 봐도 글이 쉽게 읽히지 않았다. 가뜩이나 이공계 학생에게 어려운 강의처럼 보였는데, 방해꾼의 개입까지 고려하면 조금도 이해하지 못할 게 확실했다.

상우는 수업 시작하기 19분 전에 강의실에 들어서며 눈을 질끈 감았다. 당연히 거기 있겠지만 굳이 그 꼴불견 크로스백을 보고 싶지 않았던 것이다. 하지만 눈을 떴을 때 시야는 깨끗했다. 강의실에서 가장 완벽한 자리는 아무도 앉은 적이 없는 것처럼 정결했다.

'이게 무슨 일이지.'

얼마나 놀랐는지 심장이 콩닥콩닥 뛰었다. 상우는 부리나케 다가가 왕좌도 부럽지 않은 의자에 앉았다. 일단은 만족스러운 기분이 밀려왔으나 또 장재영이 무슨 짓을 할지 예상할 수 없어서 불안감도 그만큼 컸다.

상우는 교재를 펴서 오늘 배울 내용을 예습했다. 정당한 자리에 앉은 데다 옆에 빨간색이 보이지 않으니 오랜만에 공부하는 느낌이 났다. 한창 책을 읽고 있는데 옆자리에 흰색 에코백이 턱 올라왔다. 상우는 한숨을 크게 내뱉었다.

"왜 아침부터 한숨을 쉬세요?"

그러곤 전혀 예상하지 못한 목소리에 고개를 들었다. 재영이 아니었다. 일단 그 사실만으로 상우는 기뻤다. 그런데 짙은 녹색 점퍼 차림의 여학생은 낯이 익었다.

"지혜예요, 지혜. 저번에 상자 옮기는 거 도와주셨던. 밥도 같이 먹었잖아요?"

그녀는 상우의 표정을 읽기라도 한 듯 쾌활하게 말하고 자리에 앉았다. 상우는 그제야 지혜가 기억났다. 지난번에는 지금처럼 머리를 하나로 묶고 있지 않아서 알아보지 못했다. 지혜는 상우에게 아예 몸을 돌리고서 말을 걸었다.

"오빠도 이거 들으시네요? 철학에 관심 있으세요? 전 라캉이라든지 푸코라든지 프랑스 사상가들 이론에 관심 있어서 들으려고요."

"난 관심 없어. 들어야 해서 듣는 거야."

"아 정말요? 하긴, 저도 전산 과목 하나 들어야 돼요. 잘됐다. 나중에 오빠한테 뭐가 그나마 쉬운지 물어볼게요. 제가 듣기로는 '정보처리론'이랑 '전산학개론'이랑 가장 큰 차이가……."

다행히 적절한 때에 수업이 시작되어 그녀의 말을 잘라 주었다.

지각하지 않은 교수, 빠짐없는 준비물 그리고 완벽한 자리. 비록 가만히 내버려 두면 종일 떠들 것 같은 사람이 옆에 있긴 했지만 이 정도면 훌륭하다고 상우는 평가했다.

문득 오늘 장재영을 한 번도 마주치지 않았다는 데 생각이 미쳤
다. 분명히 아직 포기하지는 않았을 테고 무언가 사정이 있을 테지
만 어쨌든 숨통이 조금 트인 기분이었다.

return 0;

"······그러니까 세계를 우수한 엘리트와 권력 없는 일반 대중으로 양
분화해서 본다는 거죠. 엘리트들이 사회를 이끌어 간다는 견해예요."

"그건 사실이잖아. 그렇다면 대중을 미화하는 반대 의견이 무슨
의미가 있다고 진작 폐기되지 않았냐는 거야."

"참과 거짓의 문제가 아니라고 했잖아요. 사회학 이론을 맞고 틀
림으로 접근하는 그 태도부터 어떻게 해야 돼요."

상우는 오늘 수업 내용에 대해 지혜와 토론하며 인문대 복도를 걷
고 있었다. 지혜가 보기보다 지성적이란 게 놀랍지도 않을 만큼, 상
우는 시뻘건 색을 보지 않았다는 사실에 고무되어 있었다.

'이게 정상인데 말야.'

이틀 동안 얼마나 시달렸으면 그는 정상 상태를 잠깐 겪은 것만으
로도 기쁨에 겨워하고 있었다. 두 교시 동안 지혜가 옆에 앉아 있었
지만 그녀는 누구와 달리 전혀 방해되지 않았다. 게다가 수업이 끝나고
상우가 제대로 이해하지 못한 부분까지 설명해 주니 금상첨화였다.

"오빠, 다음 수업 어디예요?"

"난 이제 수업 없어."

"부럽다······. 전 두 개나 더 있는데. 점심 뭐 먹을까요?"

지혜는 수업을 옆에서 들었으니 같이 점심 먹는 게 당연하다는 듯

이 말했다. 상우는 그 전제의 정합성에 의문이 들었지만 식당에 가는 길이었으므로 굳이 그녀 말에 반박하지 않았다.

상우는 캠퍼스를 걸으며 그의 적이 어디서 튀어나올지 몰라서 불안했다. 그가 계속 두리번거리자 지혜가 왜 그러냐고 물었다. 대답하려는 순간에 상우는 인문대에서 쏟아져 나오는 한 떼의 사람들을 보았다. 빨간 패딩의 유일한 장점은 멀리서도 눈에 띈다는 것이다.

"야, 빨리 가자."

"왜요?"

"얼른."

상우는 뛰다시피 식당에 도착해서 한식 코너에 얼른 줄 섰다. 장재영이 그 많은 사람 사이에 섞여 나왔다는 건 대형 강의를 갓 들었다는 뜻이다. 생각해 보니 그는 '한국대생 인성 교육'을 재수강해야 하는 처지. 제 수업이 겹쳐서 문화 이론 시간에 상우를 괴롭히지 못하는 것이 분명했다.

'적어도 수요일은 한숨 돌리겠군.'

상우는 흡족해하며 식판을 들었다. 배식이 끝나고 자리를 정해야 하는데 좋은 생각이 났다. 그는 평소와는 달리 사람이 꽉 찬 구역으로 향했다. 가만히 식당을 살피자 두 자리만 빈 테이블이 보였다. 상우는 지혜와 빈자리에 각각 앉아서 테이블을 만석으로 채우며 재영이 끼어들 여지를 차단했다.

"오빠, 기분 좋아 보이시네요."

"어."

상우는 말없이 식사하기 시작했다. 음식을 먹으면서도 그의 시선은 배식하는 사람들 위를 배회했다. 빨간 패딩은 돈가스를 받으려고 줄 서 있었다. 그 또한 상우처럼 열심히 고개를 두리번거렸다. 곧 재영이 인파에 떠밀려 식당으로 진입했다. 여기저기 살피던 그의 시선이 상우에게 닿았다. 상우는 의기양양한 표정을 지었고 재영은 비웃음 섞인 묘한 얼굴로 다른 구역으로 가 버렸다. 별일도 아닌데 상우는 강한 희열이 들었다.

"밥 먹고 집에 가세요?"

"아니, 도서관 갈 거야."

"그럼 그 전에 편의점 가요. 제가 음료수 사 드릴게요."

"안 돼."

"왜요?"

상우는 열심히 움직이던 젓가락을 잠시 멈추었다. 너무나 복잡한 이야기였다. 편의점에서 아무것도 마실 수 없는 이유를 어떻게 간단히 설명한단 말인가.

"이상하게 들리겠지만 나는 괴롭힘을 당하고 있어."

"네?"

지혜가 너무 놀란 표정을 지어서 상우는 입을 닫아 버렸다. 상우가 침묵을 지키자 그녀가 말해 달라고 졸랐다.

"정말이에요, 오빠? 어떤 식인데요. 진짜라면 심각한 일이잖아요."

말을 괜히 꺼낸 것 같았다. 이걸 어떻게 설명할지 고민하는 사이 지혜는 상상 속에서 끔찍한 생각을 하는 듯했다.

"대체 누가 그런 짓을 하는지는 모르겠지만 상담 센터도 있고 경찰서도 있고, 세상엔 도움 줄 수 있는 사람이 많아요."

상우는 더욱 난감해져서 그냥 지혜의 첫 질문으로 돌아갔다.

"그 사람이 내가 마시는 커피를 전부 사 갔어. 그래서 네가 사 줄 수 있는 음료수가 편의점에 남아 있질 않아."

"네? 매점매석? 허생전?"

지혜는 황당하다는 표정을 짓더니 웃음을 터뜨렸다.

"뭐야, 인터넷으로 한 박스 주문해요. 하루 만에 배송되는데 뭐가 문제예요."

"……."

머리를 얻어맞은 듯한 충격이 들었다. '블랙홀릭'의 판매자는 학교 편의점만이 아닌데 공간의 프레임에 갇혀 있던 것이다. 상우는 머리가 나쁜 건 아니었지만 사고가 한번 틀에 갇히면 쉽게 벗어나지 못했다. 예전에 학교 지능 검사에서 아주 낮은 수치가 나왔을 때 선생님은 상우가 논리 연산 지능만 보면 천재 수준이지만 응용 추리 지능과 인간 친화 지능이 평균을 깎아 먹었다고 설명해 주었다. 상우는 지혜를 달라진 시선으로 바라보았다.

"너 되게 똑똑하네."

지혜가 하하하 웃었다.

"또 어떻게 괴롭히는데요? 다 말해 보세요."

"이번에도 이상하게 들리겠지만 난 수업 시간에 특정 자리에 앉아야 집중할 수 있어."

"아! 미드에서 그런 사람 봤어요. 조심스러운 얘기지만, 그거 아니에요? 강박……."

"의사가 장애까진 아니래. 어쨌든 그 사람이 자꾸 그 자리를 먼저 맡아서 내가 못 앉게 해. 거기서 멀리 떨어질수록 집중이 안 되는데, 근처에 앉으려니 그 색…… 아니, 사람이 너무 싫어서 어떻게 해야 할지 모르겠어."

"음……. 그럼 그냥 옆에 앉고 가림판을 써요. 초등학교 때 쓰던 거 있잖아요."

물리적으로 가까운 거리를 허용하되 시야를 차단하라. 이번 해법도 괜찮게 들렸다. 상우는 지혜의 유연한 사고방식에 점점 신뢰를 갖게 되었다.

"그리고 도서관에서 자꾸 다리를 떨고 책을 너무 시끄럽게 봐. 페이지 넘기는 소리가 거슬리는데……."

"귀마개 하면 되죠. 얼마 안 해요."

지혜가 싱긋 웃었다. 상우는 그녀를 따라 웃었다.

"야, 고맙다. 내가 다음에 밥 살게."

"진짜요? 기대하고 있을게요!"

상우는 그날 도서관에 가는 대신 생활용품점에서 대대적으로 쇼핑하기로 결심했다. 식사를 마치고 일어나자 다른 구역에서 친구들에게 둘러싸여 식사하는 장재영이 보였다.

"오빠, 저 아직 다 안 먹었는데?"

상우는 흥분을 안고 걸었다. 퇴식구에 식판을 빠르게 치운 다음 물을 벌컥벌컥 마시곤 희망찬 기분으로 식당에서 걸어 나왔다.

"같이 가요!"

뒤에서 지혜의 목소리가 들렸다. 묶음 머리를 휘날리며 얼굴이 시뻘게져서 달려오는 그녀는 입고 있는 옷 때문에 마치 녹색 괴물 같았다.

"왜?"

"네?"

"왜 불렀냐고."

"아뇨, 그냥…… 어차피 가는 길인데 같이 가면 좋잖아요. 그리고 혼자 밥 먹으면 쪽팔린단 말이에요."

'그것참 희한하네.'

상우는 의문을 품었다. 그는 늘 밥을 혼자 먹었지만 그렇게 생각해 본 적이 없었다.

"그럼 편의점은 가지 말고요. 저 인문대에 수업 있으니까 가시는 길에 데려다주세요."

"왜?"

지혜가 나이에 맞지 않게 유괴당하는 어린이 같은 소리를 해서 상우는 위화감을 느꼈다.

"식사 후에 산책하면 건강에 좋아요. 병에 안 걸리려면 그렇게 해야 돼요."

'맞는 말이다.'

상우는 처음으로 산책길에 동행을 얻었다. 원래 곧바로 생활용품점에 가려고 했지만 지혜의 말처럼 산책하고 가는 것도 나쁘지 않게 들렸다. 아침에 맨손 운동을 하기는 해도 건강을 유지하려면 일상생활 중에 걸을 필요가 있었다.

"오빠, 뭐 하나 물어봐도 돼요?"

"그게 질문이야?"

"아니요. 곧 질문하겠다는 수사학적 표현이었어요. 어릴 때 별명 '상추'였죠?"

"……어떻게 알았어?"

지혜는 그럴 줄 알았다고 깔깔거리며 손뼉까지 쳤다. 처음 이름 들었을 때부터 신경 쓰여서 계속 입에서 튀어나올 뻔했다면서 걸음까지 멈추고 웃었다.

"상추 오빠라고 부르면 화내실 거예요?"

"아니."

어차피 상우는 일평생 그렇게 불려 왔다. 사람들에게 아무리 하지 말라고 말해도 소용없어서 포기한 지가 오래였다. 게다가 지혜는 지금도 친동생이 아니면서 '오빠'란 호칭을 고집할 정도로 비합리적인 구석이 있었다. 사람들은 호칭을 제멋대로 오용하니 일일이 신경 쓰다가는 피곤해진다. 친하기는커녕 원수 같은 사이에 그를 가족처럼 '상우야'라고 부르는 사람도 있지 않은가.

공교롭게도 그를 떠올리자마자 빨간 패딩 본인이 건물 뒤에서 나타났다. 장재영은 남학생 두 명과 함께 걷고 있었다. 그 짧은 순간에 둘은 눈이 마주쳤다. 상우는 곧바로 뒤돌았다.

"⋯⋯오빠?"

"난 저쪽으로 갈 거야. 나중에 보자."

"네! 안녕히 가세요!"

상우는 허리를 반 접어서 꾸벅 인사하는 지혜를 빠르게 지나쳐 걸었다. 수업 잘 듣고 밥 잘 먹고, 비록 커피는 못 마셨지만 산책까지 하던 차였는데, 시뻘건 색을 보자마자 기분이 잡쳐 버렸다. 상우는 이제 빨간색이 정말로 싫었다.

한참 걷다가 뒤를 쓱 보았다. 어느새 무리에서 떨어진 재영이 상우의 열 발자국 뒤까지 와 있었다. 뇌가 명령을 내리기도 전에 다리가 움직였다.

'잡히면 안 돼.'

본능적인 도주였다. 이제까지 누가 협박하건 폭력을 휘두르건 굳건하던 세계, 중고등학교 때는 선생의 권위를 이용해, 성인이 된 뒤에는 공권력을 이용해 지켜 온 정당한 시스템을 비집고 들어온 오류. 돌연 발생해서는 원인도 알 수 없이 프로그램을 기능 불능으로 만들어 버리는 에러.

전역하고서는 달릴 일이 전혀 없었는데 상우는 고작 장재영이 보기 싫다는 이유로 온 힘을 다해 뛰고 있었다. 자연대, 학관, 편의점이 흐릿하게 스쳐 지나갔다. 얼굴 모르는 학생들을 수없이 지나쳤다. 어느새 정문까지 다다른 상우는 이 정도면 됐겠지 하는 마음으로 뒤돌았다.

"왜 이렇게 빨라?"

그리고 속으로 비명을 질렀다.

"야, 숨 좀 고르자. 내가 지금…… 이 나이에 뛰게 생겼냐……. 운동회도 아니고, 씨발 진짜……."

상우는 쪼그려 앉아 헐떡거리는 재영을 두고 가고 싶었지만 그 또한 전속력으로 너무 먼 거리를 달려서 숨이 턱 끝까지 찬 상태였다. 상우는 재영에게서 거리를 충분히 벌리며 보도블록에 앉았다. 가방에서 물통을 꺼내 목을 축였다.

"미친 거 아니야? 뛰긴 왜 뛰어?"

"남이야 뛰든 말든 왜 쫓아와요?"

"이상하잖아. 도망가니까 별생각 없이 쫓아갔지."

"그게 더 이상해요."

그들은 숨을 헐떡거리며 그야말로 이상한 대화를 주고받았다. 그리고 한참 동안 대화가 끊겼다.

상우는 적당히 쉰 뒤에 일어나서 걸었다. 자전거를 가지러 도서관 앞까지 가야 했다. 재영이 짜증 난다는 표정으로 일어나더니 옆에 따라붙었다. 빨리 걸으면 그만큼 빨리 걷고 느리게 걸으면 그만큼 느리게 걸었다. 그러다가 또 전력 질주가 될 것 같아서 상우는 그를 무시하고 정상 속도를 유지했다.

"여자친구 예쁘던데."

"여자친구 없어요."

"아까 같이 밥 먹던 친구, 이름이 뭐야?"

"김지혜요."

"어느 과?"

"철학과…… 인가?"

"류 씨고 불어불문학과잖아."

걷는 데 집중하느라 기계처럼 대답하던 상우가 발걸음을 멈추었다. 그는 고개를 휙 돌려 재영을 바라보았다.

"걔까지 뒷조사했어요? 저랑 전혀 상관없는 착한 애예요!"

그 말에 재영이 비틀린 조소를 지었다.

"웬 뒷조사? 너네 내가 일하는 가게에 같이 왔잖아, 이 또라이 새끼야. 그때 학생증 봤어. 그 정도면 이름 기억하는 게 보통이야."

상우는 그의 말을 무시하고 다시 걸었다.

"너, 내 이름은 알아?"

"그걸 알아서 뭐해요?"

"머리 좋다며, 사람 이름 세 글자도 못 외워?"

"효율적인 뇌는 무가치한 정보를 삭제하게 되어 있어요."

"또 기분 더럽게 만드네."

재영이 상우의 어깨를 잡아 멈춰 세웠다. 그의 손이 몸에 닿자마자 얼굴이 저절로 찌푸려졌다.

"과제. 내 이름으로 삼행시 지어 봐."

게다가 재영은 엉뚱한 소리를 했다. 상우는 일단 어깨에서 그의 손을 쳐 냈다.

"보상. 내일부터 괴롭히지 않을게."

무시하기에는 혹하는 이야기였다. 상우는 잠시 고민하다 말했다.

"질문. 짓기만 하면 성공으로 쳐 주는 거예요? 괴롭힘의 범주는요?"

"대답. 최소한의 예술성을 띠어야 성공으로 인정함. 괴롭힘의 범주는 네 기준대로."

상우는 곰곰이 생각해 보았지만 예술성이란 말이 너무 모호했다. 그러나 괴롭힘의 범주를 선택할 수 있다는 단서가 마음에 들어서 해 보기로 했다.

"운 띄우세요."

"네가 해야지, 이 새끼야."

상우는 삼행시를 발표할 때 청자가 운을 띄워 주는 것이 일반적인 줄 알았다. 재영의 반응을 보니 그렇지도 않은 모양이었다. 그는 입을 벌렸다.

"장…… 장마가 왔다."

생각나는 대로 말하고 보니 재영이 팔짱을 끼고 오만한 표정을 짓고 있었다. 그 낯짝을 보고 있자니 다음 구절이 자연스럽게 정해졌다.

"재수가 없다."

빨간 패딩이 햇빛을 받아서 번들거렸다.

"영…… 원히 꺼졌으면."

재영의 표정은 읽기 어려웠다. 미간을 살짝 찌푸리고 있으면서 입가는 약간 웃고 있었다. 상우는 그만하면 삼행시를 괜찮게 지었다고 생각했지만 재영이 무슨 생각을 하고 있는지 알기 어려웠다. 그것도 심사위원이라고, 그가 입을 다물고 있는 시간은 꽤 긴장되었다.

"평가."

재영은 제법 위엄 있게 내뱉었다.

"정확도 부문 10점 만점에 10점."

"오……."

"감정의 진실함 부문 10점 만점에 10점."

"생각보다 후하네요."

"문학성 부문 10점 만점에 3점."

"……네?"

"스토리성 10점 만점에 1점."

"……."

"참신함 부문 10점 만점에……."

여기서 10점이 나오면 가망이 있을까?

"0점."

상우는 하마터면 심한 욕설을 입 밖에 낼 뻔했다.

"총점 50점 만점에 24점. 내일 또 봐야겠다, 상우야."

'그러면 그렇지.'

상우는 장재영을 제치고 성큼성큼 걸었다. 결국 이렇게 될 걸, 괜히 바보같이 그의 헛소리를 들어 주며 시간만 낭비했다. 재영은 따라오지 않았지만 그가 하는 말이 뒤에서 들렸다.

"내가 생각을 잘못한 것 같아. 이제 널 어떻게 작동해야 하는지 알 것 같기도 해."

"제가 가전제품인가요?"

"비슷하다고 생각해."

전혀 대답할 가치가 없는 소리였다. 식사하던 때부터 상우의 머릿속엔 생활용품점 생각뿐이었다. 그는 자전거 잠금을 풀고 위에 오르고선 재영을 지나쳐 씽 달렸다.

Green

Green

　장재영은 추상우를 이틀 동안 실컷 괴롭혔다. 후배들을 동원해서 그가 늘 앉는 자리를 미리 맡고, 수업마다 요란하게 굴고 바싹 따라다니며 상우가 파르르 떠는 모습을 구경했다.

　이틀간의 성과.

　첫째, 재영은 (1)스토커 (2)쓰레기 (3)싸이코 (4)인간 말종 (5)사디스트 (6)양아치라는 여섯 가지 칭호를 얻었다. 즉, 추상우에게 자신을 단단히 각인시켰다는 뜻이다. 상우가 붙여 준 라벨은 예쁘지 않았지만 본래 이름은 없는 것보다 있는 것이 낫다. 시각디자이너인 재영은 브랜딩의 중요성을 누구보다도 잘 알았다.

　이름을 불러 주자 꽃이 되었다는 시구는 접어 두고, 괜히 순정 만화에서 잘생긴 부자들이 제 얼굴에 물 뿌리고 튄 여자들을 찾아다니는 것이 아니다. 부정적인 인상이 긍정적인 인상보다 강렬하니 노이즈 마케팅이 성행하는 법이다. 더군다나 상우처럼 아무에게도 이름 붙이지 않는 또라이에게 여섯 가지로나 불린다는 건 영광일지도 모른다.

둘째, 재영은 감정적인 복수를 톡톡히 했다. 고소하다는 감정. 탄산음료를 마신 듯한 청량감. 빈틈없는 상우를 무너뜨리며 자신이 입은 감정적 피해가 어느 정도 상쇄되었다고 느꼈다.

셋째, 추상우는 놀리는 재미가 있었다. 그의 무덤덤하던 얼굴이 찌그러지는 건 딱하기보다 쾌감으로 다가왔다. 아침마다 일어나야 하는 괴로움도 견뎌 낼 만큼 재미있었다. 사디스트라, 그렇게 생각해 본 적은 한 번도 없었는데 어쩌면 자신에게 그런 면이 있는지도 모른다.

재영은 상우를 길게는 수강 철회 기간인 2주까지 따라다닐 계획이었지만 슬슬 관둘 타이밍을 재고 있었다. 상우가 생각보다도 훨씬 괴로워했기 때문이다. 더 했다가는 휴학하지 않을까 따위의 생각이 들 정도로. 재영은 상우를 살짝 괴롭혀 줄 생각이었지 그의 일상을 파멸시키고 싶은 마음은 없었다.

게다가 재영은 본래 뭐든 쉽게 흥미 잃고 귀찮아했다. 후배들 시켜서 가방 관리하는 것도 쉬운 일이 아니었다. 알아듣지도 못하는 수업 시간에 앉아 있어야 하는 괴로움은 또 어떻고. 도서관처럼 조용하고 정적인 장소에는 1분이라도 있으면 몸이 근질거렸다. 게다가 사람 바글바글한 학생 식당에서 식판 위에 놓인 밥을 먹는 건 정말 힘들었다. 2주까지 지속할 수 있을 리 없었다. 어차피 다 시간이 남아돌아서 하는 짓거리였다. 요즘 재영은 정말 할 일이 없었으니까.

'상우야, 왜 그랬어?'

'한국대생 인성 교육' 수업을 재수강하며 재영은 3분 만에 추상우를 원망했다. 강의실에는 학생이 너무 많아 관리가 안 되었고 대리출석하는 애들이 판을 쳤다. 그중 몇 명이나 졸업이 취소될까? 상우가 불의를 보아도 적당히 넘어가는 평범한 녀석이었다면 재영은 지금쯤 미국에서 세계 유수의 디자이너에게 수업을 듣고 있을 것이다. 이깟 들으나 마나 한 도덕 강의가 아니라.

어차피 의미 없는 가정이었다. 암행어사와 같은 조가 된 신세나 한탄해야지. 지난 학기에 불미스러운 일로 교수에게 눈도장이 찍혀서 이번 학기는 빠져나갈 구멍이 없었다. 재영은 가장 뒷자리에 앉아 괴로워하며 옆 사람에게 종이를 빌려서 낙서했다.

건물에서 나왔을 때는 날씨가 참 좋았다. 슬슬 연애의 계절인 봄이 오고 있었다. 마지막 여자친구와 헤어진 지 반년, 연애한 지가 오래되긴 했다. 그런 생각을 하며 다른 학생들 틈에서 걷는데 아주 멀리에 상우가 보였다. 눈에 띄는 차림도 아닌데 눈에 띈 것이 신기할 뿐이었다. 상우는 녹색 옷을 입은 여학생과 식당을 향해 빠르게 걷고 있었다.

'새끼, 은근히 여자애들이랑 잘 다녀.'

생각해 보면 레스토랑에 찾아왔을 때도 여학생과 함께였다. 그 성격에 여자에게 인기 있기 어려울 텐데. 상우가 연애하는 모습이 전혀 상상되지 않았다.

호기심에 이끌려 들어간 학생 식당에는 사람이 징글징글하게 많았다. 상우는 텅텅 빈 테이블을 두고 교활하게도 꽉 찬 테이블에서 식사하고 있었다.

'한 방 먹었네.'

자신을 피하겠다고 빈자리에 쏙 들어간 그를 보니 웃음이 나왔다. 그에게도 귀여운 구석이 있었던 것이다. 녹색 옷을 입은 여학생은 옆자리에 앉아 있었다. 자세히 보니 레스토랑에 함께 있던 류지혜란 애였다.

재영은 더럽게 맛없는 밥을 먹고 나오며 이제 관둬야겠다고 생각했다. 이런 걸 한 끼라도 더 먹는 건 참을 수 없었다. 편의점에서 처음 보는 커피도 열여섯 캔이나 샀는데 하나 깠다가 도저히 못 마시겠어서 버리고 열다섯 캔이 남았다. 동아리 부실에 갖다 놨는데 후배들도 아무도 안 마셔서 그대로 있었다.

애들이랑 걸어가던 중에 건너편에서 걸어오는 지혜와 상우를 마주쳤다.

'키 차이 좋고 아주 풋풋하네. 그림 좋아, 응?'

재영은 불량배나 칠 법한 대사를 머릿속에 중얼거리며 걸었다. 상우는 오늘 안 괴롭혀 줘서 그런지 살 만해 보였다. 재영은 상우가 지혜에게 정신이 팔려 자신을 그대로 지나치리라 예상했지만 놀랍게도 그는 먼 거리에서도 재영을 알아봤다. 코앞에서 눈이 마주치고도 못 알아보던 날이 있었는데, 재영은 묘한 쾌감이 들었다.

상우는 곧바로 뒤돌아 걸었지만 재영은 들러붙을 생각으로 반쯤 뛰며 그를 따라잡았다. 열 걸음쯤 남았을 때 상우가 불안한 표정으로 뒤돌아보더니 눈이 휘둥그레 커졌다. 놀란 건 알겠는데, 냅다 뛰는 건 전혀 예상 못 한 반응이었다. 마치 재영이 연쇄 살인범이라도 된다는 듯 기민한 움직임이었다. 재영은 그를 쫓아갔다.

'씨발, 내가 왜 뛰고 있지?'

다른 애들이 보면 얼마나 또라이 같을까. 재영은 스스로 이해할 수 없었지만 발이 저절로 움직였다. 상우는 무척 빨랐다. 공부벌레란 인상 때문에 비실비실하리라고 제멋대로 생각했나 보다. 재영은 전속력으로 달려도 배낭까지 멘 상우를 따라잡을 수 없었다.

어느덧 정신 차려 보니 정문 앞이었다. 이렇게 먼 거리를 전력을 다해 달린 건 전역하고서 처음 있는 일이었다. 땅에 쪼그려 앉아 숨을 고르며 재영은 깨달았다.

'사람 욕심은 끝이 없다지.'

도망치는 뒷모습을 막상 보니 왜 오기가 나던지. 상우에게 자신을 각인시켰다고 희희낙락했던 것도 다 부질없었다. 노이즈 마케팅은 성공했을지언정 재영은 추상우에게 불량품일 뿐이었다. 그를 보자마자 일그러지는 상우의 표정은 일시적 쾌감이라면 몰라도 만족감을 채워 줄 수 없었다. 재영은 다른 애들에게처럼 상우에게도 근사하고 유능하며 재미있는 선배가 되고 싶은 욕망을 느꼈다.

'걔까지 뒷조사했어요? 저랑 전혀 상관없는 착한 애예요!'

그런 의미에서 상우가 누군가를 두둔하는 모습은 굉장히 낯설었다. 추상우가 공증하는 착한 아이란 평판은 이미 그와 갈등을 빚을 대로 빚은 재영에게는 손이 닿지 않는 곳에 달린 열매와도 같았다.

류지혜라면 상우를 괴롭힐 단서를 찾던 시기에 SNS를 찾아내 조사했다. 이름, 과, 학번을 아니 어려울 것이 한 가지도 없었다. 게시물을 대강 스캔해 보니 상우처럼 극단적인 경지는 아니어도 성실한 스타일 같았다. 상우와 레스토랑에 온 날짜에는 이런 글을 남겼다.

약간 무섭지만 나쁜 사람 같지 않다. 또 만날 기회가 있을까?
#귀여운괴짜 #첫만남 #기대감

당연히 추상우 이야기였다.

류지혜 – 착함
장재영 – 스토커, 쓰레기, 싸이코, 인간 말종, 사디스트, 양아치

류지혜는 초록 옷의 요정이고 장재영은 지옥 불구덩이에서 혀를

날름거리는 새빨간 악마라는 거다. 재영은 이 선악 구도가 마음에 들지 않았다.

성도 모르고 학과도 모르는 걸 보면 상우는 아직 지혜에게 관심이 없어 보였다. 그래 봤자 저렇게 순진한 구석이 있는 남자애들은 옆에서 잘해 주면 넘어가게 되어 있다. 재영은 이대로 내버려 두면 그들이 세 달 안에 사귄다는 것에 외할아버지에게 졸업 선물로 받은 명품 시계를 걸 수도 있었다.

그는 위기감을 느꼈다. 한 8년 뒤쯤 추상우와 류지혜가 결혼하는 날, 예전에 김영재인가 뭔가 하는 사람이 있었는데 졸업 못 했다는 이유로 자신을 추잡한 방법으로 괴롭혀 대던 시기에 마침 지혜가 곁에 있어서 이겨 낼 수 있었다고, 그 인간 말종 얼굴은 기억 안 나지만 빨간 패딩을 주구장창 입고 다녔다고 신부의 손을 맞잡은 추상우가 회상할 것 같아서.

'그 꼴은 못 보겠다.'

재영의 목표가 변경되었다. 상향 조정되었다고 해야 할까.

좋은 선배의 조건은 무엇일까? 적어도 지금은 될 가망이 없다는 것이 분명했다. 현재 내세울 만한 건 존재감뿐. 그나마 추상우가 제 이름을 정확히 알고 있는 건 고무적인 일이고 이제야 그를 다루는 법을 조금은 알 것 같았지만, 일단 '장재영 = 빨강 = 악당 = 양아치 = 쓰레기'란 등식부터 어떻게 해야겠다고 재영은 생각했다.

'왜 이렇게 피곤한 짓을 하는지 모르겠는데……. 어차피 시간은 많으니까.'

그는 옷장에 무슨 옷이 있는지 헤아려 보았다.

⟨11⟩

⟨11⟩

상우는 총알 세 발을 장전한 채 장재영을 기다렸다. 그를 보고 싶어 할 날이 올 줄은 몰랐는데, 지금 상우는 장재영이 당황하는 표정을 빨리 보고 싶었다. 네 번째 줄, 오른쪽에서 두 번째 자리에 앉아서 기다렸다. 책은 펼쳐져 있었지만 습관적인 장치일 뿐 요즘엔 아무 의미도 없었다.

재영은 수업 조교면서 교수가 들어온 뒤에도 도착하지 않았다. 상우는 몸까지 돌린 채 뒷문을 보고 있었지만 헐레벌떡 들어오는 학생들 사이에 빨간 패딩은 보이지 않았다.

"어딜 봐? 여기 있는데."

상우는 굳어 버렸다. 주머니에 손을 넣은 남자가 재영의 목소리로 말했다. 놀란 이유는 그가 진한 녹색 코트를 입고 있었기 때문이다. 게다가 안경도 쓰고 있지 않았다.

남자가 미리 맡아 둔, 강의실에서 가장 완벽한 자리에 앉자 상우는 심각한 혼란을 느꼈다. 그가 빨간 패딩을 입지 않았다는 사실만으로 정보 체계가 깨진 느낌이었다. 어쨌거나 겉에 뭘 걸쳤든 그가 장재영이란 건 분명했으므로 상우는 준비해 온 첫 번째 총알인 가림 판을 꺼내서 오른쪽에 턱 놓았다. 노란 마분지 너머에서 비웃음 소리가 들렸다.

"다음 주 목요일부터 스킷 시작하는 거 알 거예요. 이번 시간부터 준비했으면 합니다."

강의 계획서에 적혀 있어서 알고 있었다. 두 명이서 중국어로 5분 분량의 짧은 연극을 발표하는 과제는 전체 평가의 20%에 해당하는 중요한 활동이었다. 교수는 자료를 첫 줄 학생들에게 돌리고 (조교 가 나눠 줘야 하는 거 아닌가) 빔 프로젝터에 쌍으로 짝지어진 명단 을 띄웠다.

"스킷 페어와 발표 순서 명단이에요. 앞 타임에 발표하면 불리하 겠지만 감안해서 평가할 거예요."

명단을 훑어보던 상우는 자기 이름을 찾아냈다. 문제는 그 옆의 이름이었다.

추상우 (컴퓨터 공학), 장재영 (시각디자인)
3/14 (목) 발표

서른 명이 넘는 학생 중에 하필 그와 짝지어진 데다 발표 일자는 가장 이른 다음 주 목요일이었다. 상우가 손을 번쩍 들자 교수가 그 를 보았다.

"질문 있나요?"

"팀원이 마음에 들지 않아서 도저히 같이 진행할 수 없다면 바꿀 수 있을까요, 교수님?"

그녀가 얼굴을 찌푸리며 대답했다.

"안 됩니다. 더 잘하는 학생도 있고 부족한 학생도 있겠지요. 그걸 극복하는 것이 팀워크랍니다. 이런 이야기가 나올까 봐 조교에게 부탁해 무작위로 뽑았으니까 형평성 문제는 걱정 안 해도 돼요. 조 변경, 날짜 변경 말고 다른 질문 있나요?"

'저 새끼가 뽑아서 형평성 문제가 생기는 거예요, 교수님……'

그녀가 너무 단호하게 잘라 버려서 상우는 더 말할 용기를 잃었다. 이미 '임베디드 시스템' 교수한테 찍혔는데 여기서까지 튀면 안 된다는 불안감 때문에 입을 다물고 말았다. 그때 가림판이 허수아비처럼 무너지며 바닥으로 떨어졌다. 턱을 괸 장재영이 묘한 미소를 짓고 있었다.

"형만 믿어. 캐리해 줄게."

'닥쳐라, 좀!'

상우는 쓸모없는 가림판을 배낭에 쑤셔 넣었다.

조금 기다리니 프린트가 전달되었다. 상우는 재영이 채 가기 전에 종이를 사수하고 좌측 상단에 학번과 이름을 적었다.

"지금 나간 자료에는 '초급 중국어' 수업에서 배운 표현도 있고 더 심화된 것도 있습니다. 이 백 가지 문장 참고해서 스킷 짜면 되겠어요. 자, 지금부터 파트너 만나서 상의해 보세요."

상우는 자료를 열심히 읽어 내려갔다. 30% 정도는 예전에 암기한 문장이라 의미를 파악할 수 있었다.

상우는 1학년 때 들었던 '초급 중국어' 수업에서 A0를 받았다. 출석과 시험은 만점이었지만 스킷과 구술시험에서 많이 감점되었다. 그러니 이번에 A+를 받기 위해서는 스킷에서 최대한 좋은 점수를 받아야만 한다. 수업을 몇 개 듣지도 않으니 연습할 시간은 넉넉했지만 문제는 그의 발목을 잡기 위해서라면 무슨 짓이든 할 파트너였다. 그러나 상우는 최악의 상황에 연극을 1인 2역으로 발표할 생각이었기 때문에 크게 걱정하지 않았다. 어차피 점수는 개인별로 매긴다고 강의 계획서에 나와 있었다.

노트를 펴고 아이디어를 적었다. 혼자 진행할 생각이었으나 재영은 굳이 양옆으로 나란히 있던 책상을 끌고 상우의 책상과 앞뒤로 붙여 앉았다. 상우는 그를 쳐다보지 않으며 말했다.

"장소를 묻고 답하는 표현이 많으니 한국대에 온 중국인 교환 학생에게 길 안내해 주는 설정으로 가죠. 제가 한국인 할 테니 선배가 중국인 하세요."

반응을 구하지 않았건만 재영은 기다렸다는 듯이 꿍얼거렸다.

"존나 식상하네. 너랑 게임 제작했으면 진짜 큰일 날 뻔했다."

생각해 보면 그는 늘 상우의 창의력을 비난했다. '야채맨'이 재미없다고 했으며 두 번이나 상상력이 부족하다고 했고 삼행시 평가에서는 참신성 항목에 0점을 주었다.

"그럼 아이디어 내 보든가요."

상우는 샤프를 노트에 탁 던지고 재영이 늘 하듯이 의자에 등을 거만하게 기댔다. 그리고 팔짱을 끼니 뭐라도 된 기분이었다. 재영은 중국어 문장이 적힌 종이를 훑어본 뒤 말했다.

"청나라 잡상인이 보이스 피싱 하는 내용으로 가자."

"뭐라고요?"

"처음에는 시장에서 물건을 파는 거야. 얼마입니까? 포도 두 송이에 10만 원입니다. 너무 비쌉니다. 그만두십시오. 폭력은 불법적인 행위입니다. 저 문으로 나가 주십시오. 사고파는 표현 쫙 쓰고……."

코웃음 칠 준비를 하고 있던 상우는 점점 스토리에 빠져들었다.

"오늘의 수입은 0원입니다. 나는 매우 가난합니다. 나는 돈이 없습니다. 이 표현 써 주고……. 내 물건을 모두 팔았습니다. 남은 돈으로 전화기를 샀습니다. 남은 돈은 0원입니다. 이거 써 주고…… 오, 여기 좋은 거 있네. 나는 사기꾼입니다."

상우는 자료에서 그가 언급한 문장을 체크하며 노트에 줄거리를 정리하기 시작했다.

"핸드폰 들고 전화 거는 거지, 따르르릉. 웨이? 나는 당신의 아들과 함께 있습니다. 내게 100억을 주십시오. 그가 집에 돌아갈 수 있습니다. 그러면 전화 받는 상대방이 이렇게 말하는 거야. 나는 미혼입니다. 당신은 사기꾼입니다."

"그래서요? 마무리는요?"

"글쎄, 어떻게 했으면 좋겠어?"

상우는 골똘히 생각해 보았으나 사기 행각에 실패한 가난한 사람이 무슨 행동을 할지 전혀 떠오르지 않았다. 끽해야…….

"쌀이 없어서 굶어 죽었다?"

"……그래, 너답다. 여기 좋은 표현 있네. 배고픕니다. 밥을 주십시오. 죽는다는 건 목록에 없지만 쓰면 되고. 유언으로 전화기를 남동생에게 물려주는 걸로."

상우는 내용을 정리하고 한번 읽어 보았다. 좀 이상해 보이는 소재이긴 해도 어려운 표현과 쉬운 표현이 적절하게 들어가 있었다. 그때 든 의문점.

"왜 굳이 청나라예요?"

"저 교수님이 청나라 역사 마니아거든. 청나라 옷이랑 변발 하고 나타나면 아마 웬만해선 만점 받을걸."

"그게 무슨 말도 안 되는……."

"여기 봐. '연출/유머/준비성' 20%"

안 그래도 이런 항목이 왜 들어 있나 했다. 게다가 '성조/발음/유창성'이 50%에 '난도/대사의 적절성/문법'이 30%인 걸 생각하면 배점도 엄청나게 높았다. 상우가 이해할 수 없다는 표정을 짓자 재영이 말했다.

"우리 동아리 교수님이라 잘 알지."

"무슨 동아린데요."

"연극부."

상우의 샤프심이 뚝 소리를 내며 부러졌다. 의도한 것은 아니었지만, 그것이 재영의 얼굴에 튀기는 바람에 그가 인상을 찌푸리며 볼을 손으로 문질렀다. 연극부 일정 때문에 산책로를 부득이하게 막았다더니, 그조차 조작이었던 것이다.

상우는 재영에게서 시선을 돌리고 그가 눈앞에 없는 척 대사를 짜기 시작했다. 모르는 건 한국어 뜻만 적어 놓고 알거나 목록에 있는 문장은 옮겨 적었다. 재영은 웬일로 조용했다.

근데 너무 조용했다. 신경이 쓰일 정도로. 책상을 탁탁 치거나, 말로 조롱하거나, 책을 요란하게 넘기거나, 뭐라도 해야 정상인데 아무것도 하지 않았다. 상우는 위화감을 느끼며 고개를 들었다. 그러자 가까이 있는 재영과 눈이 마주쳤다. 그는 양 손등을 겹쳐 그 위에 턱을 괴고 상우의 얼굴을 빤히 바라보고 있었다.

"신기하네."

그렇게 말하고 또 빤히 쳐다보는 것이었다. 상우는 곧바로 고개를 숙이고 샤프를 놀렸다.

"뭐가 신기하냐면……."

재영이 아주 작게 속삭였다.

"우리의 공통점을 발견했어."

그런 게 있을 리가 없었다. 기분 나쁜 소리에 상우의 안면이 구겨졌다. 재영이 작게 웃었다.

"표정 봐라. 글씨체 말한 거야."

상우는 다른 의미로 충격을 받았다. 자신이 글씨를 잘 쓴다고 여긴 적은 없어도 그 정도로 엉망이라곤 생각하지 않았다.

"방해하지 마세요."

"상우야."

그가 낮고 다정한 음성으로 이름을 불렀다. 이틀 동안 미친 듯이 괴롭히더니 이제 와서 착한 척하는 게 웃길 뿐이었다.

"너 진짜 쿨하구나?"

무시.

"뒤끝이란 게 아예 없나 봐. 인간 말종, 양아치, 사디스트랑 마주 보고 과제도 같이 하고."

무시.

"상우야."

무시.

"넌 복수라는 말 어떻게 생각해?"

무시.

"그것도 어느 정도 감정이 있어야 하는 거겠지? 너한텐 내가 파리 같아서 그냥 꺼졌으면 좋겠잖아. 그치?"

무시.

"형 말 씹으면 맛있어?"

"우리 집안엔 양아치 새끼 없어요."

"점점 막 나가네, 이 씹새끼가."

"저 이거 하고 있잖아요. 조용히 좀 해 주세요."

"내 부탁 들어주면."

"싫어요."

"모자 벗어 봐."

좀 황당한 제안이었다. 상우는 눈을 들었다가 여전히 손등에 턱을 대고 있는 재영을 보았다. 신종 조롱인가 싶어서 살펴봐도 그 낯짝은 뻔뻔하기만 했다. 상우는 그를 무시하기로 했다.

마지막 대사를 쓰자마자 재영이 노트를 빼앗아 갔다. 그는 거들먹거리는 태도로 "그렇군."이나 "제법이야." 따위의 말을 해 가며 대사를 검토했다. 그러다가 상우의 샤프로 무언가 적기도 했다.

재영이 다시 넘긴 노트에는 이제 공백이 없었다. 상우가 몰라서 빈칸으로 남긴 곳에 그가 한자 간자체로 대사를 채워 넣은 것이다.

'왜 저러지?'

상우는 당혹스러웠다. 그러고 보면 스킷 내용도 그가 짰고 오늘은 방해는커녕 협조만 하고 있었다. 그만 괴롭히기로 한 걸까?

"웬일이에요?"

"뭐가?"

"세상 끝까지 쫓아와서 괴롭힐 기세시더니, 이틀 사이에 앙금이 풀리셨나 봐요."

이랬다가 저랬다가, 껄렁한 양아치였다가 단정한 레스토랑 알바였다가, 욕하면서 화냈다가 싱글벙글 웃었다가, 죽일 듯이 쫓아왔다가 뜬금없이 삼행시를 시켰다가, 따라다니면서 괴롭히다가 팀 과제를 돕다가. 장재영은 상우가 이제까지 살면서 본 사람 중 제일 이상했다.

"얘기 잘되고 있어요?"

그때 강의실을 돌아다니며 학생들을 봐 주던 교수의 목소리가 들렸다. 그녀가 곁으로 다가와 그들을 눈짓했다.

"아, 재영이네 페어구나? 여긴 문제없겠네."

"아니에요, 교수님. 여기 상우라는 친구가 다 했어요."

'왜 저러지?'

상우는 전혀 기대하지 않은 반응에 황당함을 느꼈다. 교수가 호의 어린 시선으로 상우를 바라보았다.

"그래요. 그럼 상우 학생이 짰다는 대사 좀 봅시다."

평소라면 '아니요, 재영 선배가 틀을 다 짜셨고 저는 옮겨 적기만 했어요'라고 사실대로 대답했을 텐데, 도저히 그를 칭찬하는 말이 입 밖으로 나오지 않았다. 상우는 교수에게 노트를 공손하게 내밀었다. 그녀는 얼마 지나지 않아 폭소를 터뜨렸다.

"청나라 상인! 무지 재미있겠는데……. 하하하! 내용 좋네. 아하! 근데 대사가 좀……."

밝기만 하던 교수의 표정이 점점 어두워졌다.

"너무 상스럽네요. 대체 이런 욕은 어디서 배웠지? 재영! 네가 썼지?"

교수는 재영을 노려보았다가 그가 빈손인 것을 보았다. 샤프를 든 건 상우였다. 교수의 경멸스러운 시선이 재영에게서 상우에게로 옮겨 갔다.

"대사 고쳐요. 이대로 발표하면 0점이에요. 알겠어요?"

"……네."

교수가 눈을 부릅뜨고 있어서 상우는 어쩔 수 없이 대답했다. 교수가 상우의 손에 노트를 건네주고 떠난 뒤 재영이 큭큭 웃었다. 상우는 이를 악물고 지우개로 그의 글씨를 지웠다.

"난 뒤끝이 좀 있어, 너랑 달리."

그의 흔적이 연하게라도 남을까 봐, 상우는 글씨를 꼼꼼하게 지웠다.

return 0;

방심했다가 장재영에게 당한 상우는 수업이 끝나자 씩씩거리며 공학대로 향했다. 강의실에는 직전까지 수업이 있었고 분명히 상우가 재영보다 먼저 도착했는데도 어김없이 그의 가방(자리 맡기용 세컨드 남색 백팩)이 넷째 줄 오른쪽 자리에 놓여 있었다.

상우는 그 왼쪽에 앉아 가림판을 쳤다. 중국어 시간에는 스킷 준비를 해야 해서 얼굴을 마주 볼 수밖에 없었지만 '공학수학2' 시간에는 혼자 강의 듣고 문제만 풀면 되니 지혜의 충고가 유용하리라 믿었다. 하지만 그렇게까지 쉽게 성공하리라 생각하지는 않았다. 장재영은 사악한 악마나 다름없었으니까.

상우는 여러 공작을 예상했다. 실수인 척 가림판을 쳐서 넘어뜨리거나, 책상을 툭툭 치거나, 이상한 소리를 내서 신경 쓰이게 하거나. 그런데 아무리 기다려도 방해하는 기색이 없었다. 그는 재영이 가림판 너머에서 대체 무슨 짓을 하고 있을지 불안해하느라 수업을 6분이나 날려 버렸다.

결국 궁금증에 슬쩍 가림판을 내리고야 말았다. 그리고 상우는 책상에 머리를 대고 눈을 살포시 감은 재영을 보았다. 오늘 내내 느낀 위화감의 본질을 마주했다. 단지 빨간 패딩을 안 입었거나 안경을 안 썼다 뿐은 아닌 것 같았다. 장재영은 아예 다른 사람처럼 보였다. 상우가 동일 인물인지조차 알아볼 수 없었던 이탈리안 레스토랑 알바생의 모습처럼.

세 개씩 달고 다니던 피어스는 귀에서 찾아볼 수 없었다. 머리카락도 어디가 바뀌었는지는 몰라도 평소보다 훨씬 단정해 보였다. 게다가 눈을 감고 있어서인지 온화해 보이는 것이, 상우에게 나쁜 짓만 골라서 하던 사람이 아닌 것만 같았다.

'이 새끼는 대체 뭐지?'

상우는 불편함과 혼돈을 동시에 느꼈다. 한 가지로 정의할 수 없는 존재가 쉬울 리 없었다. 상우는 그를 '양아치, 쓰레기, 인간 말종'으로 정의해 놓았는데 눈앞의 모습은 '단정한, 깔끔한, 어른스러운' 같은 수식어가 어울렸다. 그 속성들은 서로 다른 데이터 타입처럼 호환되지 않았다.

그러나 상우는 재영이 봐 줄 만한 외모와 달리 인성이 썩어 빠졌음을 알고 있었다. 디자인 전공인 그가 공학수학 수업을 듣고 있다는 게 증거였다. 그는 상우의 수업을 방해해서 학업을 망치게 하려고 이 자리에 있었고, 눈을 감고 있는데도 목적을 이루는 중이었다.

상우는 샤프를 꽉 쥐며 다시 수업에 집중했다. 재영이 무슨 속셈인지 살피는 사이 진도는 벌써 다음 장까지 나가 있었다. 두 번의 '공학수학2' 수업을 들으며 상우는 끔찍하게도 배운 것이 거의 없었다. 수요일에 듣는 '대중문화와 문화 이론'을 제외한 다른 과목도 다 마찬가지였다. 2주가 지나 재영이 사라지고 나면 책과 인터넷 강의를 참고하며 따로 공부해 어떻게든 따라잡을 수 있겠지만, 교수들은 시험에 나올 내용을 수업에서 은연중에 강조하곤 한다. 손해가 없을 리 없었다.

그런 의미에서 재영이 잠들어 있는 시간은 기회였다. 상우는 교수의 말에 집중하고 그가 하는 말을 이해하려고 애썼다. 그런데 이상하게도 몇 분 되지도 않아 그의 신경은 쌔근쌔근 자고 있는 재영에게로 쏠렸다.

'이제는 가만히 있어도 나를 방해하는구나. 대단한 능력이다.'

상우는 그쪽을 보지 않으려고 안간힘을 썼지만 이성과 충동의 혈투가 1분 만에 끝나고 고개가 쓱 돌아갔다.

재영은 에러 주제에 얌전히도 잠들어 있었다. 상우는 한마디로 단정하기 어려운 복잡한 기분에 휩싸였고 그 느낌은 전혀 마음에 들지 않았다. 그러나 정상인의 탈을 쓴 재영이 했던 극악무도한 짓들을 떠올리자 모호한 감정은 사라지고 적개심이 생생하게 불타올랐다.

그러고 보니 옛 법전에 '눈에는 눈, 이에는 이'라는 말이 있다. 뒤끝이 없다고? 장재영은 뭔가 착각하는 듯했다. 모든 여건이 갖춰지면 상우도 충분히 복수할 수 있었다. 단지 그 수준의 또라이가 아니라서 엄청난 에너지를 쓰면서까지 남을 괴롭힐 가치를 느끼지 못할 뿐.

'나라고 못할 거 없잖아.'

상우는 필통에서 컴퓨터용 사인펜을 꺼내 들었다. 뚜껑을 여는 행위는 칼을 칼집에서 뽑는 것처럼 비장했다. 그는 펜을 조심스럽게 쥐고 재영에게 바싹 붙어 앉았다.

촉촉한 펜 끝이 재영의 이마에 다가가다가 공중에서 멈추었다. 상우는 자신이 그림을 그려 본 지가 너무 오래되었음을 깨달았다. 화가처럼 잘 그릴 필요가 없는데도 미술에 재능 없다는 열등감이 과감한 터치를 막고 있었다. 초등학교 2학년 때 도화지에 아무것도 안 그리고 있다가 선생님에게 혼난 기억과 중학교 3학년 때 미술 실기 평가 때문에 찍혔던 전교 석차 2등이란 글자가 눈앞에 아른거렸다.

상우는 한참 주저하다가 점이라도 하나 찍기로 마음먹었지만 적당한 부위를 고르기가 쉽지 않았다. 그의 시선이 재영의 얼굴을 구석구석 훑었다. 편편한 이마 위에는 흑갈색 머리카락이 흐트러져 있었다. 짙은 눈썹은 자연스러운 곡선을 그렸고 그 아래 남자치고 긴 속눈썹이 그늘을 만들었다. 움푹 들어간 미간에서부터 곧은 콧날의 경사가 시작되었다. 인중 아래 입술은 살짝 벌어져 있었다.

'아무 데나 하면 되잖아!'

상우는 스스로 채찍질하며 사인펜을 더 굳게 쥐었다. 태어나서 이런 짓은 한 번도 해 본 적이 없는 데다 수업 시간을 희생하고 있다보니 손이 달달 떨렸다. 손가락에 힘을 꽉 주고 과감하게 앞으로 밀었다. 조금 주저하던 펜촉이 재영의 이마에 닿았다. 그 순간에 돌연보인 한 쌍의 눈동자 때문에 상우는 의도치 않게 펜을 아래로 쭉 그어 버렸다.

이런 짓도 해 본 사람이나 하는 것인가 보다. 재영이 한 낙서에 비하면 아무것도 아닌데, 평생 남을 골탕 먹여 본 적이 없었던지라 나쁜 짓을 하다 걸린 아이처럼 심장이 철렁 내려앉았다.

재영은 눈을 크게 뜨고만 있었다. 상우는 사인펜을 필통에 넣고 억지로 책을 노려보았다. 머리가 새하얘지고 심장이 쿵쾅쿵쾅 뛰어댔다.

그 뒤에는 시간이 어떻게 지나갔는지 모른다. 상우는 돌처럼 굳어 버린 채로 가만히 있었고 정신을 차리고 보니 수업이 끝나 학생들이 강의실을 빠져나가고 있었다. 좀 분하다고 한순간에 장재영과 같은 짓을 저지르다니. 그와 같은 수준으로 떨어졌다는 것이 믿어지지 않았다.

"상우야."

오싹 소름이 끼쳤다. 만일 재영이 화낸다면 상우도 할 말이 있었지만 그와 별개로 사람 얼굴에 낙서했다는 사실이 못마땅했다.

"상우야, 형이 부르잖아."

"……네."

"너 나한테 복수했네?"

상우의 고개가 획 돌아갔다. 재영이 코에 검은 선을 묻힌 채 웃고 있었다.

"이야, 로봇 청소기가 빵을 구워 온 느낌인데."

재영은 화내기는커녕 재미있어하며 볼캡 위를 쓰다듬었다. 상우는 그가 허락 없이 자신의 신체에 접촉했다고 트집 잡을 마음조차 들지 않을 정도로 황당했다.

"밥 먹으러 가자. 오늘은 형이 사 줄게."

"……전 누나밖에 없다니까요."

상우는 겨우 대답했다. 재영이 일어나서 손목을 잡았을 때 힘없이 끌려갔을 만큼 그는 정신이 없었다. 공학대를 나오는 동안 재영은 수많은 사람에게 알은체했다. 재영의 지인들은 한 명도 빠짐없이 낄 낄거리며 상우의 작품을 언급했다.

"오빠, 왜 코에 뭐 묻히고 다녀요? 분장이에요?"

"멋있어? 얘가 한 거야."

"재영이, 공대에 웬일? 얼굴은 왜 그래?"

"어, 일이 좀 있어서. 얼굴은 얘가 그랬어."

그럴 때마다 재영은 부끄러워하기는커녕 오히려 논문 출처를 표기하듯 상우를 손가락으로 정확히 가리키며 그의 솜씨란 걸 모두에게 알렸다. 정말 이상한 사람이었다. 상우는 그날 '쪽 팔리다'란 말의 의미를 배웠다.

재영의 지인들에게 소개될 때마다 얻어맞은 기분을 느끼며 로비로 나왔을 때 상우는 너덜너덜해진 상태였다. 이리저리 끌려다니다 정신 차려 보니 교내 피자집 앞에 서 있었다.

"피자 싫어해?"

재영은 자리에 앉은 다음에 그리 물었다. 상우는 체념한 기분으로 답했다.

"아니요."

"웬일로 얌전해."

"그것 좀 지우면 안 돼요?"

"안 지울 건데."

재영은 싱긋 웃더니 메뉴판을 보았다. 그는 상우의 의견을 묻지도 않고 피자 한 판과 리소토 두 그릇을 시켰다.

"파스타는 싫어한다길래 안 시켰어."

그래 놓고는 무슨 배려라도 한 양 생색을 냈다.

상우는 속으로 콧방귀를 뀌었다. 파스타가 싫다는 건 장재영이 이탈리아 식당에서 일하기 때문에 한 말일 뿐이었다. 그는 음식이 맛있거나 맛없다고 생각해 본 적이 없었고 메뉴도 가리지 않았다. 식사는 열량을 채우는 과정일 뿐이다. 영양의 균형만 맞는다면 맛이나 모양을 따지는 것이 의미 없다고 생각했다. 그런 의미에서 코에 까만 줄이 그어진 바보는 합리적인 가격의 학식을 두고 헛돈 쓰고 있었다.

"상우야. 너 방금 들은 수업 이해하겠어?"

"선배만 없었다면 그랬겠죠."

"신기하네. 사람 이름 세 글자도 못 외우는 주제에."

"들어야 할 과목은 대리 출석하고 쓸데없는 수업에서 잠이나 자는 선배가 더 신기한데요."

대화하는 동안 음식이 나왔다. 상우는 한마디도 없이 먹었다. 재영이 맛없게 먹는다며 시비 걸었지만 무시하고 식사했다.

먹을 만큼 먹고는 말없이 일어났다. 늘 식사하던 장소가 아닌 곳에서 밥을 먹었다는 사실이 불편해서 어서 나가고 싶었다. 어쩌면 코에 뭘 묻히고도 싱글벙글 웃고 있는 덜떨어진 놈이 앞에 있어서인지도 모르지만.

"상우야."

어느새 재영이 계산하고서 따라붙었다.

"날씨 좋다, 그치? 하늘도 좀 보고 그래."

'날파리 같은 자식. 하늘로 날아가 버려라.'

상우는 땅을 보며 꿋꿋하게 걸었다.

재영은 레스토랑에서 나와 얼마 걷기도 전에 가죽 가방에서 캔 커피를 꺼내 들었다. 까만 배경과 익숙한 로고, '블랙홀릭'이란 커다란 글씨가 상우의 시선을 강하게 끌어당겼다. 홀짝홀짝 마시며 놀리려는 것이 분명했다.

'이 순간을 기다렸다.'

상우는 지혜의 두 번째 충고를 응용해 이런 상황을 대비했다. 편의점 점주의 정보에 의하면 '블랙홀릭' 커피가 입하되는 날은 다다음 주 월요일. 주중에만 커피를 한 캔씩 소비하니 앞으로 필요한 수는 일곱 개라 마트에서 숫자를 맞춰 샀다. 그러나 배낭을 열어야겠다고 생각한 순간에 황당하게도 재영이 커피를 내밀었다.

"자, 커피 셔틀."

에러, 에러, 형식 에러.

당연히 재영이 캔을 따서 입에 콸콸 붓고 으스대며 자신을 놀릴 것이라 예상했던 상우는 저도 모르게 멈춰 섰다. 그는 무심코 캔을 받아 들었다. 눈에 바싹 대고 밀봉되어 있는지 확인하자 재영이 "또라이 새끼……." 라고 중얼거렸다. 상우는 자세히 살펴보고 흔들어보기도 했지만 캔은 깨끗했고 커피는 한 방울도 새지 않았다.

"그냥 마셔라, 좀."

"여기에 무슨 짓 했죠?"

"독이라도 탔겠냐? 열여섯 개나 샀는데 맛대가리가 없어서 네 입에 버리는 거야."

'왜 저래?'

상우는 의아함을 느꼈다. 의문이 들 수밖에 없는 행동이 난무하고 있었다. 수열로 치면 2, 4, 6, 8⋯⋯ 일관성 있 다가 갑자기 $\sqrt{55}$가 튀어나온 거나 마찬가지.

재영은 심드렁하게 덧붙였다.

"남은 거 다 줄 테니까 모자나 벗어 봐."

"남이 뭘 걸치든 선배가 상관하실 일이 아닙니다."

아까부터 웬 모자 타령일까. 상우는 캔 커피를 따며 간만에 듣는 청량한 소리에 기분이 좋아졌다. 입구를 조심스럽게 입술에 갖다 대고 캔을 기울이자 미지근한 음료가 입안에 흘러들었다.

"넌 그게 맛있냐?"

맛 같은 거, 상우는 잘 몰랐다. 다만 매일 느끼곤 했던 편안한 감각이 그를 감상적인 기분에 빠져들게 했을 뿐이다. 상우는 재영을 무시하고 인문대 방향으로 걸었다. 어쩌면 잃어버린 일과를 되찾을 수 있다는 희망을 품은 채.

그가 늘 다니던 산책로에는 '연극부 촬영 중'이란 팻말이 여전히 꽂혀 있었다. 조작 간판에 사흘 동안 속았지만 이제는 진실을 알았다. 상우는 팻말을 발로 차서 부순 뒤 휴지통에 넣어 버렸다. 빼앗겼던 산책로를 걸으니 옆에 재영이 있는데도 평안이 찾아왔다. 상우는 캔 커피를 홀짝거리며 눈 감고도 다닐 길을 걸었다.

"너 너무 용감한 거 아니야?"

상우는 방해받고 싶지 않아서 빠르게 걸었다. 그러자 재영이 당연하다는 듯 쫓아와 속도를 맞추었다.

"둘만 있으면 내가 어떻게 할 줄 알고."

"깡패 새끼세요?"

"……말하는 꼬라지 봐라."

"깡패 새끼 아니시면 상관없잖아요. 깡패 새끼냐고 물은 것뿐인데. 찔리세요?"

"네가 좋아하는 112도 출동하려면 시간 걸릴 텐데. 조심하자."

그가 이를 악물고 말했다. 상우는 비웃음을 띠고 재영을 보았다. 분위기 있는 코트 차림의 그는 훤칠한 장신이기는 해도 격투기 선수처럼 강해 보이지는 않았다.

"선배, 별로 싸움 잘하실 것 같지 않은데."

"아, 그래? 너 운동 좀 하나 보다?"

상우는 태권도를 오래 배웠지만 고등학교 때부터는 공부가 우선순위가 되었다. 요즘은 집에서 팔 굽혀 펴기 하거나 등하교 시 자전거 타는 것 외에는 따로 운동하지 않았다.

"예전엔 좀 했죠. 요즘은 거의 안 해요."

"다음에 형이랑 농구 한 게임 하자. 공에 손도 못 대게 해 줄게."

"싫어요. 그리고 자꾸 남의 가족 구성원 좀 늘리지 마세요."

산책로가 끝나는 길에는 공사 막바지인 풋살장이 있었다. 상우는 자연스럽게 자연대 앞까지 걸어가 늘 서는 자리에서 캔을 조준하고 던졌다. 캔은 포물선을 그리며 세 개의 쓰레기통 중 두 번째에 깔끔하게 들어갔다. 마음이 후련했다. 누군가가 후 불어 버린 카드 탑을 하나하나 재건하는 기분이었다.

다음은 도서관이었다. 상우는 미리 예약해 둔 자리에 앉았고 재영은 그 옆에 앉았다. 이번에는 아무 책도 빌려 오지 않고 펜을 꺼내 돌렸다. 상우가 전공 서적과 노트를 꺼내고 배낭을 다시 의자에 거는 동안 재영이 노트를 가져가 버렸다.

"내놔요. 그거 절도예요."

재영은 짜증 난다는 듯 눈알을 굴리더니 노트를 휙 뒤집어 뒤편을 보았다. 그는 가격표를 확인하더니 상우에게 정확한 금액을 송금했다. 상우는 할 말이 없어졌다. 중요한 노트라면 신고라도 하겠지만 연습장 용도일 뿐이었다. 그는 재영과 승강이하면서 시간 낭비하기보다 같은 디자인의 새로운 노트를 가방에서 꺼냈다.

그러자 또 방해가 시작되었다. 상우는 노트 휙휙 넘기는 소리를 대비했기 때문에 반쯤은 기다리고 있었다. 배낭에서 세 번째 총알인 귀마개를 꺼내 양쪽 귀에 꽂자 거슬리던 소리가 아예 들리지 않았다. 지혜의 조언 중 앞의 두 가지는 흐지부지되었지만 세 번째는 유효했던 셈이다.

귀마개를 꽂으니 답답한 감은 있었지만 소음이 효과적으로 차단된다는 점에서 장점이 훨씬 컸다. 오랜만에 집중해서 공부할 수 있을 것 같은 예감이 들었다. 그러나 그는 한 문단을 읽기도 전에 볼에 쏟아지는 시선을 느꼈다.

오른쪽을 보았더니 재영이 아예 자세를 그쪽으로 돌리고 노트에 무언가를 그리고 있었다. 그는 꽤 전문가다운 자세와 표정으로 앉아서 상우의 얼굴과 노트를 번갈아 보며 펜을 놀렸다.

'가지가지 한다.'

상우는 가림판을 꺼내 오른쪽에 치고 다시 책으로 고개를 돌렸다. 1분 뒤에 신경 쓰여서 옆을 보았더니 가림판은 소리 없이 내려져 있었다. 귀마개 때문에 듣지 못한 것이다. 가림판을 다시 세우자 재영이 또다시 내렸다. 그 짓을 세 번 반복하고 나니 상우는 화가 치밀었다. 오늘이야말로 공부할 수 있을 줄 알았는데, 또 글렀나 보다.

가림판을 세운 뒤 이번에는 아예 넘어지지 않게 오른손으로 고정하고 책을 보았다. 처음에는 괜찮았지만 얼마 지나자 또 눈총이 느껴졌다. 재영은 이번에는 일어서서 상우를 사선으로 내려다보며 그림을 그리고 있었다.

'저 미친 새끼.'

상우는 입술을 움직여 소리 없이 욕했다. 팀 과제에 기여하고 커피를 순순히 주며 산책로를 열어 놓는가 싶더니, 대본에 장난 쳐서 교수에게 욕 먹이고 옆에서 쳐다보며 공부에 집중할 수 없게 만든다.

빨간 패딩일 때보단 낫지만 녹색 코트도 짜증 나긴 마찬가지였다. 상우는 공부 장소를 집으로 옮기기로 마음먹었다. 집의 책상은 도서관만큼 넓지 않고 조명도 어두웠지만 이렇게 아무것도 못 하니 집에서 공부하는 편이 훨씬 낫다.

귀마개를 거칠게 빼고 가방을 싸려는데 옆에서 종이를 북 찢는 소리가 났다. 전공 서적을 가방에 넣고 다시 몸을 돌렸을 때 재영이 내민 종이가 눈앞에 있었다.

"선물이야."

그는 노트에 캐리커처를 그려 놓았다. 미국 신문의 정치인 풍자화만큼 과장된 그림체였다. 광대뼈는 툭 튀어나오고 눈은 쭉 찢어져 치켜 올라간 데다 눈 아래는 어둡게 칠해 놓았다. 입술은 비뚤어졌고 목은 부러질 것처럼 가늘었다. 그리고 무엇보다 검은 볼캡이 엄청나게 크게 강조되어 있었다. 상우는 앉은 자리에서 종이를 쫙쫙 찢어서 조각으로 만들었다.

"너무하네, 진짜."

그는 재영의 중얼거림을 무시하고 종잇조각을 한 개도 빼놓지 않고 손바닥에 담았다. 그리고 나가는 길에 휴지통에 버렸다.

"너 내가 일러스트 그려 주고 얼마 받는지 알아?"

"저랑 무슨 상관인가요?"

"그렇게 찢어 버릴 그림이 아니란 소리야."

"못 그려서 찢은 게 아니라 선배가 그려서 찢은 거예요."

"내가 준 커피는 잘만 마셨잖아."

"그건 선배가 만든 게 아니잖아요."

"할 말 없게 만드네."

도서관에서 나왔을 때 시간은 13:32였다. 오늘도 시간만 엄청나게 낭비한 것이다. 상우가 자전거에 올라타자 재영이 멀리서 외쳤다.

"상우야!"

"왜요?"

"좀 이른 인사지만, 잘 자."

대낮에 해 봐야 아무짝에도 의미 없는 말이었다. 밤에 한다고 해서 달가울 리 없지만.

"선배는 악몽 꾸세요."

자전거가 내리막길을 달렸다.

return 0;

다음 날은 사정이 더 나아졌다. 금요일에는 전공 강의밖에 없다 보니 재영은 1교시와 2교시 내내 엎드려 잤다. 상우는 전날 괜히 사인펜을 들었다가 후회한 일을 되새기며 수업에 애써 집중했다. 그는 재영이 옆에 있는데도 괜찮은 컨디션을 달리고 있었다.

"오늘도 밥 사 줄까?"

수업이 끝나고 재영은 별 이유 없이 상우에게 재화를 무료로 제공하겠다고 제안했다. 다른 사람의 제안이라면 받아들였겠지만 그가 말했다는 이유로 상우는 머리를 써야 했다.

i) 수락한다
금전적 이익 Y, 스트레스 Y = 약한 손해
ii) 거절한다 - 장재영이 학생 식당에 따라오는 경우
금전적 이익 N, 스트레스 Y = 심한 손해
iii) 거절한다 - 장재영이 다른 식당으로 가는 경우
금전적 이익 N, 스트레스 N = 현상 유지

수락하면 그와 100% 확률로 식사해야 하니 스트레스 받지만, 만일 거절했는데도 따라오면 밥도 못 얻어먹고 스트레스까지 받는다. 상대의 반응에 따라 달라지는 구조라 도박하는 수밖에는 없었다.

"싫어요."

"그럼 오늘도 학식?"

"네."

"학식 마니아 나셨네. 식당에서 너 상 줘야겠는데."

운 좋게도 세 번째 경우가 당첨되었다. 재영이 어디론가 가 버린 뒤 상우는 홀로 식당에 들어섰다. 그리고 언제나처럼 학식을 받아서 인적 드문 식당 구석에서 평화롭게 식사했다. 식사를 마치고 나니 평소보다 1분밖에 안 늦었고 거기까지는 좋았다. 그런데 식당 출구에서 재영이 기다리고 있었다.

"자."

어김없는 '블랙홀릭'. 상우는 전날처럼 캔을 받아서 외관을 관찰하고 흔들어서 문제없다는 걸 확인하고서 땄다. 첫 모금을 마시는데 재영이 이상한 걸 물었다.

"너 중국어 스킷 잘하고 싶지?"

"당연하죠."

"그럼 어디 좀 가자."

스킷을 잘하려면 특정 장소에 가야 한다니, 이상한 주문이었다.

"어디요?"

"우리 의상 찾으러."

"왜요?"

"청나라 상인인데 그럼 영어 적힌 티셔츠 입고 할 거야?"

"산책할 시간인데."

"그런 건 나중에 해."

재영은 짜증을 내더니 급기야는 상우의 손목을 잡고 끌고 가기 시작했다.

"이거 폭행이에요. 신고합니다. 신고한다고 했어요."

상우는 핸드폰을 반대편 손에 들고 외쳤다. 그러나 재영은 미간을 찌푸리더니 핸드폰을 빼앗아 제 주머니에 넣었다. 그는 보기보다 힘이 셌다.

"오늘이야말로 빨간 줄 긋게 해 드릴게요."

"깝깝한 새끼. 도와주려는 사람한테 대체 왜 그러냐. 다 끝나고서 폭행이었던 것 같으면 신고해. 안 말려."

정말 도와주려는 걸까. 상우는 의심이 들었지만 그의 말을 믿어 보기로 했다. 알겠다고 대답하자 재영이 손목을 놔주었다.

"네가 청나라 상인 할 거지?"

"네."

당연하다. 그 배역이 대사가 훨씬 많아서 점수 잘 받을 확률이 높으니까.

"그럼 내가 손님이랑 보이스 피싱 당하는 사람 하면 되겠네."

재영은 학생회관으로 들어갈 뿐 어디로 가는지 자세히 이야기하지 않았다. 계단을 올라 재영이 멈춰 선 문 앞에 '연극부'라는 팻말이 붙어 있었다.

문을 열자 소품과 가면, 의상으로 지저분한 방이 나타났다. 작은 냉장고 위에는 재영이 사재기했을 '블랙홀릭' 캔 커피가 쌓여 있었고 벽에는 철 지난 연극 포스터가 덕지덕지 붙어 있었다. 소파 위에서는 남학생 둘이서 콘솔 게임기로 축구 게임 중이었다.

"오셨습니까, 재영 선배님."

"신경 쓰지 말고 하던 거 해."

재영은 그들에게 눈길도 주지 않고 마네킹을 옆으로 치우더니 그 뒤에 있던 문을 열었다. 상우는 그가 손짓하는 곳으로 들어섰다.

2단으로 된 행거가 벽의 삼면에 붙어 있는 방은 끔찍하게 좁았지만 별의별 의상이 빼곡하게 걸려 있었다. 재영은 막대기를 하나 들고 옷 사이를 헤집었다. 상우도 그를 따라 아랫단에서 청나라 사람이 입었을 만한 옷을 물색했지만 쉽지 않았다.

"이거 어떠냐?"

재영은 수십 벌은 될 법한 옷 사이에서 그런 것을 하나 찾아냈다. 목에서부터 발목까지 오는 파란 원피스였는데 허리와 소매에 띠가 있고 가슴에는 복잡한 금색 무늬가 그려져 있었다. 그는 비슷한 디자인의 보라색 치마를 꺼내 제 몸에 갖다 댔다.

"이게 나아, 저게 나아?"

"똑같이 생겼잖아요."

"단이 다르잖아, 단이."

"아무거나 해요. 중국어 스킷 의상을 이렇게까지 신경 쓰는 게 이상한 거예요."

"만점 받으려면 이렇게 해야지. 난 이거 입을래."

재영은 비슷한 디자인의(사실 상우 눈에는 다 똑같아 보였다) 노란 옷이 마음에 든 듯했다.

"변발 찾아봐."

상우는 그의 말대로 쪼그려 앉아 박스에서 가발을 뒤졌지만 소득이 없었다. 다른 상자를 뒤지려고 손을 뻗어 끌어오는데, 재영이 돌연 상우처럼 낮게 쭈그려 앉았다. 원래 그의 정강이만 보이던 시야에 갑자기 얼굴이 나타났다.

"뒤로 좀 가세요."

"어, 알았어."

재영은 말만 했지 조금도 움직이지 않았다. 상우는 불편함을 느끼며 상자를 뒤졌다. 얼마 안 됐을 때 머리가 허전하단 느낌이 들었다. 고개를 들어 보니 재영이 상우의 볼캡을 들고 있었다. 정지 화면처럼 가만히 있는 그를 바라보아도 무슨 수작인지 답이 나오지 않았다. 어제부터 모자, 모자 하더니 갖고 싶은 모양이라고 상우는 짐작했다.

"고등학교 때부터 쓰던 낡은 거예요. 그냥 하나 사세요."

재영은 그런 상우의 얼굴을 빤히 보기만 할 뿐이었다.

"만약 앞으로 저 안 찾아오시면 같은 걸로 사 드릴게요."

상우는 if구문을 제시하면서도 먹히리라고는 기대하지 않았다. 장재영의 표현을 빌려, 이깟 싸구려 모자로 해결될 정도의 일이었다면 여기까지 오지도 않았을 것이다.

하지만 재영은 좀 이상한 반응을 보였다. 비웃는다거나, 다른 농담을 한다거나, 모자를 자기가 쓴다거나, 상우가 예측한 어느 행동도 아니었다. 모자를 들지 않은 손이 상우의 눈앞으로 다가왔다.

"여기 뭐 묻었네."

긴 손가락은 아주 천천히 가까워졌다. 피할 시간이 충분히 있었는데, 상우는 이상한 긴장감에 굳어 있기만 했다. 이윽고 재영의 검지와 중지가 아주 천천히 뻗어 와 상우의 앞머리를 만졌다. 그의 손끝이 이마에 닿는 순간에 정전기가 났다.

상우는 박스를 구기며 뒤로 물러났다. 불쾌한 자극에 본능적인 거부감이 들어 그의 손을 쳐 냈다.

"내놔요."

"모자 안 쓴 게 훨씬 나은데, 왜 그렇게 가리고 다녀?"

"제 마음이잖아요."

손을 뻗었지만 재영은 모자를 돌려주지 않았다. 상우는 열이 받았다.

"달라고요."

"왜, 얼굴 구경 좀 하자."

"아, 내놓으라고!"

선배에게 반말 쓰기는 난생처음이었다. 상우는 몸을 앞으로 던지다시피 하며 재영의 손에서 모자를 빼앗았다. 둘의 가슴이 잠시 맞닿았고 재영이 뒤로 자빠졌지만 상우는 곧바로 일어서서 분장실에서 뛰쳐나갔다.

문을 쾅 닫고 나니 게임하던 남학생들이 놀란 눈으로 고개를 들었다. 상우는 심장이 쿵쿵거리고 얼굴에 열기가 몰리는 것을 느낄 수 있었다.

'왜 남의 물건을 툭하면 가져가고 난리야?'

씩씩거리며 연극부실에서 나왔다. 자기 입으로 변덕스럽다더니, 그 말이 맞았다. 이랬다가 저랬다가, 변덕스러운 날씨처럼 조금도 예상할 수 없는 새끼였다.

다급했던 상우의 걸음이 조금씩 느려졌다. 시간이 지날수록 그는 머쓱해졌다. 아무리 장재영이 모자를 가져가서 안 주었다지만 갑자기 소리 지르는 반응은 과민했다. 상우는 본래 욱한다고 화를 버럭 내는 스타일이 아닌데, 누가 가까이 접근한 데다 얼굴을 만지길래 놀라서 합리적인 판단이 안 됐던 것이다.

'생각해 보면 이성도 아닌데.'

축구에서 태클할 땐 이보다 훨씬 가까이 붙는다. 레슬링이나 씨름할 때는 또 어떻고, 몸이 완전히 밀착해도 아무도 이상하게 보지 않는다. 공중목욕탕에서는 빨가벗고 같은 탕에 들어가도 아무렇지 않다. 남자끼리기 때문이다.

상우는 자신이 비이성적인 행동을 했다는 결론을 내렸다. 그래서 재영이 뒤따라왔을 때 그의 눈을 볼 수 없었다. 재영은 상우에게 파란 연극 의상과 변발 가발 그리고 핸드폰을 건넸다.

"가발 씌우려고 모자 벗겼다가 장난 좀 쳤던 거야. 네가 화낼 줄 몰랐어."

"화난 거 아니에요."

거짓말이었다. 상우의 심장은 지금도 분노로 울렁거리고 있었으니까. 재영은 단지 준비물을 챙기려고 한 거였는데 자신이 이상한 방식으로 오해했음이 확실해졌다. 그는 의도했든 의도치 않았든 상우에게 수많은 방식으로 스트레스를 줄 수 있는 듯했다.

"연습해서 스킷 잘해야지. 잘 지내자, 상우야."

상우는 그의 말을 무시한 채 옷과 가발을 배낭에 넣고 건물에서 나왔다. 뒤에서 재영이 따라오는 소리가 들렸다. 상우는 휙 뒤돌아서 말했다.

"전략 바꾼 모양인데, 그런 거 안 통하니까 친한 척하지 마세요."

무표정하던 입가에 미소가 번졌다.

"난 전략 같은 거 안 짜. 하고 싶은 대로 하는 거야."

"그리고 여기서부터 따라오지 마세요. 이제 선배 때문에 도서관도 안 가고 집에서 공부해요."

"하지 말라면 더 하고 싶더라."

"따라오세요, 그럼."

"그래. 그렇게까지 말하는데 들어야지."

상우는 빠르게 도서관으로 걸어가 자전거에 올라탔다. 일부러 재영을 지나쳐 내리막길을 쏜살같이 내려가면 속이 좀 풀리겠지 싶었다. 그런데 재영은 내리막길을 따라오고 있었다.

"뭐 하시는 거예요?"

"따라오라며."

상우는 경악스러운 표정으로 재영이 타고 있는 형광색 스케이트보드를 보았다. 이 사람은 과연 어느 정도로 미친 걸까? 사람은 누구나 시간이 소중하지 않나? 생산적인 일을 할 수 있는 시간에 왜 이렇게 이득이 안 되는 짓을 한단 말인가.

고개를 가로젓고 자전거 타는 데만 집중하려 했지만 시선이 자꾸 그에게 향했다. 장재영은 스케이트보드를 썩 잘 탔다. 그리고 사람의 시선을 끌어모을 줄 알았다. 상우뿐 아니고 골목에서 마주치는 이들도 그를 호기심 어린 눈으로 바라보며 감탄했다. 재영은 그런 관심을 즐기는 듯 사람이 많은 곳에서 보드를 탄 채 공중에 뛰어오르는 기술을 보였다. 마치 연예인처럼 사람들에게 웃어 주었으며 아이들에게는 달리는 채로 하이파이브를 해 주었다.

그는 비디오 게임에 나오는 캐릭터처럼 자유분방해 보였다. 상우는 재영이 자신과 다르단 걸 알고 있었지만, 입가에 미소를 띠고 머리카락을 흩날리며 보드 타는 걸 보며 그가 자신과 아예 다른 종자라는 걸 실감했다.

하나부터 열까지 그들은 반대였다. 해야 할 일만 하는 상우와 달리 재영은 하고 싶은 거라면 뭐든 하는 듯했다. 친구 하나 없는 상우와 달리 재영은 어디에나 아는 사람이 있는 학교의 스타였다. 검은 옷만 입고 다니는 상우와 달리 재영의 옷장 속은 무지개색일 것이 분명했다. 언제나 무표정인 상우와 달리 재영은 늘 장난꾸러기처럼 웃고 있었다. 같은 루틴에 집착하는 상우와 달리 재영은 집이 없는 방랑자와 같았다. 그들은 다른 세계에 살고 있었다. 불미스러운 사건이 없었더라면 절대로 알고 지낼 리 없는 사람들이었다.

보도를 돌아 골목으로 진입하며 둘은 나란히 달렸다. 재영은 아무도 없는데도 위로 뛰어올라 반 바퀴 돌고서 착지했다. 스케이트보드가 마치 그의 발에 붙어 있는 것 같았다.

"대체 왜 따라오는 거예요?"

타려면 더 좋은 장소가 많을 텐데, 하필 울퉁불퉁한 골목에서 저러는 게 이해되지 않았다. 재영은 대수롭지 않게 할 일이 없다고 대답했다. 질문에 알맞은 대답은 아니었다. 그러나 어차피 그를 이해할 필요는 없었다. 이 짓도 이제 반이 지나갔으니까.

"이제 일주일 남았네요."

"뭐가?"

"수강 철회 기간이요."

재영은 대답 없이 웃기만 했다.

그들은 곧 상우가 사는 원룸 건물 앞까지 왔다. 회벽에 곰팡이가 핀 4층짜리 건물이었다. 상우는 차양이 있는 자전거 보관대, '402호'

라고 적힌 자리에 자전거를 묶었다. 그 동안 재영은 발로 스케이트보드를 가볍게 앞뒤로 밀며 건물을 올려다보았다.

"여기 사는구나."

"주거 침입죄 형량 최대 3년이에요."

"왜 그 소리 안 하나 했다."

"자전거 따고 가져가면 곧바로 신고합니다. 안장이나 다른 부품도 마찬가지예요."

재영은 상우의 말에 빈정거리는 대신 웃었다. 그가 스케이트보드 끝을 발로 탁 치자 보드 반대쪽이 올라왔다. 재영은 왼손으로 보드를 잡아 세우고 오른손을 흔들었다.

"주말 잘 보내, 상우야."

"……네."

악의 없는 말에 순순히 대답하는 수밖에 없었다. 상우는 그에게서 시선을 떼고 건물에 들어섰다. 왜 이렇게 찝찝한가 싶어서 계단을 오르는 동안 고민해 봤는데 아무래도 서로 악담을 퍼붓지 않고 평범하게 헤어진 건 이번이 처음인 것 같았다. 그가 쫓아오지 않을까 내심 불안했지만 뒤에서는 아무 소리도 나지 않았다. 상우는 4층까지 올라와 도어록에 번호를 입력하고 집에 들어섰다.

이유를 알 수 없는 한숨이 나왔다. 문 앞에 배낭을 놓고 모자와 외투를 벗어서 옷걸이에 걸었다. 청바지를 벗고 트레이닝복으로 갈아입은 뒤 화장실에서 손을 비누로 씻었다. 거울에는 앞머리가 눌린 평범한 남자애가 있었다.

상우는 공부할 책을 책장에서 꺼내 책상에 올려놓았다. 배낭에서 필통과 노트를 빼서 그 옆에 놓았다. 그러나 의자에 앉기 전, 발이 창가로 움직였다.

커튼을 살짝 들어서 창문 아래를 내려다보았다. 재영은 아직 같은 자리에서 보드를 버려둔 채 고양이와 놀고 있었다. 까만 고양이는 배를 뒤집은 채 바닥에 누워 있었고 재영이 쪼그려 앉은 채 손가락으로 여기저기 긁어 주고 있었다. 상우도 그 고양이를 몇 번 마주쳤지만 사납게 울거나 날쌔게 도망치는 모습밖에 보지 못했다. 재영이 핸드폰을 꺼내 고양이 사진을 찍는 모습을 보다가 상우는 커튼을 닫았다.

이틀은 하드코어 불지옥 모드, 하루는 휴식, 이틀은 조금 짜증 나는 정도. 한마디로 정의하기 어려운 그의 성격과 마찬가지로 장재영의 행동은 불규칙 수열 같았다. 상우는 패턴 없는 것을 싫어했다. 예측할 수 없어서였다. 그는 책상에 앉아 공부하기 시작했다.

return 0;

불확실성은 비효율성을 동반한다. 장재영의 행동에는 패턴이 전혀 없어서 주말에 무슨 짓을 할지 예측할 수 없었다. 그래서 상우는 게임 포스터가 붙은 PC방 투명 문에 사람의 실루엣이 비치면 긴장했다가 안도하기를 반복했다.

토요일 알바는 시간이 느리게 흘렀다. 평소보다 사람이 없는 편이라 일이 적었지만 문을 힐끔힐끔 보느라 여유 시간을 효과적으로 활용하지 못했다. 적이 불쑥 나타나면 대처해야 하니 바람직한 방어 자세였으나 상황 자체만 보면 재영을 기다리는 것 같아 보여서, 상우는 우습다고 생각했다.

'이제껏 한 번도 안 보인 날은 없었지.'

그것이 재영의 행동에서 찾을 수 있는 유일한 패턴이었다. 그는 수업이 겹치지 않는 수요일에조차 상우를 잡아먹을 것처럼 득달같이 쫓아왔으니까.

그러나 재영은 밤 10시까지 나타나지 않았다. 상우는 의아함과 약간의 불편함을 느끼며 그가 집 앞에서 기다릴 수도 있다는 생각을 했다. 스케이트보드를 타고 한번 와 봤으니까, 그 집요한 성격에 또 찾아오는 건 일도 아닐 것이다. 집 앞까지 걸어온 상우는 건물 앞에서 검은 형체를 보았다.

'역시 저기 있네!'

그러나 가까이 가 보니 큰 쓰레기봉투일 뿐이었다. 결국 상우는 그날 재영을 한 번도 보지 못했다. 이렇게 될 줄 알았으면 알바하면서 시간을 좀 더 효율적으로 보냈을 텐데. 문을 힐끔거리느라 아무것도 못 한 시간이 아깝게 느껴졌다. 상우는 약간 시무룩한 기분으로 집에 들어서서 하루를 마무리했다.

i) 장재영은 주중에 [100]% 확률로 출몰한다.

ii) 장재영은 주말에 [x]% 확률로 출몰한다. (0≤x≤50)

토요일의 사례를 통해 불완전하나마 그 같은 결론을 도출했다. 상우는 전날처럼 불안해하지 않기 위해 재영이 오늘도 출몰하지 않으리란 옵션을 믿었다. 마치 종교처럼.

딸랑.

그러나 장재영은 상우의 '믿음'을 깨부수며 19:33에 등장했다. 문에 달린 종이 울리면 손님과 눈을 맞추는 것도 업무 중 하나였다. 그가 안 온다는 쪽에 베팅한 상우의 가정이 반으로 찢겨 너덜거렸다.

재영은 카드를 집어 카운터를 지나쳤고 상우는 그가 무슨 짓을 할지 몰라서 불안감을 느꼈다. 다행인 건 천장에 카메라가 설치되어 있어서 그가 허튼짓을 한다면 사장에게 말해서 다시는 못 오게 할 수 있으리란 점이다. 사장은 착한 사람이었다. 예전에 상우와 외상 해 달라는 남자 사이에 싸움이 났을 때 상우의 편을 들어 주었다.

22번 손님 주문: 풀닭볶음면

상우는 알림을 노려보았다. 재영이 카운터를 지나간 게 불과 1분 전이었다. 컴퓨터를 켜자마자 주문한 것이 분명했다.

상우는 자리에서 일어나 물을 계량해 끓이고 조리법대로 라면을 조리했다. 라면 그릇을 쟁반에 받치고 재영의 자리로 향했다. 그는 의자에 등을 기대고 다리를 떨며 웹툰을 보고 있었다. 상우는 상에 쟁반을 놓고 곧바로 뒤돌아섰다. 뒤에서 한숨 소리가 크게 들렸다.

카운터로 돌아온 지 3분 뒤, 또 알림이 왔다.

22번 손님 주문: 레모네이드

'오늘의 전술은 똥개 훈련인가.'

그렇다면 이제까지 당한 사례 중 가장 견딜 만할 것이다. 어차피 재영의 자리는 카운터와 그리 멀지도 않았고 상우는 돈 받고 하는 일에 불만이 없었다.

잔의 80%를 정수기 물로 채우고 티스푼으로 가루를 풀었다. 얼음 네 개를 떨어뜨리자 물이 잔 끝까지 차올랐다. 상우는 같은 쟁반에 잔을 받치고 재영에게 갔다. 그는 스프레이로 벽에 낙서하는 사람들 이 나오는 영상을 보고 있었다. 라면 그릇은 반쯤 비어 있었다.

"휴우······."

땅이 꺼질 듯한 무거운 한숨이 그의 입술 사이에서 흘러나왔다. 상우는 라면 그릇 옆에 음료수를 내려놓았다.

자리에 돌아온 지 5분 뒤, 또 알림이 울렸다.

22번 손님 주문: 전복칩

상우는 못마땅한 표정으로 화면을 노려보았다. 시스템상 모든 음식을 주문할 수 있게 되어 있었지만 달랑 과자 하나를 주문하는 손님은 거의 없었고 보통은 카운터에서 직접 사 갔다.

'굳이 운동 시켜 주겠다니, 고맙네.'

상우는 선반에서 과자를 꺼냈다. 자리에 가 보니 재영은 이번에는 해외 농구 영상을 보고 있었다.

"하아······."

어쩐지 한숨 소리가 점점 커지는 것 같았다. 상우는 과자를 레모네이드와 라면 그릇 옆에 놓고 카운터로 돌아왔다.

여기서 끝이 아니리란 걸 상우는 알았다. 그는 아예 팔짱을 끼고 화면을 바라보았다. 기다린 지 얼마나 되었을까, 알림이 울렸다.

22번 손님 주문: 프루트 젤리

상우는 기다렸다는 듯이 젤리를 낚아채 재영의 자리로 향했다.

"하아아아······."

재영은 상우를 보자마자 한숨을 쏟아 냈다. 상우는 젤리를 재영의 허벅지에 던졌다.

"한 번에 좀 시켜요."

"하아아아아아……."

"그리고 할 말 있으면 해요, 한숨 쉬지 말고."

"괴롭다 괴로워."

"뭘 어쩌라는 건지 모르겠네요."

상우는 그리 중얼거리고선 재영에게서 등을 돌렸다. 그러자 뒤에서 목소리가 들렸다.

"왜 한숨 쉬냐고 물을 때까지 시키려고."

상우는 헛웃음을 지었다. 할 말이 있으면 하면 되지, 왜 저렇게 우회적인 방법을 골라서 돈과 시간을 낭비한단 말인가.

"왜 한숨 쉬시는데요?"

"노트북이 고장 났어."

재영은 기다렸다는 듯이 동시에 지나가는 말처럼 중얼거렸다. 상우는 호기심이 동했다.

"어디가 문젠데요?"

"모르겠어. 삑삑 소리만 나고 안 켜져."

"메모리 카드가 슬롯에서 빠졌거나 메인 보드 문제일 거예요. 램이 빠진 거면 열어서 끼우면 되지만 칩셋이 말썽이면 AS 맡겨야 돼요. 소리가 몇 번이나 울렸는지 듣고 판단하세요."

"나 컴맹이라 그런 거 몰라."

재영이 우울하게 중얼거리더니 또 한숨을 쉬었다.

"이거 어떻게 해야 하지? 철물점 같은 델 가져가야 하나. 한 50만 원 들겠지?"

'호구 새끼신가?'

상우는 빙 뒤돌며 팔짱을 꼈다. 장재영이 의자에 파묻힌 채 상우를 응시하고 있었다. 그가 혼잣말하듯 중얼거리기 시작했다.

"가져오긴 했지만 내가 만진다고 고칠 수 있는 것도 아니고. 게임 좀 하다가 AS센터 찾아봐야겠다. 지금 시간에 연 데가 있으려나, 걱정이네 정말."

"줘 보세요."

상우는 불쑥 말했다. 상대가 딱해서 도우려는 건 아니었다. 단지 문제가 앞에 있으면 해결하겠다는 욕구로 벌이는 일이었다. 재영이 손뼉을 치며 눈을 크게 떴다.

"맞다, 너 컴퓨터과였지? 같은 컴퓨터니까 치료할 수 있겠어?"

"한번 봐 드릴게요."

재영은 사양하지 않고 녹색 노트북 가방을 내밀었다. 상우는 노트북을 받아 들고 카운터로 돌아왔다. 가방을 열자 14인치짜리 흰색 노트북이 나왔다. 출시된 지 2년 된 외국 제품이었고 써 본 적이 있어서 잘 아는 브랜드였다.

전원을 켜자 재영의 말대로 부팅이 되지 않고 삑삑거리는 소리가 두 번 났다. 네 번이 아닌 두 번이라면 메모리 문제라는 신호였다. 상우는 노트북을 강제 종료하고 서랍에서 십자드라이버를 꺼내 분해하기 시작했다.

'이게 가능한가?'

뜯어 보니 램 카드가 슬롯에서 살짝 빠진 것도 아니고 아예 없었다. 상우는 PC방 시스템을 통해 22번 손님에게 대화를 신청했다.

[Admin: 선배, 램이 없어요.] 20:16
[Guest22: 그게머야?ㅠㅠ가방에 함찾아봐] 20:16

상우는 말도 안 되는 소리에 눈살을 찌푸렸지만 밑져야 본전이니 녹색 가방의 주머니를 뒤졌다. 어이없게도 그 안에 메모리 카드가 있었다.

[Admin: 가방에 있어요. 램은 왜 빼셨어요?] 20:18
[Guest22: 흔들면서다니느라 빠졌나봐ㅠㅠ] 20:19

'컴퓨터 부품이 자동으로 빠져서 케이스를 뜯고 나왔다고?'
이제껏 재영이 한 말 중 가장 황당한 소리였다. 어찌 되었든 메모리 카드를 다시 꽂고 컴퓨터를 켜자 부팅이 되었다. 그런데 이 노트북의 문제는 하드웨어만이 아닌 듯했다. 부팅 시간이 비정상적으로 길었다.
상우는 5분이나 지나고 나타난 바탕 화면을 보고 할 말을 잃었다. 디자인 소프트웨어 아이콘이 판을 쳤고 이미지, 영상, 문서 파일과 온갖 조류 이름의 폴더로 가득했다. 그 때문에 배경으로 설정해 놓은 여자 연예인 얼굴이 보이지도 않을 지경이었다.

[Admin: 부팅이 너무 느려요. 바탕화면 아이콘 정리하고 쓰지 않는 프로그램은 지우세요.] 20:27
[Guest22: 고장났어?ㅠㅠ] 20:27
[Admin: 고장까진 아니에요. 최적화 프로그램 깔아 드릴게요. 웬만하면 SSD 하나 사서 다세요.] 20:27

그러나 프로그램으로 될 일이 아니었다. 웹 브라우저 하나 띄우는 데도 1분이 걸릴 정도이니, 그리 오래되지도 않은 컴퓨터를 어떻게 사용해 왔는지 알 만했다.

[Admin: 포맷하는 게 나을 것 같아요.] 20:32
[Guest22: 해줘ㅠㅠ] 20:32
[Admin: OS가 없잖아요.] 20:32
[Guest22: 그러고보니 가방에 뭐있던데] 20:32

컴퓨터 운영 체제를 가방에 들고 다니는 사람이 세상에 어디 있겠
는가. 그런데 가방 뒷주머니에는 놀랍게도 정품 소프트웨어가 설치
된 USB가 있었다. 상우는 황당함을 느꼈다.

[Admin: 평소에 OS를 갖고 다녀요?] 20:34
[Guest22: 몰라ㅠㅠ사은품 같은거겠지] 20:34
[Admin: 알겠어요. 자료 백업하셔야죠.] 20:35
[Guest22: 백업이 머지?ㅠㅠ] 20:35
[Admin: 대용량 USB나 외장 하드 구해 오세요. 없으면 웹 하드
에 하시고.] 20:35
[Guest22: 가방에 찾아봐] 20:35

황당하게도 안주머니에는 1테라바이트짜리 외장 하드가 있었다. 이
쯤 되면 없는 것이 없는 가방이라고 해야 할 것이다. 백업이 뭔지도
모르는 사람이 초대용량 외장 하드를 갖고 있다니 놀라운 일이었다.

[Admin: 포맷할게요. 파티션은 알아서 해요?] 20:37
[Guest22: C랑 D드라이브 절반씩 나누고 윈도는 D에] 20:38

[Guest22: 난하나도 모르지만 ㅠㅠ그게 ㅈ좋다고 주워들었음 ㅠ
ㅠㅠ] 20:38
[Admin: 네.] 20:39

상우는 느려 터진 노트북의 자료를 외장 하드에 백업한 뒤 포맷했
다. 그 뒤에는 노트북을 최적화하고 기본 소프트웨어 몇 개를 설치
했다. 그는 커버를 덮으며 뿌듯함을 느꼈다. 생산적인 일을 했더니
시간도 잘 가고 기분도 좋아졌다.

"이야, 눈이 반짝거리네."

재영이 카운터에 팔과 턱을 기댄 채 상우를 내려다보고 있었다.
언제부터 거기 있었을까. 상우는 전혀 알아채지 못했다.

"벌써 다 했어? 대단하다."

상우는 뒤늦게 깨달았다. 그의 노트북을 고쳐 주고 포맷하느라 2
시간을 통으로 날려 버렸단 걸. 누가 시키지도 않았는데 스스로 한
일이었다. 아무리 처음처럼 악랄하게 굴지 않는다고 해도 이 짜증
나는 인성 쓰레기, 양아치의 노트북을 말이다. 상우는 짜증스러운
표정으로 기기를 가방에 넣고 재영에게 내밀었다.

"여기요. 그래픽 툴 돌아갈 사양은 아니니까 깔지 마세요."

"고마워, 상우야."

여섯 글자로 이루어진 재영의 말은 이상하게도 마음에 묵직하게
와 닿았다. 기분이 좀 이상했다. 2시간 노동한 대가가 간단한 감사
인사로 대체될 리가 없는데, 그 한마디를 들은 순간에 수고가 무가
치하지 않았다는 착각이 들었으니. 상우는 재영의 눈을 보지 않은
채 고개를 끄덕거렸다.

마침 그때 야간 알바가 도착해 상우와 자리를 교환했다. 상우가

자리를 정리하고 외투를 입는 동안 재영은 노트북 가방을 어깨에 멘 채 문 앞에 서 있었다.

상우는 한동안 아무 생각 없이 걸었다. 그러다 컴퓨터를 만지느라 몸에 돌던 엔도르핀이 잦아들었을 때 재영과 나란히 걷고 있는 상황을 직면했다. 재영은 주머니에 손을 넣고 이상한 노래를 흥얼거리며 상우의 곁에서 걷고 있었다. 발을 걸거나 망신을 주거나 괴롭히려는 시도는 아직 보이지 않았다.

"뭐 하시는 거예요?"

"응?"

재영은 상우가 거기 있다는 것을 처음 발견했다는 표정을 지었다.

"어디 가시는데요?"

"나? 어…… 집에?"

"여긴 제 집 가는 방향이잖아요."

"나도 이쪽 살아."

그렇다면 그가 왜 곁에서 걷고 있는지가 설명되었다. 따라오는 게 아니라 단지 집에 가는 중이었던 것이다.

"상우야, 너 컴퓨터 잘 만지더라."

"필요한 게 가방에 다 있었을 뿐이에요."

"고마워서 사례를 해야 할 것 같은데."

"됐어요. 보다 못해서 한 거니까."

사례랍시고 무슨 짓을 할지 모르는 데다가 그런 걸 바라고 한 일도 아니라 상우는 단호하게 답했다.

"아니야. 그래도 열심히 일했는데 보상을 받아야지."

"괜찮아요."

재영은 한동안 가만히 있다가 불쑥 물어보았다.

"영화 보여 줄까?"

상우는 영화에 관심이 없었지만 '영화관 = 데이트 코스'란 등식이 사회에서 일반적으로 통용되는 견해란 건 알고 있었다.

"제가 선배랑 영화를 왜 봐요?"

"응? 같이 보자고 한 거 아냐. 너 혼자 보여 주겠다고 한 건데."

"……."

며칠 전부터 왜 이렇게 이상한 착각이 잦은지 모르겠다. 상우는 숨이 거칠어지는 것을 느꼈다.

"그러든가요, 그럼."

그는 씹어뱉듯이 빠르게 말하고 걸었다. 집에 다 온 것이 그나마 다행이었다. 원룸 건물 앞에서 재영이 걸음을 멈추었다. 상우는 도망치듯 문을 향해 걸었다.

"잘 자, 상우야."

불필요하게 다정한 인사였다. 재영의 인사는 오늘따라 상우를 찜찜하게 했다. 어떤 이유에서인지 상우는 그를 평소처럼 무시할 수가 없었다.

"……선배도요."

상우는 재영이 듣든 말든 그렇게 말하고 계단을 두 칸씩 뛰어올랐다.

⟨100⟩

⟨100⟩

　장재영은 확실히 이상해졌다. 한때 상우를 극도의 스트레스로 몰고 가던 괴롭힘의 강도는 가파르게 감소하다가 현재에 와서는 급기야 0에 수렴하게 되었다. 물론 수업 때 같이 앉으며 생기는 기본 스트레스와 그가 곁에 있어서 발생하는 기타 스트레스를 고려하지 않았을 때 이야기지만.

　2주차 월요일, 재영은 상우를 괴롭히지 않는 것을 넘어서서 도움이 되기 시작했다. 때는 중국어 수업, 배운 대화 표현을 옆 사람과 연습하는 시간이었다. 상우는 재영이 아닌 왼쪽에 앉은 여학생과 하려고 했지만 그녀는 다른 여학생과 친구라면서 제안을 거절했다. 그렇게 시간을 허비하는 사이 앞뒤 학생들도 다 연습을 시작해서 상우는 어쩔 수 없이 껄렁한 자세로 얼굴에 비웃음을 띤 재영과 하는 수밖에 없었다.

　"꽁—쩌얼—따오—서울짠—뚜오—짱—쓰—찌엔?"

　상우가 먼저 서울역이 얼마나 걸리냐고 중국어로 물었다. 듣던 재영이 한마디 했다.

"너 언어는 그닥이구나?"

상우는 그 말을 무시했다. 본인만 연습하면 된다고 생각했기 때문에 다음 대화로 넘어갔다.

"워먼—밍티엔—이—치—치칸—띠엔잉—바?"

우리 내일 영화 보러 갈까? 상우의 질문을 가만히 듣던 재영이 묘한 웃음을 지었다. 그가 헛기침을 하고 빠르게 대답했다.

"헌 하오, 칸 션머 띠엔잉?"

"그거 아니잖아요."

상우는 눈살을 찌푸렸다. 책에는 분명히 시간 없어서 안 된다는 표현이 적혀 있는데 재영은 아예 엉뚱하게 대답했다. 장난을 안 치고는 하루도 살 수 없는 새끼였다.

"알아들었어? 무슨 뜻인데?"

"좋다고, 무슨 영화 볼지 물어보는 거잖아요. 똑바로 해요."

"역시 읽기 쓰기 듣기는 잘할 스타일. 근데 너 말하기는 중급 레벨이라기엔 심각해."

"책에 나와 있는 대로 하고 있어요."

"언어는 소통이 안 되면 의미가 없어. 나라마다 말하는 방식이 다른데 넌 비슷하게 하려는 노력을 전혀 안 하잖아."

'지가 뭔데 선생처럼 굴어?'

상우는 반감이 먼저 들었으나 1학년 1학기, A+ 사이에서 혼자 A0였던 '초급 중국어' 성적의 쓰라린 기억을 상기했다. 감점 요인은 재영의 말처럼 발음이었다.

"이거 읽어 봐."

상우가 그의 긴 손가락이 가리킨 문장을 최선을 다해서 읊자 재영의 눈이 거의 감기며 눈동자가 사라졌다. 그는 주먹으로 입을 가리고 웃다가 상우의 표정을 보고 멈추었다.

"맞게 했는데 왜 비웃어요?"

"비웃는 게 아니고, 네가……."

그는 말끝을 흐렸다.

"됐고, 일단 1성은 지금처럼 하면 돼. 좀 더 길게."

재영이 시범을 보여 주었다. 상우는 그를 그대로 따라했다.

"좋아. 2성은 아래에서 위로 사선으로 올라가는 느낌이야. 봐 봐, 비행기가 이륙하듯이."

재영은 팔을 사선으로 들고 비행기처럼 위로 천천히 올렸다. 이번에도 재영이 먼저 말했고 상우가 따라했다.

"그렇지. 알려 주니까 잘하네."

예고도 없이 재영의 손이 상우의 뒤통수에 닿았다. 그의 손이 두어 번 왔다 갔다 문지르고 사라진 자리에 이상한 기분이 남았다. 상우는 순간적으로 숨을 어떻게 쉬는지 잊어버려서 당황했다. 인간의 몸은 자연의 여러 공격에 대비하도록 진화해 왔다고 배웠다. 그의 신체는 본능적으로 재영의 손을 적대적인 위협으로 간주해 몸을 긴장시킨 듯했다.

재영은 상우를 보고 있지 않았다. 그는 제 강의에 푹 빠진 듯 진지한 표정으로 손을 움직였다.

"3성은 봐 봐. 내려와서 밥숟갈을 푹 떴다가 다시 올라가는 느낌이야. 해 봐."

"……얼―즈."

"어? 또 처음으로 돌아갔네. 그럼 2성 다시 해 봐."

"니―이."

"잘만 하다가 갑자기 왜 그래? 고장 난 거야, 뭐야. 너 이거 극복 못 하면 스킷 만점 절대로 안 떠."

상우는 어느새 부채로 전락한 가림판을 꺼내 얼굴에 부쳤다. 재영은 가방에서 뭘 꺼내느라 등을 돌리고 있었다. 다시 돌아온 그가 종이 한 장을 상우에게 넘겼다.

한자 간자체가 인쇄된 종이였다. 내용을 읽어 보니 청나라 상인과 가게 손님, 보이스 피싱 상대의 대사였다. 상우는 눈이 휘둥그레졌다. 깔끔하게 정리된 건 둘째 치고 로마자 발음 기호도 다 적혀 있었다. 자세히 정독하니 예시 문장만 늘어놓은 지난 수기 대본과 달리 맥락에 맞게 문장을 다듬어 놓은 데다 빈칸도 없었다. 혼자 하려면 인터넷에서 오랜 시간을 보내야 했을 작업이었고, 최선을 다해도 미흡한 구석이 남았을 것이다.

눈이 마주치자 재영이 씩 웃었다.

"칭찬 같은 거 없냐?"

"욕은 다 지웠어요?"

재영은 지웠다고 답했지만 상우는 그의 말을 곧이곧대로 믿을 수 없었다. 그래서 근처를 지나가던 교수를 불러서 대본을 고쳤으니 확인해 달라고 물어보았다. 교수가 미심쩍다는 표정으로 대본을 받아들고 눈으로 읽어 내려갔다. 그녀의 입꼬리가 조금씩 올라가다 나중에는 폭소가 터졌다. 재영이 손가락 사이에서 펜을 돌리며 그녀에게 물었다.

"어때요, 교수님?"

"지난번에는 추잡스러운 대사투성이더니 잘 고쳤네. 그나저나 명작 하나 나올 예감이야. 촬영을 해야 하나……."

"다 상우가 한 거예요."

"얘는, 지난번에도 그러더니 다 상우가 했대. 얘가 그렇게 저질스러운 욕을 어떻게 알아? 너라면 몰라도."

"에이, 제자한테 저질스럽다뇨. 너무하시네."

교수가 상우의 어깨에 손을 얹으며 말했다.

"어쨌든 다음 주에 기대하고 있을게요, 둘 다."

상우는 얼굴을 찌푸렸다. 무언가 이상했다. 믿기 어려운 일이지만 이제는 인정할 수밖에 없게 되었다. 에러가, 장재영이…… 착해졌다.

return 0;

2교시가 끝나고 재영은 칼같이 일어나 하품과 기지개를 동시에 처리했다. 그는 '알고리즘' 수업 내내 퍼질러 자기만 했으면서 마치 대단한 일이라도 한 것처럼 말했다.

"밥 먹어야지."

이제 그와 함께 공학대 복도를 걷는 것도 익숙해졌다. 같은 속도로 계단을 내려가는 것도, 같이 식당으로 걸어가 나란히 앉아 식사하는 것도. 그런데 오늘 재영은 공학대 앞에서 상우를 멈춰 세웠다.

"상우야, 형은 오늘 약속이 있어."

전혀 예상치 못한 말이었다. 그보다, 이상한 상황이었다. 그들은 식사를 같이 하기로 약속한 사이도 아닌데 재영은 마치 상우가 그를 기다린다는 듯이 굴고 있었다. 상우는 그의 착각을 풀어 주기 위해 기쁜 행세를 했다.

"와아……."

짝짝짝짝짝. 손뼉을 다섯 번 쳤다가 비웃음만 당했다. 재영은 가방에서 캔 커피를 꺼내 상우의 손에 쥐여 주고선 할머니가 손자 보듯 애처롭다는 표정을 지었다.

"밥 잘 먹고, 체하지 말고, 물 꼭 마시고, 모르는 사람 따라가지 말고. 알겠지?"

상우가 마치 아쉬워하기라도 한다는 듯이 말이다.

"항상 궁금했는데, 미치셨어요?"

재영이 눈웃음을 지었다. 뒤로 피할 새도 없이 그의 손이 정수리에 닿았다가 떨어졌다.

"······."

상우가 한마디 해야겠다고 결심했을 땐 그의 뒷모습이 이미 멀어진 뒤였다.

'고장 난 거야, 뭐야.'

상우는 1교시 때 재영이 지나가듯이 한 말을 상기했다. 그 말은 중국어 발음이 후지다는 힐난보다도, 이런 식으로면 스킷 만점을 받을 수 없다는 예언보다도 훨씬 신경 쓰였다. 언제부턴가 재영은 상우에게 필요 이상으로 가까워지는 일이 잦아졌다. 그리고 그런 것에 익숙하지 않은 상우는 순간적으로 사고가 멈춰 버리곤 했다. 말 그대로 고장이 난 것처럼.

'다음에 또 그러면 화내야겠다.'

기분이 상당히 나빴다. 어찌나 속이 뒤집어지는지 숨이 가빠질 정도였다. 상우는 속에 화를 품고서 캠퍼스를 걸었다.

저 멀리 가 버렸던 재영은 어느새 벤치 앞에 멈춰 서 있었다. 남학생 한 명, 여학생 한 명하고 함께 있었다. 재영이 무슨 말을 하니까 여학생이 웃으면서 등을 세게 때렸다. 대단한 농담이라도 했는지 남학생이 아예 주저앉은 채 웃고 있었다. 재영이 그의 목에 팔을 감으며 괴롭히자 아예 바닥에 널브러지며 더 크게 웃었다.

'난 기분이 좋다.'

상우는 그들에게서 시선을 떼며 속으로 중얼거렸다. 기분이 좋을 수밖에 없었다. 함께 밥 먹을 줄 알았는데 장재영이 알아서 빠져 줬으니까. 체할 걱정도 없이, 방해받을 일도 없이 시간에 맞춰 식사할 수 있게 되었으니까. 정말로 그랬다.

아무 일도 일어나지 않는 식사 시간은 너무나 평온했다. 상우는 여학생 한 명을 제외하면 텅 빈 테이블에서 조용히 식사하고 일어났다. 퇴식구에 식판을 정리하고 난 시간은 12:28, 완벽했다.

오랜만에 정상 시간에 식당에서 나와 재영이 준 캔 커피를 뜯었다. 익숙한 시간과 익숙한 맛과 익숙한 공기. 커피를 홀짝이며 하는 산책은 쾌적했다. 산책로를 한 바퀴 돌고 나자 12:41이었다. 상우는 커피 캔을 자연대 앞 두 번째 쓰레기통에 던져 넣고 도서관으로 향했다.

'난 기분이 좋다. 정말이다.'

도서관은 그날따라 인구 밀도가 낮아서 공부를 방해하는 요소가 없었다. 상우는 책 신청과 신간 서적 스캔을 끝낸 뒤 새로 나온 프로그래밍 서적을 대출해 자리에 앉았다.

'이걸 다 읽을 수 있을까?'

최근에는 이상한 이유로 학과 공부만 해도 벅찬 실정이라 회의가 들었지만 그는 두꺼운 책을 배낭에 넣고 이번에 공부할 차례인 전공 서적을 꺼냈다. 그가 앉은 테이블에는 학생이 한 명도 없었다. 상우는 빈자리를 물끄러미 바라보다 책에 시선을 돌렸다.

콘덴서, 캐패시터, 인덕터, 직류와 교류……. 시선이 글자 위를 겉돌았다. 분명히 기호를 해독하고 있는데 몇 번을 읽어도 의미가 와닿지 않았다.

'그래서 뭐가 어쨌다는 거냐고.'

상우는 속으로 불평하고서 스스로에게 소스라치게 놀랐다. 이제껏 무엇이든 공부하면서 그렇게 부정한 마음을 먹은 적은 없었다. 그러나 아무리 경건한 마음으로 접근해도 텍스트는 상우에게 문을 열어 주지 않았다. 몇 번을 더 읽어도 그는 겉을 훑을 뿐 개념을 이해할 수 없었다. 수업을 제대로 못 들어서 뒤처진 것이 분명했다.

return 0;

저조한 컨디션과 상관없이 시간은 흘러갔다. 낮은 밤으로 변했고, 또다시 낮으로 변했다.

다음 날도 똑같은 하루가 시작되었지만 모든 것이 같지는 않았다. 상우의 옆자리에는 가죽 크로스백이 놓여 있을 뿐 수업 시작하고 20분이 지날 때까지 비어 있었다. 주인이 없으니 치우고 앉아 버리면 되건만, 상우는 마땅히 있어야 할 방해꾼이 옆에 없다는 사실에 이상한 불편함을 느꼈다.

장재영은 상우의 전자시계가 22분으로 바뀐 순간 뒷문으로 비틀거리며 들어왔다. 지각해 놓고 책상에 엎어지는 그를 쏘아보는 '임베디드 시스템' 교수의 눈에서 레이저 빔이 나오는 것 같았다. 재영에게서는 술 냄새가 풀풀 났다. 전날 벤치 앞에 함께 있던 사람들과 술을 마시러 갔을지 상우는 궁금해졌다.

"왜 늦었어요?"

하지만 입 밖으로 낸 속삭임은 다른 질문을 담고 있었다. 게다가 답을 이미 아는 질문이라 무의미했다. 엎드려 있던 재영이 고개를 살짝 돌려 상우를 올려다보았다.

"왜일 거 같아?"

"늦게까지 술 마셔서요."

“잘 아네.”

“누구랑요?”

상우의 입에서 얄팍하게 숨겨 둔 의문이 불쑥 튀어나왔다. 흐느적거리느라 고개도 제대로 못 드는 주제에 재영의 눈이 장난기로 반짝거렸다.

“누구랑 마셨으면 어쩔 건데?”

“선배랑 술 마시는 덜떨어진 사람이 누군지 궁금해서요.”

“나랑 마시고 싶으면 마시고 싶다고 해.”

“미쳤어요, 제가?”

상우는 재영이 와서 수업에 집중이 안 된다고 그를 탓하고 싶었으나 실은 그전부터 아무것도 듣지 않고 있었다.

‘무슨 내용인지 하나도 모르겠어.’

요즘 상우는 낯선 감정을 자주 느꼈다. 동시에 익숙한 감각을 빼앗기는 기분이 들었다. 그 와중에도 흑갈색 뒤통수가 자꾸 책으로부터 상우의 시선을 끌어당겼다. 오늘도 안 되겠구나, 예감할 수 있었다.

수업이 끝나고도 재영은 일어나지 않고 책상에 축 늘어져 있었다.

“선배.”

그를 버리고 다음 강의실로 갈 수도 있었지만 상우는 그를 불렀다.

“……선배.”

재영은 얼굴을 들지 않고 왼쪽 손만 뻗어서 상우의 팔을 덥석 잡았다. 그 행동은 상우를 매우 불편하게 했다.

“토할 것 같아서 도저히 안 되겠다.”

재영이 양손으로 상우의 팔에 매달리며 말했다. 그는 겨우 몸을 일으키더니 가방에서 ‘블랙홀릭’을 꺼내 책상에 놓았다. 그가 비틀거리며 나가 버린 자리에 캔 커피만 덩그러니 남았다. 상우는 커피를 챙기고 다음 강의실로 향했다.

상우가 선호하는 자리에는 어김없이 백팩이 놓여 있었다. 상우는 가방을 의자에 걸고 그 자리에 앉았다. 누군가 맡아 놓은 자리를 치우는 건 불의한 일이었지만 재영이 나타나지 않을 것을 알았기 때문이다.

오랜만에 마음에 드는 자리에 앉았는데 이상하게도 기분은 좋지 않았다. 그날 '알고리즘' 수업 내용은 어렵지 않았는데도 상우는 집중할 수 없었다.

'토하고 있으려나……'

다음 날 수업이 있는데도 과음한 건 재영의 책임이었다. 그래도 아파 보이는 모습이 조금은 불쌍하게 느껴졌다. 상우는 문득 자신이 비슷한 논리 구조를 가진 이전의 사례에서 다른 판단을 내렸음을 깨달았다.

'대리 출석을 한 건 장재영의 책임이다. 그러므로 졸업을 못 해도 마땅하다.'

상우는 혼란 속으로 빠져들었다. 일관적인 사고에 균열이 생겼다는 생경한 느낌은 수업이 끝날 때까지, 아니, 식당에서 혼자 식사할 때까지 사라지지 않았다.

상우는 아무 생각이 없었다. 그저 자리가 있길래 앉았고 숟가락이 있길래 국을 떠먹었다. 그러다 보니 식판이 비었길래 일어났다. 몸은 기계적으로 잔반을 처리하고 빈 식판을 컨베이어 벨트에 올려놓았다. 숟가락과 젓가락을 각각 다른 통에 넣고 개수대에서 물 한 잔을 마셨다.

아무런 변수가 없었으니 시간은 당연히 12:28이었다. 상우는 자율주행하는 자동차처럼 루틴대로 걸었다. 어느새 그는 편의점에 들어와 있었지만 그곳에는 구매할 음료수가 없었다. 냉장고 앞에서 그 사실을 깨달았다. 계산대에 앉아 있던 점주가 상우에게 가까이 와서 어깨를 만지며 미안한 기색을 보였다.

"학생, 오랜만에 왔네. 커피 월요일에 들어오게 내가 말해 놨으니까 걱정하지 마!"

"알겠어요."

상우는 그녀의 손을 밀어내며 대답했다.

"안 그래도 내가 미안해서 자꾸 신경이 쓰이더라니까. 그간 매일 마셔 왔는데 얼마나 마시고 싶을까, 그치?"

상우의 시선이 냉장고로 향했다. 비어 있는 다섯 번째 줄이 아니라 그 윗줄이었다.

술고래의 다음 날을 책임진다!
특허 99999호
숙취 해소 드링크
새벽777

그는 무심코 손을 뻗었다가 주먹을 쥐고 다시 몸에 붙였다. 그런데 손이 또 뻗어 나갔다. 그래서 다시 몸에 붙였다. 그의 손은 마치 독자적인 유기체인 것처럼 뇌의 명령을 어겼다. 몇 번의 갈등 끝에 상우의 오른손은 뇌와의 싸움에서 승리하고 냉장고를 열었다. 상우가 '새벽777'을 집자 옆에서 보고 있던 점주가 말했다.

"어제 술 마셨어? 기분인데 그거 그냥 가져가. 지난번에 학생 표정 보고서 내내 신경 쓰이더라니까."

상우는 얼결에 공짜 숙취 해소 드링크를 얻었다. 그런데 이걸 어디에 쓴단 말인가. 상우는 차라리 돈으로 달라고 말하려고 했으나 점주는 카운터로 돌아간 뒤였다.

상우는 편의점에서 나와 재영이 오전에 준 캔 커피를 마시며 산책로를 걸었다. 캔을 자연대 앞 두 번째 쓰레기통에 던지고 도서관으로 향했다. 신간 서적 신청과 스캔을 마치고 자리에 앉았다.

가방을 열었더니 전공 서적 사이에 캔 음료가 보였다. 상우는 필요한 책을 책상에 반듯하게 놓고 '새벽777'을 꺼내서 살폈다.

'술고래의 다음 날을 책임진다!'

술고래란 단어를 보자마자 몸을 제대로 못 가누던 재영이 연상되었다. 다른 술고래를 떠올려 보려고 애썼으나 한 명도 생각나지 않았다. 그래서 술병이나 고래의 모습을 상상해 보았지만 한번 머릿속에 박혀 버린 이미지는 너무 강력했다.

한동안 아무것도 못 하고 가만히 앉아 있던 상우는 어느 순간 벌떡 일어나 음료수를 집어 들었다. 그리고 빠른 발걸음으로 계단을 내려와 로비를 가로질렀다.

상우는 문제 해결하는 것을 좋아했다. 비록 그의 문제는 아니었지만 캔에 적혀 있는 문구가 사실이라면 (숙취를 해소하는 특허가 있다고 쓰여 있었다) 해결할 수 있으니까, 그뿐이었다.

실은 좀 허술한 생각이었다. 재영이 이미 음료를 마셨을 수도 있으니까. 음료가 광고 문구만큼 잘 듣지 않을 수도 있으니까. 재영이 이미 집에 돌아가 버렸을 수도 있으니까. 꼬리에 꼬리를 물고 이어지는 의문을 품으면서도 상우는 꿋꿋하게 걸었다. 재영이 어디 있는지 모르니 연극부실에 놔둘 생각이었다. 그러면 최선을 다한 것이다. 상우에게는 그 이상 해야 할 의무가 없었다.

학관으로 향하던 도중에 상우는 걸음을 멈췄다. 멀리서 누군가가 그의 시선을 사로잡았다. 이목구비도 제대로 보이지 않는 거리인데 그가 얼굴을 구기고 웃고 있음을 알 수 있었다. 공중에서 움직이는 손의 제스처는 몇 번이나 본 것이었다. 구부러진 다리의 각도는 다른 사람과 같지 않았다. 그가 벗어 놓은 녹색 코트가 땅에 널브러져 있었다.

재영은 벤치 하나를 다 차지하고 앉아 있었다. 그 앞엔 머리가 샛노란 단발머리 여자가 팔짱을 낀 채 서 있었다. 안색은 안 좋았지만 수업 때 본 모습보다는 훨씬 멀쩡해 보였다. 그가 괴롭다는 표정을 연기하며 배를 만지자 여자가 깔깔거렸다. 뭐라고 이야기하자 여자가 주먹으로 팔을 쳤다. 웃음, 웃음, 웃음. 남자와 여자의 얼굴에 아주 웃음꽃이 피었다.

상우는 휙 뒤돌아 반대로 걸었다. 아무 생각 없이 발만 놀렸다. 정신이 들고 보니 공사 중인 풋살장 앞에 있었다. 상우는 그에게 일전에 이상한 말을 건넨 인부가 그곳에서 일하는 것을 보고서 성큼성큼 걸어갔다. 안전모를 쓴 남자가 놀란 표정을 지었다.

"학생! 이 시간에 여긴 웬일이야?"

"대체 무슨 소리를 하시는 거예요?"

상우는 그에게 들고 있던 음료를 건넸다.

"이거 드세요."

"응? 이게 뭐야…… . 나 술 끊었는데."

"아무튼 드세요."

상우는 한달음에 도서관으로 돌아왔다. 최근에는 늘 시간을 낭비했지만 이렇게까지 심하게 낭비한 적도 없었다. 시간을 비효율적으로 썼다는 자책감에 심장이 쿵쿵 울렸다.

상우는 필통을 찾아 가방을 뒤지다가 무음으로 된 핸드폰 화면이 반짝이는 것을 보았다. 드물게도 메시지가 와 있었다.

[무임승차3: 상우야오늘은먼저간다] 13:27

[무임승차3: 섭섭해도참아] 13:27

상우는 화면을 노려보았다. 짤막한 글을 몇 번이나 읽은 뒤 답장란을 터치하고서 한동안 머뭇거렸다.

'잘됐네요.'

'기뻐요.'

'내일도 모레도 그렇게 해 주세요.'

몇 가지 메시지가 적혔다가 지워졌다. 상우는 결국 '네.'라는 답장을 보내고 핸드폰을 가방에 던져 넣었다.

장재영은 심하게 착각하는 것이 분명했다. 혹은 늘 그랬듯 농담하는 것이거나. 섭섭하다니, 대체 자신에게 그럴 이유가 어디 있단 말인가? 방해하던 사람이 사라지는 건 기분 좋은 일인데.

return 0;

"안녕하세요, 상추 오빠."

지혜가 옆자리에 앉으며 말했다. 문화 이론 수업이 시작하기 15분 전이었다. 상우는 고개를 까딱거리고 말았다. 그의 시선이 다시 두꺼운 인문서로 향했다.

"아직 시험도 멀었는데 공부 열심히 하시네요."

"미리 해 놓는 거야."

"저도 그러고 싶은데 잘 안 돼요."

지혜가 옆에서 계속 말을 걸었지만 그래 봐야 잠자는 장재영의 반만큼도 방해되지 않았다. 요즘 그는 자리에 없을 때조차 상우를 방해했으니까.

"오빠, 기분 엄청 안 좋아 보이세요."

상우는 그 말을 무시했다.

"제가 기분 좋아지는 사진 보여 드릴게요."

핸드폰을 든 지혜의 손이 시야로 쓱 들어왔다. 상우는 하얗고 작은 개를 다양한 각도에서 찍은 사진 여러 장을 무표정하게 바라보았다.

"별로예요? 그럼 이건요?"

다음 사진은 주황색 고양이였다. 상우는 그녀가 기기를 치워 주기만을 기다렸다. 그러다 휙휙 넘어가는 사진 사이에서 낯선 것을 보았다.

"잠깐, 그거 뭐였어?"

"네? 아, 인터넷 쇼핑하다 캡처한 건데 폴더를 잘못 넣어놨네요."

지혜가 손가락으로 화면을 넘기자 키보드 사진이 나왔다. 상우는 작은 사진을 확대해서 자세히 보았다. 자판이 아래에 처리된 닌자에 텐키리스. 검고 노란 특별 색상에 자판마다 LED도 박혀 있었다.

"필컴 ax8990 허니비 에디션이네."

"네?"

"가격은 좀 나가지만 베리사 스위치 쓰니 내구성도 좋고, 키감도 좋고, 동시 입력도 되고, 여러모로 괜찮지. 아마 오래 쓸 거야. LED는 좀 고민해 봐. 난 그건 정신없더라고. 스위치는 어느 걸로?"

"아…… 문서 작업 하려면 뭐가 좋아요?"

"그럼 소리 안 나는 적축이 좋지. 조용하면서 타자 치는 맛을 느끼고 싶으면 갈축도 괜찮아. 청축은 보통 게이머들이 선호해."

"그죠? 그죠? 그럼 적축으로 살까요?"

지혜가 고개를 끄덕이며 물었다. 상우는 잠시 고민하다 대답했다.

"이거 정가 198,000원짜린데 괜찮아? 출시된 지 오래된 클래식이라 중고로도 많이 나와 있어. 관리 잘 된 것도 10만 원 정도면 사."

"아, 진짜요? 중고 거래는 어떻게 해요?"

상우는 남은 시간을 중고 거래 팁에 대해 설명하느라 날려 버렸다. 지혜가 고개를 끄덕이며 열심히 듣는 데다 메모까지 해서 멈추기가 곤란했다.

"오빠는 모르는 게 없으시네요."

"아닌데."

지혜가 이상한 말을 했을 때 교수가 들어왔다. 상우는 곧바로 책을 보았다. 수업이 시작되고 1분 뒤, 지혜가 책 위에 무언가를 놓았다. 공책을 찢어 만든 쪽지였다. 처음엔 그녀가 쓰레기를 버린 줄 알고 분노할 뻔했는데 자세히 보니 글자가 적혀 있었다.

상추 오빠^_^ 좋은 정보 가르쳐 주셔서 감사해요!!! 담에 모르시는 거 있으심 저한테도 물어봐 주세요. 도움이 되어 드리고 싶어요*_*

상우는 쪽지 끄트머리에 '그래.'라고 적고서 지혜에게 돌려주었다. 그러나 마음 한편에서 의문이 들었다. 지혜에게 물어볼 만한 게 뭐가 있을까? 상우는 궁금증이 생기면 주로 책을 찾아보거나 인터넷에서 해결했다. 류지혜가 인문학도로서 상우보다 문화 이론 과목을 훨씬 잘 이해하고 있는 거야 확실하지만 그녀 또한 대학생일 뿐이다. 인터넷 세계의 집단 지성이나 전문 서적 이상의 정보를 줄 수 있을 것 같지 않았다. 곰곰이 생각하던 상우는 지혜가 자신보다 훨씬 잘 아는 분야 한 가지를 떠올렸다.

'이따 쉬는 시간에 물어봐야겠다.'

상우는 머릿속에 메모를 적어 두고 다시 수업에 집중했다.

return 0;

"그 선배 말이야."

쉬는 시간이 되어 상우는 운을 띄웠다. 지혜는 자세까지 고쳐 가며 진지하게 들어 주었다.

"누구요?"

"그…… 장…… 재영 선배 말이야."

"아, 네네."

"여자친구 있는 것 같던데."

상우는 말을 뱉어 놓고 난감함을 느꼈다. 지혜가 요구한 건 질문이었다. 상우의 의문도 미릿속으로 떠올렸을 때는 완벽한 질문이었는데, 막상 입 밖으로 내뱉고 보니 이도 저도 아닌 형식이 되었다.

그러나 지혜는 다행히 개의치 않는 듯했다. 그녀는 웃으며 대답했다.

"제가 알기론 없으신데……."

상우의 궁금증이 간단하게 풀렸다.

"작년에 사귀던 분하고 깨진 지 좀 됐을걸요? 지금은 졸업하신 법대 언니인데…… 진짜 완전 예쁘고 집안 좋고 천재에, 왜 여자가 봐도 완전 멋있는 여자 있잖아요."

그리고 묻지도 않은 정보가 줄줄이 나왔다.

"넌 그런 걸 어떻게 알아?"

"SNS 들어가 보기도 했고, 소문도 가끔 전해 들어요."

"무슨 소문?"

지혜의 입이 다시 움직였다. 재영이 스무 살에 어느 기획사로부터 배우 하라는 제의를 받았다느니, 모델 일을 잠깐 했다느니, 신입생 때 교제했던 동기가 현재는 유명한 가수가 되었다느니, 전혀 알 필요 없는 정보였다. 상우가 심드렁한 표정을 짓고 있자 지혜가 말을 멈추었다.

"제가 관심 있는 게 아니고 친구가 재영 오빠를 좋아해서 자꾸 알려 줘요."

"그래? 왜 좋대?"

"잘생겼잖아요."

그것은 상우도 인정하는 바였다.

"운동도 잘하시고."

스케이트보드를 잘 타기는 했다.

"성격도 완전 좋으시잖아요!"

이윽고 동의할 수 없는 문장이 나왔다.

"그렇지 않아요? 서로 친하시니 잘 아실 거 아니에요."

"하나도 안 친해."

요즘 부쩍 착해진 또라이 새끼, 인간 말종, 사디스트. 재영을 알지도 못하는 지혜에게 굳이 말해 주기에는 극단적인 단어만 머릿속에 떠돌았다.

"맞다, 전에는 재영 오빠 얘기하지 말라고 화내시더니…… 뭐예요!"

정곡을 찌르는 공격인지라 상우는 못 들은 척했다. 다행히 마침 교수가 다시 들어왔다.

return 0;

수업이 끝나고 밥 먹을 시간이 되었다. 상우가 책과 필통을 정리하고 있는데 지혜가 불쑥 물었다.

"아참, 그건 어떻게 됐어요? 가림판이랑 귀마개요."

"효과가 없어."

가림판은 부채로 전락했고 커피 일곱 캔은 집에 그대로 있었으며 귀마개는 한 번 쓰고 건드리지도 않았다.

"······죄송해요."

하지만 지혜가 미안할 일이 아니었다. 상대가 이상한 거니까. 생각해 보니 충고해 준 대가로 그녀에게 밥을 사겠다고 약속했다. 비록 도움은 별로 안 되었어도 약속은 약속이므로, 상우는 지갑에서 식권을 꺼내 그녀의 책상에 올려놓았다. 지혜가 식권을 빤히 바라보았다.

"식권은 왜 주세요?"

"밥 산다고 했잖아."

"아, 진짜. 직접 사 줘야죠, 이게 뭐예요!"

"이걸로 사 먹어."

상우는 배낭을 메며 자리에서 일어났고 지혜는 상우의 주머니에 식권을 다시 넣었다.

"이건 아니죠, 오빠. 다음에 내키실 때 사 주세요."

상우는 그녀에게 말도 안 되는 가격의 파스타를 얻어먹은 기억을 상기했다. 아무래도 학식이 너무 싸다 보니 성에 안 차는 모양이었다.

"알았어. 나중에 피자 사 줄게."

"진짜죠? 피자빵 이런 거 아니고?"

'착한 줄 알았는데 의심이 많네.'

그들은 건물에서 나왔다. 식당 쪽으로 걷던 중에 뒤에서 누군가가 상우를 불렀다.

"상우야."

그를 그렇게 부를 만한 사람은 한 명뿐이었다. 상우는 빠르게 돌아보았다. 그가 예상한 사람이 예상한 외투를 입고서 달려온 듯 숨을 고르고 있었다.

"여기 있었네. 찾았잖아."

"왜요?"

"왜긴, 나랑 밥 먹기로 했잖아."

"제가요?"

금시초문이었다. 장재영은 상우를 다른 사람으로 착각했거나 무언가 오해한 것이 분명했다. 상우는 다시 뒤돌아 식당 쪽으로 걸었지만 이번에는 옆에 있던 지혜가 발이 묶여 버렸다.

"어, 프어과."

"우와……. 또 뵙네요, 오빠. 안녕하세요."

"그러게요. 우리 통성명을 했던가?"

"전 류지혜예요. 헤헤……. 그리고 사실 오빠 성함은 알고 있어요, 워낙 유명하시니……."

상우는 거리를 더 벌리려고 했으나 그들이 빠르게 따라와서 대화가 다 들렸다.

"지혜 후배님은 상우랑 같이 잘 다니는구나. 그때 우리 가게 왔을 때도 함께였잖아요."

"사실 그날 처음 만난 거였어요. 상우 오빠가 완전 친절하게 제 짐을 들어 주셔서…… 일부러 그러려던 건 아닌데 박스에 책을 너무 많이 넣은 거예요. 왜, 짐 쌀 때 무거운 건 분산해서 넣어야 하잖아요. 다 공부할 것도 아니면서 한 방에 끝내려고 욕심을 부리다가……."

주절주절주절. 지혜의 말은 끝나지 않았다. 그리고 재영, 지혜, 재영, 지혜, 재영, 대화가 탁구공 튕기듯이 오갔다. 식당 줄이 유독 느리게 줄어들었다.

"하하하하! 오빠 진짜 재미있으세요. 아, 맞다. 제 친구가 오빠 사인 받고 싶어 하는데 혹시 해 주실 수 있으세요?"

"에이, 내가 연예인도 아니고 무슨 사인이야."

어느새 재영은 지혜에게 말을 놓고 있었다. 모르는 사람이 보면 둘이 알고 지낸 지 오래되었다고 착각할 것이다. 둘이 참새처럼 재잘거리는 걸 꼼짝 않고 듣자니 고역이었지만 기다리니 줄은 조금씩 줄었다. 그들은 각자 식판을 들고 식당에 진입했다. 재영은 잔치국수를 받겠다고 다른 곳에서 줄을 섰다가 나중에 합류했다. 상우는 한 자리만 비어 있는 식탁을 열심히 찾았으나 한 군데도 보이지 않아서 어쩔 수 없이 셋이 같이 앉았다.

"지혜는 남자친구 있지?"

재영은 잔치국수를 건드리지도 않고 지혜에게 이상한 질문을 던졌다. 지혜는 해맑게 웃으며 대답했다.

"아뇨, 없어요!"

"그래? 당연히 있을 줄 알았는데……."

상우의 시선이 재영의 얼굴로 향했다. 뚫어져라 지혜를 바라보는 그의 눈빛이 심상치 않았다.

"그러니까요. 남자들이 제 진가를 모르는 것 같아요."

"아는 솔로 후배 많으니까 말만 해."

재영이 씩 웃더니 팔짱 끼고 의자를 조금 당겨 앉았다.

"내친김에 진짜로 소개해 줄까? 괜찮은 애들 두세 명 떠오르는데……. 어떤 스타일 좋아해?"

그는 핸드폰까지 꺼내 전화번호부를 훑기 시작했다. 지혜가 웃으며 손사래 쳤다.

"아유, 아니에요. 이번 학기는 그냥 공부하려고요. 말씀만으로도 감사해요."

"아…… 그래?"

재영이 그녀의 얼굴을 찬찬히 살피며 폰을 주머니에 다시 넣었다. 잠시 침묵이 흐른 뒤 그가 말했다.

"그러고 보니 상우는 어때? 잘 어울릴 것 같은데."

상우는 입에 머금은 미역국을 뱉고 말았다. 모두 놀란 표정을 지었지만 가장 놀란 건 상우 본인이었다. 지혜가 가방에서 물티슈를 몇 장 꺼내 내밀었다.

"상추 오빠! 너무하신 거 아니에요? 그렇게 기분이 나쁘세요?"

"그럼 가만히 있는데 누군가와 연애 상대로 엮이는 게 기분 좋을 리 없잖아."

"그냥 말뿐이잖아요."

"그래도 싫어."

상우는 물티슈 한 장으로 건더기와 국물을 훔치고 한 장으로 테이블을 박박 닦았다. 이게 무슨 상황일까. 상우는 전혀 이해할 수 없었지만 아무튼 불편한 것만은 확실했다. 빨리 이 자리를 벗어나고 싶었다. 재영이 피식 웃으면서 상우를 보았다.

"상…… 추?"

"상우 오빠 어릴 적 별명이 상추였대요. 완전 귀엽죠?"

"그래? 우리 상우랑 많이 친한가 보네, 별명도 부르고."

'우리 상우?'

어머니에게조차 들어 보지 못한 말이었다. 상우는 먹은 밥이 즉석에서 엉키는 기분을 느꼈다. 한동안 아무도 이야기하지 않았다. 그러나 조용한 분위기가 얼마 가기도 전에 재영이 침묵을 깨 버렸다.

"근데…… 너 오늘 어디 가?"

"네?"

"지난번에 봤을 때보다 화장이 진하길래."

"하하하…… 그런 걸 기억하세요? 그땐 짐 옮기느라고 좀 편하게 하고 나왔어요. 평소엔 나름대로 신경 쓰고 다녀요. 하하."

"지난주 수요일 얘기한 건데."

"아…… 그날도 사정이 있어서…… 늦게 일어나서 거의 지각할 뻔했거든요."

"그렇구나. 난 또 오늘 특별히 신경 쓰고 온 티가 나길래 중요한 사람이라도 만나나 했어."

전혀 의미 없는 대화가 오갔다. 상우는 그 같은 대화가 소화에 전혀 도움이 안 되리라고 생각했다. 재영이 너무 말을 많이 시켜서인지 지혜는 표정이 좋지 않았다. 상우는 그녀의 고충을 자기 일처럼 공감했다. 밥도 못 먹게 계속 말 시키면 누구라도 짜증 날 것이다.

식사를 마치고 나오는 길, 식당 앞에서 지혜가 이상한 것을 물었다.

"오빠들 어떻게 친해지셨어요? 너무 다른 스타일이신데 신기해요."

그녀 말에는 오류가 있었다. 상우는 곧바로 반박했다.

"하나도 안 친……."

"처음에는 오해가 좀 있었어."

그때 재영이 상우의 어깨에 팔을 둘렀다. 그 별거 아닌 행위에 상우는 또 몸이 굳어 버렸고 숨을 삼킨 뒤에도 내쉴 타이밍을 잊었다. 어깨에 기댄 재영의 팔이 쇳덩이처럼 무겁게 느껴졌다.

"서로 감정 많이 안 좋았는데 이제 다 풀었어. 그치?"

"아닌데요."

상우는 손바닥으로 그의 어깨를 밀어냈다. 장재영은 남의 신체에 무척 스스럼없이 접촉했다. 원래 그런 사람. 아무에게나 (전혀 친하지 않은 사람에게까지) 어깨동무하고, 이름 마구 부르고, 얼굴 만지고, 장난치고, 치대는 사람.

상우는 그런 건 질색이었다. 세상에는 아이를 자주 안아 주는 부모들도 있다지만 상우는 그런 가정 환경에서 자라지 않았다. 상우의 세계에서 그를 만질 수 있는 건 연애 상대인 이성뿐이었다. 그것도 제한적으로. 아무리 악의 없이 하는 행동이어도 기분이 나쁠 수밖에 없었다.

"착각하지 마요. 풀린 건 아무것도 없고 여전히 최악이니까. 착한 척한다고 뭐가 달라질 것 같아요? 전 여전히 감정 안 좋고 풀 생각도 전혀 없어요."

"한동안 괜찮다가 또 시작이네."

그리 중얼거리는 재영의 표정은 무덤덤했다. 지혜는 토끼처럼 눈을 크게 뜨고 있었다.

"너 내일 스킷인데, 용감하다?"

재영이 빈정거리는 바람에 상우는 불쾌하니까 몸에 손대지 말라는 충고를 할 타이밍을 놓쳤다.

"수업 오지 마세요. 1인 3역 할 거예요."

"싫은데."

재영이 기지개를 켜며 게으르게 말했다.

"지혜야 미안. 상우 좀 데려갈게. 내일 어마어마하게 중요한 발표가 있어서 말이야."

"앗…… 네!"

그리고 돌연 상우의 손목을 잡아당겼다. 상우는 그 손을 뿌리쳤지만 이번에는 재영이 등을 덮쳤다. 그런 일을 난생처음 당해 보는 상우가 황당해하는 사이, 그가 어깨에서 배낭을 빼앗아 들었다. 그러고는 냅다 튀었다.

"저기요? 선배!"

그를 크게 불렀지만 멈추지 않았다.

'저거 진짜 또라이 아니야?'

상우는 어이없다고 여기면서도 뒤따라 뛰는 수밖에 없었다. 그가 자신의 배낭으로 무슨 짓을 할지 전혀 예상할 수 없었기 때문이다. 장재영이라면 그 안에 든 걸 하수구에 다 버려도 이상하지 않으리라.

처음에 설렁설렁 달리던 재영은 상우에게 따라잡힐 위기가 되자 스피드를 올렸다.

"거기 서요!"

재영은 어느새 배낭을 앞으로 멘 채 전속력으로 달리고 있었다. 한 번은 상우의 손끝이 재영의 어깨를 스쳤지만 재영은 그를 비웃듯이 거리를 벌리며 도망갔다. 정확히 일주일 전에 죽을힘을 다해 뛴 기억이 있었는데 그때와 비슷한 일이 반복되고 있었다.

"아…… 힘들다."

재영은 공학대를 돌아 풋살장과 편의점, 학관을 지나 정문 앞에 넓게 펼쳐진 잔디밭에 도착해서야 멈춰 섰다. 상우는 숨이 턱 끝까지 차 숨을 괴롭게 쉬었다.

"내놔요……. 내놔."

손을 힘없이 내밀었으나 재영은 못 들은 체 상우의 배낭을 제 것처럼 열더니 물통을 꺼내 목을 축였다.

"진짜 미쳤어요?"

"그런가 봐."

상우는 그가 던진 물통을 받아 물을 마셨다. 난데없이 뛴 탓에 심장이 벌렁거렸다. 주변 풍경은 낯설었다. 학생들이 여기저기 빨래처럼 늘어져서 휴식하는 잔디밭. 상우는 여섯 학기 동안 이곳에 발을 들여 본 적이 한 번도 없었다.

"뭐 해? 얼른 앉아."

재영이 털썩 앉더니 손바닥으로 옆자리를 탁탁 쳤다. 그리고는 상우의 배낭을 베고 누웠다. 다리를 벌리고 대자로 누워, 손은 깍지를 낀 채 뒤통수를 받쳤다. 두 눈은 감겨 있었고 입가는 기분 좋은 듯 호선을 그렸다. 그의 머리카락에 햇살이 내려앉아 밝게 반짝였다.

"가방 내놔요."

"내가 쓰고 있잖아."

"내놓으라니까요."

"그럼 다른 베개를 갖다 주든지."

상우는 쪼그려 앉아 배낭을 기습적으로 당겼지만 재영이 양팔을 끼우고 있어서 빼앗을 수 없었다.

"스킷 준비한다면서요?"

"여기서 하려고 그랬지."

"책상도 없고 의자도 없는데, 진짜 여기서 해요?"

"대본 다 외웠을 거 아냐. 못할 거 뭐 있어?"

재영이 눈을 감고 있어서 자신을 못 볼 테지만 상우는 고개를 끄덕였다. 대본이라면 진작에 숙지했다. 엉덩이를 풀밭에 붙이고 앉자 이상한 기분이 들었다. 상우는 풀 냄새를 맡으며 대체 이런 곳에 앉아서 뭘 하는 걸까 싶어졌다.

"그럼 시작할게요."

"10분만 쉬었다 하자."

"시간 낭……."

"그 정도 낭비는 괜찮지?"

재영이 제 가방에서 캔 커피를 꺼내 내밀었다. 손목시계를 확인해 보니 아직 캠퍼스를 산책하고 있을 시간이었다. 상우는 알겠다고 대답하고 캔 커피를 땄다. 재영은 한동안 잠든 것처럼 조용히 있다가 캔이 반쯤 비었을 때 그의 이름을 불렀다.

"상우야."

"왜요."

"넌 이상형이 어떻게 돼?"

상우는 얼굴을 찌푸리고 재영을 보았지만 그는 여전히 태평한 자세로 눈을 감고 있었다.

"그렇게 개인적인 얘기를 왜 물어보시죠?"

"원래 '하나도 안 친한' 사이에선 이렇게 쓸데없는 걸 물어보며 시간 때우는 거야."

"그러네요."

상우는 그리 대답하고서 재영의 질문을 검토했다. 한 번도 제대로 생각해 본 적이 없었지만 이제까지 조금이라도 긍정적인 인상을 받았던 여성들을 종합해 보니 가닥이 금세 잡혔다.

"용모가 단정하고 성격이 차분한 사람을 선호해요."

"아, 유치원 교사 같은 스타일."

상우는 그 말을 무시하고 말없이 커피를 마셨다. 그러자 조금 뒤에 두 번째 질문이 날아왔다.

"첫사랑은 언제?"

"몰라요."

"몰라?"

"개념이 모호하잖아요. 확실히 규정해 주면 대답할게요."

재영이 얼굴을 찌푸리며 눈을 떴다. 햇살을 잔뜩 머금은 눈동자가 갈색으로 보였다. 그가 제 눈을 빤히 보기에 상우는 부연했다.

"처음 교제하기 시작한 시점인지 처음 성교한 시점인지, 용어를 정확히 해야죠."

재영이 여전히 이해가 안 된다는 표정으로 눈알을 굴렸다.

"누구 좋아한 적 없어?"

"그런 개념이라면…… 제 첫사랑은 여섯 살 때였고 대상은 사람이 아니었어요."

그는 듣자마자 코웃음을 쳤지만 상우는 오히려 재영을 비웃었다. 상우는 방송 매체에서 묘사하는 감정적 사랑을 믿지 않았다. 사랑은 비이성적인 사람들이 성욕과 헷갈려서 하는 착각이라고 치부했으며 결혼 제도를 유지하기 위해 정부에서 부추기는 거짓말이라고 생각했다. 누구나 겪는다는데 상우는 한 번도 그런 감정을 느껴 본 적이 없었기 때문이다.

"시간 다 됐네요. 시작할게요."

상우는 시계를 확인하고 자세를 고쳐 앉았다.

"피예니—피예니—타이—피예니…….."

싸요 싸요, 과일이 싸요. 한 묶음 사 가세요. 그가 첫 대사를 치자 재영이 웃음을 터뜨렸다. 광대뼈가 올라가고 입술 사이로 가지런한 치아가 드러났다.

"신칭 하오."

"그거 아니잖아요. 똑바로 해요."

"내가 뭐라고 했는데?"

"기분 좋다."

"나도."

"……."

상우는 코가 근질거려서 재채기를 했다. 웬 파리가 주변에 날아다 니고 있었다. 아니, 나비인가?

return 0;

3월 말, 얼마간 괜찮았던 날씨는 꽃샘추위로 쌀쌀해졌다. 몸은 패 딩이 보온해 주었지만 자전거를 타고 달리니 칼바람이 얼굴을 갈겨 댔다. 상우는 볼이 빨개진 채 인문대에 도착했다. 강의실에 배낭을 놓고 1인 3역 (장재영이 출석한다는 보장이 없었다) 대본을 모두 외 웠는지 점검했다. 기억이 온전하다는 걸 확인하고서는 의상과 가발 을 꺼내 화장실로 향했다. 오른쪽 칸은 늘 고장 표시가 붙어 있어서 왼쪽 칸에 들어갔다.

옷을 갈아입고 나오니 4분이 지나 있었다. 마지막으로 연습해 볼 시간이 충분했다. 뒷문을 열고 돌아간 강의실에는 재영이 노랗고 반 질반질한 의상을 걸친 채 구부정하게 앉아 핸드폰을 보고 있었다. 가발을 제대로 쓰지 않아서 머리카락이 고무 아래로 삐져나왔다.

예측할 수 없는 사람, 어디로 튈지 모른다. 어제와 오늘의 모습이 다르고 스스로 장담한 일을 뒤집어 버린다. 그는 치명적인 에러였지 만 상우는 어느새 익숙해진 듯했다. 양아치, 사디스트, 쓰레기, 인간 말종. 그가 밉지 않으니 얼마나 엉망이 되어 버린 걸까.

재영이 고개를 들고 폭소를 터뜨렸다. 저도 똑같은 꼴을 하고 있 으면서, 세상에서 가장 우스운 광경을 봤다는 듯 상우를 손가락질하 며 크게 웃었다.

"왜 이렇게 일찍 오셨어요?"

"나 수업 조교야."

"아, 예."

조교 노릇 하는 걸 본 적이 없는데, 말도 안 되는 소리를 하고 있었다. 상우는 쭉 뻗은 다리를 발로 차서 치우고 재영의 옆자리에 앉았다. 손을 관자놀이에 얹고 대사를 점검하는데 재영이 핸드폰을 들고 사진을 찍어 댔다. 상우는 짜증스러운 표정으로 얼굴을 가렸다.

"하지 마요, 좀."

"평소에도 그렇게 입고 다녀라. 진짜 잘 어울린다."

재영은 방금 찍은 사진 몇 장을 확인하며 히죽거렸다. 그러고는 다시 카메라를 켰다.

"상우야."

"네."

"셀카 찍을래?"

"아니요."

재영은 무턱대고 의자를 당겨와 상우와 나란히 앉았다. 그의 핸드폰 화면에 바보 같은 대머리 가발을 쓴 둘의 모습이 비쳤다. 상우는 한 번쯤은 맞춰 줘도 되겠지 싶어서 가만히 있었다.

"웃어, 인마."

그렇다고 즐겁지도 않은데 억지로 미소 지을 기분은 아니었다. 재영은 연달아 사진을 세 장 찍었는데 그때마다 표정이 바뀌었다. 처음에는 웃었고 두 번째는 혀를 내밀었고 세 번째에는 어떻게 했는지 몰라도 안면 근육을 찌그러트려 추하게 만들었다.

"너 이게 제일 잘 나왔네."

재영이 사진을 쓱쓱 보여 주며 말했다. 상우가 볼 때는 다 똑같았다. 그리고 죄다 이상했다.

그들은 남는 시간에 대본을 맞춰 보았다. 재영은 상우의 발음을 유심히 듣다가 아쉬운 부분이 있으면 (거의 전부 다였다) 반복 연습을 시켰다.

그리고 학생들이 들어왔다. 모르는 사람들이 상우와 재영을 손가락질하며 깔깔거렸고 그러다 말을 걸기도 했다. 조금 일찍 도착한 중국어 교수는 그들을 보고 숨넘어갈 정도로 웃어 댔다. 수업 중에도 시선이 그쪽을 향할 때면 입가가 꿈틀거렸다.

30분의 수업이 끝나고 마지막 20분 동안 세 팀이 돌아가며 연극을 발표했다. 첫 팀은 파리를 여행하는 중국인 부부 연기를 했다. '저것이 무엇인가요?'나 '에펠탑입니다' 따위의 대화가 주류인 극이었다. 두 번째 팀은 한국대 학생이 중국인 친구에게 캠퍼스를 소개해 주는 내용이었다.(아무래도 상우의 아이디어를 엿들은 것 같았다.) 그리고 그들 차례가 되었다.

"다음. 장재영, 추상우 학생 발표하세요."

재영이 일어나 기지개를 켜더니 상우를 내려다보며 미소 지었다. 자신만만한 표정이 소풍이라도 가는 사람 같았다. 재영은 가방에서 포도와 전화기, 몽둥이 같은 소품을 들고 나갔고 상우는 빈손으로 그의 뒤를 따라갔다. 그들이 앞에 서자 학생들이 손뼉을 쳤다. 폰으로 사진 찍는 애들도 있었다. 애들이 문제가 아니라 교수부터가 핸드폰을 들고서 촬영하고 있었다.

모든 것이 준비된 뒤 상우가 첫 대사를 쳤다. 과일이 싸다는 판촉 대사였다. 그러자 기둥 뒤에 숨어 있던 재영이 부채를 부치며 거만하게 걸어와 책상에 놓인 포도를 만지작거리며 가격을 물어보았다.

상우는 그와 눈이 마주쳤다. 다 잘될 거라고. 그들이 굉장히 재미있는 일을 하고 있다고 재영의 눈빛이 말하고 있었다. 모든 것이 대단히 잘 풀릴 것처럼 들뜬 기분은 생소하기만 했다.

재영은 상우의 생각보다 훨씬 열심히 준비해 왔다. 소품도 소품이지만 전화 거는 장면에서는 신호음과 종료음을 준비해 와 핸드폰으로 재생했다. 배역이 바뀔 때는 상우가 독백하는 짧은 시간 동안 교단 뒤에서 옷을 바꿔 입고 나왔다. 연극부원다운 연기력을 보여 주었고 비록 대사가 대본과 달랐지만 의미가 크게 달라지지는 않았다. 중간에 상우에게 로봇이냐고 묻는 애드립이 부적절했어도 그걸 제외하면 사람이 달라 보일 정도로 잘했다.

반응은 폭발적이었다. 카메라 여러 대가 극을 녹화했고 찰칵거리는 소리가 잊을 만하면 터졌다. 교수는 웃느라 채점용 펜을 떨어뜨렸다. 상우는 외워 온 대사를 말하기만 했는데도 박수갈채와 환호를 받았다. 인정할 수밖에 없었다. 이 스킷은 장재영이 언젠가 장담했듯이 '캐리'했다.

연극이 끝나고 상우는 재영이 내민 손에 하이파이브를 했다. 그 순간만은 그전에 그에게 품었던 부정적인 감정을 까맣게 잊고 전우애 같은 것을 느꼈다.

"재미있었어요, 두 사람. 10년 동안 본 스킷 중 최고."

수업을 일찍 끝낸 교수가 엄지손가락 두 개를 치켜들고 그들에게 다가왔다. 그녀가 상우를 바라보며 말했다.

"상우 학생도…… 발음 연습은 많이 필요하겠지만 그 많은 대사를 정확히 외우다니, 대단해요."

"감사합니다."

"혹시 이 수업 조교 할 생각 있어요?"

"네?"

"평소에는 할 거 없고, 내가 부탁하는 날짜에만 수업 전에 일찍 와서 프린트물 복사해 주면 돼요. 그 외에는 중간고사, 기말고사 때 시험지 관리랑 과제물 취합 정도? 학기말에 가산점 들어가고 밥도 한 끼 사 줄게요."

상우는 그제야 그녀가 무슨 이야기를 하는지 이해했다. 그의 시선이 재영에게 향했다. 재영은 무덤덤한 얼굴로 교수를 바라보고 있었다.

"재영이가 후임으로 추천하길래."

손해 없이 수강 철회할 수 있는 기간은 단 2주. 상우는 3주 차가 되기 전에 재영이 모든 과목을 철회할 것을 알고 있었으며 그날만을 기다려 왔다. 2주 차는 이제 이틀밖에 남지 않았다.

"……네. 할게요."

상우가 고개를 끄덕이자 교수가 잘 부탁한다고 눈인사를 하고 재영에게 몸을 돌렸다.

"고생했다, 재영. 후배 도와준다고 끝까지 책임져 준 자세 고맙고."

"아니에요, 교수님. 조교까지 하겠다고 해 놓고 중간에 드롭하게 돼서 너무 민망하죠."

"그게 무슨 소리야. 좋은 기회가 있다는 건 축하할 일이지. 합격도 미리 축하하면 될까?"

"원서 다시 넣긴 했는데…… 또 된다는 보장도 없긴 해요."

"안 될 리가 있나, 당연히 되겠지."

상우는 가방을 다 싸 놓고서도 나가지 않고 그들의 대화를 멍하니 듣고 있었다. 교수가 이다음에 뭘 하고 지낼 거냐고 묻자 재영이 유학 준비를 하며 좀 쉴 생각이라고 답했다. 그리고 그들은 재영이 진학할 대학원의 위치 이야기로 잠시간 떠들었다.

"나도 유학 시절 생각나고 부럽네."

"놀러 오세요."

"농담도 잘해, 아직 붙은 것도 아니면서."

"교수님께서 붙는다고 하셨는데, 되겠죠."

분위기가 썩 좋았지만 상우는 웃지 않았다. 마음속에 원인을 알 수 없는 섭섭함이 뭉게뭉게 피어났다.

"우리 가야지?"

교수와 이야기하던 재영이 문득 물었을 때서야 상우는 정신이 들었다. 그들은 교수에게 인사하고 강의실에서 나왔다. 상우는 화장실에서 옷을 재빨리 갈아입고서 의상과 가발을 재영에게 넘겨주었다.

다음 강의실에서 뜻밖의 일이 일어났다. 늘 있던 자리에 남색 백팩이 없었던 것이다. 상우는 놀란 눈으로 재영을 보았고, 그는 얼굴을 찌푸리며 핸드폰을 꺼냈다. 재영은 냅다 자리에 앉는 상우를 내려다보며 누군가에게 전화를 걸었다. 통화음이 크게 설정되어 있어서 상대방이 뭐라고 하는지가 전자기기를 통해 쩌렁쩌렁 울렸다.

—예, 행님!

"야 이 새끼야, 장난하냐? 2주 동안만 해 달라니까 그걸 안 해?"

—아, 저 억울해요. 어제 가방 안 주셨잖아요.

"내가 안 줬어?"

—사물함에도 없고 실기실에도 없길래 전 또 그만해도 되는 줄 알았지.

재영은 한동안 침묵을 지키더니 무언가 생각났다는 듯 손바닥으로 눈을 가렸다.

"맞다……. 그저께 술에 꼴아서 못 챙겼어. 아이 씨, 누가 가져갔나 보다."

—이제 그만하면 안 돼요? 이게 형한테는 별거 아닌 것처럼 보이

시겠지만 은근 귀찮아요, 진짜로. 글고 형이 무슨 자리를 맡아요, 수
업도 안 들을 거면서.

"시끄러워, 인마. 끊어!"

—혀어어어엉, 화났어요? 아참, 이따 점심 때 부실 오세요. 최지
가 형 보고 싶대요. 같이 탕슉 시켜 먹…….

웃음 섞인 말소리는 재영이 통화를 끊어 버릴 때까지 계속되었다.
그는 어딜 가든 형으로 불렸다. 그래서 말끝마다 '형, 형'거리나 보다
고 상우는 생각했다. 핸드폰을 다시 주머니에 넣는 재영의 입가에도
어이없다는 식의 웃음이 걸려 있었다.

"오늘은 너 괴롭히기도 글렀네."

그제야 상우는 자신이 괴롭힘 당하고 있다는 사실을 상기했다.

"상우야."

상우는 앉은 채로 재영을 올려다보았다. 재영이 웃으며 말했다.

"나 이거 진짜 외계어 같아서 도저히 못 듣겠더라. 그리고 교수가
뽀로로 닮아서 웃을 뻔한 적이 한두 번이 아냐. 이제 너 혼자 편하게
수업 들어."

그는 순순히 물러나며 이유까지 자세히 설명해 주었다. 상우는 말
없이 고개를 끄덕였다.

"너 오늘 점심도 학식?"

그는 또 고개를 끄덕였다.

"다른 거 사 준다고 하면 싫다고 하겠고……."

또 끄덕였다.

"그래. 맛있게 먹어."

재영이 그리 말하며 상우의 책상에 캔 커피를 내려놓았다. 상우가
방심한 사이에 그가 또 뒤통수를 만졌다. 가벼운 터치는 금세 사라

져 버려서 깨닫는 데 시간이 좀 걸렸다. 화내려고 입을 열었을 땐 재영이 뒷문까지 걸어간 뒤였다. 상우는 언제나 뒷북만 치는 제 신세가 조금 화났다. 다음에 보면 확실히 말할 것이다. 몹시 불쾌하니까 손대지 말라고.

화낼 대상도 없이 끙끙대다 보니 수업이 시작했다. 그날따라 교수가 펭귄과 닮아 보였다.

자리를 되찾아서 집중이 잘될 줄 알았는데 지난 '알고리즘' 시간과 같은 증세가 일어났다. '공학수학2'는 상우가 개중 잘 따라가고 있는 과목이었는데도 머릿속이 텅 빈 것처럼 아무것도 입력되지 않았다. 정신 차리고 보니 수업이 끝나 있었다.

상우는 답답한 기분으로 혼자 식사했다. 뭐가 문제일까, 뭐가 문제일까, 대체 뭐가 문제일까. 시작은 재영의 괴롭힘이었다. 그가 옆에 앉아서 갖은 방법으로 수업을 방해하던 것이 문제였다. 하지만 이제 그는 상우를 괴롭히지 않는다. 문제의 원인이 사라졌는데 왜 일상이 원활하게 돌아가지 않는가.

점심시간에 핸드폰을 확인하니 메시지가 하나 와 있었다.

[무임승차3: (사진) 고생했어] 11:03

답장란 위에서 엄지가 머뭇거렸다. 상우는 도저히 쓸 말이 없어서 기기를 가방에 넣어 버렸다. 잡념 때문에 캠퍼스를 두 바퀴나 돌고 말았다.

도서관에 도착하고서도 아무것도 달라지지 않았다. 울렁거리고 답답한 기분은 점점 쌓이다 분노로까지 변했지만 할 수 있는 일이 없었다. 속에서 열불이 일어나는 듯했다. 그러나 이런 적이 없다 보니 대상이 누구인지, 왜 그런지, 어떻게 풀어야 하는지 알지 못했다.

"집에 안 갔네?"

그쯤에 상우는 짐을 싸서 집에 가야겠다는 생각을 하고 있었다. 그런데 재영의 목소리를 들은 순간, 그 생각은 사라져 버렸다.

재영은 상우에게서 강제로 구매한 공책을 꺼내고 아무렇지 않게 상우의 필통을 열어 볼펜을 가져갔다. 그는 의자에 등을 구부정하게 기대고 다리를 꼰 뒤, 한쪽 무릎 위에 노트를 펼치고 낙서하기 시작했다.

한편 상우에게는 신기한 변화가 일어났다. 열 받아서 어쩔 줄 모르던 마음이 사라지고 정서가 안정되었다. 아무것도 읽히지 않던 페이지에서 다시 글자가 보이기 시작했다. 황당한 일이었다.

'큰일 났다.'

이제 장재영이 옆에 있는 게 디폴트 상태가 되어 버렸나 보다. 에러에 너무 깊이 잠식되어 정신이 정상 상태를 혼동하는 것이 분명했다. 사람들은 1986년에 원전 사고가 난 체르노빌 주변이 죽음의 땅이라고 짐작하지만 실은 항산화제 수치가 비정상적으로 높아진 콩새들이 자생하고 있다. 동물들이 방사능에 적응했듯 상우는 장재영이란 재앙에 적응한 것이다.

재영은 조용했다. 이따금 종이와 펜이 마찰하는 소리가 나기도 했지만 예전처럼 거슬리지 않았다. 상우는 수업 시간에 놓친 부분을 독학하며 오랜만에 쾌감을 느꼈다. 그렇게 공부에 집중한 건 장재영이 상우의 일상에 끼어든 이후 처음이었다.

시간이 얼마나 지났을까. 상우는 뿌듯한 마음으로 잠시 샤프를 놓았다. 그제야 옆얼굴에 시선이 느껴졌다. 재영은 또 상우를 모델로 그림을 그리고 있었다. 눈이 마주치자 재영이 웃으며 속삭였다.

"모자 비뚤어졌네."

그가 상우의 정수리를 눌러서 모자를 고쳐 주었다. 이번에는 예고하고 한 행동이라 화낼 명분이 없었다. 상우는 아무렇지 않은 척 가만히 앉아 있었다. 문제는 그의 손바닥이 정수리를 떠나지 않는다는 점이었다. 떠나기는커녕 점점 더한 무게로 머리를 짓눌렀다.

"상우야, 할 말이 있는데……."

도서관이 워낙 조용하다 보니 목소리가 유독 크게 들렸다. 머리를 누르는 무게는 실체보다 훨씬 무겁게 느껴졌다. 손을 떼라고 말해야 하는데 입이 떨어지지 않았다. 시간이 멈춘 것 같았다. 공기는 무겁고 감각은 예민해졌다. 상우의 시선이 재영의 얼굴을 구석구석 훑었다. 마음먹으면 모공까지 볼 수 있을 것 같았다.

갈색에 가까운 눈동자 표면에 인공적인 빛이 흩어져 있었다. 그의 눈에 깊이가 있다면 어디까지일까. 상우는 안구의 구조를 정확히 알면서도 어리석은 질문을 떠올렸다. 재영이 눈을 느릿하게 깜빡거리자 속눈썹이 드리운 그림자가 짧아졌다가 다시 길어졌다. 앞머리에는 잔디밭에서 묻혀 왔을 풀잎이 붙어 있었다.

'오늘도 같은 자세로 누워 있었을까?'

상우는 그렇게 해야겠다는 생각을 품은 적도 없이 손을 뻗어 풀잎을 치워 냈다. 그러자 재영이 움찔거렸다. 그의 입이 살짝 벌어지더니 선홍빛 혀가 살짝 나와 시선을 앗아 갔다. 그의 혀는 오른쪽 입꼬리에서 시작해 왼쪽으로, 천천히 윗입술을 핥았다. 이상하리만치 관능적인 그 순간은 아주 길게 느껴졌다. 상우는 특수 상대성 이론을 몸소 체험하고 있었다.

에러, 에러, 에러.

이상 반응, 이상 반응, 이상 반응.

혈류가 빠르게 돌았다. 심장이 제 위치를 열정적으로 어필했다.
쿵쿵쿵쿵. 속이 멀미하는 것처럼 울렁거리고 살갗에 소름이 오싹 돋
아났다. 몸이 긴급 상황이란 신호를 보냈다. 상우는 이 상황에 어울
리지 않는 감각에 당혹감과 절망을 동시에 느꼈다.
　'도, 동해 물과…… 백…… 두산이…… 마르고, 말라서, 말라붙
고…… 말라비틀어져…….'
　재영이 상우의 머리를 꾹 누르며 다가왔다. 상우가 집요하게 바라
보던 입술이 빠르게 확대되었다. 재영의 입술은 점점 가까워지다 시
야에서 사라졌다. 그리고 구멍 뚫은 자국이 난 귀와 살짝 뻗친 뒷머
리가 스쳐 지나갔다. 담배 냄새가 후각을 자극했다.
　"나랑 영화 보러 가자."
　뜨거운 숨이 귓가에 부딪히고 속삭임이 뇌에 전달되었다. 인간끼
리 주고받는 기호를 올바르게 해독한 파장은 신체 자극으로 돌아왔
다. 목을 통해 얼굴로 열기가 화르르 올라왔다. 잠재우려고 노력한
보람도 없이, 자율 신경의 지배를 받는 부자유한 부위가 이성의 통
제를 벗어나 작동했다.
　상우는 자리에서 일어나 문을 향해 달렸다. 의자가 쓰러진 듯했지
만 확실하지 않았다. 남자 화장실 문을 박차고 들어가 거울 앞에서
숨을 몰아쉬었다. 그의 얼굴은 마라톤이라도 한 사람처럼 시뻘겠다.
허리를 굽히고 찬물을 틀어 볼에 무작정 씨있있다. 열기를 가라앉히
기 위해 몇 번이고 세수했다.
　'미쳤구나.'
　상우는 남성의 음경이 언제, 어떤 목적으로 경직되는지 잘 알았

다. 성적인 자극을 받은 기억이 없는데도 아랫배가 뻐근해지고 성기가 묵직해진 건 억울하기 짝이 없는 오작동이었다.

상우가 정신없이 세수하고 고개를 들었을 때 화장실 문이 열렸다. 그는 턱에서 물을 뚝뚝 흘리며 거울을 통해 재영과 눈이 마주쳤다.

"너 뭐야?"

상우는 몸을 떨었다. 얼굴을 조금 찌푸린 채 자신을 바라보는 재영이 어느 때보다도 훨씬 위협적으로 느껴졌다. 그가 한 발짝 다가왔다. 상우는 손바닥을 뻗어 그의 접촉을 차단하고 입을 벌렸다.

"싫어요."

"뭐?"

"영화 보기 싫다고요."

말은 가장 직설적인 방식으로 나왔다. 대체 이성도 아닌데 왜 같이 영화를 보러 가자고 한단 말인가. 재영의 제안은 최근에 첩첩이 세워지고 있던 미묘한 도미노를 한 방에 쓰러뜨렸다. 그 때문에 상우가 내면에 구축했던 마음의 진영은 초토화되었다.

재영이 눈을 가늘게 뜨며 상우를 노려보았다.

"나라서 그래? 아니면 남자끼리는 좀 그래?"

"둘 다예요."

"컴퓨터 고쳐 준 보답이잖아. 의자까지 넘어뜨리면서 뛰쳐나갈 일이야?"

최근에는 들은 적 없는 날카로운 말투였다. 상우의 입이 저절로 벌어져 반박을 뱉어 냈다.

"머리에 든 게 없어요? 같이 있는 게 얼마나 고역인데, 그게 어떻게 사례예요?"

"말이 심해진다. 적당히 해라."

재영의 자세가 점점 뻣딱해졌다. 그와 처음 만났을 때를 떠오르게 하는 긴장감이 공기 중에 감돌았다. 그 당시 상우는 재영이 욕하고 양아치처럼 굴어도 조금도 무섭지 않았다. 그러나 이제 상우는 조곤조곤 이야기하는 그가 무섭게 느껴졌다. 하지만 일반적인 두려움은 아니었다.

'내게 다가오지 마요. 손대지도 마요. 내 일상을 그만 무너뜨려요.'

재영은 한참 동안 상우의 얼굴을 빤히 보다가 싸늘하게 빈정거렸다.

"그럼 수리비 돈으로 줄게. 얼마나 주면 돼?"

"천만 원이요."

"이 새끼 또 이러네. 넌 좋게 얘기해도 꼭 좆같이 나오는 버릇이 있더라."

재영이 호의보다 적의에 훨씬 근접한 미소를 흘렸다. 상우의 두려움이 반발심으로 전환되는 순간이었다.

"사례 필요 없다고 말했잖아요. 차라리 첫날처럼 괴롭혀요, 이상한 수작 부리지 말고."

"내가 무슨 수작을 부렸어?"

"왜 귓속말을 해서!"

"그럼 도서관에서 소리 지르리?"

상우는 어깨로 재영을 밀치고 다시 열람실로 뛰어들어 왔다. 눈을 동그랗게 뜬 사서가 그를 저지해야 하나 고민하는 눈치였다. 상우는 가방에 물건을 아무렇게나 쑤셔 넣고 지퍼도 잠그지 않은 채 손에 들고서 문을 나섰다. 누군가 따라올까 봐 뛰었지만 뒤에서는 아무 기척도 나지 않았다.

Error! Error!

Error! Error! Error! Error! Error! Error! Error! Error! Error! Error! Error! Error!
Error! Error! Error! Error! Error! Error! Error! Error! Error! Error! Error! Error!
Error! Error! Error! Error! Error! Error! Error! Error! Error! Error! Error! Error!
Error! Error! Error! Error! Error! Error! Error! Error! Error! Error! Error! Error!
Error! Error! Error! Error! Error! Error! Error! Error! Error! Error! Error! Error!
Error! Error! Error! Error! Error! Error! Error! Error! Error! Error! Error! Error!
Error! Error! Error! Error! Error! Error! Error! Error! Error! Error! Error! Error!

머릿속에서 적색 경고음이 울렸다. 몸에 심각한 문제가 생겼다는
신호. 당장 병원에 달려가야 할 정도로 심각한 증상이었다.

심장 – 운동량에 비해 비정상적으로 높은 심박수
피부 – 고열 방출
손 – 수전증
입 – 구강 건조증
음경 – ……씨발

상우는 현기증을 느끼며 집에 들어섰다. 아무것도 하지 않고 곧바
로 침대에 쓰러져 이불을 머리까지 덮었다. 20분 전에 일어난 일은
그의 인생을 통틀어 가장 충격적인 사건이라고 할 만했다. 이와 비
슷한 일은 중2 때 한 번 더 있었을 뿐이다.
　당시 상우는 등굣길에서 괜찮은 냄새를 맡고선 지나가던 여자 어
른의 하얀 반팔 블라우스 안에 무엇이 있을까 상상하게 되었다. 그
때 버스 정류장에서 보았던 여성 모델의 수영복 사진이 떠오르면서
심장이 벌렁거리고 아래가 딱딱해졌다.

신체에서 과학적으로 무슨 일이 일어났는지 정확히 알았으나 자신에게도 그런 일이 일어날 줄은 몰랐다. 짐승이라도 된 듯한 자괴감에 그대로 발을 돌려 집으로 돌아왔다. 저녁에 퇴근한 어머니에게 사실을 털어놓았는데 다행히 자연스러운 일이라고 하였다.

　'네 고환에 뭐가 있는지 알고 있니?'

　'재생산을 대비하는 정자가 2억에서 5억 마리 준비되어 있어요.'

　'그래. 평소에는 비축만 해두고 성적인 자극을 받으면 음경을 통해 방출하는 구조야. 너는 아직 어린 학생이라 성교를 할 처지가 아니니, 상호 동의한 합법적인 상대가 생길 때까지는 손으로 음경을 압박하는 유사 성교로 사정을 유도하면 된단다. 사회적으로 불결하다는 인식이 있으니 공개적인 곳에서 하지 말고 혼자 있을 때만 해. 바닥에 아무것도 튀지 않게 잘 처리하고 시작하기 전과 끝나고 손을 꼭 씻어라.'

　'알겠어요. 그런다고 병에 걸리진 않나요?'

　'……그게 무슨 비과학적인 얘기니? 건강한 남성에게 이르면 11세에 나타나서 평생 이어지는 현상이니까 걱정하지 말렴.'

　그 뒤로 비슷한 일이 벌어져도 상우는 당황하지 않게 되었다. 다행히 그의 신체 기관은 이성의 통제를 잘 듣는 편이어서 대부분 경우에는 미연에 방지할 수 있었고 가끔 통제를 벗어나도 금방 잠재울 수 있었다. 이처럼 부적절한 경우는 살면서 단 한 번도 없었다.

　특정한 사람을 대상으로 한 발기는 상대를 임신시켜 2세를 만들고 싶은 수컷의 욕망을 드러낸다고 상우는 이해하고 있었다. 자궁이 없는 남성한테 반응하는 건 기관의 목적에 전혀 맞지 않은 일이었다. 상우의 2주를 살뜰하게 망쳐 놓은 오류는 급기야 신체까지 침투한 것 같았다.

추상우 - 고장

인문대 4층 화장실 둘째 칸 변기처럼, 고장

상우는 먹지도 마시지도 않고 누워서 하루를 멍하게 보냈다. 몸을 마음대로 통제할 수 없다는 사실에 너무 큰 충격을 받아서 진지하게 휴학을 고려했다. 공부도 중요하지만 앞으로 이런 일이 반복되게 놔뒀다가는 졸업이 한 학기 미뤄지는 것보다 훨씬 심각한 문제가 생길 것 같았다.

다음 날 수업은 도저히 갈 자신이 없었다. 장재영은 또 자연스럽게 어깨동무를 하거나 머리를 쓰다듬거나 스스럼없이 귓속말을 할 테고, 오류에 잠식된 상우의 몸은 또 오늘처럼 오작동할지도 모른다. 그날 상우는 모처럼 알람을 끄고 아주 늦게 잠들었다.

return 0;

다음 날, 알람이 울리지 않아도 상우는 같은 시간에 깨어났다. 수업을 들을 수 없다는 사실은 고통스러웠지만 더 큰 고통을 방지하기 위해 결단을 내렸다. 그는 일어날 시간이 지났는데도 침대에 그대로 누워 있었다. 멍하니 누워 모바일 게임을 하는 사이 수업 시간이 되었지만 상우는 침대에서 한 발짝도 움직이지 않았다.

10:00

'임베디드 시스템' 교수가 뭐라고 생각할까? 첫날부터 엎드려 자고 코 밑에 수염을 그리고 다니는 학생으로 기억하고 있을 텐데, 결석까지 하면 한심하다고 생각할 것이다.

'어차피 휴학할 건데, 뭐……'

10:10

휴학계 내는 방법을 검색해 보았다. 생각보다 절차가 간단해서 그 날 중에 하기로 마음먹었다. 중도 휴학 시 전액 장학금이 어떻게 처리되는지는 설명 페이지에 나와 있지 않아서 학교에 문의해 봐야 할 것 같았다.

10:20

휴학으로 인해 변동될 계획을 꼽아 보았다. 그는 스물여섯 상반기에 졸업하고서 하반기에 외국 게임 회사에 취업할 계획을 세워 놓았다. 휴학해도 반년 늦춰질 뿐이니 그렇게까지 타격이 크지는 않았다.
　그보다 더 큰 문제는 이번 학기에 게임 제작을 못 하게 되었다는 점이다. 이번에 만들어서 출시할 게임은 게임 회사에 입사하기 위한 코어 포트폴리오가 될 예정이었다. 그러나 아직 늦지 않았다. 디자이너만 구하면 휴학하고서도 게임을 제작할 수 있으니.

10:30

상우는 학교 커뮤니티에 들어가 자신이 내건 디자이너 모집 공고물을 다시 읽어 보았다. 이제 30페이지 뒤로 밀려나 아무도 열람하지 않는 글에는 댓글이 여러 개 달려 있었다.

[rless 님의 댓글: 이 프로젝트에 지원하실 학우님은 본문의 추상우 학생이 아닌 저한테 먼저 연락 주세요. 시디과 장재영 010-****-****]

[북경오리 님의 댓글: 장재영 선배님! 연락드렸습니다^^]

[최수진 님의 댓글: 연락드렸어요 선배님^0^]

[mingee03 님의 댓글: 앗 너무 늦었네요.. 그래도 문자 드렸어요]

[Scap-jjangS 님의 댓글: 마감됐나요?ㅠㅠ]

[유현정 님의 댓글: 장재영 선배님도 참여하시는 건가요??? 메시지 드렸습니다]

상우는 메시지를 한 통도 받지 못했는데 연락했다는 댓글은 열 개가 넘었다. 상우는 짜증을 눌러 참으며 게시물을 복사해 새로 올렸다. 재영이 망쳐 놓은 이전 게시물은 삭제했다. 그가 시디과에 이미 안 좋은 소문을 내놔서 사람이 구해지지 않는다면 프로 프리랜서를 구해 볼 생각이었다.

10:36

쿵쿵쿵.

누군가가 문을 두드렸다. 택배 올 곳도 없는데 무슨 일일까. 상우는 침대에서 일어났다.

쿵쿵쿵쿵쿵쿵쿵!

문에 주먹질하는 강도는 더 강해졌다. 누군지는 몰라도 성질 급하고 예의 없는 사람이 분명했다. 동그란 유리로 바깥을 살펴보려고 문에 다가갔을 때 어마어마한 고함 소리가 들렸다.

"야, 추상우!"

상우는 현관에 한쪽 발만 걸친 엉거주춤한 자세로 멈춰 섰다.

"있는 거 다 알아. 문 열어."

"……."

"대답 안 해?"

상우는 괜히 움직였다가 작은 소리라도 날까 봐 눈을 크게 뜨고 그대로 얼어붙어 있었다.

"대답 안 하냐고, 이 씨발놈아."

난데없는 욕설이 들렸다. 상우는 상황을 손쉽게 파악했다.

그는 수업에 가지 않았다. 장재영은 집 앞까지 따라온 적이 있어서 주소를 알고 있다. 자전거가 보관대에 묶여 있으니 상우가 집에 있다고 추측할 수 있다. 보관대에는 자전거 주인의 호수가 적혀 있다.

상우는 문 너머의 상대를 향한 적개심으로 눈을 부라리며 외쳤다.

"고성방가로 신고하기 전에 꺼져요."

쾅!

문이 찌그러지지 않았을까 걱정될 정도로 큰 소리가 났다.

"열어."

"싫어요."

"열어!"

"싫다고 했잖아요. 왜 남의 문을 열라 말라야!"

한동안 침묵이 감돌았다. 문을 두고 행패 부리던 상대가 잠시나마 얌전해졌다. 상우는 문을 노려보았다.

"야 이 씹새끼야, 넌 내가 영화 보러 가자고 한 게 수업을 쨀 정도로 끔찍해?"

그가 숨을 헐떡이는 소리가 전해졌다. 상우는 덩달아 가슴이 오르내렸다.

"네가 수업을 째? 지구가 멸망하기 5분 전에도 자리 맡으려고 지랄할 새끼가?"

"마음대로 생각해요."

쿵.

이번엔 약한 소리였다. 상우는 재영이 문에 등을 기댔음을 알 수 있었다.

"영화 한 번 보자고 했다가 핵폐기물이 돼 버리네. 그러다 휴학이라도 하겠다?"

중얼거리는 게 꼭 혼잣말 같았다.

"어디 해 봐. 사유는 이렇게 적는 거 어때? 씨발, 꼬추 달린 선배가 덜렁덜렁거리면서 영화 보자고 해서 휴학했다고."

"닥쳐요!"

"누가 너 납치해서 감금하고 고문한대? 약 먹이고 장기라도 빼 간대?"

"좋을 리가 없잖아요! 남자끼리 징그럽게……."

"그게 웬 고조선 마인드야? 난 남자애들하고도 영화 잘만 보러 다녀. 어제도 보고 왔어."

"전 아니에요. 결혼을 전제로 교제할 이성하고만 봐요. 그러니까 남의 집 앞에서 소리 지르지 말고 꺼져요, 좀!"

문을 통해 된소리로 구성된 욕 메들리가 들렸다. 그다음은 한숨 소리였다.

"내가 너한테 들인 시간과 노력이 얼만데, 이 씹새끼가 사람을 뭘로 보고……."

"먼저 괴롭혀 놓고 그게 뭔 소리예요?"

"이틀 했다, 이틀. 그리고 나머지 일주일 동안 빌빌거렸잖아. 염병할, 이런 삽질은 제대 이후 처음이야. 삽질 거하게 할 기회를 주셔서 존나게 감사합니다."

"성격 파탄자세요? 대체 뭘 잘했다고 저한테 화를 내요?"

"그냥 말을 말자."

충분히 지랄해서인지 그의 목소리에서 독기가 빠졌다. 잠시의 소강상태가 지나고 문과 바닥 사이에 난 틈으로 얇은 종이가 쓱 들어왔다. 필름이 그려진 영화 예매권이었다.

"이거나 먹고 떨어져. 난 앞으로 네 쪽으로 눕지도 않으련다."

"그런 말을 하느니 지금 당장 꺼져요, 좀."

"너나 꺼져, 이 또라이 새끼야. 그리고 다시는 내 눈에 띄지 마."

이미 집에 있는 사람한테 어디로 가라는 것인지. 마치 촛불이 바람더러 꺼지라고 하는 격이었다. 곧 폭풍 같은 발걸음 소리가 들렸다. 거칠고도 규칙적인 발소리는 점점 멀어지다가 어느 순간 들리지 않았다.

'잘됐네.'

상우는 그 순간에 너무 열 받아서 휴학할 생각이 싹 사라졌다. 그는 다음 수업에 늦지 않기 위해 씻지도 않고 옷을 걸쳤다. 장재영이 찾아오기 전까지 고민하던 모든 것이 흐릿해졌다. 그가 한바탕 뒤집어 놓고 간 탓에 상우에게는 이번 학기를 악착같이 마무리하겠다는 오기가 생겼다.

'다시는 내 눈에 띄지 마.'

두 번째로 듣는 소리였다. 그때나 지금이나, 기분이 더러우면서 반가운 소리기도 했다. 상우는 그 말을 들은 지 7분 만에 옷을 입고 배낭을 메고 집에서 나왔다. 다리가 부러지도록 페달을 밟으며 학교로 향했다. 도착하고 나니 1교시가 끝나 갈 시간이었다. 상우는 콧김을 내뿜으며 공학대로 향했다.

장재영이 인생에서 빠져 주기로 선언했으니 고민거리가 사라진 셈이었다. 이제 태풍이 휩쓸고 지나간 자리를 복구할 일만 남았다. 상우는 303호 강의실 앞에 서 있다가 사람이 빠져나가기를 기다렸다가 깨끗한 그의 자리에 앉았다. 어느 때보다도 맹렬한 기세로 전공 책을 펴 놓고 글자를 읽어 나갔다. 교감 신경이 아드레날린을 마구 내보냈다.

장재영을 향한 분노는 좋은 동력이 되었다. 상우는 이글거리는 눈빛으로 교수와 눈을 맞추었고 종이가 찢어질 정도의 필압으로 필기했다. 듣는 족족 모든 것을 외워 버렸다. 문제를 노려보기만 하면 풀이가 머릿속에 펼쳐졌다. 게임으로 치면 피버 버프를 받은 느낌이었다. 심장이 쿵쿵쿵 뛰어 대고 있었다.

장재영 따위에게 일상이 망가진다는 건 견딜 수 없었다. 상우는 피해자가 되지 않겠다는 일념으로 금요일과 주말에 평소보다 훨씬 맹렬하게 살았다. 책상에 앉아 몇 시간씩 일어나지 않고 공부했으며 알바 자투리 시간에는 과제로 나온 문제를 풀었다. 눈을 부릅뜨고 글자를 보았고 아주 작은 의문이라도 넘어가지 않고 파고들었다.

일요일 밤에 집으로 돌아온 그는 침대에 쓰러졌다. 사흘간 지속된 피버 버프는 막바지였다. 상우는 약간의 울적함과 심한 피곤을 느꼈다. 아무 생각도 하지 않으려고 애썼지만 누워서 천장을 보고 있자니 잡스러운 생각이 머릿속을 가득 채웠다. 불쑥 나타난 손이라든가, 악에 받쳐 내뱉는 욕설이라든가, 친한 척 부르는 이름이라든가, 입술을 느릿하게 핥는 혀라든가, 모조리 한 사람에 관련되어 있었다. 뇌 속에서 장재영이란 바이러스가 기하급수로 증식하는 듯했다. 불을 끄고도 그 현상은 계속되었다. 기분 나쁜 밤이었다.

return 0;

3주 차. 에러가 디버깅된 완벽한 프로그램이 구동되었다.

8:30 기상, 운동, 샤워, 아침식사

9:16 등교

9:24 학교 도착

9:30 강의실 도착, 예습, 복습

10:00 첫 번째 수업 시작

10:50 강의실 이동

11:00 두 번째 수업 시작

12:00 식당 이동, 식사

12:28 편의점 이동, 커피 구매, 산책

12:45 도서관 이동, 신간 확인, 서적 대출, 과제 풀이

6:00 식당 이동, 식사

6:28 귀가, 양치, 환복, 휴식

7:00 게임

9:00 게임 트렌드 공부, 커뮤니티 동향 파악

10:00 프로그래밍 언어 공부

12:00 도서관 자리 예약, 휴식

12:30 취침

    상우는 같은 시간에 등교했고 같은 자리에 앉았으며 같은 자세로 수업을 들었다. '임베디드 시스템' 수업은 처음 듣는 것처럼 새로웠다. 유독 그 시간에 방해가 잦아서 전혀 집중하지 못한 탓에 상우에게는 첫 수업이나 다름없었던 것이다. 따로 공부해야 할 부분을 체크하느라 정신없던 수업이 끝나고 교수가 상우를 불렀다.

"학생, 끝나고 나 좀 봐요."

"네."

교수한테 따로 훈계받을 예정. 예전 같았으면 하늘이 무너지는 기분을 느꼈겠지만 배낭에 책을 넣는 상우의 표정은 무덤덤했다. 하도 이상한 일이 많이 일어나서 이 정도 스트레스는 아무것도 아니게 느껴졌다.

상우는 자리에서 일어나 교단으로 향했다.

"부르셨어요?"

그렇게 말하는 상우의 목소리는 음울했다.

"지난 시간에 결석했던데, 왜죠?"

교수가 마이크를 정리하며 말했다.

'고추 달린 선배가 덜렁덜렁거리면서 영화 보자고 속삭이는 바람에 발기해, 그 충격으로 휴학할 마음을 품고 수업에 참석하지 않았습니다.'

상우는 고개를 꾸벅 숙였다.

"죄송합니다."

"매일 자는 옆자리 학생은 어디 갔나요?"

"아마 수강 철회했을 겁니다."

교수는 마이크를 조교에게 넘기고 상우를 빤히 바라보았다. 그는 눈빛이 매섭고 날카로운 스타일이었지만 상우는 아무 느낌도 들지 않았다.

"기대가 커요, 상우 학생."

"저 알고 계셨어요?"

"상우 학생 모르는 교수가 우리 과에 어디 있습니까."

교수가 엷게 웃었다. 너무 희미해서 미소 같지도 않았다.

"초반에 실망스러운 모습 보여 줬지만 아직 늦지 않았어요. 지금부터 맘잡고 합시다."

"네."

상우는 꾸벅 인사하고 식당으로 향했다. 누군가가 옆에 앉을까 봐 곁눈질을 하며 식사하는 것이 습관이 되었다. 그러나 아무리 식당을 둘러봐도 그의 곁에 앉고 싶어 하는 사람은 없어 보였다. 상우는 평소와 같은 시간에 식사를 마치고 출구로 나왔다.

편의점에 들어서자마자 점주가 소리쳤다.

"학생! 커피 들어왔어!"

"아…… 네."

"많으니까 잔뜩 골라 가."

상우가 조종하지 않아도 발이 저절로 세 번째 냉장고 앞으로 향했다. 그의 손이 문을 열고 다섯 번째 단에서 캔 커피를 꺼냈다.

'집에 일곱 개나 있는데…….'

편의점에서 나오며 캔을 땄다. 기성품이니 예전과 같은 맛일 것이 분명했다. 그런데 이상하게도 맛없다는 감상이 들면서 상우는 깨달았다. 모든 것이 정상으로 돌아오지는 않았다고.

return 0;

일주일이 루틴대로 흘러갔다. 모든 것이 제자리에 있었고 모든 상황이 정상이었다. 달라진 건 상우 본인뿐이었다.

상우는 처음 겪는 우울감에 빠져 있었지만 기를 쓰고 더 열심히 공부했다. 그러나 생활 곳곳이 삐걱거렸다. 집중력은 저하되었고 사람의 말을 들어도 무슨 의미인지 파악하려면 한참 동안 생각해야 했다. 게임은 재미가 없었고 모든 것이 귀찮아졌다. 이를 닦다가, 책을 보다가, 길을 걷다가, 문득 렉 걸린 것처럼 멈출 때가 있었다. 그럴 때면 노력해서 하던 일로 주의를 다시 돌려야 했다. 굉장히 성가셨다.

강의실 앞과 공학대와 인문대의 계단, 식당 앞 그리고 도서관. 처음에는 장재영이 출몰하던 곳에서 걸음이 느려지는 게 그를 피하던 버릇 때문인 줄 알았다. 그런데 그가 100% 확률로 출현하지 않는 걸 알고서도 고쳐지지 않았다.

자질구레한 문제가 생겼다. 식당에서 식사하려는데 젓가락만 세 개 가져온다든지, 옷을 거꾸로 입는다든지, 양말을 짝짝이로 신는다든지, 아무것도 안 하고 10분간 앉아 있는다든지 하는 끔찍한 증상이었다.

계속해서 그랬다. 어느 날 정문 앞에서 장재영을 보기 전까지만 해도.

그는 빨간 패딩도 녹색 코트도 입고 있지 않았다. 안경을 쓴 채 상우가 처음 보는 야구 재킷 차림으로 서 있었다. 그의 앞엔 남학생 둘이 스케이트보드 위에서 중심을 잡으며 즐거운 듯이 놀고 있었다.

상우는 자신이 그 먼 거리에서 사람들 사이에 뒤섞인 재영을 어떻게 찾아냈는지 의아했다. 특유의 건들거리는 자세 때문에 그런가, 키가 커서 그런가, 몸매가 호리호리해서 그런가, 웃는 얼굴이 이뻐서 그런가.

상우는 그런 생각을 하는 자신이 낯설었다. 재영을 빠르게 지나쳤지만 그를 보았다는 사실만으로 지루하고 느릿하던 하루가 되살아났다. 아드레날린이 분비되는 짧은 피버 모드가 찾아왔다. 얼마 가지는 않았지만 상우는 원래대로 돌아왔다는 감각을 잠시나마 느꼈다.

추상우 – 고장

새삼 그 사실이 상우의 사고 회로를 후벼 파고 들어왔다. 그는 비 맞은 패잔병처럼 구부정하게 걸어 들어와 손을 씻고 책상 앞에 앉았다. 핸드폰을 보니 메시지가 하나 와 있었다. 상우는 심장이 쿵 떨어지는 기분이 들었으나 열어 보니 기대하던 게 아니었다.

[저장되지 않음: 안녕하세요~ 공고보고 연락드렷어요^^ 저는 디자과 3학년이구요 제작하시려는 게임에 관심 잇는대 어떻게 하면 될가요??] 16:52

그토록 기다리던 연락인데 왜 의욕이 들지 않는 것일까. 어쩌면 맞춤법 틀린 곳을 일곱 군데나 발견해서인지도 모른다. 상우는 답장란에 메일 주소를 적고서 포트폴리오를 보내 달라고 요청했다. 그러고 나서 화면을 잠글 순서였지만 그의 손가락은 다른 사람이 보낸 메시지를 열고 있었다.

[무임승차3: (사진) 고생했어] 12일 전

섬네일을 터치하자 사진 한 장이 화면 가득 찼다. 잔뜩 경직된 상우 옆에서 재영이 웃으며 혓바닥을 내밀고 있었다. 이마에 쓴 고무 가발에 형광등 빛이 반사되었다. 확대, 확대, 확대. 재영의 얼굴이 핸드폰 화면을 크게 채웠다. 화질이 너무 나빠서 마음에 들지 않았다.

'SNS 한댔지?'

상우는 휴대폰을 놔두고 데스크톱을 켰다. 갖은 방법을 써서 부팅 시간을 단축해 놓았는데도 기다리기가 힘들었다. 바탕 화면이 뜨자마자 인터넷 브라우저를 열고 예전에 계정만 만들어 놓은 SNS에 로그인했다. 상우를 팔로우 한 사람은 두 명밖에 없었다.

상추 이 좆같은 새끼야, 전화 안 받냐??
상추상추상추 전역 몇 월임?

몇 년 전에 중고등학교 친구들이 적은 뻘글 몇 개가 개인 메시지로 와 있었다. 상우는 창에 장재영을 검색했다. 동명이인이 어마어마하게 많았지만 그가 찾는 버전은 팔로워가 많은 덕분인지 최상위에 있었다.

장재영 (Jae. J) Graphic Designer / Graffiti Writer / Skate Boarder

소개 글은 짤막했고 아래에 포트폴리오 페이지가 링크되어 있었다. 게시물은 22개, 많은 편은 아니었다. 가장 최근 게시물은 중국어 스킷 날 상우와 찍은 사진이었다.

귀여운 후배와 함께

업로드 시각을 보니 도서관에서 관계가 파탄 나기 전이었다. 상우가 본 적도 없는 사람들이 누른 '좋아요'가 수백 개를 넘어섰다. 정신차려 보니 상우는 이미 그 사진을 최대화하고 재영의 코멘트가 보이게끔 캡처해서 저장한 뒤였다. 그는 장재영의 세계로 본격적으로 발을 들여놓았다.
첫 게시물은 작년 초에 올린 셀카였다. 잘 부탁한다는 짤막한 게

시뭇 아래 하트와 눈물 아이콘이 난무하는 댓글이 주르륵 달려 있었다. 뾰족한 피어스가 튀어 보였다. 탈색한 머리는 부스스했고 옅은 주황색이었다. 얼굴에는 아무 표정도 없었다.

'진짜 별로다. 날라리 같아.'

상우는 모니터 안으로 빨려 들듯 고개를 빼고 보다가 사진을 저장했다.

두 번째는 일하는 가게를 태그한 게시물이었다. 재영은 '올리브 나무'의 사장과 잘 아는 사이라서 일을 돕는 듯했다. 카페 앞에 사장과 함께 서 있는 사진과 알바하는 요일과 시간대가 적혀 있었다.

'저 미소는 분명히 가식일 거야.'

저장.

다음 게시물도 홍보 글이었고 그다음에 다시 개인적인 사진이 나왔다. 이번에는 검은 비니 모자에 안경을 쓰고 컴퓨터 앞에 앉아 있었다. 머리색은 여전히 밝았다. 창밖이 새까만 걸 보면 밤새 과제하는 모양이었다.

'밤새운 사람이 뭐 저렇게 멀쩡해? 보나 마나 연출 사진.'

저장.

다음, 다음, 다음. 마우스가 광란적으로 움직였다. 정장을 빼입은 사진에서 재영은 친구들과 함께 괴이한 포즈를 취하고 있었다.

'관심종자네.'

저장.

헬멧과 보호대를 하고 스케이트보드 기술을 연습하다 넘어지는 짧은 영상 속 그는 바닥에 철퍼덕 앉아 웃고 있었다.

'……바보.'

저장.

다음 사진에서 재영은 해괴한 형광색 글자와 새까만 혓바닥이 그려진 커다란 벽 앞에서 스프레이를 들고 있었다.

'꼭 지 같은 괴물을 칠해 놨네.'

저장.

다른 사진에서는 연극용 진한 화장을 하고 검은 배경 앞에서 눈을 감고 있었다.

'…….'

저장.

사람 홀리는 미소, 흥미롭다는 듯 반짝이는 눈빛, 장난기로 꿈틀거리는 입가, 빈정대는 듯한 실소, 악당 같은 웃음. 그를 한마디로 정의하려는 것부터가 무리한 짓이었다. 상우는 문득 포크레인 모형을 처음 본 여섯 살 시절이 떠올랐다. 15일간 사 달라고 매일 요청한 끝에 아버지가 어머니 몰래 사 줬었다. 그때도 꼭 이런 기분을 느꼈다. 20대 중반이 된 지금도 상우는 포크레인을 보면 가슴이 두근거리곤 한다.

상우는 영상 플랫폼에서 연극 영상과 홍보물, 스케이트보드 영상, 그래피티 영상을 전부 보고 저장했으며 재영의 아이디를 검색해 그의 관심 분야를 구하고 일렉트로닉 음악으로 구성된 그의 플레이리스트까지 찾아냈다.

와씨바 갓갓노바 이번 시즌에 날개돋친듯. 곧 승천할 예정
ㄴㄴ그거 캡도 못쓰고 자꾸 잘못 눌러서 분사됨 사지마여
존나이쁘다 근데 금방 망가질듯?

상우는 그가 인터넷 커뮤니티에 남긴 몇 안 되는 댓글과 쇼핑몰 상품 평까지 찾아내서 전부 읽었다. 재영의 포트폴리오 페이지에 들어가 졸업 작품과 공모전 수상작들, 외주로 작업한 웹사이트, 인디 가수 콘서트 포스터와 배너, 잡지 삽화, 그리고 취미로 하는 그래피티와 일러스트레이션을 전부 구경했다. 학교 커뮤니티를 검색해 연극부 모집 글, 연극 홍보 글, 전시회 홍보 글을 전부 읽었다.

(5분거리)남자룸메구함 몸만오세요

까맣게 지새운 새벽, 급기야 6년 전 게시물을 뜯어보다가 상우는 정신이 들었다.

'내가 지금 뭘 하는 거지?'

그의 바탕 화면에 생성된 '장재영' 폴더에는 사진 서른여섯 개와 영상 아홉 개가 날짜별로 정렬되어 있었다. 상우는 그것들을 하나씩 얼이 보다 또 자세히 감상하는 자신을 발견했다. 재영과 만나서 싸우거나 툴툴거린 기억밖에 없었지만 이러고 있자니 그와 부쩍 가까워졌다는 착각이 들었다. 그를 다르게 부르고 싶을 만큼.

'형, 나한테 무슨 짓을 한 거예요?'

처음 PC방에서 우연히 만난 재영이 불은 라면을 앞에 두고 욕하며 다시 보지 말자고 했을 때만 해도 그는 단지 작은 형식 오류였을 뿐이었다. 하지만 그라는 에러를 제거한 뒤에도 프로그램은 원래대로 작동하지 않는다. 냉장고에 든 일곱 캔의 커피처럼, 상우의 마음속을 비집고 들어온 작은 결함은 사라지지 않았다.

'삭제된 소스 안에 쓸 만한 코드가 있던 모양이야.'

장재영과 싸운 지가 12일째였다. 커피는 맛을 잃었고 게임은 재미없어졌으며 우울감이 생겼다. 상우는 원래 감정에 휘둘리는 인간상과 거리가 멀었다. 그러나 3주가 넘는 기간 동안 얼마나 감정을 소모했던가.

　　i) 심한 짜증, 심한 불안함, 억울함 - 2일
　　ii) 약한 짜증, 약한 불안함, 의심 - 3일
　　iii) 혼란, 분노, 정신 산만 - 6일
　　iv) 우울감, 분노 - 12일

　　장재영의 존재가 원인이었던 i), ii), iii)은 그가 사라지면서 해결되
었다. 그러나 iv)의 원인은 장재영의 부재였다. 열흘이 넘는 붕괴 기
간을 거치며 그 사실을 외면하던 상우는 이대로는 안 되겠다는 결론
을 내렸다. 외면한다고 사라질 문제가 아니었다. 그렇다면 문제 해
결사로서의 면모를 발휘해야 했다.
　　그는 문제의 원인, 자신과 재영의 이익 관계, 그리고 정황을 자세
히 따져 보았다. 본래 복잡한 문제일수록 해법이 단순할 때가 많다.
비이성적 요소(이상한 기분, 머리의 통제를 받지 않으려는 몸 등)를
제거하고 상황만을 분석했다. 상우가 불만족스러운 이유는 장재영
이 일상에서 사라졌기 때문이다. 그렇다면 그를 생활에 다시 끌어와
야 한다.
　　여러 옵션이 맞물리며 최적의 해법이 도출되었다. 결론은 한 가지
였고 다른 방법은 보이지 않았다. 상우는 언제나 최단 거리를 선호
했다. 지름길을 두고 돌아갈 생각은 없었다.

　　return 0;

　　"저기……."

문화 이론 수업이 끝나고 식사하던 중에 상우는 지혜를 불렀다. 국을 떠먹던 그녀가 고개를 들었다.

"내가 밥 사 주기로 했잖아."

"네네."

"오늘 사 주고 싶은데."

무표정하던 얼굴에 미소가 번졌다. 그녀가 요즘 곤궁한가 보다고 상우는 생각했다.

"수락할 거면 6시까지 '올리브 나무'로 와."

"앗! 우리 처음 밥 같이 먹은 장소잖아요, 오빠. 기억하시네요? 근데 거기 엄청 비싼데……."

"알아. 수락할 거야, 말 거야?"

"좋아요, 좋아요."

지혜는 비싼 밥을 얻어먹게 되어 무척 기뻐 보였다. 음식점 앞에서 서로 엇갈릴 수도 있으니 상우는 그녀의 핸드폰 번호를 물어보았다. 지혜는 번호를 불러 주며 말을 더듬었다.

"너 성이 뭐였지?"

"류 씨예요."

'불어불문학과 류지혜'라고 저장하고 폰을 가방에 도로 넣었다.

"제 이름은 아세요?"

"지혜잖아."

"오……. 모르실 줄 알았어요."

지혜가 상우의 기억력을 시험하려 들었다.

오후 6시가 조금 넘은 시간, 상우와 지혜는 음식점 앞에 줄 서 있었다. 상우는 일평생 고작 식사하기 위해 아무것도 안 하고 기다리며 시간을 낭비한 적이 없었지만 이날만은 참을 수 있다고 생각했다.

"자리 났나 봐요. 들어가요."

가게 직원이 2층의 큼직한 문을 열자 딸랑거리는 종소리가 났다. 넓은 가게로 들어서자마자 시선이 이곳저곳을 훑었다. 모든 테이블이 손님으로 차 있었고 직원 세 명이 검은 앞치마를 입고 돌아다녔다.

장재영은 상우에게서 멀찍이 떨어진 테이블에서 주문을 받고 있었다. 손에 든 메모지에 갈겨 적은 글씨는 분명 그밖에 못 알아볼 정도로 엉망일 것이다. 재영은 글자를 모두 적은 뒤 메모지를 앞치마 주머니에 넣었다. 그가 상우 쪽으로 몸을 돌렸을 때 상우는 그와 눈이 마주쳤다고 생각했다. 그러나 착각인 모양이었다. 재영은 빠르게 걸어 주방으로 들어가 버렸으니까.

지난번처럼 그가 주문을 받으러 오리라는 생각이 너무 순진했나 보다. 모르는 남자가 와서 테이블로 다가와 무엇을 시키겠냐고 물어보았다. 지혜가 봉골레 파스타를 주문하고서 상우는 가장 위에 있는 메뉴를 시켰다.

"오빠, 해물 좋아하시나 봐요. 지난번에는 랍스터 드셨잖아요."

알바생이 떠난 뒤 지혜가 웃으며 말했다.

"뭐?"

"꼬제를 시키시다니……. 캬, 뭘 좀 아는 사람만 먹는 거 아닌가요? 다시 봤어요."

'대체 뭐라는 거야.'

상우는 재영이 어디 있는지 살피느라 정신이 없었다. 그러는 동시에 지혜의 말에 일일이 대답하는 건 불가능했다. 그때 재영이 주방에서 빠져나와 출구로 향하는 것을 보았다. 앞치마를 걸친 채 나갔다는 건 잠깐 일을 본다는 이야기. 급한 용무가 있을까? 혹시 자신을 보고 피한 것일까?

고민해 봐야 답 안 나오는 의문들로 시간을 허비하는 사이에 음식이 나왔다. 지혜 것은 평범한 스파게티였는데 상우 건 웬 시뻘건 홍합 잡탕이었다. 상우는 가리는 음식이 없었지만 껍질을 발라내야 하는 건 성가셔서 좋아하지 않았다. 그는 어쩔 수 없이 숟가락과 포크를 들고 홍합 살을 골라내 먹기 시작했다.

"맛있어요?"

"아니."

"죄송해요……."

식사하는 와중에도 시선은 자꾸 문으로 향했다. 상우가 수많은 홍합의 반 정도를 과제하는 마음으로 분리해 입에 넣었을 때까지도 재영은 돌아오지 않았다. 상우는 신경 쓰여서 견딜 수 없었다. 그가 일어나자 지혜가 놀란 표정을 지었다.

"어디 가요, 오빠?"

"잠깐 나갔다 올게."

"또 저 버려두고 가려고 그러죠!"

"지갑 놓고 가면 되잖아."

지혜는 착하지만 의심이 많은 아이였다. 상우는 지갑을 인질로 내주고 자리에서 일어났다. 문을 나서자 발걸음이 점점 빨라졌다. 그는 달리듯이 계단을 내려왔다. 그러나 건물을 나서자마자 멈춰 섰다.

그늘진 곳이었지만 한눈에 알아볼 수 있었다. 재영이 건물 측면에 등을 기대고 누군가와 통화하며 담배를 피우고 있었다. 상우는 그를 보고 있자니 가슴이 두근두근 뛰었다. 일상을 부수고 들어온 악당은 어느새 몸을 잠식하는 오류가 되었다.

얼마나 오래 쳐다봤을까, 그림자가 져서 새카만 눈이 상우를 보았다. 누아르 장르 게임의 한 프레임 같은 장면 속에서 이내 재영이 눈살을 찌푸렸다.

"당분간은 하려고. 지금은 잠시 쉬고 있는데……."

순간, 상우는 그가 전화를 끊고 말을 걸어올지도 모른다고 생각했다. 그의 눈빛이 그랬다.

"아니야, 바쁘진 않으니까 얘기해."

그러나 재영은 상우에게서 시선을 떼고 손가락 사이에 낀 담배를 입에 물 뿐이었다. 그가 핸드폰을 귀와 어깨 사이에 끼고 손목시계를 들여다보았다.

"재영 선배."

상우는 불쑥 내뱉었다. 벽을 노려보던 재영의 시선이 그에게 천천히 돌아왔다. 상우는 재영의 눈을 맞추고 말했다.

"바쁘다고 말하고 끊어요. 중요한 얘기 할 거예요."

Blue

Blue

자고로 후배란 적당히 잘해 주며 밥만 사 주면 충성심을 얻을 수 있는 존재라고 재영은 여러 사례를 통해 믿었다. 그게 안 먹힌 후배는 이제껏 한 명뿐이었다. 피자가 진흙으로 되어 있나 의심하게 만드는 표정으로 식사하는 그는 음식물을 파괴해서 위로 내려 보내는 소임을 맡은 기계 같았다. 리소토도 맛이 나쁘지 않았는데 간도 안된 미음을 먹는 얼굴이었다. 매일 학생 식당에서 불평 없이 식사하는 걸 보면 입맛이 까다로운 것도 아니면서.

대학 생활 5년 차인 재영은 후배 포섭에 썩 능했다. 남학생과 여학생은 호감 따는 방법이 다르다. 남학생은 배달 음식으로 배를 불려 놓은 뒤에 스케이트보드 타는 모습을 보여 주면 일반적으로 충견이 된다. 여학생은 똑같이 배를 불려 놓되 신경을 더 써야 한다. 자주 대화하고 웃어 줘야 친하다는 인상을 줄 수 있다. 그런 의미에서 추상우는 제3의 성인가 싶었다.

재영은 상우를 공략하기 위해 수단을 가리지 않았다. 부드러운 언어만 골라 쓰며 그를 도발하는 행위를 극소화했고, (그럼에도 불구하고 치미는 장난기를 억누를 수 없는 순간이 있긴 했다) 중국어 스킷 발표에 지대하게 공헌했으며, 루틴을 중시하는 상대의 특성에 맞추어 커피를 매일 갖다 바쳤다. 비록 역효과가 났지만 캐리커처도 성심껏 그려 주었고, 비장의 무기인 스케이트보드까지 선보이며 집에 데려다주었다. 이쯤 되면 할 줄 아는 거라면 다 끄집어낸 거나 마찬가지였다.

'선배는 악몽 꾸세요.'

그런데 그중 아무것도 통하지 않았다는 것이 놀라웠다. 재영은 이게 사람 새낀가 싶어 백스페이스 누르고 싶은 마음이 들다가도 들인 품 때문에 오기가 생겨 더욱 밀어붙였다.

'기계 인간에게는 그에 걸맞은 방식이 있겠지.'

느려 터진 스페어 노트북으로 축구를 보다 분노하던 일요일, 재영은 좋은 생각이 났다. 후배의 관심을 얻기 위해 노트북까지 뜯는 그의 집착도 보통은 아니었다. 재영은 한번 꽂히면 몰두하는 성격이었다. 포맷해 달라고 하면 딱 잘라 거절할 것이 뻔하니 미끼를 꾸미고 필요한 장치를 모두 준비해 PC방으로 출정했다.

상우는 재영의 예상과 한 치의 오차도 없이 행동했다. 사람 대할 때 늘 심드렁한 표정이더니 기계를 만지니 까만 눈이 반짝거렸다.

'일하는 남자는 섹시하다더니…….'

재영은 흥미를 느끼며 카운터에 기대 상우를 한참 동안 구경했다. 시키지도 않은 포맷을 마치고 최적화까지 하는 상우가 귀엽게 느껴졌다.

왜인지 설명하자니 곤란했다. 추상우는 강아지 같은 스타일도, 고양이 같은 스타일도, 토끼 같은 스타일도 아니니까. 일반적인 포유류

중에 닮은꼴을 찾기 어려운 데도 그는 분명히 귀여운 구석이 있었다.

아무도 없는 도시의 횡단보도 앞에서도 신호 바뀌기를 기다릴 새끼. 짜 놓은 계획에서 한 발짝도 벗어나지 않는 놈. 즉흥적이고 자유분방한 성격을 자랑거리로 꼽는 재영과는 하나부터 열까지 다 달랐다. 그러나 예전 같았다면 무시했을 그의 특질은 우습게 느껴지는 과정을 지나 하나의 매력으로 여겨지기 시작했다.

퉁명스럽게 굴면서도 뭘 물어보면 꼭 대답하는 것도, 과제를 던져 주면 열심히 하는 것도, 중국어 시간에 철자나 문법엔 작은 실수도 하지 않으면서 발음이 엉망진창인 것도 점점 귀엽게만 보였다. 게다가 그의 외모는 늘 재영의 호기심을 자극했다. 시커먼 옷에 가린 흰 피부, 그 속에는 규칙 강박성 성격이라. 어둠 속성으로 진화한 디즈니 사슴이 타자기를 치고 있다면 저런 느낌일까.

'사이버 펑크 배경, 핵전쟁으로 멸망한 지구에 홀로 살아남아 놓고 아무런 이상함도 못 느끼는 다크한 초식 동물 같아.'

시각에 민감한 재영이 가려진 것, 반전된 것, 겉과 속이 다른 것에 끌리는 건 어찌 보면 당연했다.

거기까지였으면 좋았을걸. 재영은 위기감을 느끼기 시작했다. 선배가 후배 귀여워하는 거야 바람직한 일이지만 어디까지가 허용할 수 있는 범주일까. 이를테면 상우가 제 코에 낙서했다는 사실이 귀여워 웃음 나는 건 아무 문제가 없었다. 하지만 허연 목덜미를 뒤에서 물고 싶은 충동을 느낀다면?

정수리에 박제한 듯한 모자를 벗겨 보고 싶단 거야 예전부터 생각했던 거지만, 막상 맨얼굴을 보고 나니 호기심이 채워지기보다 더 심한 갈증이 들었다. 저 재킷도 벗겨 봤으면, 저 티셔츠도 벗겨 봤으면, 저 신발과 양말도 벗겨 봤으면. 어깨는 얼마나 말랐을까, 발가락은 무슨 모양일까, 체모는 많을까, 유두는 무슨 색일까.

'네 말이 맞았어, 상우야. 난 쓰레기야.'

어디 가서 죽어도 말 못 할 생각이 떠오를 때마다 상우가 초능력자가 아니라는 사실이 다행으로 느껴졌다. 그가 재영의 의식을 엿볼 수 있었더라면 그 좋아하는 112에 몇 번이나 전화했을까.

상태가 나빠질수록 재영은 더욱 열심히 겉을 포장했다. 좋은 선배 연기는 자주 해 봐서 쉬웠다. '~하니? ~하구나?' 식의 말투를 사용하고 목소리 톤을 낮춰서 부드럽게 말하며 자주 웃어 주면 된다. 그러면 사람들은 재영이 다정한 줄 알았다. 상우도 예외는 아니라, 빨간 패딩과 녹색 코트 사이에서 갈팡질팡하는 것 같았다. 그러던 와중에 괜히 상우와 다니는 여학생에게 심술부린 건 자신이 봐도 유치찬란했다.

'지난번에 봤을 때보다 화장이 진하길래.'

아침 드라마 시누이가 표독스러운 표정으로 칠 법한 대사를 내뱉어 놓고 아뿔싸 싶었다. 동시에 든 생각은 ― 그러게 왜 걔한테 친한 척을 하냐고, 재수 없게. 여섯 살이나 어린애한테 참 잘하는 짓이었다. 류지혜가 코 찔찔 흘리고 다닐 때 재영은 수염 나는 고딩이었다. 가벼운 계기로 벌인 일은 점점 미쳐 돌아가고 있었다.

어쩌면 연애 감정이 아닐까 싶어진 게 그쯤이었다. 추상우는 정말 이상한 놈이었지만 재영은 호기심을 자극하는 대상한테 끌리는 습성이 있었으니까. 그러나 문제가 너무 많은 발상이었다. 일단 재영에게는 남은 시간이 별로 없었다. 대학원에 재차 원서를 넣었다. 이미 한 번 붙은 곳이었고 담당자의 메일 뉘앙스를 봐서는 별일 없으면 합격할 것 같았다.

더 심각한 문제는 상우가 남학생이란 점이었다. 재영은 몇 년 전

유럽에 여행 갔다가 분위기에 휩쓸려 체구가 작고 귀엽게 생긴 게이와 잠자리한 적이 있었지만, 그렇다고 남자와 데이트하거나 연애할 마음까지 든 적은 없었다. 하려면 못 할 것도 없겠으나 상대가 추상우란 건 전혀 상상이 안 됐다. 남자끼리 영화 보면 세상이 멸망하는 줄 아는 놈이 아닌가.

이렇게 생각하든 저렇게 생각하든 그와는 불가능하다는 결론이 내려졌다. 재영은 오히려 그래서 더 제멋대로 굴 수 있었다. '선'을 절대로 넘을 일이 없다는 자신감을 방패 삼아, 성격 좋은 선배란 이미지를 가면 삼아, 상우가 저를 싫어하는 게 뻔히 보이는 데도 찌르고 치대고 들이댔다.

시간은 금방 갔다. 며칠 그러다 말려던 생각과 달리 무려 2주가 다양한 즐거움으로 채워졌다. 비록 목표한 만큼은 아니었지만 상우와도 많이 친해졌다. 그가 간절히 기다리는 수강 정정 기간이 끝나갈수록 재영은 점점 섭섭해졌다.

그래서 그놈의 중국어 스킷을 그리도 악착같이 준비했나 보다. 교양 과목 과제를 그렇게 열심히 해 본 적은 한 번도 없었는데……. 시나리오에 의상과 소품 준비에 번역과 첨삭, 문서 작업, 발음 코칭까지 별의별 걸 다했다. 혹시 못 일어날까 봐 알람도 열 개나 맞춰 놓고 소품을 바리바리 싸 들고 학교로 향했다. 그리고 옷을 갈아입으러 가는 상우의 뒷모습을 본 순간, 망했음을 깨달았다.

아무도 없는 복도, 보는 사람도 없는데 정자세로 걷는 그를 보고 재영은 마음이 설렜다. 칼라가 있고 낡아 보이는 남색 셔츠, 발목에서 주름이 잡힌 까만 일자바지, 그리고 저 태워 버려 마땅한 까만 볼캡. 설명만 보면 설렐 거리가 아무것도 없지만 정말로 그랬다. 재영은 변발 가발 따위나 쓴 주제에 로맨스 영화의 주인공이 된 기분을 느끼며 당황했다.

그리고 스킷을 성공적으로 끝내고 상우가 조금은 마음을 열었다고 생각했을 때 일이 터졌다. 들러붙어서 영화 보자고 했다가 매몰차게 거절당한 것이다. 재영은 상우의 짐작처럼 그를 괴롭히거나 해칠 마음은 조금도 없었고 어둠 속에서 화면을 무표정으로 응시하는 옆얼굴을 보고 싶을 뿐이었다. 솔직히 그 정도는 허락할 줄 알고 자신 있게 물어봤다. 투자한 게 얼만데.

남자끼리 영화를 왜 보냐고, 너와 있는 건 고역이라고. 이치에 닿는 말이었다. 상우가 싸가지 없는 소릴 해서 쥐어 패고 싶은 적은 많아도 그가 틀린 말을 하는 건 본 적이 없었다. 번번이 거절당하는 걸 웃어넘기던 재영이었지만 그때만은 잘 안 됐다. 그렇게까지 노력했는데 씨알도 안 먹혔다고 생각하니 뚜껑이 열려 버렸다.

재영은 그 자리에서 싸워 버리며 이제껏 쌓아 온 탑을 무너뜨렸다. 그는 데면데면한 사람은 천사라고 믿게 할 수도 있는 연기력의 소유자인데, 추상우 앞에서는 내숭 떠는 것조차 쉽지 않았다.

집에 돌아와 곰곰이 생각했다. '씨발, 그렇게 싫다는데 꺼져 줘야지' 하는 생각과 '그래도 관계를 적당히 좋게 끝내고 싶다'는 욕심이 팽팽하게 맞섰다. 천사와 악마의 접전 끝에 악마가 승리했다.

'그래도 이렇게 끝내는 건 경우가 아니지.'

추상우의 얼굴을 한 번이라도 더 보겠다는 음습한 욕망을 숨긴 악마.

다음 날, 재영은 '임베디드 시스템' 강의가 시작하기 전에 상우를 불러 세워 아무렇지 않은 척 영화표를 주며 쿨하게 퇴장하는 제 모습을 상상했다. 속이야 생채기투성이여도 그 정도 그림이면 자존심은 세울 수 있을 것 같았다. 그러나 아무리 기다려도 상우는 나타나지 않았다.

추상우는 아마 한국대에서 출석 체크에 가장 집착하는 새끼일 것
이다. 그래서인가 수업이 시작하고도 그가 나타나지 않았을 때 재영
이 느낀 배신감은 상상을 초월했다. 그 정도로 싫을 수가 있나? 손
잡자고 한 것도 아니고 단지 영화 보자고 했을 뿐인데? 자존심이 뭉
개질 대로 뭉개진 재영은 상우의 집 앞에 달려가 구질구질하게 굴며
저주를 퍼부었다.

결국 장재영은 추상우에게 좋은 선배가 될 수 없었다. 처음 대면
한 날처럼 다시는 보지 말자고 윽박지르는 게 아쉬움과 엉망이 된
자존심을 숨길 수 있는 유일한 방법이었다. 좋은 선배고 나발이고
깨끗하게 포기.

재영은 그 뒤로 입에 담기도 싫은 '한국대생 인성교육' 수업이 있
는 수요일이 아니면 학교에 거의 발도 들이지 않았다. 수업이 있는
날도 상우가 다니는 루트를 피해 다녔다.

밤낮으로 술 마시고, 당구 치고, 볼링하고, 클럽 가고, 게임하고,
사이 묘한 여사친들과 영화를 보러 다니는 동안 수요일이 두 번이나
지나갔다. 둘이 함께 찍은 셀카를 열다섯 번쯤 열어 보기는 했지만
이대로라면 그와 얽힌 불편한 감정을 날려 버릴 수 있을 것 같았다.
상우가 재영이 일하는 가게에 또 등장하지만 않았다면.

'저 또라이 새끼!'

분명히 다시 보지 말자고 경고했는데 깨끗하게 무시당했다. 재영
은 처음에는 분노와 짜증 때문에 머리가 어질어질한 지경이었으나
주방 벽에 등을 기대고 5분쯤 서 있자 마음이 차분해졌다. 냉정하게
생각해 보니 추상우는 아무 생각이 없을 가능성이 높았다. 불필요한
데이터는 재깍재깍 삭제하는 분이시니, 재영이 가게에서 일한다는
사실 따위는 기억하지 못할 것 같았다.

상우와 지혜는 누가 봐도 데이트하러 온 풋풋한 학생들처럼 보였다. 다음에 왔을 때는 손을 잡고 있지 않을까. 그다음에 왔을 때는 배를 맞춘 뒤겠지. 그다음에는 청첩장이 나왔겠고, 그다음에는 만삭으로⋯⋯. 보나 마나 뻔했다.

재영은 쓸데없는 짓 하지 않고 자리를 피했다. 사장 누나에게 잠깐 쉬었다 온다고 하고 건물 아래에서 담배를 피웠다. 마침 친구에게서 걸려 온 전화를 받았지만 무슨 말을 하는지 잘 들리지 않아서 대답을 대충했다. 그날 유독 담배가 썼다.

뒤따라 나온 상우를 발견한 게 그때였다. 그는 비장한 얼굴이었으며 전반적으로 결투를 신청하려는 장수 같은 분위기였다.

"재영 선배."

추상우에게 저렇게 불린 적이 있었던가⋯⋯. 재영의 머리는 그날따라 느리게 돌아갔다.

"바쁘다고 말하고 끊어요. 중요한 얘기 할 거예요."

'넵! 알겠습니다!'라고 말해야 할 것 같은 박력이었다. 기세에 눌린 재영은 이따 다시 전화하겠다고 하고 통화를 종료했다. 대체 추상우가 무슨 말을 하려는 건지 감도 잡히지 않았다. 정신적 피해 보상 위자료를 뜯어낸다고 하려나. 그러면 그럴 수도 있을 것 같았다.

"왜?"

"형하고 얘기하려고 내려왔어요."

"⋯⋯뭐라고?"

재영은 한순간 잘못 들었다고 생각했다.

'누나밖에 없는데요.'

'우리 집안엔 양아치 새끼 없어요.'

'남의 가족 구성원 좀 늘리지 마세요.'

상우가 했던 말들이 머릿속을 스쳐 지나갔다.

"같이 게임 만들어요. 실력 있는 디자이너가 필요해요."

그는 담담하게 말했다. 그렇게 말하면 재영이 소매를 걷어붙이며 '그래, 좋았어! 어디 한번 힘차게 달려 볼까!'라고 답하기라도 할 것처럼. 눈빛을 보아하니 거절당하리라고는 눈곱만큼도 예상하지 않는 듯해서 더욱 기가 막혔다. 추상우는 사람 둘이 싸우면 무슨 일이 일어나는지 이해하지 못하는 듯했다. 한번 틀어진 감정의 골을 메우기 얼마나 어려운지 전혀 모르는 것 같았다.

"잘 만들어서 유학 자금 벌어 드릴게요. 좋은 포트폴리오 만들 기회이기도 해요. 하고 싶으신 콘셉트, 시도해 보고 싶으신 디자인, 다 서포트해 드릴 테니 맡겨만 주세요. 저 진짜 잘할 자신 있어요."

이건 또 무슨 방문판매 사원 같은 소린가. 황당함은 커져만 갔다.

"잠깐만……."

재영은 손을 들어 상우의 폭주를 막았다. 짚고 넘어갈 것이 있었다. 그는 왜 그러고 있는지는 몰라도 양 주먹을 꼭 쥐고 소년 만화 주인공처럼 의연하게 선 상우를 쏘아보았다.

"너…… 아까 뭐라고 했어?"

"실력 있는 디자이너가 필요하다고 했어요."

"나 뭐라고 불렀냐고."

"선배?"

"형이라고 하지 않았어? 내가 잘못 들은 거야?"

상우는 입을 다물었다. 그가 고개를 숙이는 바람에 얼굴이 새까만 챙에 가려졌다.

"말실수예요."

침묵이 흘렀다. 재영은 이 상황을 조금도 이해할 수 없었다. 말끝마다 꼬박꼬박 선배 붙이던 놈이 형이라고 부르질 않나, 혐오스럽다는 표정으로 도망치던 녀석이 같이 일하자고 꼬드기질 않나.

"근데, 그러면 안 돼요? 다 그렇게 부르던데……."

다시 고개를 든 상우의 눈이 반항심으로 치켜 올라갔다. 재영은 아무렇지 않은 척 담배를 땅에 던지고 발로 비벼 껐지만 손바닥에 땀이 차고 심장이 쿵쿵 뛰었다.

"안 돼. 넌 하지 마."

'심장에 안 좋으니까, 이 새끼야.'

"알았어요."

그리고 둘 사이에 어색한 침묵이 감돌았다. 벽을 노려보는 그의 입꼬리가 삐죽거렸다. 이런 상황에서도 그가 귀엽다고 느낀다면 정말로 정상은 아닌 거겠지. 재영은 바닥에 시선을 고정하고 상우가 왜 자신을 찾아왔을지 다시 따져 보았다.

'내가 필요해졌나 보다.'

사고 회로가 지극히 효율적이신 추상우 선생님으로 말할 것 같으면 누군가와 협업할 필요가 있다면 대판 싸웠다는 사실 따위는 가볍게 무시하고도 남을 분이시다. 그런 차원에서 뒤끝 없다고 하겠다. 하지만 너무나 인간적인 재영은 아무렇지 않게 상우와 게임이나 만들 자신이 없었다.

그는 자존심이 바닥을 치고 빈정이 상할 대로 상해서 구더기가 들 끓는 상태였다. 아무리 상우가 입 싹 씻고 그간에 재영을 개무시하던 행태가 본인과 전혀 상관없다는 듯이 굴어 봤자 재영은 이미 치명적인 타격을 입었다.

게다가 선을 넘을락 말락 하는 감정과 시시때때로 치미는 더러운 욕망을 억누르며 지내던 2주였다. 재영은 그런 것을 연장하고 싶지 않았다. 그렇기 때문에 거절해야 마땅했지만……

"이번 학기 안에 끝낼 자신 있어?"

추상우가 뭘 부탁한 건 처음이었다. 고작 그런 이유로 재영은 단칼에 거절할 수 없었다. 매번 능욕당한 기억은 잊어버렸나. 단지 그가 먼저 다가왔다는 이유로 쪽도 못 쓰는 한심함이란. 재영은 스스로가 이해되지 않았다.

한편, 뺨을 칠 줄밖에 모르던 로봇이 어느 날 말을 걸어오는 건 대단히 감격할 만한 일이었다. 재영은 아무래도 자신이 차기 노벨 평화상 후보에 올라 마땅하다고 여기게 되었다.

"유학 가실 계획인 거 알아요. 방학까지 쳐서 4개월만 주세요. 무슨 일이 있어도 끝낼 거예요."

"개발 기간이 너무 짧은데. 너 공부도 병행해야 하잖아."

"하드 코딩 줄이고 게임 엔진 적극적으로 쓸게요. 수업은 어차피 몇 개 안 들어요."

저렇게 직진하는 원동력은, 뻔뻔함은, 의지는 어디서 나오는 걸까. 상우는 고민이 조금도 없어 보였다. 무리한 일을 하자고 떼쓰는 것처럼 보여 쓴소리하려 해도 쉽지가 않았다. 재영은 이미 저 요령 없는 프러포즈에 넘어간 듯했다.

선배로서의 도리, 죄책감, 포트폴리오 욕심, 실력 있는 개발자와 일하는 기대감. 다 필요 없고, 또라이 추상우를 계속 볼 빌미라는 생각.

"그…… 래. 알겠어."

재영은 허락의 말을 내뱉자마자 후회했다. 대책 없는 짓을 저질러 버렸다.

상우는 마치 그 말을 기다렸다는 듯이 고개를 끄덕였다. 제대로 못 봤지만 살짝 웃은 것도 같았다.

"연락할게요, 형."

자신만만한 표정과 대사 치는 톤이 영화 주인공처럼 보였다. 재영은 동상처럼 굳어 버린 채 멀어지는 뒷모습을 바라만 보았다. 팔에 소름이 쫘아아아악 돋아나고 있었다. 도대체가 믿기 어려운 일이었다. 어두워서 망정이지 환한 대낮 같았으면 상우가 어떤 반응을 보였을지 끔찍하기만 했다. 까만 앞치마가 불룩 튀어나왔을 테니 아무리 인공 지능이라도 그게 무슨 뜻인지는 알겠지.

'나 추상우한테 형 소리 들었다고 꼴린 거지?'

눈앞이 새파래졌다.

'돌아 버리겠네. 씨…… 발.'

버벅거리는 컴퓨터로 디자인 작업을 하다가 블루 스크린이 뜬 기분이었다.

장재영 - 고장

Cyan

Cyan

문을 열고 들어간 회의실에는 추상우가 기다리고 있었다. 헐렁헐렁한 남색 남방에 진한 색 청바지 차림이었다. 재영은 일부러 그와 최대한 떨어져서 앉으며 눈을 보지 않으려고 모자챙을 응시했다.

"오늘은 안 늦으셨네요."

"……."

"12분밖에."

상우의 입가에 비대칭적인 비웃음이 떠올랐다. 재영은 불편한 미소를 흘릴 뿐 대답하지 않았다.

말도 안 되는 제안을 덥석 물고서 많이 고민했다. 이런 상태로 추상우를 만나도 되는 걸까, 이 관계가 어디로 향하는 걸까, 지금이라도 관두는 게 낫지 않을까. 미팅 시작 1시간 전에 학교에 도착해 놓고서 지각한 데는 그런 사연이 있었다.

"선배를 위해 준비했어요. 많이 드세요."

그러게, 상우는 그답지 않게 과자와 음료수를 사서 책상에 준비해 놓았다. 그런데 품목이 어쩐지 평범하지 않았다. 쌀 음료, 고구마 과자, 꿀 꽈배기, 꼬마 약과…….

'환갑잔치?'

재영은 예의상 고구마 과자 하나를 입에 넣었다.

"잘 먹을게."

딱딱한 과자를 씹으며 슬쩍 보았더니 상우는 초면인 사람을 대하듯 쌀쌀맞은 얼굴을 하고 있었다. 재영은 좀 황당했다. 꼬리를 살랑거리며 게임 제작 같이 하자고 꼬드긴 사람이 맞나. 어제는 눈을 반짝이고 있었고 목소리도 훨씬 살가웠던 것 같은데, 잘못 본 걸까?

"저랑 작업하시려면 두 가지 유의해 주세요."

상우는 예고도 없이 본론으로 치고 들어왔다.

"첫째, 데드라인 안 지키는 거 못 참아요. 회의 시간 늦는 것도 마찬가지예요."

"어."

"둘째, 대충 하는 거 용납 안 해요."

"……."

"두 가지 안 지키실 거면 지금 때려치우세요."

재영은 점점 표정 관리하기가 어려워졌다. 추상우가 단지 '실력 있는 디자이너'가 필요해 일하는 곳까지 찾아왔다는 걸 머리로는 알았지만 가슴으로는 받아들여지지 않았다. 재영에게 상우는 단지 '실력 있는 개발자'가 아니었다. 성욕까지 일 정도로 특별했던 전날 공기는 도대체 어디로 간 것인지.

"이의 없으신 걸로."

상우는 제멋대로 결론을 내리더니 폴더에서 A4 용지를 꺼냈다. 그가 건넨 종이를 받아 든 재영은 할 말을 잃었다.

4개월 만에 대단한 게임이라도 만들 것처럼 말했을 때는 그저 허세라고 생각했다. 아무리 상우가 날고 기어도 학생 수준에는 한계가 있고, 인력이 두 명뿐인 상황에서 단기간에 게임 개발하는 건 불가능에 가까우니까.

그런데 이 또라이 새끼는 진심이었던 것이다. 상우의 계획표에는 기획 단계에서 그리는 플로차트부터 시작해서 개발 후 QA까지 모든 과정이 세세하게 고려되어 있었다.

"너무 빡센 거 아냐? 특히 네 스케줄."

기획과 디자인도 만만치 않았지만 개발은 장난이 아니었다. 제작 기간도 짧은데 ios와 안드로이드에 동시 출시할 계획을 세워 놨다. 특히 마지막 달은 초죽음이었다. 서버 연동 작업, 네트워크 테스트, 보안 테스트, 성능 테스트, 기기별 최적화. 재영은 개발에 관해서 잘 몰랐지만 글자만 봐도 만만치 않아 보였다. 그러나 상우는 대수롭지 않다는 듯이 말했다.

"전 넉넉한데요. 그래픽 쪽 스케줄은 문제없으신지?"

재영은 눈살을 찌푸렸다. 디자인 쪽은 아직 기획이 확정되지 않아서 빈칸이 많았지만 초반에 캐릭터, 아이템, 맵 디자인이 하루 단위로 잡혀 있었다. 디자이너가 무슨 자판기인 줄 아나, 시안이 매일 세 개씩 나오게.

"불만 없으신 걸로 알고……."

상우는 이번에도 제멋대로 넘어갔다. 그는 팔짱을 끼고 바로 앉더니 재영과 눈을 마주쳤다. 그 순간에 상우가 정말 기계처럼 보여서 재영은 내심 놀랐다.

"소득 정산은 8:2예요. 제가 8이고 선배가 2입니다."

수익성 따위, 재영은 신경 쓰고 있지도 않았다. 끝까지 진행될지

조차 불투명한 프로젝트는 추상우를 다시 볼 핑계일 뿐이었다. 하지만 그냥 넘기기엔 그가 파죽지세로 밀고 들어오고 있어서 기세를 제압해 둘 필요성을 느꼈다.

"악덕 사업주 나셨어."

"이것도 많이 드리는 거예요. 이미 기획 다 나와 있는데 선 몇 개 그리는 게 뭐가 어려워요? 저 따라다니면서 괴롭히던 시간에 작업하시면 되잖아요."

"이 새끼 또 막 나가네."

일부러 건드리려는 건지 뭔지, 상우는 재영을 환쟁이 취급하며 도발하고 있었다. 져 줄 생각은 없었다. 재영은 팔짱을 끼고 의자에 등을 기댔다.

"아직 시작도 안 했잖아? 언제 엎어질지 모르는데 무슨 소득 정산이야. 그따위 기획이라면 디자인 줄 생각도 없어."

꽤 세게 말했지만 상우는 눈 하나 깜짝하지 않고 대답했다.

"그럼 어떻게 할까요?"

"기획을 고쳐, 인마. 나한테 묻지 말고."

"선배라면 어떻게 하시겠어요?"

"나라면 싹 엎지. 이걸 어떻게 진행해?"

"좋아요. 이 자리에서 전체 기획을 손보긴 어려우실 테니 다음 미팅까지 수정해 오세요. 기획에 참여하시게 되었으니 정산 비율 5:5로 조정하겠습니다."

"뭐?"

함정에 빠졌다. 얼결에 기획까지 떠맡게 된 재영은 입을 벌렸지만 상우는 말할 틈을 주지 않았다. 그는 게임의 초기 콘셉트를 정리한 문서를 재영에게 내밀었다. 이전에도 본 적이 있는 거였다.

"예전에 드럽게 재미없다고 하셨죠? 재미있게 고쳐 오세요. 다음 미팅 때 안 해 오시면 그대로 갑니다. 전날 자정까지 거기 적힌 메일 주소로 자료 보내세요."

재영은 스케줄 표를 확인하고 헛웃음을 지었다. 다음 미팅은 내일이었다. 고로 미팅 전날 자정이라는 건 7시간 뒤를 의미한다.

"양아치냐?"

"일정이 촉박해서 기획에 많은 시간을 할애할 수 없어요."

상우는 차갑게 말하더니 문서를 정리해 배낭에 넣었다. 그는 재영의 눈도 마주치지 않고 일어났다. 추상우가 주최하는 미팅. 상상과 다르리라고는 짐작했지만 이렇게까지 사무적일 줄은 몰랐다. 전날의 특별하던 분위기가 흔적 정도는 남아 있을 줄 알았지. 재영은 무심코 물었다.

"벌써 가?"

"오래 있을 수 없는 사정이 있어요."

"왜?"

"……말하기 싫어요."

상우가 이렇게 모호한 태도로 대답을 피한 적은 이제껏 없었다. 재영은 눈치가 빠른 편인데도 그가 왜 저렇게 급하게 떠나는지 짐작이 가지 않았다. 곧 회의실 문이 열리는 소리가 들렸다.

'그래. 차라리 일 얘기만 하고 끝나서 다행이다.'

재영은 속으로 그리 중얼거리면서도 섭섭함을 느꼈다.

"아, 한 가지 더……."

상우의 말에 그의 고개가 번쩍 들렸다. 볼캡 챙 때문에 그림자가 짙게 진 눈이 재영을 내려다보았다.

"앞으로 예고 없는 신체 접촉은 삼가 주세요. 굉장히 불편합니다."

그가 뭘 알고 한 소리도 아닐 텐데, 재영은 비밀스러운 욕망을 들킨 것만 같아서 괜히 찔렸다. 한편으론 자존심이 상해서 얼굴이 화끈거렸다.

"특별히 정수리 압박, 팔목 구속, 귓속말 주의해 주세요."

"어련하시겠어요."

"그럼 다음 회의 때 뵙죠."

"그냥 내일이라고 해. 다음 회의라고 하니까 며칠 뒤인 것 같잖아."

"제 마음입니다."

상우는 그 말만 남기고 나가 버렸다. 추상우가 일방적으로 휩쓸고 떠난 회의실, 재영은 과자에 둘러싸인 채 한 대 얻어맞은 표정으로 앉아 있었다.

'이게…… 뭐지?'

그는 모바일 게임 개발에 관심이 없었다. 빡빡한 스케줄에 시간을 갈아 넣으며 무리할 만큼 급할 것도 없었다. 터무니없는 제안을 수락한 건 순전히 '형' 소리에 현혹돼서였다. 그런데 미팅에 등장한 건 어제의 귀여운 후배가 아니라 일에 미친 악마 새끼였다.

'존나 할 맛 안 나네.'

재영은 상우가 준비해 놓은 음식을 치우느라 저녁 약속 시간에 늦었다.

⌘W

"둘이서 4개월 만에? 그것도 학기 중에?"

친구가 얼굴을 찌푸렸다. 그는 어디서 본 건 있어서 팔로 당구대를 짚고 사이에 큐대를 넣어 공을 쳤다. 보기 좋게 빗나갔지만.

"아예 불가능해?"

"퀄에 따라 다르지. 엔진 잘 쓰면 갤러그 같은 건 하루 만에도 만들긴 하거든."

"일단 코딩은 잘한다고 알고 있어. 수천만 원대 수익 기대하는 것 같던데."

"에이, 그건 안 되지. 너 낚였네."

"아, 그런 거야?"

재영은 친구의 말을 웃어넘기며 당구채를 잡았다. 자세를 낮추고 큐대를 손가락 사이에 넣어 앞뒤로 움직이는데 주머니에서 메시지 알림이 와서 집중력이 흩어졌다. 알림은 연달아 두 번이나 더 왔다. 재영은 잠시 큐대를 놓고 핸드폰을 확인했다.

[저장되지 않음: 마감 시간 5분 전입니다.] 23:55

[저장되지 않음: 아직 메일이 안 왔길래 리마인드 해 드려요.] 23:55

짜증스러운 얼굴로 핸드폰을 주머니에 넣었다. 메시지를 보자 그들 사이에 아무 일도 없었다는 듯 뚱하기만 하던 표정이 떠올랐다.

'너야 아무 일 없었겠지.'

재영은 큐대를 필요 이상으로 꽉 쥐었다. 자세를 취하고 흰 공에 회전을 넣어 세게 치자 공이 미끄러지다 빨간 공을 밀며 테이블을 가로질러 보냈다. 공은 포켓에 쏙 들어갔다.

"와…… 뽀록 보게?"

"실력이야, 새꺄."

다시 친구의 차례가 되었다. 그는 이번에도 한껏 겉멋 든 포즈로 공을 치며 물었다.

"우리 과 후배랬지? 이름 뭐야?"

"추상우."

"모르겠다. 하긴, 이 학번에 요즘 입학한 애들 아는 것도 이상하지."

"두 학번밖에 차이 안 나. 아마 너도 알 텐데……. 3학년 엠티 때 신입생. 저 술 잘 마시는데 니가 주는 건 입에 대기 싫어요."

"아, 그 또라이? 그러고 보니 기억난다. 개발이야 존나 잘하겠지. 근데 그 새끼가 팀플이 되려나?"

'그러게 말이다.'

재영은 대답하지 않고 공을 쳤다. 팀플레이 안 되는 후배, 형 소리 듣고 발기하는 선배. 대단히 멋진 조합이라고 그는 생각했다. 이번 에도 거칠게 쳤는데 공은 난해한 궤도로 움직이더니 아슬아슬하게 포켓으로 사라졌다. 친구 말대로 운이 좋은 듯했다.

"너 오늘 장난 아니네."

대답하려는 순간에 핸드폰이 울렸다. 재영은 인상을 찌푸리고 시 끄럽게 구는 기기를 주머니에서 꺼냈다. 또 저장되어 있지 않은 번 호였다. 자정이 되었다고 독촉하려는 것이 뻔했다. 재영은 통화를 종료해 버렸다.

그들은 얼마간 말없이 당구에 집중했다. 친구는 꽤 따라왔지만 게 임 내기는 아무래도 재영이 여유 있게 이길 것 같았다. 얼마 안 있어 서 또 전화가 왔다. 재영은 또 추상우라고 짐작했으나 이번에는 발 신처가 유선 전화 번호였다. 원룸에 유선 전화가 있을 리도 없고 휴 대폰을 쓰지 않는 그의 외할아버지가 가끔 호텔 같은 곳에서 전화하 는 경우가 있기에, 재영은 전화를 받았다.

"여보세요?"

―추상우예요.

"……."

―자정인데 메일이 안 와서 전화 드렸어요. 마감 못 맞출 사정 있으세요?

건조한 목소리가 귀를 때렸다. 그냥 하기 싫다고 말하고 때려치우면 될 것을, 상대가 추상우라는 이유만으로 재영은 우유부단하게 굴고 있었다.

"아, 좀 바빠."

―선배.

"어."

―당구공 소리 나요.

"……."

침착한 목소리에는 비난하는 기색이 없었지만 재영은 할 말이 없어졌다.

"내일까지 가져가면 되잖아."

―다음부터 시간 엄수해 주세요.

상우의 침묵 너머로 아기 우는 소리가 들렸다. 옆집 가서 전화를 빌린 모양이었다. 집요한 새끼.

"끊는다."

―네.

재영은 휴대폰을 주머니에 넣으며 한숨 쉬었다. 일하기도 싫고 관두지도 못하는 상황. 게임 할 의욕이 식어 버렸다.

"이거 내가 낼게. 먼저 들어간다."

"아, 뭐야. 재미없게."

재영은 짜증 내는 친구를 두고 집으로 향했다.

[나: 네가버리고간일시작했다] 02:47

[한수영: 어때??] 02:47

[나: 장난?] 02:48

[한수영: ㅋㅋㅋㅋㅋㅋㅋㅋㅋㅋㅋㅋㅋㅋ] 02:49

[한수영: ㅋㅋㅋㅋㅋㅋ미치겠다] 02:49

[한수영: 우리 술은 언제 마시러 갈까 재영아^^] 02:49

[나: 왜초안을그따위로잡았는지나설명해봐] 02:53

[한수영: 나라고 처음부터 그랬겠어? 개발자가 고집이 진짜 세. 다 고치라그래서 하란대로 해줬어^^; 너도 걍 적당히 맞춰줘 좋은 경험하는 셈치고] 02:54

[나: 꺼져그냥] 02:55

[한수영: ㅋㅋㅋㅋㅋㅋㅋㅋㅋ수고해] 02:55

'야채맨' 초안은 어디부터 고쳐야 할지 막막했다. 재영은 새벽에 이것저것 해 보다가 깊은 분노를 느꼈다. 그는 추상우를 마치 연애 대상처럼 보기 시작한 난감한 상황과 별개로 도저히 고쳐 쓰기 어려운 프로젝트를 넘겨받아 스트레스를 받고 있었다.

'씨발, 이건 아니지.'

아예 안 하려면 안 했지, 제 이름 달고 나가는 작업물이 개판인 꼴은 볼 수 없었다. 그렇다고 콘셉트를 새로 짜자니 몇 시간 만에 할 일은 도저히 아니었다. 게다가 그럴 동기도 없었다. 저를 발톱의 때만큼도 못하게 여기는 놈 뭐가 예쁘다고 최선을 다해 작업할까.

추상우, 그놈을 떠올리니 또 한숨이 났다. 해 오라고 땍땍거리면 디자인이 하루 만에 짠하고 나오는 줄 아는 비인간적인 놈에게 어쩌다 꽂혀서는.

'보기 싫은데 보고 싶어.'

재영은 위치가 그렇게도 모호했다. 펜이 손끝에서 거칠게 돌아갔다. 전혀 내키지 않았지만 미팅에 빈손으로 갈 수도 없었다. 재영은 펜 뚜껑을 열었다.

⌘W

"스스로 참신하다고 여기시는 분이라 기대 많이 했는데, 실망이네요."

각오한 일이었는데도 워딩이 셌다. 재영은 짜증이 치밀었으나 조금도 타격받지 않은 척 팔짱을 꼈다.

"제목도 기획도 그대로고 캐릭터만 수정하셨으면서⋯⋯. 이 아트가 저희 콘셉트와 맞나요?"

상우가 캐릭터가 그려진 종이 세 장을 책상에 내려놓았다. 그의 손가락이 재영의 시선을 훔쳐 갔다. 뼈마디가 불룩 튀어나와 있으니 예쁜 손가락이라고는 하기 어려웠다. 그런데도 재영은 그의 손을 입에 넣고 혀로 뼈마디를 문지르고 싶은 욕망을 느꼈다. 손가락은 모자챙을 살짝 잡아 내렸다가 다시 책상 밑으로 내려갔다.

"유아용이라고 말씀드렸잖아요. 젊은 부모들이 잠재 고객인데 제정신이라면 아이에게 이런 걸 시키진 않겠죠."

재영은 다시 정신을 붙들고 볼캡에 반쯤 가린 상우의 눈을 쏘아보았다.

"어떤 점에서?"

직선으로 다물려 있던 입가가 불만족스럽다는 모양을 지었다. 상우의 손가락이 다시 등장해 첫 번째 캐릭터를 가리켰다. 손톱을 자른 지 얼마 안 됐는지 아주 짧았다. 흰 반달무늬가 뚜렷하게 보였다.

"이 가지 캐릭터, 신장이 안 좋은 깡패 같아요. 공포 게임 아니잖아요."

상우는 종이를 옆으로 치우고 두 번째 캐릭터를 가리켰다.

"상추인가요, 샐러리인가요? 전혀 모르겠어요. 교육용 게임인데 이렇게 하시면 안 되죠."

세 번째 캐릭터가 털릴 차례였다.

"감자가 싹으로 걸어 다니는 게 직관적으로 맞지도 않고 비주얼도 무섭네요. 이게 최선의 이동 방법인가요?"

재영은 말문이 막혀 헛웃음을 지었다. 답도 없는 기획을 통과시켜 놨길래 안목이 꽝인 줄 알았는데, 상우에게는 나름대로 기준이 있었다. 게다가 다 일리 있는 말이라 웃어넘길 수 없었다.

재영은 제 스케치를 물끄러미 바라보았다. 가지의 경우 개인적 취향이 반영되어 그로테스크해진 감이 있었다. 감자는 잘 나가다가 다리를 어떻게 처리할지 모르겠어서 싹을 억지로 늘렸는데, 그러면서도 좀 괴이하다고 생각했다. 상추는 세 장을 채우기 위해 아무렇게나 끼적거린 결과였다. 하지만 할 말은 있었다.

"하루 줘 놓고 뭘 기대하냐, 이 악마 같은 새끼야."

총 작업 시간 7분. 하루는커녕 1시간도 안 썼지만 재영은 테이블을 탕탕 치며 말했다. 작업자를 무리한 일정에 몰아넣는 것도 필드를 잘 모른다는 증거였다. 그러나 상우는 부끄러운 기색 없이 대답했다.

"아무한테나 기대 안 하죠. 선배라서 그런 거예요."

"……."

그 말이 더 아프게 다가왔다. 차라리 비난하면 작정하고 맞서 싸울 텐데, 저런 소리를 들으니 맥이 빠져 버렸다. 이게 뭐라고, 재영은 심장이 조여 오는 불쾌한 감각을 느꼈다. 최선을 다한 결과가 아니라고 아무리 말해 봐야 추상우는 듣지 않으리라.

"기획은 원안대로 갈게요."

"안 돼."

"그럼 대안이라도 있으세요?"

상우의 건조한 눈빛이 재영에게 향했다. 날카로운 눈의 절반이 챙에 가려 있었다. 재영은 오늘만은 저 모자가 고마웠다.

"기획 다시 할게. 처음부터."

"낭비할 시간 없는데요."

"다음 미팅 때까지 하면 되잖아. 언제야……. 월요일이네."

재영은 인상을 찌푸렸다. 무슨 놈의 미팅을 이렇게 매일 잡아 놨단 말인가. 스케줄 표를 자세히 보니 상우가 알바하는 주말을 제외하고는 매일 미팅이 있었다. 일정이 바쁘다길래 메일 업무 위주로 돌릴 줄 알았는데. 그에게는 재영이 매일 보며 체크해야 할 만큼 못 미더운 모양이었다.

재영의 시선이 상우의 굳게 다문 입을 향했다. 만일 만족할 만한 작업물을 가져온다면 저 입이 땍땍거리지 않고 고운 소리를 하려나?

'연락할게요, 형.'

불쑥 끼어든 목소리는 실제 들었던 것보다 한층 살갑게 변형되어 있었다. 상우에게 고운 소리를 들어 본 적은 이제까지 한 번밖에 없었다. 그 짧은 순간에 재영은 완전히 KO당했다. 재영은 고개를 흔들어 위험한 기억을 털어 냈다.

"정 그러시면 주말 드릴게요."

상우는 꼴랑 며칠 더 주면서 대단한 일이라도 하는 듯 생색냈다.

"자료는 일요일 자정까지 제 메일……."

"안 보낼 거니까 독촉 전화 하지 마."

"왜요?"

"난 그런 스타일 아냐. 아무것도 안 되다가 마감 전 몇 시간에 해치워 버리는 경우도 있어."

상우의 눈이 가늘어졌다. 그 말이 마음에 들지 않는 눈치였다.

"언제 터질지 모르는 폭탄 같네요."

"그 정도 스타일 차이도 못 품으면 리더 자격이 없는 거 아닐까? 이래 봬도 중요한 프로젝트는 기한 놓친 적 한 번도 없어."

"이 프로젝트는 중요도가 어떻게 되는데요?"

"글쎄, 그건 너 하기에 따라 달렸는데."

"전부 모호한 대답뿐이군요."

상우가 무덤덤한 표정으로 서류를 정리했다. 오늘도 회의가 일찍 끝났다는 뜻이었다. 상우는 소지품을 배낭에 넣고 지퍼를 꼼꼼하게 잠갔다. 배낭을 어깨에 휙 둘러메고 재영을 보지도 않고 문 앞으로 걸어갔다. 그가 문을 반쯤 연 상태에서 고개를 돌렸다.

"다음 미팅 때 뵐게요."

"또 벌써 가?"

"네."

"이유는 말하기 싫고?"

"잘 아시네요."

쿵. 문이 다시 닫혔다.

상우가 나가 버린 뒤, 재영은 빈자리를 뚫어져라 바라보았다. 낮과 밤처럼 다른 두 사람이 같이 일을 하겠다고. 될 리가 없었다. 사사건건 충돌할 게 뻔하고 툭하면 의견 차이를 빚으며 피곤해질 것이다. 추상우는 사무적으로 딱딱거리며 자신이 조금만 친밀하게 굴어도 밀어낼 테다. 재영은 이럴 것을 모르지 않으면서도 흑심 때문에 상우가 파 놓은 함정으로 스스로 걸어 들어온 처지였다. 뭐가 아쉽다고 실망스럽다는 소리 들으면서까지 들러붙어 있을까. 어느 모로 보나 관두는 것이 가장 좋은 선택지였다. 하지만 지금 그만두는 건 자존심이 허락하지 않았다.

'너 두고 보자.'

상상 속에서 상우는 이미 재영이 디자인한 캐릭터를 보고 눈을 반짝이고 있었다. 손은 마주 모아 잡았고 입은 놀란 듯 벌어져 있었다.

'최고예요, 재영이 형!'

원본과 다르게 각색된 목소리가 귓가에서 쩌렁쩌렁 울려 댔다. 재영은 쓴웃음을 지으며 거절당한 시안을 갈무리해 반으로 거칠게 접었다. 아무래도 일에 몰두할 동기가 생긴 것 같았다.

⌘W

그러나 악랄한 고용주를 만족시킬 만한 시안은 말처럼 쉽게 나오지 않았다. 작업을 하려고 책상에 앉아도 그 퉁한 얼굴을 떠올리면 열이 받아서 도무지 집중할 수가 없었다. 뭘 그려도 선 몇 개 끼적이면 그림이 완성되는 줄 아는 추상우가 '이것도 못 하시다니 실망스럽군요. 원안대로 가겠습니다.'라고 말할 것 같았다.

재영은 금요일에 캐릭터 몇 개를 새로 잡았다가 폐기하고 아는 형들과 술 마시러 갔다. 1차는 학교 근처에서 소주와 삼겹살로, 2차는 연석동으로 옮겨 바에서 칵테일, 3차로 클럽에서 놀다가 맥주 몇 병 마시고 돌아오니 펜을 쥘 힘도 없었다.

토요일은 숙취 때문에 반절을 날렸다. 저녁에 해장국 먹고 겨우 정신 차리고서 영화를 두 편 봤다. 푹 자고 느지막하게 일어난 일요일에 다시 펜을 잡았다. 마침 영감이 떠올라서 파바박 낙서하고 보니 그림이 꽤 괜찮았다. 부스스한 빨강 곱슬머리를 하나로 묶은 성별 불명의 캐릭터가 양손에 레이저 건을 들고 있었다. 무기 진화형 서바이벌 어드벤처 액션. 배경은 스팀 펑크 디스토피아.

재영은 그 자리에서 폭발하는 건물을 배경으로 캐릭터가 낙하산을 타고 내려오는 장면을 하나 더 스케치하고서 날개 진화 버전과 재규어 진화 버전도 하나씩 그렸다. 한수영의 당근맨과 비교하기 민망할 정도의 퀄리티로 맞추었다. 추상우가 아무리 눈 대신 단추를 달고 있어도 이걸 까진 않겠지. 포스트잇에 적당한 콘셉트와 스토리 라인을 적고 종이에 붙였다.

미팅 대비 완료.

재영은 완전히 만족한 상태로 저녁을 먹으러 나갔다. 고등학교 친구가 주꾸미 가게를 개업했다고 그를 초대했기 때문이다. 식사를 마치고는 인디 아티스트 라이브를 보러 소규모 공연장에 다녀왔다.

⌘W

"PC 게임에나 어울리는 기획이네요."

'윽.'

결과는 또 리젝트였다. 상우는 폴더를 뒤적거려 문서를 하나 꺼내 건넸다.

"앱 스토어 1위부터 100위 게임 순위 분석이에요. 68%가 아케이드, 액션, 퍼즐류 등 간단한 미니 게임이고 RPG는 11%를 차지하긴 하지만 전부 규모 있는 기업에서 나온 것들이에요. 선배가 제안하신

기획은 두 명이서 네 달 만에 모바일 환경으로 구현할 수 없어요."

"시도해 보고 싶은 콘셉트 다 서포트해 주겠다며."

"어느 정도여야죠."

상우는 아무 표정 없이 재영이 제출한 시안을 옆으로 치웠다. 재영은 이렇게 단칼에 거절당할 줄 몰랐기 때문에 적잖이 충격받았다. 그는 한동안 멍하니 앉아 있었다.

"모바일 안 해 보셨으니 이해는 합니다. 이제 시간 낭비는 그만하고 원안에 집중해 주세요."

"안 돼."

"이번엔 또 뭐예요?"

상우가 짜증 내고 있었다. 재영은 자신이 어쩌다 이런 신세로 전락했는지 믿을 수 없었다. 무리한 일정을 몰아붙인 건 상우인데 왜 자신이 죄인이 되어야 하는 건지. 마치 경험도 없고 실력도 없는 디자이너가 된 것 같아서 도무지 참을 수 없었다. 재영은 벌떡 일어나며 양손으로 테이블을 짚었다.

"긴말 안 할게."

상우가 앉은 채로 그를 천천히 올려다보았다.

"하루만 더 줘."

의례적인 요청이었다. 허락하든 말든 밀어붙일 생각이었으니까. 그런데 상우가 그의 눈을 슬쩍 피하더니 한숨을 쉬었다.

"알았어요."

'얼레, 단칼에 안 된다고 거절할 줄 알았는데…….'

추상우가 저렇게 마음 약한 놈이었나. 재영이 빤히 보자 상우가 헛기침을 하며 서류를 정리했다. 재영은 그의 옆얼굴을, 각진 손가락과 뼈가 불거진 손목을 훔쳐보다 정신 차리고 문 쪽으로 걸었다.

회의실에서 나가려는데 상우의 목소리가 들렸다.

"선배랑 같이 일하기 힘들어요."

"누가 할 소릴."

다음 회의는 언제인지 물어볼 필요도 없었다.

"내일 보자."

"네."

5시가 조금 넘은 시각. 원래는 친구와 저녁 먹고 클럽에 갈 예정이었지만 재영은 곧바로 실기실로 향했다. 그가 등장하자 옆자리 후배가 놀란 표정을 지었다. 재영은 실기실을 신청만 해 두고 최근에는 작업할 일이 없어서 거의 방문하지 않았기 때문이다. 놀린 지 오래된 데스크톱을 켜고 자리에 앉아 손가락을 우득 꺾었다.

"형, 웬일이세요?"

"할 일이 있어서. 최유나는 어디 갔어?"

"몰라요. 아까까지 있었는데……."

재영은 부팅을 기다리며 핸드폰으로 애플리케이션 마켓에서 게임 랭킹을 훑었다. 이렇게 자극적인 게임 사이에서 유아용 게임이 될 리가 없었다. 무엇보다 그 콘셉트는 그에게 안 맞는 옷이었다. 재영은 바탕 화면이 켜지자마자 문서 작성 프로그램을 열고 제목을 입력했다.

'기 획 서'

형식을 그렇게 좋아한다면 맞춰 주면 될 일. 재영은 형식을 중요하게 생각하지 않을 뿐이지 못 맞추는 게 아니었다.

1장. 시장 조사 및 인기 게임 분석

2장. 장르 변경 제안

3장. 제목 변경 제안

4장. 콘셉트 및 줄거리
5장. 배경, 캐릭터, 무기, 몹 시안

그의 손가락이 빠르게 움직였다. 시선은 핸드폰과 모니터 화면을 오갔으며 머리 한구석에서는 분석이, 한구석에서는 새로운 기획이 진행되었다. 그리고 그늘진 곳에서 찌그러진 자존심이 이렇게는 안된다며 아우성쳐 댔다.

재영은 삽시간에 시장 분석을 끝내고 새로운 장르를 '사이드 스크롤링 슈팅 게임'으로 규정했다. 플랫폼 점프 액션이 가능한 레트로 게임이라고 설명을 달고 새로운 제목은 비워 놓았다. 열 받은 상태라 그런지 아이디어가 잘 떠올랐다.

운석이 떨어져 우주 물질로 오염된 거대 농장을 상상했다. 기괴한 모습으로 변해 버린 돌연변이 동물들을 제압할 수 있는 건 운석의 영향으로 강화된 변이 채소뿐이다. 노벨 생물학상을 타기 위해 혈안이 된 과학자가 연구를 위해 농장 중심부에 접근한다는 줄거리.

재영은 손에 집히는 아무 종이나 끌어다가 미친 과학자가 당근을 흉기로 휘두르는 모습을 그렸다. 물꼬가 한번 트이자 다른 설정이 줄줄이 그려졌다. 무는 둔기, 옥수수는 소총, 씨앗은 탄환, 호박은 다이너마이트, 감자는 수류탄, 상추는 부비트랩.

사각사각, 펜이 광란적으로 움직였다. 벨소리가 울리는데도 모를 정도로 재영은 몰입했다. 옆자리 성진이 어깨를 흔들며 전화가 왔다고 알려 주었다. 재영은 그를 보지 않고 대답했다.

"최유나일 거야. 네가 받아서 못 간다고 해 줘."

"네! 아, 여보세요? 누나. 저 성진인데요. 재영이 형이 못 간대요. 몰라요? 뭐 엄청 열심히 하고 있는데. 뭔지는 모르겠어요. 아뇨, 아직 미친 것 같진 않아요. 형. 바꿔 달라는데요."

"안 간다고 해."

"네. 누나, 재영이 형 안 간대요. 저도 잘 몰라요. 욕은 직접 하시고
요. 네. 저도 잘 몰라요. 진짜예요, 누나. 끊을게요……. 끊어요. 네."

성진이 통화를 마치고 핸드폰을 내밀었다.

"유나 누나가 형 죽여 버리겠대요."

재영은 폰을 받아서 스토어에 비슷한 콘셉트인 게임이 또 있는지
쭉 살폈다. 그렇지. 이렇게 참신한 기획이 또 있을 리 없지. 자신만
만한 표정으로 다시 스케치로 돌아갔다. 어깨 너머에서 머리를 내민
성진이 탄성을 내질렀다.

"우와, 조온나 멋있다……. 이거 뭐예요?"

"내 유학 자금."

재영은 그리 말해 놓고 피식거렸다. 이게 뭐라고, 약속까지 깨고
몰두하는 자신이 우습게 느껴졌기 때문이다. 신선놀음하던 졸업 예
정자를 게으름에서 끄집어내다니 추상우가 대단한 놈이긴 했다.

이번에는 정말 자신 있었다. 짜증만 부리던 그 입에서 칭찬이 흘
러나오게 할 자신이. 그는 이 악물고 펜을 고쳐 쥐었다.

⌘W

재영은 만반의 준비가 되어 있었다. 혼신의 힘을 다해 그린 1안 외
에도 허수아비 시안 두 개를 준비해 명목상 세 개를 채워 놓았다. 깔
끔하게 써낸 기획서는 2부 프린트해서 귀퉁이에 스테이플러를 단정
하게 찍었다. 추상우는 죽었다 깨나도 눈치 못 채겠지만 옷도 신경
써서 입었다.

"으음……."

상우가 기획서를 검토하는 순간은 견디기 어려웠다. 모자 아래 얼굴이 무슨 생각을 하고 있는지 알았으면! 무표정이긴 한데 광대뼈가 조금 올라간 것도 같았다. 재영은 불안한 속마음을 들키기 싫어서 일부러 의자에 등을 기대고 거만한 표정을 지었다.

"선배, 영어도 잘해요?"

제목 제안을 보고 그러나 보다. 재영은 어차피 프로젝트를 끝까지 할 생각도 없었지만, 야채맨만큼은 도저히 아닌 것 같아서 새로운 제목을 〈베지 벤처러Veggie Venturer〉로 지었다. 〈베벤〉이나 〈VV〉로 줄여 쓰면 좋겠단 생각이었다.

"할 만큼은 해."

"의외로 잘하는 게 많으시네요."

"너도 2개 국어 하잖아."

"그러네요. 한국어랑 중국어 하니까."

"한국어랑 컴 언어 말한 건데, 둘 다 네이티브."

상우는 재영의 농담을 이해하지 못하고 한동안 멍한 표정으로 있다가 뒤늦게 눈을 가늘게 떴다.

"무식한 소리 좀 하지 마세요, 프로그래밍 언어 종류가 얼마나 많은데, 그렇게 치면 6개 국어예요."

그의 시선이 다시 기획서로 향했다. 첫 장이 별 코멘트 없이 넘어갔다. 다음 장을 검토하는 동안에도 아무 딴지도 걸지 않았다. 고개를 작게 끄덕거리는 모션을 재영은 놓치지 않았다. 반년 동안 매달린 공모전 결과가 발표되었을 때보다 가슴이 더 떨렸다.

이윽고 시안을 확인하던 상우의 표정이 변했다. 일자로 다문 입가에 아주 살짝이지만 미소가 번졌다. 사납게 생긴 눈이 작아지며 휘어지는 순간은 꽤 극적이었다.

"캐릭터가 선배 닮았어요."

"……어떤 게?"

"있어요."

1번 시안 미친 과학자, 2번 시안 호러 뼈다귀, 3번 시안 2등신 캐릭터. 어느 것과 닮았다고 해도 달갑지 않았다. 상우는 재영을 혼란스럽게 하고서 기획서를 내려놓았다. 그와 눈이 마주친 재영은 또 새로운 표정을 보았다. 조금 크게 뜬 눈에 흥분이 감돌고 있었다.

"잘하셨어요."

기다려 온 인정의 순간은 놀라울 정도로 간단하고 쉬웠다. 단지 한마디 말뿐인데도 이 인간성이 결여되고 깐깐한 개발자에게서 나왔다는 이유만으로 재영은 가슴 속에 뿌듯함이 빠르게 차오르는 것을 느꼈다.

금세 무표정으로 돌아간 상우가 재영을 바라보았다.

"캐릭터는 3번으로 갈게요."

"뭐?"

감동이 와장창 깨졌다. 재영은 부랴부랴 기획서를 집어 페이지를 넘겼다. 그가 시간과 노력을 갈아 넣어 만든 캐릭터는 1번이었다. 부스스한 은발에 뺑뺑이 안경, 손발이 무척 큰 미친 과학자. 찢어진 실험복 사이로 근육 표현까지 섬세하게 했으며 1시간에 걸쳐서 채색까지 꼼꼼하게 했다.

두 장 넘기자 3번 시안이 보였다. 자리 채우려고 5분 만에 그린 거였다. 성의 없는 남녀 캐릭터 한 쌍. 남자 캐릭터는 상우가 모델이라 모자만 안 씌웠을 뿐 그와 똑같이 생겼다. 흰 피부에 퉁명스러운 눈매, 마른 몸에 헐렁한 옷을 걸치고 있었다.

"이거요. 선배죠?"

상우가 여자 캐릭터를 가리키며 말했다. 재영은 얼굴을 찌푸렸다. 그의 표정만 봐서는 농담인지 아닌지 판단하기가 어려웠다.

'엿 먹이는 건가?'

주황색 단발머리에 눈이 얼굴의 반을 차지하는 캐릭터는 재영과 닮은 구석이 당연히 없었다.

"난 1번 시안이 더 마음에 드는데."

"전 3번이 더 좋아요."

재영은 고개를 저었다. 혼란스러운 남자일지언정 그는 입을 꽤 잘 터는 디자이너였다. 심플하면서도 상당히 데코레이티브하며 모노톤인 동시에 컬러감 풍부한 디자인을 선호하는 클라이언트들의 구미를 맞추느라 그렇게 되었다. 그는 1번 시안이 기획에 얼마나 부합하며 최적의 선택인지 2분에 걸쳐 설명했다. 상우는 끝까지 듣고서 한마디 했다.

"잘 들었는데요, 3번으로 갈게요."

"모험의 당위성을 부여하기에 젊은 남녀보다 과학자가 훨씬 좋다니까 그러네."

"맞는 말이에요. 근데 3번 할 거예요."

"대체 왜?"

"종합적인 판단이에요."

상우는 그답지 않게 뭉뚱그려 넘어가려 했다. 아무래도 2등신에 꽂힌 게 분명했다.

"야, 1번 가자."

"싫어요."

아무리 설득하려고 해도 요지부동이었다.

"해라, 해."

재영은 몇 번의 승강이 끝에 포기해 버렸다. 어차피 이제 목표를 달성했으니 프로젝트를 관둘 테니까.

상우는 기획서를 폴더에 조심스럽게 넣고서 다시 재영을 바라보았다.

"캐릭터 디지털화하실 때 애니메이션 넣을 거 고려해서 부위별로 잘라 주세요. 원본 파일은 갖고 계시고 저한테 보낼 땐 png로 크기 맞춰 주세요. 가이드라인 정리해서 메일로 보내 드릴게요. 사양과 사이즈 표도 함께 보내 드릴 테니 꼭 준수하시고 제목은……"

재영은 턱을 괴고 멍하니 앉아 있었다. 끊임없는 움직이는 입술을 보고 있자니 소리가 멀어졌다. 새 소리나 동물 울음처럼 전혀 알아들을 수가 없었다. 그러던 중에 상우가 말을 멈추었다. 재영은 그제야 정신이 돌아왔다.

"괜찮으세요?"

"……아니."

"작업 열심히 해서 상태 안 좋으신 것 같은데, 고생하셨고요. 오늘 메일 보내는 건 꼭 읽고 숙지하세요."

"어."

고생했다…… 라. 상우가 그렇게 의례적인 말을 하는 건 처음 들었다. 그 말을 들었으니 고생한 보람이 있는 건가. 재영은 이제껏 상우가 사회성이 전무하다고 생각했으나 겪어 보니 그렇지만은 않은 듯했다. 어쩌면 그는 단지 빈말을 하지 않는 것뿐일지도.

"그리고…… 이리 와 보세요."

뜻밖의 말에 재영은 고개를 들었다.

"왜?"

"예고할게요. 잘하셨으니 머리 쓰다듬어 드릴게요."

어느새 두 발로 선 상우가 머뭇거리다 팔을 뻗었다. 재영은 가까워지는 그의 손가락을 멍하니 바라보았다. 손은 재영의 앞머리 즈음에 접근하더니 정수리를 기계적인 투로 한 번, 두 번, 세 번 쓰다듬고서 재빨리 사라졌다.

재영은 저도 모르게 눈을 질끈 감았다. 누가 그렇게 한 적은 아주 어릴 때 이후 처음이었다. 얼굴이 화끈거렸다. 손바닥으로 입을 틀어막은 순간에 문 닫히는 소리가 났다.

재영은 회의실에 아무도 없는 걸 확인하고 숨을 몰아쉬었다.

"쟤 뭐야?"

⌘W

회의실에서 나오며 재영은 여우에게라도 홀린 감각을 느꼈다. 2연타였다. 형 소리에 멱살 잡혀 끌려 나왔다가 머리 쓰다듬기란 공격에 녹다운. 피부가 간질거려서 재채기가 나올 것 같은 기분이 들었다.

도서관에서 퇴장하자 넓게 펼쳐진 하늘이 그를 감쌌다. 믿기 어려울 정도로 쨍한 시안색이었다. 몸은 피곤한데 마음이 두근거리고 입가에 미소가 지어졌다. 블루 스크린은 화창한 하늘의 청록빛이 되었다. 재영은 프로젝트를 관둘 생각을 머릿속에서 지워 버렸다.

꽃가루 알레르기가 있는 사람처럼 해롱해롱하는 한편, 그는 탐정처럼 육감을 날카롭게 곤두세웠다. 어딘가 자연스럽지 않았다. 칭찬하는 것까지는 그렇다고 쳐도 꼭 그렇게 세상에서 가장 저와 안 어울리는 형태로 해야 했는지.

추상우의 사고 회로를 생각해 보면 이해 못 할 일도 아니긴 했다.

재영이 먼저 그의 머리를 몇 번 쓰다듬었을 때 행위가 입력되었을 테고, '저 사람은 저런 걸 좋아하나 보다' 짐작하며 그대로 돌려줬다고 설명 가능하다.

재영을 신경 쓰이게 하는 건 단지 감이었다. 무언가 놓친 것만 같은 위화감, 현재의 평온함이 깨질지 모른다는 불안감, 그리고 감당 못 할 흥분감. 복잡한 감정이었다.

실기실에는 유나와 성진이 있었다. 전날 바람맞혀 놨더니 유나는 재영을 보자마자 날뛰었다. 재영은 그녀의 짜증을 듣고 한 귀로 흘렸다.

"그리고 새벽에 분위기 광란이었어. 끝나고 등짝에 사인도 받았지롱."

"잘 놀고 왔으면 됐네."

"안 온 너만 손해지. 대체 뭐 하느라고 안 왔대?"

"할 일 있었어. 지금도 있고. 이제 나한테 말 시키지 마."

추상우식 화법을 구사하자 유나가 재영을 외계인 보듯 응시했다. 옆자리 성진이 모니터를 박스에 넣는 모습이 그제야 보였다.

"너 뭐 하냐?"

"저 군대 가요, 형."

"뭐?"

들어 보니 좋아하는 여학생에게 고백했다가 차이고서 살아갈 의욕을 잃었다고, 휴학하고 이 달에 입대한다는 것이다. 재영에게 신경질 내던 유나가 숙연한 표정으로 그를 위로하기 시작했다. 재영도 가만히 있을 수 없어서 저녁을 사 주기로 했다. 성진은 훌쩍거리며 자신이 어떤 기분인지 설명하기 시작했지만 재영은 5분 정도 들어 주다가 데스크톱을 켰다.

'어쩐지 추상우가 된 기분인데.'

자신이 언제부터 이렇게 일 중심적인 사람이었던가. 잘 모르겠다.

상우의 농간에 놀아나는 기분이 들었지만 안 할 도리도 없었다. 재영은 스케치를 스캔해 컴퓨터로 옮긴 뒤 디자인 소프트웨어를 켜고 디지털화하기 시작했다.

⌘W

"집에 가야겠다. 너 안 가?"

유나가 물었다.

"몇 시지?"

"거의 12시 다 됐어."

재영은 뻑뻑한 눈을 깜빡거리고 손목시계를 보았다. 언제 시간이 이렇게 되었나. 학교 밖에 나가서 성진에게 밥을 먹이고 7시쯤 돌아왔던가. 그 뒤로 거의 쉬지 않고 작업했다. 기지개를 켜자 피로가 몰려들었다. 유나가 작업물에 관심을 보였다.

"너 요즘 열심히 산다? 뭔데? 좋은 거면 나도 좀 알려 줘라."

'어떻게 설명해야 하나…….'

재영은 조금 고민하다, 지극히 간단한 버전으로 답했다.

"모바일 게임."

"푹 빠졌네. 엄청 재미있나 보다?"

개발자한테 칭찬 받고 싶어서라고는 말 못 하니 고개를 끄덕였다. 커피나 한잔하고 집에 가야지 생각한 순간에 메시지가 왔다.

[고용주: 자정 5분 전입니다. 아직 메일이 안 왔길래 리마인드해 드려요.] 11:55

가장 최근에 보낸 메시지를 복사, 붙여 넣기 한 것처럼 내용이 똑같았지만 이미 추상우에게 현혹된 재영은 사무적인 내용을 보고서도 기분이 들떴다. 이번에는 작업을 열심히 해 놔서 보낼 자료도 쌓여 있었다. 그는 메일함을 열어 이미지 파일을 첨부하다 멈추었다.

　문득 다른 속셈이 들어서 메일을 보내는 대신 뒤로 기대 팔짱을 꼈다. 3분간 다리를 떨며 핸드폰을 주시했다. 12시 정각이 되자마자 칼같이 전화가 왔다. 재영은 6초간 기다렸다가 전화를 받았다. 최대한 낮은 목소리로 세팅하고……

　"어, 상우야."

　―……네?

　"왜 전화했어?"

　―어……. 마감, 12시…… 자정 됐는데 메일이 안 왔길래…… 전화했어요.

　"형이 깜빡했네. 전화 줘서 고맙고 지금 바로 보내 줄게."

　―…….

　"저녁은 먹었어?"

　―네.

　"뭐 먹었어?"

　―학식이요. 왜요?

　"메뉴는 뭐였어?"

　―조밥, 우거지 된장국, 김치, 소시지 야채 볶음, 멸치 볶음, 요구르트요. 왜 물어보시는 거예요?

　"목소리 듣고 싶어서."

　―…….

　"나 사람 목소리 듣는 거 좋아하거든."

—이상한 취미가 있으시네요. 끊을게요.

대답하기도 전에 전화가 끊겼다. 재영은 고개를 갸우뚱거렸다. 실험 결과는 음성이었다. 상우가 제게 마음이 있다면 저따위로 대꾸하고 서둘러 통화를 종료하지 않았을 것이다.

'역시 착각인가……'

그렇다면 차라리 다행이다. 유나가 뒤에서 중얼거렸다.

"미친, 너 방금 뭐야?"

"뭐가?"

"목소리랑 말투 왜 그래? 완전 토 나와."

"신경 끄세요."

상우라면 몰라도 자신의 상태는 정확히 알고 있었다. 사랑의 전조 증상, 의무는 없고 자유로운 설렘만 존재하는 상태. 그는 연애에서 이 시기를 가장 즐겼다. 마음이 여기서 더 발전하면 상황이 복잡해지고, 더러워지고, 또 위험해지겠지만, 이 '선'을 유지하기만 한다면 걱정 없었다. 재영은 자신 있었다. 이제까지 그는 한 번도 감정 때문에 자신을 잃어 본 적이 없었으니까.

'아무튼 입에도 안 댈 과일을 존나게 열심히 닦고 있어요.'

재영은 폴더를 꽉 채운 이미지를 보며 쓴웃음을 지었다. 추상우가 주니어에 농간을 부리지만 않았다면 이렇게 속수무책으로 끌려다니지 않았을 것이다. 메일함을 열고 열심히 작업한 파일을 첨부했다.

메일 전송. 과제 끝.

⌘W

"보내신 파일 확인해 봤어요. 대체로 괜찮은데 몇 가지 말씀드릴게 있어요."

다음 날 본 추상우는 여전히 기름칠도 안 된 로봇 같은 모습이었다. 그는 재영과 눈도 마주치지 않고 노트북으로 전날 수신한 파일을 열었다. 상우는 그림을 확대하고서 귀퉁이를 가리켰다.

"픽셀 깨진 거 보이시죠? 수정하세요."

"폰에서 그게 보이겠냐?"

"자잘한 디테일이 모여서 완성도가 되잖아요. 신경 써 주세요."

다음에는 무기 이미지 두 개를 번갈아 가며 화면에 띄웠다.

"컬러 코드 같아야 하는 부분인데 다르죠. 수정하세요."

매의 눈이라고 할 수밖에. 전혀 중요하지 않은 세부 사항이었지만 틀린 지적은 아니어서 할 말이 없었다. 그런 식으로 몇 가지 더 지적하고서 상우가 폴더를 파일명으로 정렬했다.

"제가 분명히 이미지 보내실 때 종류, 언더 바, 세부 종류, 언더 바, 숫자 두 자리 표기해 달라고 가이드라인에 적었죠?"

"……."

"여기 언더 바 안 들어갔고 죄다 숫자 한 자리로 쓰셨네요. 앞에 0 붙이세요. 그리고 대소문자 혼용 안 합니다. 소문자로만 쓰세요. 웹해 보신 분이 왜 이러실까요? 이번에 실수하신 건 제가 고쳤으니 다음부터 틀리지 않게 주의하세요."

그나마 신경 쓴 게 이 정도였다. 촉박한 기한 내 한꺼번에 파일 수십 개를 생성했는데 실수가 아예 없다는 건 말이 안 된다. 평상시에 '최종_final11진짜최종최종_1_최종.ai' 식으로 파일명 짓는 습관을 고려하면 더더욱.

"찔러도 피 한 방울 안 나올 새끼."

상우는 재영의 코멘트를 무시하고 노트북을 덮어 가방에 넣었다.

오늘은 '잘하셨어요' 같은 거 없나. 재영은 내심 기다렸지만 찬바람만 쌩쌩 불었다. 죽도록 일해도 칭찬 한마디 못 듣다니……. 결국 추상우도 제게 관심 있단 건 희망이 만들어 낸 착각이었을 뿐이다.

상우가 자리를 정리하고 일어서자 재영은 무심코 그를 불렀다.

"야."

"왜요."

"너 요즘 공부는 잘하고 있어?"

할 말이 없다 보니 데면데면한 고모부나 물을 질문이 입에서 튀어나왔다. 상우는 그런 걸 왜 묻느냐는 표정으로 재영의 눈을 마주했다.

"하고 있어요. 오늘도 하고 왔는데요."

"슈퍼맨이네."

"요즘 컨디션이 괜찮아서 공부가 잘돼요."

"내가 수업에서 빠져 줘서 잘되나 보네. 고마워해, 새끼야."

이제 그가 썩은 표정을 지으며 개소리 작작 하라고 말할 차례였다. 이제까지의 패턴으로 보면 그랬다. 그런데 상우는 눈알을 빙그르르 굴리더니 천장 한구석을 쏘아보았다.

"아니요. 정확히 그렇지는 않아요."

"그럼?"

"말하기……."

"말하기 싫어요. 새로운 유행어냐?"

이번에는 회의실에서 나가 버릴 타이밍이었다. 곧 상우가 문 쪽으로 발걸음을 옮겼다. 재영은 그의 팔을 덥석 잡으려고 손을 뻗었다가 상우가 신체 접촉을 극도로 싫어한다는 사실을 상기하고서 손목을 틀어 대신 가방끈을 쥐었다.

"나 살 빠진 것 같지 않아?"

"아뇨. 이거 놓으세요."

쓸데없는 말로 번 시간, 1초. 이제 3초 안에 떠나 버리겠지. 재영은 머리를 마구 굴리다가 천재적인 생각을 해냈다.

"나 여러 가지 수정해야 하잖아. 잘 이해가 안 되는 부분이 있었는데……. 네가 직접 보면서 알려 주는 건 어때?"

"그것도 못 알아들었어요?"

"뭐든 확실히 해 두는 게 좋잖아. 너 예술대 한 번도 안 들어와 봤지? 내가 작업하는 곳 구경하고 차도 한 잔 마시고 가. 공부도 다 했다며."

"……선배 작업실?"

목소리만 들어서는 무슨 생각을 하는지 조금도 알기 어려웠다. 저놈의 모자 때문에 눈이 안 보여서 표정을 파악할 수도 없었다. 재영은 가방끈을 슬쩍 끌어당겼다.

"가자. 할 것도 없잖아."

"할 거 많은데요."

상우는 딱 잘라 말하더니 팔짱을 꼈다.

"하지만 선배 작업 환경을 체크할 필요가 있긴 해요. 그다지 좋은 환경은 아닐 것 같아서. 작업량도 많은데, 능률이 올라야 서로 좋잖아요."

"그래. 내 말이 그 말이야."

책상에 늘어져 있던 재영이 벌떡 일어났다. 상우가 눈을 동그랗게 떴다.

"지금요?"

"그럼?"

"마음의 준비가……."

"무슨 놈의 마음의 준비야, 잠깐 왔다 가는 건데. 따라오기나 해."

재영은 상우의 가방끈을 끌고 전진했다. 도서관에서 빠져나오는 동안 상우는 말 한마디 없이 따라왔다.

4월 초, 날씨는 화창하면서 선선했다. 재영이 가장 좋아하는 날씨였다. 그는 휘파람을 불며 걷다가 상우가 너무 멀어지면 가방끈을 한 번씩 당겨 가며 예술대 앞까지 왔다.

"네 명 들어가는 실기실이야. 학기제로 신청 받아서 운영되고."

"그럼 다른 사람들도 있어요?"

"두 명 있긴 한데 한 명은 군대 간대. 한 명은 지 할 일만 하니까 신경 쓰지 마."

"저한테 선배예요?"

"너랑 같은 학번인데 나랑 동갑이야. 직접 인사해 봐."

나이가 두 살 많은데 같은 학번. 상우는 곤란하다는 표정을 지었다. 보통은 그럴 때 누나라고 부르면 되지만 추상우한테는 불가능한 일이니까. 재영은 실기실 문을 열었다.

"여기야. 들어가."

상우가 커다란 책상 네 개가 차지하는 공간으로 쭈뼛거리며 들어섰다. 재영은 그곳에서 한 번도 불편함을 느낀 적이 없었지만 어쩐지 부끄러워졌다. 포스터가 덕지덕지 붙은 벽은 그날따라 지저분해 보였고 바닥에는 온갖 박스와 구겨진 종이, 과자 봉지, 고장 난 스피커, 고데기, 종아리 안마기, 짝 잃은 슬리퍼 등이 널브러져 있었다. 유나가 틀어 놓은 헤비메탈 음악이 유독 시끄럽게 들렸다. 그녀는 눈을 감고 헤드 뱅잉 중이었다. 샛노란 단발머리가 공중에서 미친 듯이 흔들렸다.

'생각해 보니 둘이 잘 안 맞겠는데⋯⋯.'

"야, 최유나. 여기 봐 봐."

"왜."

그녀는 돌아보지도 않고 대답했다. 그리고 재영은 귀신이라도 마주친 듯한 상우의 표정을 보고 말았다. 마음에 들 리가 없지. 하필 오늘따라 빨간 가죽 재킷 차림에다 목에 초커는 왜 하고 있어서.

"쟤 신경 쓰지 말고 여기 앉아."

성진의 자리를 가리키자 상우가 떨떠름한 태도로 의자에 배낭을 걸었다. 그때 뒤돌아본 유나가 소리쳤다.

"누구야?"

"프로젝트 같이 하는 후배. 너 할 거 해."

"우와와와, 요즘 하는 그 게임? 이름 뭐야? 우리 과야?"

"추상우, 컴공. 표정은 신경 쓰지 마. 이게 반갑다는 얼굴이야."

"이름 존나 웃기다. 추상추 같아."

유나가 손뼉을 치며 깔깔거렸다. 재영은 상우가 가 버릴까 봐 조마조마했으나 그는 굳은 표정으로 앉아 있을 뿐이었다. 재영은 그에게 성진의 책상에 마침 있던, 낱개 포장된 과자를 건넸다.

"편하게 있어도 돼."

"불편한데 어떻게 편하게 있어요?"

"그건 그러네."

재영이 컴퓨터를 켜려고 하자 상우가 손을 들어 막았다.

"쓰레기부터 버리고 오세요."

그제야 책상 위 과자 부스러기와 콜라 캔, 빈 담뱃갑, 휴지 뭉치가 눈에 들어왔다. 재영은 상우가 주문한 대로 쓰레기를 얌전히 처리하고 돌아왔다. 바닥에 있는 것들도 대충 구석으로 밀어 넣었다.

"양말 처리하세요."

앉자마자 다음 오더가 떨어졌다. 재영은 모니터 뒤에 짱박아 놓은 양말을 꺼내 가방에 쑤셔 넣었다.

"환기하세요."

귀찮았지만 창문을 열었다.

"책 정리하세요."

몇 개 없는 책을 못 이긴 체 정리하고 나자 상우가 말했다.

"이제 PC 켜세요."

부팅하는 동안 재영은 천장을 바라보았다.

"작업 시작하기 전에 바탕 화면 정리부터 하세요."

"이런 것까지 건드리냐……."

"옆에서 보기 힘들어요. 얼른 해요."

슬슬 짜증이 났지만 재영은 필요 없는 파일을 삭제하거나 각기 폴 디로 옮겼다.

"평소에 정리 좀 하고 살아요."

"여긴 내 구역이야, 인마. 쳐들어온 주제에 제멋대로 굴고 있어."

"다른 사람도 아니고 선배가 그런 말 하니까 되게 웃기네요."

"농담도 할 줄 아네."

재영의 입가에 미소가 번졌다. 헤드락 걸거나 머리를 헝클어뜨리 고 싶은 타이밍인데, 상우에게는 금기 사항일 뿐이었다. 상우는 여 전히 마음에 안 든다는 표정으로 팔짱을 끼고 천장을 보고 있었다. 그는 어느 순간 의자를 돌리더니 유나의 뒷모습을 보았다.

"저기요. 혼자 있는 것도 아닌데 너무 시끄러워요."

유나가 눈을 크게 뜨고 상우와 재영을 번갈아 보았다.

"거기 헤드폰 좋은 거 있네요. 그거 쓰세요."

어디 가서 성깔로는 안 밀리는 유나였지만 당황했는지 입만 벌리고 있었다. 재영은 자리에서 일어나, 유나의 책상에서 헤드폰을 집어 그녀 머리에 억지로 씌웠다. 전원을 켜자 정신 사납던 음악 소리가 사라졌다. 상우는 마음이 한결 편해진 표정이었다.

"이제 소프트웨어 켜세요."

실력을 발휘할 시간. 자리로 돌아온 재영은 손을 한 차례 쫙 폈다가 왼손은 키보드에, 오른손은 마우스에 올려놓았다.

"시작."

상우는 그리 말하더니 어느새 빈 책상에 가지런하게 펴 놓은 책으로 눈을 돌렸다.

작업에 일일이 간섭하며 이래라저래라 할 줄 알았더니, 상우는 말 그대로 관리만 하겠다는 말을 지켰다. 그 덕에 재영은 부담 없이 작업할 수 있었다. 상우는 옆에 있는 줄도 모를 정도로 조용했다.

딸깍딸깍, 마우스 소리와 키보드 입력하는 소리만이 울렸다. 가끔 유나가 뒤에서 음악 후렴을 흥얼거리는 걸 빼면 방해 요소는 없었다. 손에 살짝 땀이 나며 심장이 두근두근, 평소보다 조금 빠르게 뛰었다. 기분 좋은 감각 위에서 재영은 맵을 만들어 갔다.

시간이 꽤 지났다 싶었을 때 그는 무심코 오른쪽을 보았다. 상우는 양 팔꿈치를 책상에 대고 전공 서적이 아닌 재영의 모니터를 보고 있었다.

곧고 긴 목이 시선을 끌어당겼다. 까만 긴팔 티셔츠는 목 부분이 조금 늘어나 있었다. 그 사이로 흰 살갗에 난 점이 도드라져 보였다. 저 쓸모없는 옷을 벗기고 어깨에 이를 박아 봤으면 소원이 없겠는데, 속으로밖에 할 수 없는 생각이었다.

'아……. 위험하다.'

재영은 붉은 자국이 남은 상우의 맨어깨를 상상하다가 억지로 모니터를 바라보았다. 만일 그랬다가는 내일 뉴스 출연 예약일 테니.

[속보] 대학교 선배에게 어깨 물린 후배, 법정에 서

'많이 아팠어요. 광견병 검사는 마쳤지만 결과는 아직 안 나왔고 고소 취하할 생각 전혀 없습니다. 형량이 많이 나왔으면 좋겠어요.

인터뷰하는 목소리가 귓가에 들리는 듯했다. 마우스 커서가 오랫동안 움직이지 않자 상우가 고개를 돌려 시선을 마주쳤다. 재영은 괜히 찔려서 먼저 물어보았다.

"뭘 보냐?"

"디자이너 잘 구했다 싶어서요."

"……."

"생활 태도는 최악인데…… 실력 면에서는 불평 못 하겠네요."

상우는 아무렇지 않은 얼굴로 말했다. 가끔 이렇게 치고 들어온단 말이지. 늘 듣던 소리인데도 그가 하니까 다르게 들렸다.

작업 속도가 붙었다. 달라진 건 깨끗해진 책상, 조용해진 환경, 신선한 공기, 그리고 옆에 앉아서 공부하는 사람 정도인가. 평소처럼 작업하는 것뿐인데도 재영은 소풍이라도 온 듯한 즐거움을 느꼈다.

그렇게 첫날 상우는 얌전히 있다가 정확히 1시간을 채우고 가 버렸다. 갑자기 가 버려서 붙잡을 새도 없었다.

그러나 둘째 날부터는 작정한 듯 악마 모드를 틀고 나타났다. 아예 저녁을 먹고 와서는 노트북을 가져와 재영이 만들어 놓은 리소스를 정리하고 구축한 틀에 얹기 시작했다. 재영은 캐릭터와 무기, 이펙트를 끝내고서 맵을 진행하고 있었기 때문에 여유를 조금 부렸으나 그럴 때마다 응징당했다.

'저랑 작업하려면 페이스 맞춰야죠.'

'프로나 다름없잖아요. 그런 마인드로 되겠어요?'

'다리 떨지 마요.'

'일어나서 똑바로 앉아요.'

'작업한 양을 보고도 하품이 나와요?'

'생각할 시간 줬잖아요. 그때 안 한다고 말하지 그랬어요.'

상우는 재영의 디자인 능력을 제외한 모든 것이 마음에 들지 않는 듯했다. 사흘간 어지간히도 갈구는 탓에 재영은 이제 무슨 소리를 들어도 콧방귀를 뀌는 지경에 이르렀다.

'그럼요, 추 사장님 뜻—대—로 하셔야지요.'

'아이고 나리, 뉘 말씀이라고 쇤네가 말대꾸하겠나이까.'

'칼만 안 들었지 깡패나 다름없어.'

'어디 보자, 노동부 전화번호가······.'

'내일 이 데탑 부서져 있으면 너 때문인 줄 알아라.'

'여기가 아오지 탄광이구나!'

충돌은 불가피했다. 일은 너무 많았고 상우는 짜 놓은 스케줄대로 가길 바랐으니까. 몰아서 하겠다고 말해도 그는 믿지 않았다. 그들이 말싸움을 시작하면 유나가 짜증을 내며 헤드폰을 썼다. 그러나 재영은 상우를 실기실로 데려온 걸 후회하지 않았다. 겉으로 투덜거려도 그는 사실 즐거웠다.

"15분만 쉬겠습니다, 사장님."

재영은 마우스를 던지듯 놓으며 기지개를 켰다. 주말을 지내고서 상우를 다시 만나는 월요일이었다.

주말에는 농구 경기 하나와 술자리 하나가 잡혀 있었다. 농구 경기 후 뒤풀이에서 일찍 빠져나왔다는 이유로 신데렐라라고 놀림당했고, 술자리는 바쁘다고 둘러대며 안 갔다가 욕을 바가지로 먹었다. 그렇게 지적당한 부분을 모조리 수정하고 완성도 짱짱한 맵 다섯 가지를 넘겼는데도, 추상우는 고작 15분 쉬겠단 말에 탐탁지 않다는 표정을 지었다.

"알겠어요."

그렇게 딜을 하고 나면 정확히 15분 동안 기다렸다가 또 작업하라고 들들 볶는 식이었다. 재영은 허락이 떨어지자마자 실기실 한쪽에 놓인 간이침대에 쌓인 유나의 옷을 바닥에 치워 버리고 누웠다.

상우는 흐트러짐 없는 정자세로 앉아 글자 가득한 모니터를 보며 타자를 치고 있었다. 이제 늦은 저녁 그가 실기실에 앉아 있는 것도 제법 익숙해졌다.

"너도 쉬어."

"할 일 많아요."

"그걸 누가 몰라. 쉬면서 하라는 거야."

"할 게 많은데 어떻게 쉬어요."

"계속 말 걸면 집중 안 돼서 쉬겠지 뭐."

"1850년대 영국, 나무가 오염되어 색이 어두워지자 흰 회색가지나방의 개체 수는 줄어들고 검은 회색가지나방이 번성했어요."

"하고자 하는 말이?"

"생명체는 외부 위협에 적응하는 본능이 있단 거예요."

"아……. 나는 오염 물질, 넌 가련한 나방? 날개 색 열심히 바꿔 봐. 응원할게."

"말로 응원할 게 아니라 입 다무는 게 절 돕는 길이겠죠."

추상우는 마치 맞는 말만 나오는 자판기 같았다. 재영은 이미 패배한 말싸움에서 도피하며 핸드폰을 들었다. 몇몇 메시지에 답장하고 좋아하는 밴드의 뮤직비디오를 틀었다. 유나나 성진과 있을 땐 늘 음악을 크게 틀어 놓고 작업했는데, 상우가 들어온 뒤로는 음악을 틀어 본 적이 없었다. 유나도 처음에는 몇 번 덤비더니 말싸움에서 번번이 장렬히 패배하고선 상우가 들어오면 한숨 쉬며 헤드폰을 집어 썼다. 오늘은 일찍 나가 버려서 그럴 일도 없었지만.

몽환적인 신디사이저, 쿵쿵 울리는 드럼 비트, 저음을 깔아 주는 베이스, 가슴을 뒤흔드는 일렉 기타, 그리고 나른한 보컬. 재영은 눈을 감고 음악에 빠져 있으면서도 반쯤은 '음악 끄세요'란 소리를 기다리고 있었다. 눈을 슬쩍 떠 보니 상우는 여전히 등을 꼿꼿하게 세우고 작업 중이었다.

"이거 마음에 드나 보네."

"아뇨. 별론데요."

"이 밴드 이름이 사…….”

"사이키델. 알아요."

"제목은 마…….”

"마그네틱 필드, 5집 앨범 일렉트리시티 8번 수록곡이죠. 알고 있으니까 조용히 하세요."

재영은 너무 놀라서 핸드폰을 떨어뜨렸다. 그가 가장 좋아하는 아티스트는 국내에서 인지도가 그다지 높지 않았다. 곡명이라면 몰라도 수록 앨범과 트랙 번호까지 알고 있다니. 말로는 별로라지만 세부 정보를 다 아는 걸 보면 상당한 소양의 리스너란 거다. 황당해하는 사이 재생 목록이 다음 곡으로 넘어갔다. 이번에는 잘 알려지지 않은 국내 인디 밴드였다.

"나팔수 2집 앨범 개소리, 12번 트랙, 사장을 자르고 회사를 집어삼킬 거야."

재영은 까만 볼캡을 1분간 멍하니 바라보았다.

'추상우가 나와 같은 취향이라니.'

믿기 어려운 일이었다. 재영은 떨리는 마음으로 다음 트랙을 틀었다.

"조치원 밴드 1집 앨범 적과 흑, 7번 트랙, 적색거성."

"와씨…… 야, 너 나랑 취향 진짜 비슷하구나. 소름 돋았어."

"전혀 아니니까 그딴 소리 하지도 마세요."

그렇게 틱틱거려 봤자 안 속는다. 트랙 넘버까지 알고 있다면 얼마나 자주 들은 거야. 재영은 신나서 트랙을 넘기고 또 넘겼다. 상우는 모르는 게 없었다. 해외 아티스트든 국내 아티스트든 어떤 장르든 척하면 척이었다. 음악을 들려주면 곡명을 알려 주는 애플리케이션보다 훨씬 정확했다.

재영은 트랙을 마구 넘기다 실수로 이상한 곳을 터치해서 요즘 유행하는 아이돌 음악을 틀어 버렸다. 이제까지는 음악을 튼 지 10초 안에 제목이 나왔는데 이번만은 잠잠했다.

"이건 몰라?"

"제가 그걸 어떻게 알아요?"

이 곡을 모르기도 어려울 텐데……. 참 이상한 일이었다. 재영은 약간의 위화감을 느끼며 혼란에 빠져들었다.

"선배, 강화 수류탄 꼭지에 테두리 빠졌어요. 수정하고서 옥수수도 다시 봐 주세요. 그리고 방금 15분 지났네요. 자리로 돌아오세요."

'저걸 확 그냥.'

재영은 5초 정도 버티다 몸을 일으켰다. 억지로 의자에 앉자 상우가 그를 힐끔 보았다가 다시 노트북으로 시선을 돌렸다.

'귀여운데 하나도 안 귀여워.'

재영은 그의 볼을 세게 꼬집어 줄 심산으로 손을 뻗었다가 금기 사항을 뒤늦게 떠올렸다. 이미 상우는 눈살을 찌푸리며 재영의 손을 노려보고 있었다. 재영은 손을 복잡하게 꼬며 공중에 손뼉을 쳤다.

"어이구? 여기 모기가……."

"4월인데 무슨 모기가 있어요."

"여기 있었어."

"손바닥 봐 봐요, 잡았나."

"어? 놓쳤어."

상우는 납득이 가지 않는다는 표정으로 다시 타자를 치기 시작했다. 전혀 알아볼 수 없는 언어가 빼곡히 적힌 모니터를 응시하는 그는 전지전능해 보였다. 재영은 턱을 괴고 상우를 멍하니 보다 한동안 아무것도 하지 못했다.

"너 게임은 왜 만드냐?"

문득 그런 질문을 하고서 때늦었다는 생각이 들었다. 처음부터 떠올렸어야 할 의문이었다.

추상우는 왜 게임을 만들려고 하는가. 콘텐츠에 관한 이해가 전혀 없는 녀석. 개발만 잘하지 그래픽이나 사운드 쪽으로는 센스가 전혀 없어 보인다. 게다가 성격상 협업도 안 맞고 즐기지도 않을 놈이 굳이 디자이너나 기획자 손이 많이 필요한 게임 제작이라니.

"좋아하니까요."

툭 나온 대답은 재영에게 약간의 충격을 주었다. 그가 별종이란 인상이 강하게 박혀 있다 보니 막연하게 취미도 좋아하는 것도 없으리라고 생각했다.

"입사하고 싶은 게임 회사가 있어요. 열다섯 살 때 그 회사에서 나온 게임을 처음 해 봤는데 너무 재미있어서 처음으로 밤을 새웠어요. 그때부터 꿈이 바뀌었어요. 제 손으로 그런 게임 만들고 싶어서 영어랑 게임 공부 따로 하고 있어요."

상우는 재영의 표정을 보더니 "아. 안 물어보셨죠?"라고 말하며 다시 모니터를 보았다. 재영은 웃으며 고개를 저었다.

"아냐. 너 방금 웬일로 멋있었는데. 그래서 그 게임이 뭔데?"

"〈스타 크래프트1〉이요."

추상우와 PC방 가면 〈스타〉는 절대 하지 말 것. 재영은 머릿속에 메모했다.

"게임 개발자 전에는 꿈이 뭐였는데?"

"굴착기 운전사요."

"……."

오늘 몇 가지 배웠다. 추상우가 단지 과제에 집착하는 기계 인간만은 아니며 음악도 즐기고 꿈도 있는 사람이란 걸. 상우의 눈빛에 욕심이 득시글거리는 모습은 처음 보았다.

"〈베지 벤처러〉의 성공을 발판 삼아 내년 하반기에 입사할 예정이에요."

"나한테 포트폴리오 어쩌고 하더니, 결국 네 포트폴리오였잖아?"

"누이 좋고 매부 좋고 아닌가요?"

그는 두 명이서 막장 스케줄로 막 만들기 시작한 게임을 이미 성공한 것처럼 여기고 있었다. 그런데도 무모함이라기보다 자신감으로 보이는 건 왜일까. 추상우의 꿈. 쉽지는 않겠지만 그러면 불가능하지도 않을 거란 근거 없는 생각이 들었다. 기특하다는 기분이 들 땐 하고 싶어지는 행동이 있다.

"야."

"네."

"머리 쓰다듬어도 돼? 1분 뒤에."

상우는 한참 동안 대답하지 않았다. 단칼에 거절하지 않는 게 낯설게 느껴졌다. 재영은 충분히 기다렸지만 대답은 없었다.

"싫음 말고."

덧붙이자 상우가 목을 긁으며 말했다.

"그렇게까지 싫진 않아요. 미리 말만 하면요."

처음에 비하면 엄청나게 말랑말랑해졌다. 재영은 당장이라도 까만 모자로 손을 뻗고 싶은 기분을 억눌렀다.

"마음의 준비가 필요해?"

"전 그래요. 준비되지 않은 건 다 싫어해요."

"수업 중인데 갑자기 할머니가 너 보고 싶어서 집 앞에 찾아오셨다고 전화하면 어떻게 할 거야?"

"수업 중에 핸드폰 보지 않아요. 그리고 할머니 두 분 다 돌아가셨어요."

"미안. 그러면 예시를 바꿔서…… 라면을 끓였는데 스프가 없다면?"

"조리법에 적힌 재료가 모두 있는지 확인하고 시작해서 그럴 일 없어요."

"그러고 보니 너 라면 잘 끓이더라."

"라면을 어떻게 못 끓일 수 있어요? 두 손과 조리법을 읽을 정도의 지성만 있으면 누구나 할 수 있잖아요."

"아냐. 그래도 맛없게 끓이는 사람이 얼마나 많은데…… 아, 시간 됐다."

재영은 주저 없이 손을 뻗어 상우의 모자 위를 쓰다듬었다. 부가적인 절차를 거쳐 성사한 행위는 그만한 만족감이 있었다. 마음 같아선 어깨동무까지 하고 싶었지만 오늘은 여기까지만.

"내가 서포트해 줄게. 네가 꿈에 다가갈 수 있도록."

속삭이듯 내뱉은 말은 부드럽게 나오지 않았다. 진심이 너무 많이 섞여서인가, 목소리도 조금 갈라졌다.

"나 잘해 볼 마음이 생겼어."

상우는 아무 말도 못 들은 것처럼 가만히 앉아 눈만 깜빡거렸다. 2초 뒤, 그가 머리를 흔들어 재영의 손을 치워 냈다.

"그 정도만 하세요."

상우는 갑자기 노트북을 덮으며 부산하게 짐을 쌌다. 옆얼굴만 보고 있은 지 3분째. 정면은 안 보여 주려나 보다. 시계를 보니 아직 9시 반밖에 되지 않았다.

'어제는 10시에 갔는데…….'

챙겨 온 소지품을 모두 배낭에 집어넣은 상우는 벌떡 일어서서 걸었다. 마치 방에 다른 사람이 없다는 듯한 태도였다. 상우는 문 앞에서 멈춰 섰다. 그리고 문을 바라보는 자세 그대로 말했다.

"저 가요. 다음 미팅 때 뵐게요."

'저놈의 다음 미팅. 그냥 내일이라고 하라니까.'

"어……. 잘 가라."

재영은 상우의 뒤통수에 대고 중얼거렸다. 잠시 후 철문이 쾅 닫히는 소리가 났다.

재영은 손바닥으로 얼굴을 쓸어내리고서 천장을 물끄러미 보았다. 또 괜한 짓을 한 건가. 스킨십이라면 치를 떠는 애한테 굳이 그렇게 해야만 했나. 그렇다고 해도, 추상우의 반응은 불편함이라고만 설명하기엔 어딘가 이상했다.

"담배 땡기네."

설명할 수 없는 짙은 위화감이 재영의 머리를 지배하고 있었다. 재영은 상우를 더욱 기민하게 관찰할 필요성을 느꼈다.

⌘W

사건 일지 〈추상우 관찰 일기〉

(1)

4/9 화요일, 실기실 입성 5일 차

실기실 입장 시간 18:31 / 실기실 퇴장 시간 22:00

*주요 장면 발췌: 최유나 vs 추상우

"야, 추상추."

"남의 이름 마음대로 바꿔 부르지 마세요."

"넌 왜 내가 음악 틀 때마다 지랄하면서 장재영이 틀면 아무 말도 안 해?"

유나가 매서운 선공을 날렸다.

"재영 선배는 휴식 시간에 평균 9분 정도만 플레이하기 때문에 휴식을 보장하는 차원에서 참는 거예요. 음악 플레이어를 24시간 작동해 놓는 누구와 상황이 다르잖아요. 귀가할 때 음소거라도 좀 하세요. 헤드폰이 불쌍해요."

"……"

추상우, 방패로 상대 린치. 최유나, KO패

*주목할 만한 점: 변호 자청, 호칭 (실명 언급)

*소견: 크게 이상 없음

(2)

4/10 수요일, 실기실 입성 6일 차

실기실 입장 시간 18:31 / 실기실 퇴장 시간 22:00

*주요 장면 발췌: 추상우가 가장 화난 순간

"나 이렇게 막 굴리다가 진짜 모니터 창밖으로 던지는 수가 있다."

"선배는 분노 조절 장애 치료 좀 받으셔야 할 것 같아요."

상우는 농담과 진담을 잘 구분하지 못했다.

"넌 살면서 제일 화났을 때가 언제냐? 세 가지만 말해 봐."

재영은 휴식 시간이 끝나가는 것을 알아채고 일부러 화젯거리를 던졌다. 상우는 질문을 받으면 반드시 대답하는 속성이 있었으니까. 아니나 다를까, 그는 천장을 바라보며 생각에 잠겼다.

"음……. 선배가 영화 보자고 했을 때요."

"그게 살면서 제일 열 받았던 때라고?"

살면서 위기가 없었던 건가, 아니면 영화 보자고 한 게 그 정도로 충격적이었던 건가.

"네. 둘째는…… 이번 학기 '임베디드 시스템' 첫 시간에 화장실에서 얼굴 씻던 순간이요."

얼씨구, 1위에 이어 2위까지 차지. 재영은 제 무덤을 팠다는 생각에 침묵했다.

"셋째는 초등학교 6학년 원주율 암기 대회 때예요."

"왜? 1등 못 해서?"

"1등 했는데요."

"그럼 왜?"

"622자리밖에 못 외운 제 자신이 너무 싫었어요. 그 뒤로 노력해서 1024자리까지 외우긴 했는데, 더 하는 건 시간 낭비 같아서 그만뒀어요."

"너도 어지간하다, 진짜."

*주목할 만한 점: 대상에게 부정적인 기억으로 각인되었음을 재확인

*소견: 크게 이상 없음

(3)
4/11 목요일, 실기실 입성 7일 차
실기실 입장 시간 18:31 / 실기실 퇴장 시간 20:25
*주요 장면 발췌: 플래티넘과 다이아몬드
캐릭터, 아이템, 이펙트, 맵, 월드 UI까지 끝낸 시점이었다. 아직 완성해야 할 UI 페이지가 많이 남았지만 큰 줄기를 일단락한 피로감과 성취감에 쉬고 싶어지는 게 당연했다. 재영은 되든 안 되든 떼를 썼다.

"자료 조사하러 가자."

"구체적으로 말해 보세요."

"이미 성공을 거둔 타사 게임의 타격감과 액션을 체험하고 장단점을 분석하며 토론해 보자는 거야. 예술적 영감을 받고 대중적 성공에 관해 고찰하는 한편, 작업자 간의 돈독한 유대감을 다지며 스트레스 푸는 건 덤이지."

상우는 무슨 말인지 모르겠다는 듯 한참 동안 앉아 있었다.

"게임 하자고요?"

'새끼, 눈치가 빨라졌어.'

"2시간만 하고 오자. 밀린 거 내일 다 해 놓을게. 약속."

"믿어도 돼요?"

"당연하지. 나 못 믿어?"

끈질긴 설득에 상우는 자료 조사가 필요하다고 믿게 되었는

데……. 사실 재영에게는 속셈이 있었다. 그는 웬만한 게임은 일반적인 수준보다 훨씬 잘하는 편이어서 캐리 역할에 익숙했다. 사람들은 늘 재영과 같은 편을 먹고 싶어 했고 덕분에 그는 어깨에 힘 좀 주고 다녔다. 즉, 스케이트보드로도 취할 수 없었던 추상우의 존경심을 게임 실력으로 얻어 보려는 술수였던 것이다.

그들은 상우가 알바하는 PC방을 찾았다. 사장은 상우가 손님으로 온 적은 처음이라고 기뻐하며 음료수를 공짜로 주었다.

"뭐 할래?"

"선배 하고 싶은 거 하세요. 전 시중에 출시된 온라인 게임 다 할 줄 알아요."

"요즘 많이 하는 거……. 배그? 옵치? 롤? 뭘 제일 잘해?"

"배틀 그라운드랑 오버워치는 괜찮게 해요. 리그 오브 레전드는 그렇게 잘하지는 못해요. 한 지도 오래됐고."

"그럼 그거 하자."

농담이었는데 상우는 "그러세요."라고 쿨하게 대답하며 게임 아이콘을 더블 클릭했다.

재영은 화려한 콤보를 활용하고 데미지가 강한 암살자 캐릭터를 선택했다. 반면 상우는 못생긴 유틸형 탱커를 골랐다.

상우는 게임이 시작하기를 기다리는 동안 게임 정보 사이트에서 새로 나온 캐릭터들의 스킬 셋과 템 빌드를 꼼꼼하게 확인했다. 웹툰을 보던 재영은 게임 로딩창이 뜬 순간 경악하고 말았다.

'잘하진 못한다면서, 다이아 테두리?'

지난 시즌에 상위 1~2% 안에 드는 최상위 랭커였다는 의미였다. 평소 플래티넘이라고 으스대고 다니던 재영은 식은땀을 흘렸다.

나쁜 예감은 게임에 그대로 반영되었다. 상우는 동물적인 감과 피

지컬에 의존하는 재영과 달리 적의 동선과 스킬 쿨을 철저히 계산해서 승리를 이끌어 내는 타입이었다.

"스킬 데미지 계산이 안 돼요?"

"상대 스펠 쿨타임 안 재요?"

"제가 갱을 간다고 했으면 딜교해서 적 이동기를 빼 놔야죠."

"게임 중반인데 cs가 왜 그 모양이에요?"

"킬각이 아니면 좀 사려요."

그는 2시간 내내 화 한 번 내지 않고 대단히 차분한 목소리로 재영을 비난했다. 평소 재영이 보이곤 하던 슈퍼 플레이는 이상하게도 상우 앞에서 무리한 시도로 끝나 버렸고 직감을 앞세운 감각적 운영은 계산 없는 미숙함처럼 보였다. 결과적으로 기분 전환하러 외출한 보람도 없이 실기실에 있는 것과 분위기가 비슷하게 흘러갔다.

앞으로 추상우한테 〈배그〉, 〈옵치〉, 〈롤〉, 〈스타〉로는 덤비지 말 것. 재영은 머릿속에 메모해 두었다.

'에라이, 카트라이더나 해야겠네.'

*주목할 만한 점: 게임 천재 추상우

*소견: 크게 이상 없음

(4)

4/12 금요일, 실기실 입성 8일 차

실기실 입장 시간 18:31 / 실기실 퇴장 시간 22:02

*주요 장면 발췌: ㎃ ㎃

9시 반쯤 된 시점이었다. 스테이터스와 인벤토리, 스킬 페이지까지 완성한 재영은 녹초가 되어 있었다. 그는 15분 동안 쉰다고 간이 침대에 누웠다가 잠깐 졸았다.

"선배, 저 갈 시간 됐어요."

그러다 상우의 목소리에 깼지만 졸음에 취해서 일부러 눈을 뜨지 않았다. 재영은 상우에게 잘 가란 인사도 못 할 만큼 나른한 기분에 휩싸여 있었다. 잠시 후에 책상 쪽에서는 짐 싸는 소리가 났다.

"일어나요. 오늘 내에 룰렛이랑 타이틀 끝내기로 했잖아요."

딱딱하지만 어쩐지 듣기 좋은 목소리가 멀리서 들렸다.

"자요?"

그리고 그가 물었다. 재영은 대답하지 않았다.

"선배, 자요?"

같은 물음. 그러나 목소리는 약간 가까워졌다.

"진짜…… 자요?"

목소리가 지척으로 다가왔다. 뭘까, 또 얼굴에 낙서하려고 그러나? 재영은 갑자기 일어나며 상우를 놀라게 하려는 심산으로 눈을 감고 자는 척했다.

"진짜 자는 거 맞죠, 형……."

형.

그 한마디에 원래 장난이나 치려고 했던 재영은 일어날 수 없게 되었다. 침묵, 마비, 슬로우, 석화, 시간 정지, 혼란. 상태 이상이란 상태 이상은 죄다 걸린 듯했다. 깜깜한 시야 너머로 상우가 쭈그리고 앉아 자신의 얼굴을 뜯어보는 것이 느껴졌다.

"진짜죠?"

목소리가 코앞에서 들렸다. 더운 숨이 눈꺼풀에 부딪혔다. 이마에 상우의 손끝이 스쳤다. 곧 손가락이 머리카락을 만지작거렸다. 이게 무슨 상황일까. 재영은 숨이 가빠졌지만 눈을 감은 채 차분하게 연기력을 발휘했다.

견디기 어려운 시간이 계속되었다. 재영은 더 버텼다가는 얼굴에 경련이 날 것 같아서 몸을 뒤척이는 척하며 돌아눕기로 결심했다. 그때 입술에 부드러운 '무언가'가 닿았다.

눈을 뜨지 않기 위해선 안간힘을 써야 했다. 재영은 초인적인 힘으로 평정심을 유지했다.

곧 '무언가'가 입술에서 떨어졌다. 눈을 떴을 땐 추상우의 뒷모습이 문 사이로 사라지고 있었다.

＊주목할 만한 점: ㅁㄴㅇ뮤ㅔㅂㅈ런뮤ㅓ씨발누굴죽이려고

＊소견: ※뚜렷한 이상 징후 감지※

⌘W

"먹고 싶은 거 있어?"

"아뇨."

"오코노미야키랑 모둠 어묵, 소주 두 병 주세요."

재영이 메뉴판을 접어서 내밀자 종업원이 받고서 병풍 뒤로 사라졌다.

토요일 밤, 방해받지 않고 이야기할 만한 조용한 일본식 선술집 구석 자리. 재영은 알바 끝나고 귀가하는 상우를 납치해 온 참이었다. 전날 일어난 일 때문에 온종일 일이 손에 잡히지 않았다. 잠결에 헷갈린 게 아니라면 추상우가 몰래 뽀뽀하고 튀었다는 건데, 도저히 이해가 되지 않았다.

틀과 관습을 벗어나지 않는 추상우가 무성애자라면 몰라도 게이일 리 없단 짐작은 둘째 치고, 멀뚱멀뚱 저를 바라보는 시선은 무덤덤하기만 했다. 저게 사랑에 빠진 사람의 눈빛이라고 믿느니 차라리 너무 졸려서 헛것을 느꼈다는 설명이 맞아 들겠다.

"갑자기 웬 술이에요?"

"같이 작업한 지도 2주가 넘었잖아. 회식할 때 됐지."

"뭐……. 그래요."

그 말을 마지막으로 한참 동안 침묵만 흘렀다. 이제 재영은 상우를 앞에 앉혀 놓고도 아무렇지 않을 자신이 없었다. 상우가 의도했든 의도하지 않았든 2주간 공격을 너무 많이 당해서 그의 성벽은 허물어지고 해자는 메워졌다. 이 위화감의 종착지가 어디인지 확인할 필요가 있었다. 그래서 이런 자리를 마련했다.

스피커에선 재영이 좋아하는 일렉트로닉 음악이 작게 흘러나왔고 상우는 천장을 보고 있었다. 재영은 눈으로 그의 목을 몇 초간 훑다가 의식적으로 고개를 돌렸다.

조금 기다리자 종업원이 소주와 기본 안주를 들고 나타났다. 술자리 한 번 안 가 봤을 것 같은 상우는 병을 자연스럽게 집어 흔들더니 뚜껑을 땄다. 재영은 조금 떨리는 마음으로 상우가 따라 주는 술을 받았다.

술 따르는 법의 정석이었다. 오른손으로 따르고 왼손으로는 손목을 받친다. 술잔을 쥘 때는 손바닥으로 상표를 가려야 한다는, 술자리에서 떠도는 잡설까지도 지킨 완벽한 예절.

"그거 누구한테 배웠어?"

"어머니요. 모르면 손해 볼 수도 있다고 성인이 되자마자 가르쳐 주셨어요."

이번에는 재영의 차례였다. 상우가 잔을 들고 반대 손으로 손목을 받쳤다. 대학교 형 동생 사이에 뭘 그렇게까지 하나 싶었지만 입 밖으로 내지 않았다. 규칙을 지켜야 만족하는 그 습성을 이제 잘 아니까. 맑은 액체가 소주잔을 가득 채웠다.

술잔이 부딪치고 그들은 동시에 잔을 비웠다. 재영은 삶은 완두콩을 몇 개 집어 먹고서 아무렇지 않은 표정으로 앉아 있는 상우를 물끄러미 보았다. 할 말이 없어서 두 잔을 채웠다. 그리고 또 한 번, 술이 목으로 넘어갔다.

"너 잘 마시네."

"아세트알데히드 분해 효소가 활발하게 작용하는 편이에요."

"술은 입에도 안 대는 줄 알았는데."

"왜요?"

"신입생 MT 때, 안 마신다고 버렸잖아."

상우가 재영의 잔을 채우며 의아하다는 표정을 지었다. 재영은 술병을 받아 그의 빈 잔을 채우며 이어 말했다.

"나도 그 자리에 있었어."

"아, 그때 좀 피곤한 일이 벌어졌는데. 다 봤어요?"

"당연하지. 네 핸드폰 던진 사람이 난데."

"그때 핸드폰 모서리가 깨졌거든요. 그 새끼, 재물손괴죄로 신고하려다 신원 확인이 안 돼서 관뒀는데……."

재영은 피식 웃고 완두콩 몇 개를 더 집어 먹었다.

"그때 내가 너네 과대 안 막았으면 너 못 빠져나갔을걸?"

"이제 와서 고맙다는 소리라도 듣고 싶은 거예요?"

'새끼, 여전해.'

상우를 처음 봤을 때만 해도 저런 소리를 들으면 열이 받았는데 이제 그렇지도 않았다.

"바보 아냐? 너 코딩 천재라며. 아, 기계라서 사람 심리는 잘 모르나?"

전에 했던 말을 똑같이 하자 상우의 입가에도 웃음이 번졌다. 반쯤 보이던 눈동자가 휘어진 눈꺼풀 속으로 사라졌다.

'존나 귀엽네.'

재영은 눈을 감으며 술을 삼켰다.

"그때 말고도 너 본 적 많아."

"또 언제 있어요?"

"몇 년 전에 같은 수업 들었고."

"정말요?"

"어. 네가 편의점 앞에서 돈 뜯어 가려던 일도 있었고…… 축제 때 너 인터뷰하려다 물먹은 적도 있고."

상우는 전부 처음 듣는 이야기라는 표정으로 술잔을 비웠다. 그때 종업원이 꼬치 어묵을 끓인 탕과 먹음직스러운 오코노미야키를 들고 왔다. 커다란 접시 위에서 가쓰오부시가 오그라들었다.

"나는 너 안 지 오래됐어. 너야 한참 동안 나 못 알아보고 이름도 못 외웠지만."

"제가 그랬나요."

"김영재라고 불렀잖아. 다시 생각해도 어이가 없네."

재영은 꼬치를 하나 들고 어묵을 베어 물었다. 상우는 잠시 동안 가만히 있다가 같은 행동을 했다. 그들은 한동안 대화 없이 음식을 먹고 술병을 비웠으며 더 주문했다.

"군대에 김영재라는 선임이 있었는데 선배처럼 짜증 나는 부류였어요. 그래서 헷갈렸나 봐요."

상우는 아픈 기억을 아무렇지 않게 후벼 팠다. 그러나 그 덕에 평소에 궁금했던 화제로 넘어갈 수 있었다.

"군대 어디서 나왔어?"

"고양시요. 포병이었어요."

"아, 천마 포병 여단. 거기 빡세다고 들었는데?"

"전 괜찮았는데요."

재영은 막연히 상우가 군대에 적응 못 하고 겉도는 관심 병사였으리라고 짐작했다. 그래서 그가 군대 얘기를 아무렇지 않게 하는 게 뜻밖이었다.

"군 생활 어땠어? 괴롭히는 사람은 김—영—재 씨밖에 없었고?"

"그 새끼, 저 일병 달면서 다른 부대로 전출돼서 그때부터 편하게 지냈어요."

"왜 전출됐어?"

"귀찮게 굴면서 일 시키고 못 쉬게 할 땐 참았는데, 자꾸 머리를 때려서요. 소원 수리함에 적었는데도 해결 안 돼서 중대장님한테 얘기하고, 그래도 해결이 안 돼서 헌병대에 신고했어요."

'무서운 새끼.'

"다른 애들하고는 안 싸웠어?"

"해야 할 때가 아니면 아예 말을 안 했어요. 군대가 그런 곳이잖아요."

"힘든 건 없었고?"

"괜찮았어요. 남는 시간에 공부도 많이 했고. 사격 만발이랑 전투력 측정 우수자, 특급 전사, 모범 병사, 분대장 포상 받았어요. 아버지는 제가 군대 체질이래요."

'이런 미친.'

하긴, 상우라면 신체적인 괴로움을 잘 참아 낼 것 같았다. 재영은 반대로 군대에서 몹시 힘들었다. 아침에 일찍 기상하는 것부터 매일 쓸데없이 총 닦는 것, 머리 스타일 제재, 옷 제재, 감금, 개밥 같은 식사, 각개 전투, 행군, 아무튼 모든 좆같은 근무, 모조리 다 싫었다. 물리적인 것만 그 정도고 썩어 빠진 문화까지 가면 답도 없다. 그런데도 보직 때문에 아닌 척, 애들 겁주면서 소리 빽빽 질러야 했다.

"난 훈련소 조교였어."

"음……. 선배가 남의 정신 상태를 교육할 상황은 아니잖아요?"

"나도 그렇게 생각해. 키 크다고 차출 당한 거야."

"신병들이 우습게 봤죠?"

"성질 더러운 독사 조교로 유명했어, 새꺄."

"에이, 거짓말하지 마요."

"날 이렇게 하찮게 보는 사람 너밖에 없거든?"

상우는 잠시 동안 말을 아꼈다.

"그렇게 많이 하찮진 않아요."

침묵이 감돌았다. 둘은 말없이 술잔을 비웠다. 빠르게 원샷 하길 반복하다 보니 어느덧 빈 병이 네 개나 되었다. 재영은 알딸딸한 상태로 눈을 깜빡거렸다. 상우가 술잔을 들더니 고개를 살짝 옆으로 꺾고 술을 입에 털어 넣었다. 여전히 흐트러짐 없는 모습이었다.

'왜 섹시하냐…….'

정신 차려, 쟤 남자야. 속으로 아무리 외쳐도, 눈을 비비고 다시 봐도 마찬가지였다. 볼에는 홍조가 약간 깃들었고 입술은 유난히 붉게 보였다. 재영의 끈적끈적한 시선이 상우의 목을 타고 내려가 체크무늬 남방을 훑었다. 상우가 새 술병을 따려고 힘을 주자 소매를 걷어 올려서 드러난 팔뚝에 근육이 잡혔다. 유난히 흰 팔목을 비틀자 푸른 정맥이 도드라져 보였다.

'이러다 코피 나겠네, 쌍.'

손바닥으로 얼굴을 쓸자 술기운 때문만은 아닐 열기가 살갗을 통해 전해졌다.

"추천 게임……. 야자 타임."

재영은 상우의 중얼거림에 고개를 들었다. 그가 벽을 가리키고 있었다. 재영은 고개를 뒤로 돌려 벽에 붙은 벽보를 보았다. 술자리 추천 게임을 정리해 놓은 글에 왕 게임, 손가락 접기 게임, 이미지 게임, 그리고 야자 타임 설명이 적혀 있었다. 재영은 천천히 뒤돌아 흔치 않게 흥미로 반짝이는 상우의 눈을 마주했다.

"해 보고 싶어?"

"네."

"쌓인 게 얼마나 많길래."

상우는 대답 없이 그를 빤히 바라보았다. 못할 것도 없었다. 재영은 그 제안을 흔쾌히 수락했다. "어디 한번 해 봐."라는 말이 떨어지자마자 상우가 이름을 불렀다.

"장재영."

눈빛에 약간의 독기가 보이는 것도 같았다. 그런데 왜 이렇게 심장이 떨릴까. 재영은 그에게 맞춰 주기 위해 의자를 식탁에 바싹 당겨 앉으며 두 손을 모았다.

"네, 형. 부르셨어요?"

상우는 멈칫거리더니 헛기침을 몇 번 했다. 그는 다시 재영을 바라보며 말했다.

"너…… 내 지적을 장난으로 받아들이면 곤란해."

"장난이라뇨, 다 새겨듣고 있어요."

"그런데 왜 자꾸 같은 실수를 반복할까?"

"주의할게요, 형."

"네 키보드는 언더 바가 부러졌냐? 영어도 잘하는 놈이 오탈자는 왜 자꾸 내? 어려운 일 아니잖아. 신경 좀 쓰자, 어?"

'술자리까지 일 얘기를 끌고 와요, 징한 새끼.'

재영은 어묵 꼬치를 하나 집어 상우의 입에 밀어 넣었다.

"이거 드세요, 형."

상우는 어묵을 열심히 씹어 삼키고 말을 이었다.

"그리고…… 너 자꾸 은근슬쩍 넘어가려고 하는데, 스케줄대로 안 해서 일정 밀리고 있잖아."

"하다 보면 그럴 수도 있죠. 좀 봐주세요. 제가 책임지고 나중에 다 해 놓을게요."

"말로만?"

"아니에요. 오늘도 작업하다 왔어요."

뻥이었다. 오늘 재영은 상우를 신경 쓰느라 아무것도 하지 못했다. 하지만 언젠가 몰아서 할 자신이 있는 건 사실이었다.

"저 혼내려고 야자 타임 하자고 하셨구나, 우리 상우 형께서."

상우가 얼굴을 찌푸렸다. 재영은 얼른 오코노미야키를 숟가락으로 푹 떠서 그의 입에 밀어 넣었다. 일견 멀쩡해 보였지만 이렇게 보니 그도 취한 것 같았다. 눈도 살짝 풀렸고 안주를 얌전히 받아먹는 모양새가 야무지다 못해 기계 같은 평소 모습과 거리가 멀었다.

"너한테 존댓말 듣고 싶어서 그랬지, 이 싸가지 없는 놈아."

"아. 그러셨어요, 형? 한잔 드세요."

재영은 상우의 술잔을 들어 그의 입술에 갖다 댔다. 상우는 잘 받아 마셨다. 그는 입에 든 것을 다 삼키더니 손가락으로 재영을 가리켰다.

"야, 장재영."

"네. 말씀하세요."

"너 또라이인 거…… 알지?"

"그럼요. 잘 알죠."

상우는 코웃음을 치더니 팔짱 끼고 뒤로 기대앉았다.

"미—이—친 새끼. 남의 얼굴에 낙서나 하고."

"그럼요. 제가 죽일 새끼죠. 감히 형님 용안에, 왜 그랬을까."

"음료수를 사재기하질 않나……. 그거 매점매석이야. 허생전, 알아?"

"그럼요. 소비자 권익 연대에 신고할 만한 일이죠. 반성하고 있습니다."

"이 쓰레기 같은……."

"제가 바로 재활용도 안 되는 인간쓰레기입니다. 무릎이라도 꿇을까요?"

의자에 기대 있던 상우가 돌연 상체를 일으켰다. 그는 팔을 포개어 식탁에 올려놓은 채, 턱을 그 위에 얹었다. 팔꿈치 때문에 오코노미야키 접시가 옆으로 밀려났다. 재영이 재빨리 잡지 않았으면 땅에 떨어졌을 것이다.

재영 또한 식탁에 바싹 붙어 앉은 상태였기에 둘의 얼굴이 몹시 가까웠다. 모자의 챙이 이마에 닿을락 말락 했다. 재영은 자세를 낮추어 상우처럼 팔에 턱을 댔다. 챙에 가렸던 눈이 드러나자 가슴이 더 빠르게 뛰었다. 상우가 눈을 깜빡거릴 때마다 눈꺼풀에 빽빽하게 난 속눈썹이 오르락내리락했다. 그의 입술이 천천히 움직였다.

"너는…… 못생겼으면 답도 없었어."

"얼굴까지 못났으면 저 같은 인간 말종은 나가 죽어야죠."

"알긴 아네."

술기운에 초점이 약간 풀린 눈이 재영의 얼굴을 샅샅이 뜯어보았다. 그 눈빛이 닿는 곳은 어디든 뜨거워지는 것 같았다. 이마에 머물던 상우의 시선이 코로 향했고 귀, 목, 턱을 거쳐 입술에 떨어졌다. 상우의 눈이 가늘어졌다. 그가 입을 달싹거리는 걸 재영은 놓치지 않았다.

"얼굴 뚫어지겠어요, 상우 형."

상우의 눈이 더 가늘어져 이제는 거의 감고 있는 것처럼 보였다. 그는 눈을 피하며 소주병을 들어 재영의 잔을 채웠다. 재영은 술잔을 받아 단번에 비우고서 말했다.

"저 잘생겼어요?"

상우는 못 들은 척 재영의 잔을 다시 채웠다. 재영은 대답 대신 돌아온 술잔을 주저 없이 원샷 했다.

"저…… 잘생겼어요, 형?"

재영은 느릿하게 말하며 상우의 까만 눈을 똑바로 들여다보았다. 작게 뜬 눈에는 평소처럼 날카롭다는 느낌이 전혀 없었다.

'넌 무슨 생각을 하고 있을까. 내 짐작대로라면 나를 원하고 있을 텐데.'

이윽고 상우가 작게 대답했다.

"네."

재영은 천천히 눈을 깜빡였다. 심장부에서 퍼져 나가던 간질간질한 느낌은 어느새 전신을 지배하고 있었다. 이 관계의 위험성을 확실히 살피려던 목적은 퇴색되었다. 재영은 술을 꽤 마셨다. 그래서인지 이젠 한 가지 생각밖에는 들지 않았다.

식탁에 손을 짚고 몸을 일으켰다. 몸이 살짝 휘청거렸지만 중심을 잡았다. 그들 사이를 방해하는 테이블을 옆으로 밀고 상우에게 한 발짝 다가갔다. 상우가 고개를 꺾고 올려다보는 바람에 얼굴이 잘 내려다보였다.

"상우야."

"왜요?"

"벗겨도 돼?"

"……."

저 얼굴이 빨간 게 그저 술기운 때문일까. 위화감은 '아니다'라고 확신했다.

"무슨 생각 했어? 모자 얘기야."

허락 없이 검은 볼캡을 들어올렸다. 상우의 당황한 표정을 보니 가슴 속에 쾌감이 차올랐다. 안경만 벗으면 몰라보게 변하는 만화 주인공도 아니고, 이게 뭐라고. 그저 머리가 눌린 남자애일 뿐이라고 이성은 그리 외쳤지만 재영은 듣고 있지 않았다.

유독 새까만 눈과 흰 피부의 대비가 강렬해 보이기만 했다. 단정하면서도 흐트러진 모습. 더는 무덤덤하지 않은 눈빛. 술과 감정으로 왜곡되었을 필터를 씌운 추상우는 음란한 판타지를 불러일으키는 인큐버스나 다름없었다.

"오늘은 화 안 내?"

재영의 목소리는 평소보다 허스키했다. 요즘은 추상우 앞에만 서면 마음대로 컨트롤되는 게 없었다. 목소리든, 표정이든, 좆대가리든, 뭐든.

"내놔요."

치켜뜬 눈, 부끄러운 듯 앞머리를 만지작거리는 손. 네가 그런 표정으로 있는데 내가 모자를 순순히 돌려줄 리 없잖아.

"내놓으라니까요."

"싫다면 어쩔 건데?"

"내놓으라고 했잖아."

"어, 또 화낸다."

"이 새끼는 장난의 정도를 몰라!"

상우가 벌떡 일어났다. 그는 크지도 작지도 않은, 보기 좋은 평균
신장이었다. 재영은 그런 상우가 자신의 눈을 맞추려면 고개를 들어
야 한다는 사실이, 또한 위에서 비스듬히 내려다본 그의 얼굴이 좋
았다. 재영의 가슴이 들뜬 숨으로 오르락내리락거렸다.

그는 상우가 모자로 손을 뻗기를 기다렸다가, 그 순간이 오자 손
목을 단단히 그러쥐고 잡아당겼다. 한 뼘쯤 되는 거리에서 혼란스러
워 보이는 까만 눈동자를 바라보았다. 상우는 시선을 피하며 바닥을
노려보았다.

"씨발."

상우가 욕하는 것은 처음 들었다. 그의 음성도 재영의 것처럼 낮
게 잠겨 있었다.

"너 뭐라고 했어?"

"형한데 한 서 아니에요."

상우는 지지 않겠다는 듯 눈에 힘을 주더니 재영을 노려보았다.
재영은 가만히 숨을 몰아쉬었다. 그에게 손대고 싶어서, 만지고 싶
어서, 견디기 어려웠다.

"상우야."

"네."

재영의 오른손이 천천히 들렸다. 종착지는 상우의 볼이었다. 엄지
가 그의 광대뼈를 부드럽게 쓰다듬었다. 상우가 덜덜 떨고 있는 것
이 살갗을 통해 느껴졌다.

"경고하는데…… 형이라고 부르지 마."

"네."

"한 번만 더 그렇게 부르면……."

"형."

재영의 손에 힘이 들어갔다. 상우는 이번엔 눈을 피하지 않았다.

"존나 잘생겼어요."

재영은 심장이 떨어지는 기분을 느끼며 입술을 깨물었다. 그의 손이 늘 바라보기만 했던 목을 찾아 뱀처럼 움직였다. 뜨겁게 달아오른 목덜미를 감싸고 제 쪽으로 조금 끌어당기다, 이마끼리 맞닿기 직전에 멈추었다.

달뜬 얼굴이 눈앞에 있었다. 부끄러운 티도 없이 새카만 시선이 자신을 향해 있었다. 재영을 제재해 줄 이성은 힘이 너무 약했다. 그래도 다행히 상대가 누구인지 잊지는 않았다.

"예고. 1분 뒤 키스할 거야."

잊지 않은 마지막 규칙. 속마음과 동떨어진 형식적인 매너.

"도망가려면 지금 가."

숨이 거칠었다. 내쉴 때마다 입에서 신음에 가까운 소리가 났다. 맞닿은 살갗이 뜨겁게만 느껴졌다. 주변이 화르르 불타는 것만 같았다. 재영을 빤히 응시하던 눈이 깜빡거렸다. 넋을 잃고 그 모습을 보는데, 상우가 붙들리지 않은 손으로 재영의 가슴팍을 붙잡았다. 옷을 아무렇게나 쥐며 제 쪽으로 끌고 갔다.

'아직 48초 남았는데…….'

상우의 눈이 스르르 감기며 그의 입술이 전날처럼 재영의 것에 맞닿았다.

툭. 퓨즈가 끊어졌다. 재영은 상우의 뒷목을 휘감아 끌어당기며 고개를 비스듬히 틀어 그의 입술을 집어삼켰다. 입 속으로 불쑥 혀가 들어오길래 놀라면서도 같은 방식으로 대응했다.

그때부터 아무것도 보거나 듣지 못했다. 다만 두 입술이 포개지고 혀가 얽히며 숨이 뒤섞이는 감각만 생생하게 느껴졌을 뿐이다. 뜨거운 쾌감은 전혀 정제되지 않았다. 야만적이고 거칠었으며, 심한 갈증이 빠르게 채워지지 않아 오히려 고통스러웠다. 열기가 손에 잡히는 것만 같았다.

로맨틱함과 거리가 먼 키스에 기승전결은 없었다. 처음부터 끝까지 절정뿐이었으니까. 그래서인지 끝날 때도 급하게 떨어졌다. 소매로 입술을 닦는 상우는 숨을 헐떡거리고 있었다. 재영은 벽에 등과 뒤통수를 기대고 숨을 골랐다.

'씨발, 잡아먹힐 뻔했어.'

정말로, 심장이 멎어 버리는 줄 알았다.

〈101〉

⟨101⟩

'같이 게임 만들어요. 실력 있는 디자이너가 필요해요.'

'그……래. 알겠어.'

작전은 성공했다.

상우는 두 마리 토끼를 한꺼번에 잡은 셈이었다. 학교에서 가장 실력 있는 디자이너를 구한 동시에 장재영을 다시 생활에 편입했다. 생각할 수 있는 최고의 전개였다. 예상한 대로 흘러간다면 이제 게임 제작을 다시 진행하는 한편, 이상 행동도 제어할 수 있으리라.

어느 정도 유효한 진단이었다. 재영이 사라지면서 생긴 자잘한 문제들은 그를 주기적으로 보기 시작하면서 조금씩 사라졌으니까. 수업에 다시 집중하며 쾌적한 도서관에서 몇 시간씩 공부하는 나날이 돌아왔다. 상우는 오후 4시까지 학업에 썼으며 그 외 시간은 모조리 게임 개발에 투자했다.

오후에 미팅이 있다는 이유로 오전 시간이 활기찼다. 상우는 늘 약간 괜찮은 기분으로 각성된 상태였다. 그러다 미팅 시간이 가까워질수록 기분이 점점 나빠지다가, 30분 정도 남으면 기분이 너무 나빠서 손에 땀이 나고 심장이 울렁거렸다.

첫 미팅에 공을 많이 들였다. 최신 정보를 리서치하고 필요한 자료를 깔끔하게 출력했다. 편의점에서 과자도 이것저것 사서 뜯어 놓았다. 그러나 재영의 태도는 실망스러웠다. 12분이나 늦은 건 버릇이라고 쳐도 표정이나 말투가 퉁명스럽기 짝이 없었다. 다행히 예전처럼 친한 척하거나 들러붙지는 않았지만 프로젝트에 비협조적인 태도를 보였다.

약속 시각인 자정에 메일함을 아무리 새로 고침 해도 보내기로 한 시안은 오지 않았다. 옆집 유선 전화를 빌려 겨우 통화했을 때 배경에서는 당구공 소리가 나고 있었다. 다음 날 그가 그려 온 콘셉트 아트는 아무 고민도 하지 않고 날림으로 한 티가 나서 실망은 더해 갔다.

'다시 해 올게.'

그런데도 상우는 재영의 청을 거절할 수 없었다. 하루가 아쉬운 상황이고 얼른 진행해야 할 타이밍인데, 그가 눈을 똑바로 마주치며 시간을 더 달라고 했다는 이유만으로 주말을 내주고 말았다.

가제: 베지 벤처러(Veggie Venturer)

그러나 재영은 화요일 미팅 때 엄청난 걸 들고 왔다. 점프 액션 기반의 사이드 스크롤링 슈팅게임. 소재는 낯설지 않으면서도 특별했고 아트는 이미 출시된 게임인 양 완성도가 높았다. 그리고 문서에 모든 요소가 합당하게 설명되어 있었다. 상우는 재영의 기획서가 마음에 쏙 들었다.

게다가 세 번째 시안의 캐릭터 중 하나가 상우의 눈을 사로잡았다. 화려한 머리에 예쁜 얼굴. 재영을 캐릭터로 만든다면 꼭 이런 모습일 것 같았다. 그는 다른 시안이 마음에 드는 것 같았지만, 상우는 이처럼 예쁘고 귀여운 캐릭터가 게임으로 나온다면 사람들이 좋아하리라 여겨 고집을 부렸다.

기획이 정리되니 일이 일사천리로 진행되었다. 재영이 이것저것 빼먹어서 신경 쓰이긴 했지만 실력으로는 흠잡을 데 없었다. 문제는 프로젝트가 아닌 다른 곳에서 발생했다.

'너 예술대 한 번도 안 들어와 봤지? 내가 작업하는 곳 구경하고 차도 한잔 마시고 가.'

그 지저분한 소굴에 들어간 것이 문제였다. 아무 문제 생길 일 없이 깔끔한, 5분짜리 미팅으로 충분했는데. 장재영의 작업실은 어떨까, 쓸데없는 호기심 때문에 그를 따라가고 말았다. 분명히 최악을 예상했는데도 상우는 문을 열고서 세상에서 가장 끔찍한 장소를 보았다.

실기실은 개판이었다. 제자리에 있는 물건이 그렇지 않은 것보다 훨씬 많은 듯했는데 그마저도 용도를 알 수 없는 잡동사니가 대부분이었다. 한구석에는 눈살이 저절로 찌푸려지는 차림을 한 사람이 목에 개목걸이를 차고서 시끄러운 음악에 맞춰 머리를 흔들고 있었다. 방 전체를 접어서 쓰레기장에 버리고 싶은 기분이 들었다. 대체 이렇게 정신없는 곳에서 어떻게 일할 수 있단 말인가.

성격 오락가락하는 이중인격자에 싸이코, 사디스트, 인간 말종, 적반하장, 인성 쓰레기, 게으름뱅이, 건달, 양아치, 관심종자, 거기에 지저분하기까지 하다니. 마음에 드는 거라곤 디자인과 일러스트레이션 실력뿐이다. 고장만 안 났으면 이런 새끼는 상종도 하지 않을 텐데. 상우는 속으로 중얼거리면서도 그가 청소하는 것을 도왔다.

대충 정리하고 나니 실기실은 그나마 참아 줄 만해졌다. 그제야 벽에 붙여 놓은 포스터가 보였다. 자주 봤던 거라 그런지 마치 다른 것은 흑백이고 재영의 작업물만 총천연색인 것처럼 돋보였다. 이때쯤 상우는 재영을 공부해 둔 상태라 그 포스터들이 몇 년도에 제작되었는지까지 읊을 수 있었다.

안경을 코끝에 걸고 흐리멍덩한 눈빛으로 하품이나 하던 날라리는 작업을 시작하고 나니 다른 사람이 되었다. 서로 다른 입력 장치를 조종하는 양손은 가장 효율적인 방법으로 움직이는 듯했다. 평소 다양한 표정을 짓는 데 일조하던 눈은 과정과 결과를 날카롭게 감찰하는 감독자였다. 웃음기 없는 입가는 진지하게 다물렸다. 상우는 그제야 전문가의 작업실에 왔다는 사실이 실감 났다.

아무래도 5분은 미팅 시간으로 너무 짧다고 생각하게 되었다. 그러다 보니 5분이 1시간으로 늘어났고, 1시간이 3시간 반으로 늘어났다. 몸이 이상 반응을 일으킬 위험을 인지하면서도, 갈 때마다 치워도 늘 어지러운 상태로 초기화되는 공간이 정신 사나운데도, 재영과 늘 말싸움만 하는데도, 정말 이상한 여자가 종종 한 공간에 있는데도, 상우는 점점 실기실을 떠나고 싶지 않아졌다.

협업하는 2주 동안 데이터베이스에 새로운 정보가 쌓여 갔다. 재영에게 쌍둥이 동생이 있다는 점, 외할아버지와 친하다는 점, 한국어, 중국어, 영어뿐 아니라 광둥어와 프랑스어도 유창하게 구사한다는 점, 물놀이를 좋아하지 않는다는 점, 배경 화면의 여자 연예인이 자주 바뀐다는 점, 책보다 만화책을 좋아한다는 점, 만화책보다 영화를 좋아한다는 점, 다른 건 다 참아도 맛없는 건 못 참는다는 점, 개보다 고양이를 좋아한다는 점, 사이버 펑크 테마에 환장한다는 점, 게임을 못한다는 점 등을 배웠다.

군대 갔다는 사람의 빈자리에 아무렇지 않게 앉아, 상우는 늘 재영에게 노출되었다. 뇌는 그의 정보를 게걸스럽게 빨아들여 저장했고 귀는 목소리를 기억해 놨다가 잠들기 전에 재생했다. 매일 그의 얼굴을 슬쩍 보고, 스치듯 보고, 바라보고, 마주 보고, 훔쳐보았더니 그림에 재능이 전혀 없는데도 눈 감고도 그릴 수 있을 것 같았다. 중금속에 서서히 중독되듯이 상우는 조금씩 재영에게 물들고 있었다.

그쯤 관뒀어야 하는데. 재영과 일하기 시작한 지 16일째 되던 날, 완전히 타락하는 계기가 된 금요일을 상우는 잊지 못한다.

그날 상우는 스테이지별 보상과 레벨 업 스테이터스, 몹의 HP와 데미지, 난이도를 설계하는 식의 자잘한 기획 작업을 해치웠고 재영은 굵직굵직한 UI 몇 개를 끝냈다. 재영은 몇 시간 동안 일어나지도 않고 결과물을 낸 뒤 흐느적흐느적 침대로 가서 쓰러졌다. 평소 같으면 누워서 핸드폰을 보며 실없는 농담을 건네거나 음악을 틀었을 텐데, 그날은 유독 피곤했는지 옆으로 누워 눈을 감았다.

15분 뒤에 그를 부르려고 돌아봤지만 재영은 여전히 죽은 듯이 자고 있었다. 15분만 눈 붙이겠다고 했으니 깨워야 마땅했는데 왜 그랬을까. 상우는 마치 시계를 못 본 것처럼 다시 하던 작업으로 돌아갔다. 그러다 집에 돌아갈 시간인 10시가 되었다.

'저 갈 시간 됐어요.'

대답 없음. 재영은 완전히 잠든 것이 분명했다. 상우는 가방을 등에 멘 상태였으니 그대로 나가면 되었지만 불가사의한 이유로 침대로 다가갔다.

'선배, 자요? 진짜…… 자요?'

대사를 바꿔 가며 재영이 완전히 잠들었는지 확인했다. 동시에 발은 그에게 한 발짝씩 가까워졌다.

얼굴 앞에 다다라 그를 가만히 내려다보았다. 앞머리가 살짝 엉켜 있어서 눈이 잘 보이지 않았다. 상우는 천천히 몸을 숙여 쪼그려 앉았다. 재영의 얼굴이 가까워질수록 약간 불쾌한 두근거림이 거세졌다. 심장을 쥐어짜는 것 같은 기분은 어딘가 멀미와 닮았다. 상우는 어느새 힘을 꽉 주고 있던 주먹을 풀고 손끝으로 그의 머리카락을 슬쩍 넘겨 보았다.

그리고 '참 이쁘다'라고 생각했다. 단순하기 짝이 없는 감상이었다. 그 자리에 앉아 온종일 지켜봐도 질리지 않을 것 같았다. 갖고 싶었다. 눈두덩이도 만져 보고 싶었고 코끝도 만져 보고 싶었다. 그리고 입술도. 상우의 시선이 살짝 열린 재영의 입술에 머물렀다.

가만히 지켜보던 상우는 자신이 착각했음을 깨달았다. 만지고 싶은 것이 아니었다. 그는 다른 짓을 하고 싶어서 안달이 났다. 재영이 깨어 있다면 영원히 할 수 없을 행위였다. 오로지 그 순간에만 주어진 가느다란 기회. 자신만 입 다물고 있다면 누구도 모를 완전 범죄. 상우는 정상 상태라면 절대로 하지 않았을 짓을 감행했다.

잠든 재영의 얼굴에 다가가 제 입술로 그의 입술을 꾹 눌렀다. 그리고 도망쳐 버렸다.

몇 걸음 걷지도 못하고 실기실 복도에서 벽에 등을 대고 무너져 내렸다. 25년 동안 문제없이 유지해 온 그의 이성, 양심, 자제력, 평정심, 판단력, 그리고 인간성이 함께 무너져 버린 기분이었다.

'괜찮아. 아무도 모를 거야.'

상우는 범죄 소설 주인공 같은 대사를 읊조리며 집으로 향했다. 아무 일도 없는 척 스스로를 속이고 쿵쾅거리는 심장을 무시하며 눈을 감았다.

하지만 시련은 거기서 끝나지 않았다. 정신이 붕괴되던 와중에 상우를 아주 주저앉히고 무릎까지 꿇린 사건이 다음 날 발생하게 된다.

'어, 나왔네? 나랑 어디 좀 가자.'

PC방 앞에서 눈웃음이나 치는 뺀질뺀질한 얼굴을 보고서 심장이 쿵 떨어졌을 때 뭔가 잘못되었다는 걸 알아채고 내뺐어야 했다. 상우는 요즘 늘 후회를 달고 살았다. 판단력에 심각한 문제가 생긴 것이 틀림없었다.

printf("아뇨. 저 되게 바쁘고 선배 꼴 보기 싫습니다. 안녕히 가세요.");

분명히 이런 것을 입력했는데 출력 결과는……

'네. 어디요?'

그 결과로 술자리에서 대형 사고를 쳐 버렸다.

모자를 주워 쓰고 병풍을 돌아 차분하게 계산대로 걸어가 규액의 반을 결제하고 퇴장, 전속력으로 달려 집에 도착, 양치 세수 환복 후 이불 속에 들어갔지만 그런다고 저지른 일이 사라지는 건 아니었다.

거친 발길질에 이불이 천장으로 솟아올랐다가 얼굴 위로 떨어졌다. 상우는 어둠 속에서 부들부들 떨었다.

'나는 욕정의 노예인가.'

'반드시 이 학교를 졸업해야 하는가.'

'이 인생이 계속 살아갈 가치가 있는가.'

그는 그날 새벽까지 수많은 예/아니요 질문에 시달렸다.

한 대상을 향한 강렬한 성적 욕구는 청소년기에 발현된다. 상우는 버스에서 좋은 냄새가 나던 여학생들을 스쳤을 적 은은한 두근거림을 기억했다. 고등학교 시절에 남몰래 예쁘다고 생각한 선생님도 있었고 성인이 되고서 이성과 정식으로 교제도 1회 해 보았다. 하지만 이 정도로 (잠든 상대에게 성추행을 불사할 정도로, 남의 사업장에서 이성을 잃을 정도로) 심한 욕정에 휘둘린 경우는 한 번도 없었다.

게다가 장재영은 여성이 아니다. 남자라면 남중, 남고, 공대, 군대에서 수도 없이 접했지만 상우는 비슷한 경우조차 겪어 보지 못했다. 생각해 볼 여지도 없이 비정상적인 현상이었다. 아버지와 어머니가 결혼했고 이모와 이모부가 결혼했듯 상우는 당연히 언젠가 어느 여자와 손잡고 입 맞추고 성교하고 결혼하리라 생각했다. 그런데 어느 에러 같은 새끼가 그중 한 단계를 불현듯 차지해 버린 것이다.

⟨110⟩

〈110〉

일요일 알바를 마치고 귀가하는 길이었다. 상우는 전날 일어난 일 때문에 온종일 기분이 몹시 나빴다. 피곤하고 짜증 나고 터덜터덜 걷는 걸음마다 진이 빠졌다. 침대에 눕고 싶은 생각을 간절하게 느끼며 집 앞 골목에 들어섰다.

건물 앞에는 사람이 하나 걸터앉아 있었다. 회색 트레이닝 바지에 샛노란 점퍼, 머리에 후드를 걸치고 껌을 씹는 그는 오락실 죽돌이처럼 보였다. 그의 입에서 풍선이 크게 부풀어 올랐다가 톡 터졌다.

저 양아치한테 두 번이나 입술을 갖다 댔다는 걸 믿을 수 없었다. 상우는 도저히 대화할 기분이 아니라 빠른 걸음으로 원룸 입구를 향해 걸었다. 들어서기 직전, 꼼짝도 않고 앉아 있던 재영이 자세를 틀어 문간에 다리를 턱 올렸다. 다리를 들어 넘어가려고 하자 상우의 청바지 뒷주머니를 쥐고 세게 끌어당겼다. 상우는 비틀거리며 뒤로 끌려갔다.

'성추행이에요.'

손이 엉덩이에 닿았으니까 그렇게 말하고 싶었는데, 불행히도 상우는 그 단어를 입 밖으로 낼 자격이 없었다.

"어딜 그냥 가? 미친 거 아냐?"

재영이 벌떡 일어서서 문 앞을 막아섰다. 삥을 뜯는대도 조금도 이상하지 않을 분위기와 태도였다. 상우는 차분히 틈을 살폈다. 마음먹으면 돌파하겠지만 아마 도어록 번호를 누르는 사이에 잡힐 듯했다.

"사람이 왜 그렇게 경우가 없어? 두 번이나 남의 입술에 박치기를 했으면 해명을 해야 할 거 아냐. 네가 성추행범이랑 다를 게 뭐야?"

자는 걸 몇 번이나 확인했는데, 대체 어떻게 알았을까. 상우는 머뭇거리다가 어렵게 입을 뗐다.

"첫 번째는…… 할 말 없어요. 제가 잘못했어요. 죄송해요. 두 번째는 쌍방 과실이니까 없던 걸로 해 주세요."

"쌍방 과실?"

"선배가 먼저, 얼굴 만지고…… 이상한 말 하고. 아무튼 술 마시고 한 실수잖아요. 저 원래 그렇게 막 나가는 사람 아니에요. 많이 취해 있었어요."

재영은 상우를 빤히 바라보기만 했다. 그는 웃을 때 표정이 밝지만 무표정일 때는 말 그대로 무감해 보인다. 상우는 차가운 눈빛을 보며 불편함을 느꼈다.

"나도 미안하다고 해야 하나?"

"네. 서로 사과하고 재발을 방지하는 게 좋겠어요."

재영의 입매가 비틀렸다. 입은 비웃음을 지었지만 눈매는 여전히 냉랭하기만 했다.

"어쩌지, 난 하나도 안 미안한데. 게다가 앞으로도 안 그러겠다고 장담 못 하겠어."

뜻밖의 대답이 돌아왔다. 상우는 당연히 상대방도 이 일을 실수로 치부하고 넘어가고 싶어 할 줄 알았다. 그는 조금 머뭇거리다가 내뱉었다.

"대체 왜 그래요? 뭘 잘했다고 그렇게 뻔뻔하게……."

"실수가 아닌데 왜 그냥 넘어가려고 해? 너도 나랑 같은 걸 느꼈잖아."

"느끼긴 뭘 느껴요? 비정상적인 욕정일 뿐인데."

재영이 뜻밖의 이야기를 들었다는 듯 눈알을 굴렸다.

"비정상적인…… 욕정?"

"인간의 복잡한 생체 메커니즘은 2세를 만들기 위해 서로 다른 성별 간 성애를 느끼는 형태로 진화했어요. 비효율적인 방법이라고 생각하지만, 인류가 짝을 짓고 복잡한 임신 과정을 통해 생존하고 번성한 건 사실이죠. 동성 간에 느끼는 욕정은 생존, 진화 메커니즘에 전혀 일조하지 않는 무의미한 착각일 뿐이에요."

재영은 풍선을 크게 불었다가 터뜨리기를 반복했다. 무슨 생각을 하는지 표정만 보고선 알기 어려웠다.

"뭘 어쩌라고. 내가 여기 생물학 강의 들으러 왔어?"

그는 귀를 후비적거리더니 고개를 삐딱하게 기울였다. 아무래도 설명을 듣지 않은 것 같았다.

"잔말 필요 없고 이거나 대답해 봐. 너 어제 섰어, 안 섰어?"

"서다니, 뭐가요?"

"뭐겠냐? 네 바깥 생식 기관이요, 아저씨."

상우는 그렇게 내밀한 질문을 받으리라 예상하지 못했다. 하지만 대답 못 할 것도 없다고 생각했다. 성 충동은 인간의 본능이다. 잘못된 상대에게 발현되기는 했지만 그 자체로 부끄러워할 일이 아니었다.

"제 색욕을 부정할 생각 없어요. 선배와 있으면 종종 발기해요."

"……단어 선택 봐라."

"그렇다고 뭐가 달라져요? 선배의 Y성염색체가 X로 바뀔 확률은 0%잖아요."

볼트와 볼트, +극과 +극, N극과 N극. 불가능한 일이다. 상우는 한숨을 쉬고 말을 이었다.

"솔직히 말하자면 이런 지 좀 됐어요. 일시적인 현상일 테니 나중에는 괜찮아지겠죠. 하지만 지금은 뭐가 잘못되었는지 자제가 잘 안 돼요. 어쩌면 시간이 조금 필요할지도 몰라요. 선배와 그간 너무 붙어 있었으니까. 그래도 〈베지 벤처러〉는 포기하고 싶지 않아요."

재영이 코웃음을 크게 쳤다.

"나는 꼴 보기 싫고 내 디자인은 계속 쓰고 싶다?"

"원격으로 해도 괜찮으니까 끝까지 하고 싶어요. 그러니까 관두지 말아 주세요. 부탁드려요."

재영이 후드에 손을 넣어 머리를 뒤로 쓸어 넘겼다. 어이없다는 얼굴로 고개를 한 바퀴 돌리며 한 발짝 다가왔다. 상우는 그만큼 뒷걸음질쳤다.

"넌 가만 보면 진짜 머리 구조가 이상한 것 같아. 내가 불편할 건 생각 안 해?"

"불편하세요?"

재영이 또 다가왔다. 상우는 물러섰다.

"이 상황에 게임이나 만들게 생겼냐? 왜 너만 생각하고 끝이야, 이 싸가지 없는 새끼야. 내 입장도 물어봐야 할 거 아냐."

"무슨 입장이신데요?"

그의 표정이 기분 나쁘다는 듯 팍 구겨졌다. 상대가 다가오는 속도가 빨라져서 뒷걸음질치는 걸음도 그만큼 가빠졌다.

"너, 나 열 받게 하려고 일부러 그러는 거지?"

"몰라서 그래요, 정말로."

장재영이 드디어 걸음을 멈추었다. 목을 한껏 뒤로 꺾고 손으로 매만지더니 한숨을 깊이 쉬었다.

"여기까지 와서 어떻게 멈춰. 나더러 널 앞에 두고 게임이나 만들라고? 말이 안 되잖아."

"욕정을 억제하고, 이성으로……."

"씨발, 난 그런 거 안 돼."

"진정해요. 저는 남자예요."

상우는 바보가 된 기분을 느끼며 그리 말했다. 재영이 피식 웃었다. 상우는 이 와중에도 그 모습이 보기 좋다고 생각하며, 그런 자신이 황당하게 느껴졌다.

"진화고 염색체고 관심 없어. 난 너와 달리 내가 누구인지, 내일 무슨 일을 할지 결정해 놓지 않아. 지금 이 안에 든 게 제일 중요하단 말이야."

재영이 손으로 제 가슴을 가리키며 한 발짝 다가왔다. 가로등 빛을 등진 그의 어깨가 유난히 넓어 보였다. 상우는 두려운 마음이 덜컥 들었다.

"비정상적인 색욕이든 뭐든 간에 나는 끌리면 해. 그런데도 네가 남자라서, 규칙을 조금만 어기면 난리 치는 별종이라서 배려해 왔어. 내가 점잖은 신사라서가 아니라. 그런데 넌 뭐야? 이 일에 너 혼자가 아니라 두 명이 연관된 걸 모르겠어?"

어느덧 등에 벽이 닿았다. 퇴로가 막혔다는 끔찍한 생각에 머릿속

이 하얘졌다. 체격이 더 큰 상대에게 쓸 만한 전투 기술 몇 가지가
뇌리를 스쳐 지나갔다.

'언제 이렇게 다가온 걸까.'

상우가 패닉에 빠져 있는 사이 재영이 더 가까이 다가왔다. 입술
간의 거리가 고작 두 뼘 정도였다. 이러다 전날 일어난 일을 반복할
까 봐 덜컥 겁이 났다.

"스위치는 네가 켰잖아. 나더러 포기하라고 하지 마. 네가 뭔데 나
한테……."

'이때다!'

상우는 재영의 허리를 팔꿈치로 힘껏 밀치고 도망쳤다.

"야, 이 미친 새끼가 사람이 말하는데! 이리 안 와?"

뒤에서 고함이 들렸지만 건물을 향해 전속력으로 뛰었다. 그러나
가속도가 나기에는 거리가 너무 짧았다. 지저분한 유리문 앞에서 상
우는 재영에게 목덜미를 잡히고 말았다. 말 그대로.

재영은 상우의 목에 헤드록을 걸고 팔 한쪽을 뒤로 꺾으려고 했
다. 상우는 팔에 힘을 주고 버티며 목을 흔들어 빠져나오려고 안간
힘을 썼다. 반대쪽 팔꿈치로는 재영의 배를 쳤다. 재영은 헤드록을
건 팔로 상우의 팔꿈치를 막았다. 그들은 한동안 서로를 붙들고 씨
름했다.

"이거, 놔!"

상우가 그를 넘어뜨리려고 다리를 걸었을 때 재영이 체격 차를 이
용해 상우를 아예 껴안아 버렸다. 그리고 둘은 한 몸이 되어 넘어졌
다. 재영이 등으로 떨어지며 고통스러운 신음을 내질렀다. 상우는
그 틈에 일어나려고 그의 턱을 쳤지만 재영이 다리로 상우의 허리를
감으며 몸을 휙 뒤집었다.

'젠장, 막대기만 하나 있었어도.'

체격 차가 그리 심한 것도 아닌데, 그 때문에 미묘하게 힘을 못 쓰는 상황이 반복되었다. 정신 차린 상우는 자신이 아스팔트 바닥에 머리를 대고 누워 있음을 알게 되었다. 그의 위에 누가 올라탔는지도. 재영은 하체로 상우의 허벅지를 꽉 누르고 앉아 양손으로는 상우의 손목을 하나씩 쥐고 있었다. 상우는 조금 전까지 레슬링 하던 것도 잊고 눈을 질끈 감았다.

"뭐 하는 짓이에요?"

"그러게 누가 도망가래, 중요한 얘기 하는데."

재영의 손에 힘이 들어갔다. 올라탄 사람이 무조건 유리한 자세였다. 정자세로 누워서 아무리 힘을 써 봤자 그를 떨어뜨리긴 불가능했다.

"이제 얘기할 마음이 좀 들어?"

"무슨 얘기요. 할 말 없어요."

"야, 눈 떠."

"⋯⋯."

"눈 뜨라고. 말 안 들으면 키스한다."

상우는 눈을 번쩍 떴다. 몸을 맞댄 면적이 너무 넓어서인지 그의 얼굴이 너무 가까이서 보여서인지, 심장이 미친 듯이 뛰어 댔다. 겉으로 티 내고 싶지 않아도 가슴이 너무 빠르게 오르내렸다. 상우는 속으로 애국가 가사를 떠올렸다. 그런 그의 속도 모르고 재영은 진지하게 말하기 시작했다.

"잘 들어. 난 네가 남자여도 상관없다고 말했어. 둘 중 하나 선택해. 나랑 시작해 보든지, 게임이고 뭐고 싹 접고서 다신 안 보든지. 중간은 없어."

"뭘 시작해요?"

"뭐겠어?"

재영의 뺨이 가로등 불빛에 물들어 있었다. 주황색 빛이 비친 눈동자가 유난히 밝아 보였다. 그의 말에는 정확히 해석하기 어려운 부분이 너무 많았다. 왜 화를 내는지, 뭘 하자는 건지, 나름대로 짐작은 할 수 있었지만 정확히 확인할 필요가 있었다.

"그러니까 선배는 계속해서 저랑…… 그런 짓 하겠다는 거잖아요."

막상 입 밖으로 나온 말은 생각보다 훨씬 모호한 데다 음성이 잔뜩 갈라져서 나왔다.

"그런 짓?"

"성욕을 풀기 위해서라면 제가 남자인데도 손잡고, 키스하고, 성교하고. 마치 남녀가 교제하는 것처럼 행세하겠다는 거잖아요."

"교제하는 것처럼 행세? 그게 무슨……."

재영의 미간이 구겨지며 상우의 손목을 붙든 손에 힘이 들어갔다. 그가 고개를 숙이며 다가오자 상우의 눈가에 그늘이 졌다.

"하나만 묻자. 넌 교제가 뭐라고 생각하는데?"

"한 쌍의 남녀가 결혼을 전제로 만나는 일이요. 정식 프로그램의 체험판 같은 거죠."

"아, 그럼 남자끼리는 안 되겠네?"

"그걸 질문이라고 하는 거예요?"

돌연 붙잡혀 있던 양손이 자유로워졌다. 재영은 황당하다는 표정으로 상우에게서 떨어져 바닥에 앉았다. 가로등 빛을 흠뻑 받은 피부가 주황색으로 번들거렸다. 그가 중얼거렸다.

"생각 좀 하게 기다려. 도망가면 뒤진다."

재영은 씹던 껌을 쓰레기통에 던져 버리고선 주머니에서 담배를 꺼내 물었다. 곧 어둠 속에서 담배 끝이 붉게 빛나더니 그의 입술로부터 연기가 하늘로 피어올랐다. 재영의 볼에서 공기가 부풀었다가 빠지기를 반복했다. 상우는 몸을 일으켜 그에게서 조금 떨어진 곳에 무릎을 세우고 앉았다.

재영은 담배 한 개비를 다 태울 때까지 입을 다물고 있었다. 꽁초를 신발로 비벼 끄고서 손바닥을 들어 세수하듯이 얼굴을 문질렀다. 시계를 보지 않아서 정확히 알 수 없었지만 오랜 시간이 지난 것 같았다. 기다림의 끝에서 상우는 재영과 눈이 마주쳤다.

"그래. 차라리 깔끔하네. 네가 그렇게밖에 이해할 수 없다면 그냥 욕정이라고 하자."

그가 냉소적으로 중얼거리고선 손가락을 까딱거렸다. 다가오라는 신호였다. 재영이 조금도 웃고 있지 않아서 상우는 조금 긴장했다.

"더 얼 받기 선에 얼른 와."

상우는 무릎걸음으로 그에게 조금씩 다가갔다. 재영은 건조한 시선으로 계속해서 손가락을 까딱거리기만 했다. 앞으로, 앞으로, 앞으로. 그러다 책상을 두고 마주 앉은 정도 거리가 되었다. 상우는 거기서 멈추었다.

"뭐요?"

순식간에 재영이 엉덩이를 들며 앞으로 다가왔다. 피할 새도 없이, 그가 바닥을 짚은 상우의 손을 붙들어 잡으며 깍지를 꼈다. 상우는 돌처럼 굳어 버렸다.

"나랑 손잡고."

그의 반대편 손이 다가와 상우의 볼을 감싸 쥐었다. 엄지가 그의 입술을 천천히 쓸었다.

"키스는 벌써 했고."

상우는 몸서리를 치며 살짝 뒤로 물러났지만 재영이 그의 목을 손바닥으로 감싸며 품으로 다시 끌어당겼다. 속삭이는 목소리에 팔에 닭살이 돋아났다.

"그럼 이제 성교만 하면 되겠네. 맞아?"

재영의 이마가 상우의 모자를 밀어냈다. 툭, 뒤에서 떨어지는 소리가 들렸다. 색소 옅은 눈동자는 무슨 생각을 하고 있는지 알기 어려웠다. 비꼬는 건지 진심으로 제안하는 건지. 무엇보다도 가슴이 너무 소란스럽게 굴고 피부가 체온 조절에 실패해서 사고에 집중할 수 없었다.

"질문이 두 가지 있어요."

상우는 이성의 끈을 가까스로 붙잡으며 내뱉었다. 재영이 해 보라는 듯 턱짓했다.

"첫째, 남자끼린 성교할 수 없잖아요. 그렇다면 성욕을 어떤 방식으로……."

"할 수 있어."

"네? 어딜…… 어떻게?"

"모르겠으면 가만히 있어. 그때 가서 알아서 할 테니까."

"왜 그렇게 자신만만해요? 해 보지도 않……."

"해 봤어. 다음 질문."

상우를 뚫어지도록 보던 재영이 목을 긁으며 고개를 돌렸다. 상우는 그가 유경험자란 정보 외엔 아무 대답도 얻지 못했지만 따로 리서치하기로 하고선 다음 질문으로 넘어갔다.

"둘째, 그렇게 비정상적인 형태의 관계를 맺어서 좋을 게 뭔가요?"

"네가 청나라 장수라고 생각해 봐."

재영이 낮게 대답했다. 여전히 맞잡은 손에 힘을 더욱 주며 그가 속삭였다.

"바깥에 적군이 진을 치고 있어. 이대로 두면 성을 포위하고 화살 쏘고 물 끊고, 온갖 난리를 칠 거야. 자, 두 가지 방법이 있어."

재영의 검지가 튕겨 올라갔다.

"첫째, 무시하고 알아서 사라질 때까지 기다린다."

상우는 침묵했다. 그가 말하려는 요지를 벌써 알 것 같았다. 재영의 중지가 스르르 펴졌다.

"둘째, 나가서 그 새끼들을 조진다. 어느 게 마음에 들어?"

"……."

"문제가 있으면 핵심에 접근해서 원인을 제거하는 게 가장 빠르잖아. 넌 왠지 그런 스타일일 것 같은데."

상우는 말없이 고개를 끄덕였다. 상병일 적에 부대에서 벌이 말썽을 부리길래 화생방 보호의를 장착하고 직접 벌집을 딴 경험이 떠올랐다. 재영이 손가락으로 그의 심장 부근을 툭 쳤다.

"네 욕정을 잠재우려면 그 수밖에 없어. 피하지 말고 무시하지도 말고, 나랑 끝까지 가 보는 거야. 무슨 기분이 드는지 실컷 느껴 봐. 그러고 나면 널 괴롭히는 감정도 없어질지 모르잖아."

'설득력이 있는데. 게다가 프로젝트도 계속할 수 있고.'

상우의 원칙대로면 그런 짓은 할 수 없다고 거절하는 것이 마땅했다. 인터넷에서도 성욕을 해소하기 위해 만나는 '섹스 파트너'는 비윤리적인 관계 형태라는 여론이 지배적이었다. 아무리 성 충동이 들끓어도 문명화된 인간으로서 물리쳐야 하는데, 재영의 주장을 들어 보니 뜻밖에 일리가 있었다.

무엇보다도 그와 맞잡은 손에서 땀이 솟아나고 있었다. 계속 그 상태를 유지하고 싶은 충동이…… 보고, 만지고, 입술 갖다 대고, 더

한 것도 하고 싶은 욕심이 들었다. 무시한다고 해서 쉽게 사라질 것 같지 않았다.

정말일까. 색욕을 처리하려면 그 한가운데로 걸어 들어가는 수밖에 없는 걸까? 유감스럽게도 이전에 해 본 적이 없는 고민이라 판단할 단서가 부족했다.

"일단 이거 놓으시고요."

상우는 가까스로 재영을 밀어냈다. 손을 빼고서 엉덩이를 뒤로 밀자 그가 멀어졌다. 혹하는 제안이기는 했지만 상우는 한순간의 충동으로 중요한 결정을 내리는 스타일이 아니었다. 그는 모자를 주워 쓰며 말했다.

"제안을 검토할 시간을 주세요."

"얼마나?"

"2주요."

"2주씩이나? 나 시간 얼마 없는 거 알지?"

"알고 있어요. 저 다음 주 중간고사 기간이라, 스케줄 표 보시면 미팅을 2주 동안 안 잡았어요. 그동안 선배 제안 고려해 볼게요. 그래픽 작업은 스케줄대로 진행하시면 되고 작업물은 4월 26일 금요일까지 압축해서 클라우드에 업로드해 주세요."

"징한 새끼."

할 말을 마친 상우는 자리에서 일어났다. 재영이 움켜진 손이 아직도 저릿저릿했다. 재영을 지나쳐 걷는데 그가 이름을 불렀다.

"추상우."

"왜요."

"넌 뭐가 이렇게 어렵냐?"

"무슨 말인지 모르겠어요. 다음 미팅 때 봐요."

"미팅은 얼어 죽을."

상우는 아드레날린이 혈관을 질주하는 감각을 느끼며 문을 향해 걸었다.

return 0;

상우에게는 시험 기간이 평소와 크게 다르지 않았다. 어차피 매일 수업 내용을 복습하니 시험 기간 때는 공부 양을 조금 늘리는 식이었다. 이번 학기는 초반에 수업을 거의 못 듣다시피 해서 더 노력해야 했지만, 재영이 모든 수업을 철회한 2주 차 이후에 조금씩 따라 잡아 놔서 크게 어려울 것이 없었다. 미팅만 안 할 뿐이지 이제껏 완성한 리소스를 엔진에 돌리는 작업까지 틈틈이 할 정도로 그는 여유 있었다.

수요일에는 류지혜가 주말에 함께 공부하자고 제안했다. '대중문화와 문화 이론'을 약점으로 여긴 상우는 승낙하며 그녀의 도움을 기대했다. 시험 기간이라 알바를 쉬는 토요일에 그녀가 지정한 카페에서 만나 서로 이론을 설명하며 이해도를 확인하고 부족한 부분을 보충하는 유익한 시간을 가졌다.

시험 주간은 정신없이 지나갔다. 필기시험이 대부분이었지만 중국어처럼 구술시험이 있는 경우도 있었고 과제로 시험을 대체하는 과목도 있었다. 문제가 크게 어려운 과목은 없었다. 일곱, 여덟 과목씩 들을 때도 과탑을 놓친 적이 없었는데 고작 다섯 과목이 뭐가 어렵겠는가.

"좀 어렵지 않았어요?"

'대중문화와 문화 이론' 시험을 마치고 나오며 지혜가 말했다.

"특히 15번 말이에요. 이론 발상지를 도시 단위로 전부 알아야 풀수 있는 문제라니, 너무 지엽적이지 않아요? 완전 틀리라고 낸 거같아요."

"나는 22번이 까다롭던데."

"아, 정말요? 아도르노의 입장이 되어 포스트모더니즘을 비판하는 서술형이었던가요. 지난번에 체크했을 땐 두 사상 정확히 알고 계시던데, 그게 왜 어려우셨지?"

그들은 시험 문제를 꼼꼼하게 리뷰하며 식당에서 식사했다. 지혜는 공부를 열심히 하는 학생답게 결과에도 욕심이 많았다.

"얘기 들어 보니 오빠가 저보다 훨씬 잘 보신 것 같은데. 22번 감점될 가능성 빼면 하나도 안 틀리신 거 아니에요?"

"아마도."

"뭐예요. 저한테 설명 다 듣고서 혼자 그렇게 잘 보기예요? 너무해요 진짜."

"네게 도움 받았다는 이유로 시험 문제를 일부러 틀릴 순 없잖아."

지혜가 입을 삐쭉거렸다. 저보다 과목 이해도가 낮은 사람한테 점수가 밀려서 섭섭한 마음을 이해 못 하는 바는 아니었다. 상우는 큰맘 먹고 그녀에게 듣기 좋은 말을 건네기로 했다. 누구 말마따나 인간이 감정의 동물이란 걸 뼈저리게 느끼는 요즘이니까.

"난 원래 암기에 능해. 이 과목은 이해가 잘 안 됐는데 네 설명이도움이 많이 됐어."

"정말요? 진짜예요?"

'좋은 말을 두 번이나 듣겠다는 건가.'

상우는 그녀를 무시하고 밥을 계속 먹었다. 식사하고 나와 편의점에서 커피를 사려는데 지혜가 여느 때처럼 따라붙었다. 그녀는 캔 커피를 빼앗아 마음대로 계산하더니 말했다.

"오빠. 제가 시험도 잘 보게 도와드렸고 커피도 사 드렸는데, 제 부탁도 들어주셔야 하지 않아요?"

"함정이었어?"

"네, 맞아요. 저한테 빚지셨으니까 부탁 들어주세요."

지혜는 생글생글 웃으며 무서운 말을 했다. 뭘까 예상해 보았지만 상상할 수 있는 건 밥 사기, 짐 들어 주기 정도였다. 그런 거라면 얼마든지 괜찮았다.

"뭔데? 들어나 보고."

"축제 때 뭐 하세요?"

상우는 전혀 예상치 못한 말에 인상을 조금 찌푸렸다. 축제란 단어는 그에게 조금의 호감도 주지 않았다. 상우는 어떤 축제 활동에도 참여해 본 적이 없었고, 보통 축제 때는 수업이 휴강하기 때문에 일주일 동안 할 수 있는 일을 찾아 시간을 생산적으로 보냈다.

"일해야지."

"아, 뭐 하는 거 있으시구나. 그래도 제가 많이 도와드렸는데 하루 빼실 수 있죠?"

"왜?"

"월요일로 할게요. 축제 날 저랑 놀아요."

"왜?"

"축제를 즐기고 싶은데 제가 친구가 없어요."

"왜 친구가 필요해?"

"이제 그만하세요, 오빠. 제가 부탁했잖아요. 수락이나 해요, 얼른."

거절할 만한 상황은 아니었다. 지혜가 도와준 건 사실이었고, 괜히 좋은 말을 늘어놓은 바람에 이 부탁을 수락하지 않으면 표리부동

한 사람이 되어 버릴 참이었다. 상우가 떨떠름한 태도로 알겠다고 말하자 지혜가 웃으며 11시에 정문 앞에서 보자고 했다.

return 0;

시험이 전부 끝났다. 결과는 예측한 그대로였고 문화 이론을 예상보다 더 잘 봤다는 점 외에는 이변이 없었다.

상우는 식사하고 커피를 사서 산책로를 따라 걸었다. 걸음이 빨랐다. 그는 평소보다 훨씬 흥분해 있었다.

바쁘게 지낸 2주 동안 생활에서 결핍된 한 가지가 있었다. 전에는 그게 없다는 이유로 이상한 실수도 하고 집중력도 떨어졌지만, 이번에는 다시 만날 날짜를 정해 놓아서 그럭저럭 견딜 수 있었다. 데스크톱에 '장재영' 폴더가 있기도 했고.

'피하지 말고 무시하지도 말고, 나랑 하고 싶은 거 다 해 보는 거야. 무슨 기분이 드는지 실컷 느껴 봐. 그리고 나면 널 괴롭히는 감정도 없어질지 모르잖아.'

짧지 않은 시험 기간은 문제에 대처하는 두 가지 방법을 실험해 볼 기회였다. 상우가 겪은 정념이 일시적 혼란이라면 2주 동안 사라졌을 것이다. 만일 시험이 끝날 때까지 여전하다면 정면으로 부딪쳐 원인을 제거해야 한다. 상우는 불확실성을 기피하는 성향이 있었지만 사안이 사안인지라 이번에는 어쩔 수 없었다. 모호한 상태로 기다리며 지켜보는 방법밖에는.

시험 기간과 함께 실험도 끝났다. 상우는 이성과 감정을 철저히 분리해 일상생활 중 자신의 상태를 주의 깊게 관찰했다. 결과는 뚜렷했다. 성 밖의 적군을 신경 쓰지 않고 내버려 두자 그들이 더욱 기승을 부리며 세를 불렸던 것이다.

장재영 얼굴, 장재영 목소리, 장재영 손짓, 장재영 표정, 장재영 말투, 장재영 냄새, 하루가 다르게 재영의 모든 것이 그리워졌다. 본래 싫어했던 것들까지도. 그의 사진과 영상을 매일 돌려 보고 잠들기 전 플레이리스트를 들었지만 갈증은 좀처럼 채워지지 않았다. 정욕은 내버려 둘수록 나날이 심해지며 정신세계를 오염시킨다는 경향성을 확인했다.

한 가지 선택지가 무효화되었으니 남은 건 다른 하나였다. 약속한 발표일에서 이틀이나 남았지만 상우는 이미 결정을 끝냈다. 이를 전하기 위해 무작정 향한 실기실에는 상우보다 두 살 많지만 입학 연도가 같은 디자인과 학생이 혼자 있었다.

"장재영 없는데."

학생은 털이 잔뜩 달린 재킷을 입고 있어서 밀렵꾼처럼 보였다. 그녀는 상우의 눈치를 보며 음악 볼륨을 줄였다. 스피커 주위로 선이 마구잡이로 엉켜 있었다. 키보드와 마우스, 태블릿, 핸드폰 충전기, 외장 하드, 모니터, USB 잭 두 개, 4구 멀티탭 전선이 한데에 꼬여 있는 꼴은 눈 뜨고 보기 어려웠다.

"요즘 스피커들은 선이 너무 짧아."

스피커를 조작하다가 넘어뜨린 밀렵꾼이 중얼거렸다. 상우는 너무 황당하면 할 말이 없어진다는 걸 배웠다. 그는 빈자리에 앉아 잠시간 기다렸다. 시선이 자연스럽게 재영의 자리로 향했다. 쓰레기를 모아서 버리고 담뱃갑과 립밤, 우산 커버, 이어폰, 지포 라이터를 서랍에 넣었다.

서랍을 열었다가 눈에 익은 표지를 보았다. 몇 년째 쓰는 디자인이니 못 알아볼 리 없었다. 재영이 상우에게서 갈취하다시피 사간 노트였다. 그날 상우는 재영이 그린 그림을 찢어 버렸다. 그때가 학기 시작하고 첫 주였으니 어느새 6주나 지났다. 장재영이 상우를 스토커처럼 따라다니면서 악랄하게 괴롭히던 시절. 상우는 이상한 그리움을 느끼며 노트를 펴 보았다.

비어 있어야 할 노트에는 낙서가 꽤 많았다. 자동차와 총기류 스케치가 몇 장 있었고 그 외에는 전부 사람이었다. 그들은 하나같이 까만 볼캡을 쓰고 있었다. 눈은 쭉 찢어졌고 다크서클은 볼까지 내려왔다. 얼굴만 크고 몸은 나뭇가지처럼 마르게, 2등신으로 그려 놨다. 몇 장 더 넘기자 〈ㅊㅅㅇ 죽이기〉란 만화 시리즈가 나왔다.

'이딴 건 언제 그린 거야.'

4컷 만화에서 2등신짜리 상우는 허리가 잘려 죽고 가루가 되어 죽고 풍선처럼 부풀었다 터지고 모자를 빼앗겨 시름시름 앓다가 죽었다. 하나같이 그로테스크한 설정인데 코믹하게 그려 놔서 상우는 낄낄거리며 보았다. 마지막 장에는 재영의 평소 그림체답지 않게, 모자 쓴 남자의 옆모습이 사진처럼 사실적으로 그려져 있었다.

'이게 나라고?'

아이돌 가수라고 해도 믿을 정도로 곱상하게 그려 놨다. 내리깐 눈에는 속눈썹이 빽빽했고 콧날은 곧았으며 입가는 부드러운 호선을 그렸다. 목을 특히 명암까지 넣어 가며 열심히 묘사해 놓았다. 튀어나온 힘줄이며 어깨로 이어지는 근육, 목둘레선 위에 난 점까지 표현되어 있었다. 상우는 어깨를 내려다보고서 그 자리에 점이 있다는 걸 처음 알았다.

"야, 장재영이 너 여기 있는 거 알아? 그렇게 앉아 있지만 말고 연락해 봐."

뒤에서 밀렵꾼이 말했다. 상우는 노트를 다시 서랍에 집어넣고 닫아 버렸다.

"오늘 일정이 없어서 더 기다려도 상관없어요."

"그러다 안 오면? 내가 불편해서 그래. 대신 해 줘?"

"알아서 하세요."

밀렵꾼은 입으로 바람 빠지는 소리를 내더니 핸드폰을 집어 들었다. 잠시 후 그녀가 전화를 걸었다. 스피커폰 모드라서 통화음이 크게 들렸다.

뚜…… 뚜…… 뚜…….

통화음이 한 번, 두 번, 세 번 쌓여 갈수록 긴장감도 더해졌다. 그러나 재영은 전화를 받지 않았다. 두 번 더 해도 마찬가지였다. 밀렵꾼이 욕설을 내뱉으며 누가 이기나 해 보자고 말했지만 몇 번 더 걸어도 결과는 똑같았다.

"귀찮아서 일부러 안 받는 기 같은데. 야, 네 걸로 해 보자."

상우는 그녀 요구에 순순히 응했다. 재영에게 전화를 걸고 핸드폰을 넘겨주자 밀렵꾼이 이번에도 스피커폰을 켰다.

뚜…… 뚜…… 뚜…… 뚜…… 뚜…… 뚜…….

—여보세요.

"너 뭐야? 왜 내 전화는 안 받아!"

—상우하고 같이 있어?

밀렵꾼이 눈을 위로 치켜떴다.

"너 어디야?"

—집. 추상우랑 같이 있냐고.

"얘 실기실 와서 안 나가잖아. 띠꺼운 표정으로 아무것도 안 하고 그냥 앉아 있어! 불편해 죽겠으니까 와서 데려가. 지금 당장 운전해서 와."

스피커폰으로 낮게 한숨 쉬는 소리가 울렸다.

—알았어.

그 말을 마지막으로 전화가 끊겼다.

"아무튼 이 새낀 내가 제일 만만한가 봐. 전화를 제때 처받는 일이
없더니, 일부러 그러는 거였네."

밀렵꾼이 한참을 씩씩거리다 상우에게 핸드폰을 내밀었다. 상우
는 기기를 받아서 배낭에 넣고 책을 꺼냈다.

"저…… 어기, 추상추."

"남의 이름을 좀 정확히 외워 주세요."

이제까지 그런 요지의 말을 열 번은 한 것 같았다. 상우는 밀렵꾼
의 이름을 기억하려고 애썼지만 정보가 저장되어 있지 않았다. 그러
다 그녀 목에서 'Yoona Choi'라고 적힌 금색 목걸이를 보았다.

"제가 최유최라고 부르면 좋겠어요?"

"그닥 상관없는데."

"그럼 앞으로 그렇게 부를게요. 최유최."

"……."

그녀의 표정을 보아하니 상우가 불편한 모양이었다. 하긴, 이곳에
와서 그녀와 다툰 기억밖에 없으니 인상이 좋지는 않을 것이다. 이
렇게 막무가내인 인간하고 관계가 좋을 필요도 없지만.

"너네 싸웠어? 뭔가…… 너 요즘 통 안 온 것도 그렇고, 장재영 상
태도 그렇고."

"쓸데없이 대화해야 한다는 강박을 버리세요. 제가 없는 셈치고
할 일 하면 되잖아요. 최유최."

"궁금해서 그래. 싸운 거 맞지? 왜 싸웠어?"

"싸운 거 아니에요. 그리고 몰라도 돼요. 최유최."

남자 선후배끼리 술 마시다 키스하고서 향후 방향에 관해 의견이 갈렸다고 설명해서 좋을 것이 없으니, 상우는 입을 다물었다.

문득 유나의 책상이 눈에 들어왔다. 엉망으로 꼬여 버린 선이 꼭 제 처지 같아서 참을 수 없었다. 상우는 일어나서 그녀 책상으로 향했다. 그녀가 어리둥절하다는 눈으로 상우를 올려다보았다.

"어차피 작업 안 할 거면 좀 쉬고 있으세요."

나오라는 손짓에 그녀가 일어났다. 상우는 마우스와 키보드를 조작해 열려 있는 열두 개 프로그램을 저장한 뒤 데스크톱을 껐다. 스피커도 종료, 모니터도 종료, 집게처럼 생긴 기계도 버튼을 찾아서 종료, 책상 밑에 있는 용도를 알 수 없는 커다란 기계도 종료. 그때부터 선을 정리했다.

외장 하드는 선을 빼서 같은 간격으로 접어 케이스에 집어넣고 집게 기계와 타블렛, 핸드폰 충전기는 전원선을 말아서 서랍에 넣었다. 마우스와 키보드, 스피커는 잭을 뽑아 일단 치워 두고 복잡하게 엉킨 모니터와 데스크톱 전원 코드부터 정리해서 다시 꽂았다. 4구 멀티탭은 모니터 뒤에 세팅했다. 그리고 남은 기계들을 선이 서로 꼬이지 않게 정리해서 꽂으니 책상이 무척 깔끔해졌다.

상우는 책상 위에 돌아다니는 노란 고무줄로 전선을 묶어 정리하면서 만족스러운 표정을 지었다. 사용자가 거지같이 써서 그런 거지, 스피커 선이 짧은 것이 아니다. 인간들은 기계에게 못할 짓을 너무 많이 한다.

"너 TV 나가 봐. 생활의 달인 같은 거."

"앞으로도 이렇게 관리하세요. 안 쓰는 거 죄다 꽂아 놓으니까 책상이 복잡해지죠."

"다 쓰는 건데."

"그럼 계속 그러고 사세요."

대화를 주고받던 도중에 문이 열렸다. 재영이 문을 발로 차서 닫으며 성큼성큼 들어왔다. 야구팀 로고가 가슴에 박힌 흰색 맨투맨 티에 검은 바지 차림이었다. 그가 상우를 스쳐 지나가 제자리에 앉았다.

"어, 욕정남 왔어?"

재영의 빈정거림에 유나가 폭소를 터뜨렸다.

"왜 욕정남이야?"

"본인한테 물어봐."

재영은 핸드폰을 보며 성의 없이 대답했다. 상우는 그를 물끄러미 보았으나 재영은 말없이 화면만 보았다. 그의 옆얼굴이 냉정하기 짝이 없는 표정을 짓고 있었다. 유나가 불편하다는 듯이 웃었다.

"야……. 너네 왜 싸우고 그래? 얼른 화해해."

"싸운 거 아냐. 그보다 훨씬 이상한 상황이지."

재영이 다리를 크게 꼬며 말했다. 그가 눈을 내리깔며 손톱을 들여다보았다.

"여긴 왜 왔어? 보나 마나 작업물 달란 거겠지만 하나도 안 했는데. 어떻게, 손이라도 들고 서 있을까?"

"아니에요. 선배 제안, 검토해 보고 모레 발표한다고 했잖아요."

"그랬지."

"오늘 미리 하려고 왔어요."

재영의 시선이 날카로워졌다. 그가 유나의 뒷모습을 슬쩍 보더니 말했다.

"너 담배 피울 때 안 됐냐?"

"나가라고? 쫓아내는 거야?"

"10분만 있다 와."

"웃긴다. 실기실 전세 냈어?"

재영의 지시는 부당했고 유나는 그에 맞서 극렬하게 저항하는 것처럼 보였다. 그런데 그녀는 말로는 싫은 티를 내면서 손으로는 핸드폰과 지갑을 챙겼다.

"너네, 실기실 분위기 이상하게 만들지 말고 진짜 책임지고 화해해라. 나 10분만 나갔다 온다. 진짜야."

그녀는 화를 내며 뒷걸음질 쳤다. 문을 열고 나가 버리자 실기실에 둘만 남았다.

한동안 침묵만 흘렀다. 핸드폰을 만지작거리던 재영은 어느새 기기를 주머니에 넣고 상우를 바라보고 있었다. 안경알 뒤의 눈은 장난기가 없었고 깜빡거리지도 않았다. 2주 만에 그를 봤다는 이유로 상우의 몸에서는 화학 반응이 일어났다.

"선배 제안, 수락할게요. 합리적이라고 판단했어요. 그리고 유경험자라는 데 가산점이 많이 붙었어요. 다음 주 월요일부터 시작해요."

상우는 그의 결정을 재영에게 담담하게 전했다. 100% 정욕. 다른 목적이 없는 순도 높은 성욕 그 자체. 상우는 문명을 접하지 못한 야만인처럼 작살을 들고서 그를 교란하는 불필요한 충동을 사냥하러 갈 참이었다.

재영은 무표정하게 듣고 있다가 한마디 했다.

"내 제안이 뭐였는지 정확히 정리해 줘."

"교제하는 사이에서 일반적으로 하는 행동을 서로에게 허락하는 거예요."

"성욕을 해소할 목적으로?"

"네."

"섹스 파트너…… 란 거지?"

"네."

"씨발, 막장이네."

상우는 재영의 반응을 이해하기 어려웠다. 본인이 먼저 윤리적으로 문제가 있는 제의를 해 놓고서 상우가 뭘 잘못했다는 식으로 구는 것이.

"솔직히 말해서 네가 허락할 줄 몰랐어. 뭐라고 말해야 할지 모르겠다. 그래. 잘…… 해 보자."

"네. 그럼 연락할게요."

상우는 할 말을 마치고 자리에서 일어나려 했다. 그런데 재영의 음성이 그를 붙잡았다.

"잠깐."

재영은 꼼짝도 하지 않고 조금 전과 다를 바 없는 표정으로 상우를 바라보고 있었다. 그가 건조한 목소리로 말했다.

"왜 오늘이 아니라 월요일부터야? 마음의 준비 때문에?"

"네. 그리고 공부도 해야 해서요."

"무슨 공부?"

"꼭 말해야 하나요?"

재영의 입이 벌어졌다. 그의 표정이 묘하게 변했다.

"아, 무슨 말인지 알겠어. 그럼 월요일에…… 바로 모텔?"

"전 그렇게 이해했는데요."

재영이 볼을 잔뜩 부풀리고 천장을 향해 한숨 쉬었다. 푸, 하는 소리가 크게 났다. 그가 손바닥으로 얼굴을 쓸어내리더니 말했다.

"일단 알겠어. 오늘은 뭐 없어? 2주 만에 보는데, 욕정 많이 쌓였을 거 아냐."

"오늘 당장 어떻게 해요. 아무 준비도 안 되어 있는데."

"그거 말고도 할 줄 아는 거 있잖아."

재영은 우회적으로 말하는 습성이 있었다. 그래서 그와 대화하다 보면 상우는 항상 한 번씩 더 사고해야 했다. 그러나 이번에는 난이도가 쉬웠다.

"지지난 토요일에 술집에서 했잖아요."

"또 해도 안 죽는데."

'그렇긴 하지.'

상우는 다리를 쭉 뻗어 의자 바퀴에 신발코를 걸었다. 그대로 당기자 재영이 스르르 가까워졌다. 의자와 의자가 부딪히고서 재영의 것이 조금 밀려났다. 상우는 손을 뻗어 의자를 고정하고 고개를 들었다. 코앞까지 다가온 재영은 눈을 크게 뜨고 있었다. 상우는 뱃속에 득시글거리는 충동을 생생하게 느낄 수 있었다.

"선배한테 키스할 건데……. 그 전에 문 잠그고 올까요?"

"다녀와."

상우는 일어나서 둥근 손잡이에 난 잠금장치를 콕 눌렀다. 그리고 뒤돌았을 땐 재영이 소리 없이 눈앞에 와 있었다.

"아, 깜짝이……."

재영의 손이 양 볼을 빠르게 감쌌다. 그의 입술이 입을 덮어서 더는 말을 할 수 없었다. 상우는 어질어질한 기분으로 눈을 감았다. 재영의 입술에서는 바닐라 향이 났다. 그의 타액에는 어떤 성분이 있길래 달콤한 맛이 나는 건지 알 수 없었다. 거대한 폭풍이 몰아치며 머릿속을 마비시켰다. 폭우를 흩뿌리고 천둥을 쳐 대서 도저히 정신을 차릴 수 없게 만들었다. 상우의 혀가 제어되지 않는 격정을 대변하여 재영의 입안을 휘저었다. 늘 이상한 기분을 느끼게 하는 그를 정복하고 먹어 치우고 싶다는 생각이 머릿속에 가득했다. 좋은지 나

뿐지 구분하기 어려운, 뜨겁고 아찔한 기분이었다.

상우는 숨이 막혀서 더는 도저히 참을 수 없는 시점에서 재영의 가슴을 밀어냈다. 달리기라도 한 듯 거칠게 숨을 내뱉으며 입가에 묻은 타액을 손등으로 닦아 냈다. 재영이 인상을 약간 찡그린 채 속삭이듯 말했다.

"너, 안 그렇게 생겨서 왜 이리 거칠어?"

낮고 허스키한 목소리가 상우의 성욕을 더욱 자극했다. 괜히 했다. 더 심해지기만 하고 조금도 해소되지 않았다. 상우는 끓어 넘치는 충동을 어떻게 풀어내야 할지 알지 못해서 가만히 숨을 골랐다.

'월요일까지만 참으면 해결되겠지.'

진지한 두 눈이 상우의 얼굴을 뚫어지게 보았다.

"네가 바보인지 천재인지 헷갈린다."

"무슨 말인지 모르겠어요. 저 갈게요."

상우는 자리로 돌아와 어깨에 배낭을 멨다. 더 있다가는 범죄라도 저지를 기분이라 실기실에서 급하게 빠져나왔다.

return 0;

축제란 예상대로 조잡스러운 행사로 가득했다. 상우는 축제 기간 중 캠퍼스를 지나다녀 봤기에 대충 이런 줄 알고 있었다. 바람에 추잡하게 휘날리는 현수막, 형형색색 천막, 괴상하게 분장한 사람들, 여기저기서 지르는 고함과 시끄러운 음악. 눈과 귀를 괴롭게 하는 모든 것을 모아 놓은 장소.

"와, 진짜 멋있지 않아요?"

상우는 평소에 지혜가 대단히 상식적이고 유연한 사고를 가진 학생이라고 생각했지만 그녀는 오늘따라 이상했다. 눈을 반짝거리며 먹는 것마다 맛있다고 하고 보는 것마다 멋있다고 호평했다.

상우는 지혜를 11:00에 만나 물리 법칙을 어길 수 있는 양 관객을 현혹하는 마술부 공연을 보았다. 12:02에는 타로 카드 카페에서 그림 카드로 벌이는 사기 행각을 인내하며 샌드위치를 먹었다. 12:42에 밴드부의 귀를 찢는 듯한 공연을 관람하며 귀마개를 그리워했으며 13:13부터는 만화부에서 하는 카페에서 음료수를 마시며 지저분한 단행본을 봤다. 15:43에 나올 적에 지혜는 만화를 보고 울어서 눈이 퉁퉁 불어 있었다.

"아란이가 죽을 줄 몰랐어요. 백혈병이라니! 너무 슬퍼요, 진짜. 게다가 휘혈이와 배다른 남매였다니…… 반전 소름 끼쳐요."

"실존 인물도 아닌데 왜 울고 그래."

"슬프니까 그렇죠. 오빠는 뭐 보셨어요?"

"〈선희와 재영이〉."

"재미있어요, 그거?"

"아니."

그렇게 재미없는 줄거리는 태어나서 처음 봤다. 반복적으로 등장하는 이름을 보려고 아무 생각 없이 페이지를 넘겼을 뿐이었다.

그들은 만화 카페에서 나와 캠퍼스를 잠깐 걸었다. 그러던 중에 지혜가 자신은 일과를 깜빡깜빡 잘 잊기 때문에 매일 포토 일기를 쓰며, 그 때문에 동행인의 사진이 필요하다고 주장해서 잠시 멈춰서서 함께 셀카를 찍었다. 그러다 상우의 발걸음이 벽에 붙은 포스터 앞에서 멈추었다.

고전 게임 동아리 주최! 아케이드 게임 대회

게임이란 단어에 무의식중에 반응한 것이긴 해도 그냥 지나갈 수 없었다. 포스터를 훑어보니 상품 중에 지금은 단종된 콘솔 게임기가 있었다. 예전에 구하려고 했다가 실패한 품목이었다.

"와! 오빠, 이거 하러 가실래요? 여기 상품 중에 그 기계식 키보드 있어요. 전에 제가 사려고 한 거요."

"진짜네."

양쪽의 필요를 충족시키는 행사였다. 그전까지 한 바보 같은 활동들과는 비교가 안 될 정도로 생산적인 도전이었다. 상우와 지혜는 한마음이 되어 공학대 앞으로 향했다.

그곳에는 이미 엄청난 인파가 모여 있었다. 게임 종목은 네 가지였다. 〈테트리스〉, 〈버블버블〉, 〈철권〉, 그리고 〈메탈슬러그〉. 그들은 신청서를 적기 전에 전략을 세우고 토의하기 시작했다.

"오빠 갖고 싶으신 거 이거죠? 슈퍼포미콤CX."

"어. 테트리스 우승 상품이네."

"테트는 저한테 맡기세요."

지혜는 긴 머리를 희한한 방식으로 쓸어 넘기며 자신만만한 미소를 지었다. 말로는 어릴 적에 온라인 테트리스를 '좀' 해서 초등학교 '일짱'을 먹었으며 '신' 계급까지 가 어른들을 털고 다녔다는데. 그다지 신뢰가 가지 않았지만 상우는 테트리스 숙련도가 높지 않기 때문에 지혜에게 맡겼다.

"키보드는 철권 우승 상품이네요. 저 이거 안 해 봤는데, 오빠 할 줄 아세요?"

"이건 내가 할게."

철권 스위치. 오래전이었기는 해도 오락실에서 꽤 해 보아서 어떻게 운영해야 하는지 알고 있었다. 대전 게임이야 메커니즘이 간단하니 인터넷에서 캐릭터를 골라 미리 콤보를 외울 생각이었다. 소규모 대회니까 그 정도 노력만 해도 승산이 있다고 여겼다.

상우와 지혜는 서로 바라보며 결의를 다졌다.

"상품을 타서 서로 교환하는 거예요!"

"그래!"

그들은 신청서를 내고 잠시 대기했다. 50명쯤 모여 있었는데 철권 코너에 사람이 가장 많이 몰려 있었다. 계단에 쭈그리고 앉아 기다리자 테트리스 쪽에서 먼저 자리가 났다. 지혜가 일어나며 목을 좌우로 꺾었다. 그녀는 자신만만한 태도로 상우에게 말했다.

"저만 믿으세요. 게임기 따 올게요."

그녀가 구두 소리를 내며 걸어가 낮은 간이 의자에 앉았다. 테트리스는 대전이 아닌 점수 기록을 집계하는 방식이었다. 지혜는 '최상' 난이도를 선택했기 때문에 시작하자마자 화면의 반 이상이 방해물로 차 있었고 블록 내려오는 속도가 몹시 빨랐다.

중독성 짙은 음악을 배경으로 상우는 신들린 듯한 지혜의 손놀림을 구경했다. 그녀의 블록은 주저함 없이 적재적소에 떨어졌다. 완벽한 동체 시력, 판단력, 그리고 제어력. 지혜의 컨트롤은 쓸모없는 움직임 따위 허락하지 않았으며 회전도 좌우 이동도 무조건 최소 회수로 유지했다. 기다란 막대기 블록이 촘촘히 쌓은 벽을 네 줄씩 깨나갈 때마다 상우는 마음속에서 깊은 쾌감을 느꼈다.

"봐요. 제가 뭐랬어요?"

14분 동안 앉아 있다가 나중에는 내려오는 속도가 너무 빨라져서 보이지도 않을 지경이 되었을 때 지혜는 게임을 포기했다. 볼 것도 없이 1등이었다. 2등과는 10만 점이나 차이 나서 별일 없다면 그녀가 콘솔 게임기를 차지할 것 같았다.

"잘했어!"

상우는 고개를 끄덕이며 그녀를 치하했다. 그녀가 하이파이브를 하자고 손을 내밀길래 기꺼이 해 주었다. 그러자 지혜가 뿌듯하단 얼굴로 웃으며 상우 곁에 앉았다. 게임의 흥분감 때문에 양 볼이 붉게 물들어 있었다.

대기하는 동안 상우는 인터넷에서 철권 캐릭터 두 개를 찾아보며 콤보를 숙지했다. 더 기다리자 그의 차례가 되었다.

"오빠, 잘하고 오세요."

"최선을 다할게."

상우는 철권 코너로 향했다. 대전 게임답게 아케이드 게임기 두 대를 마주 보고 붙여 놓았다. 구경꾼이 많았고 다른 코너와 달리 해설자도 두 명 있었다.

"네, 다음 선수. 누군가요? 어디 한번 신청서를…… 아, 이런. 또 컴퓨터공학과 학우군요."

"컴공 학우들 여기서 정모하나요?"

"생각해 보니 우리도 컴공이잖아요?"

상우 건너편에 앉은 남학생은 나이가 많아 보이고 체격이 좋았다. 야구 모자를 쓴 데다 체크 남방 차림이었다.

"도전자 학우, 에드를 선택하네요! 오늘 처음 나왔죠? 철권 스위치 희대의 망캐를 고르다니…… 손이 미끄러진 걸까요?"

"에드와 트리스탄…… 미묘하네요. 공통점이라면 콤보 캐릭이란 겁니다. 컨이 안 되면 아무 쓸모없는 똥캐가 되죠? 오오, 시작하는군요."

전력 파악은 10초면 끝난다. 상대가 하는 꼴을 가만히 보면 게임 이해도가 얼마나 되는지 티가 나는 것이다. 다섯 명을 깨고 그 자리에 앉아 있다는 상우의 적수는 헛움직임이 많고 반응 속도가 느렸다.

"아아, 하단 흘리기! 에드, 에드! 방어자의 콤보를 무산시키고 베어차기 제대로 들어갑니다! 깔끔한 웨이브! 아아 그대로 국콤으로 조져 버리네요!"

"즈엉─말 깨끗한 플레이였습니다! 오늘 참가자 중에 이 정도 관록을 보여 준 선수가 있었나요? 오락실 집 아들이다에 500원 걸어 봅니다."

너무 쉬웠다. 상우의 상대가 뒤통수를 긁으며 머쓱하게 물러나자 다음 도전자가 왔다. 이번에도 모자를 썼으며 꽤 어려 보였다. 상우는 같은 캐릭터를 고르고 게임을 시작했다.

"또 에드와 트리스탄? 너 같은 버러지에게는 새로운 전력도 필요 없다는 도발일까요?"

"그냥 두 개밖에 할 줄 모르는 걸 수도 있어요. 오옷! 보세요! 여기서 택졸기가 나오네요."

"걸려들었습니다, 걸려들었죠. 캬…… 도전자 학우 당황했죠? 무─한─콤─보오오오오! 그대로 능지처참해 버리네요. 정말 굉장합니다."

다음 경기도 쉬웠다. 상우는 지척에서 응원하는 지혜에게 손을 흔들어 주었다. 다음 상대도, 그다음 상대도 손쉽게 격파해 나갔다. 하나같이 콤보는 제대로 구사하지도 못하고 버튼을 마구잡이로 누르기만 하는 허접들이었다. 상우는 열네 명을 연속으로 꺾었다.

"오늘 철권왕이 탄생한 것 같은데요. 이 페이스대로면 우승 문제없죠. 자, 10분만 더 버티면 되는 상황, 도전자는 한 명 남았군요. 과연 우리 에드─트리스탄 학우가 왕좌를 지킬 수 있을지……"

"자, 마지막 도전자 왔습니다. 코스프레 동아리에서 왔을까요? 복장 특이하죠? 오옷, 게다가 신청서를 보니 웬일로 공대 학우가 아니네요."

상우는 호기심이 생겨 상대를 슬쩍 보았다. 그의 건너편에 앉은 사람은 붉은 베스트에 장식적인 흰 셔츠, 검은 정장 바지와 구두, 등에는 목깃 높은 망토를 걸치고 있었다. 중세 유럽에서 온 것 같은 복장에 얼굴에는 도깨비 가면을 쓰고 있었다.

'이상한 놈이네.'

상우는 별생각 없이 또 같은 캐릭터를 골랐다.

"상추 오빠, 파이팅!"

상우는 지혜의 응원에 주먹을 들어 보였다. 그런데 그 순간, 상대의 캐릭터가 대시로 다가와 중단 견제기를 날렸다. 재빨리 회피기를 써서 캐릭터가 공중에 뜨진 않았지만 HP가 꽤 깎였다.

'만만치 않은 놈이군.'

"워어어어어! 칼날처럼 날카로운 공격이었습니다. 도전자 학우는 롯시를 잘 쓰는 거 같군요?"

"롯시, 워낙 사기캐죠? 과연 방어자 학우, 에드 같은 망캐로 갓시를 막을 수 있을지…… 기대되는군요."

상대의 캐릭터는 끊임없이 움직이며 잽을 날렸다. 자잘한 움직임이 많아 산만해 보였으나 함정에 걸려들 만한 거리를 내주지 않았다. 은근히 신중하고 거리 재는 솜씨가 동물적이었다.

"방금 벽꽝 될 뻔했죠? 방어자 학우 잘 간파했습니다."

"아아아아, 도전자 학우 콤보 넣다가 손 꼬였어요. 상대를 한 방에 보내 버릴 기회였는데요……."

"실수는 했지만 손이 여전히 빠릅니다. 상단, 상단, 하단, 아, 신출

귀몰해요. 패턴을 예측할 수가 없어요.”

　견제가 심해서 콤보를 시도할 수가 없었다. 상우는 복잡한 플레이 스타일인 상대를 고려해 캐릭터를 바꾸었다. 적을 공중에 띄울 수만 있다면 끝장낼 한 방을 가진 캐릭터가 화면으로 걸어 나왔다. 상우는 상대를 띄울 각만을 쟀다.

　“트리스타아아아안 나오자마자 타이밍 노리죠! 4rp, 4rp, 4rp, 갑니다, 가요! 아 집요합니다. 떴죠, 지금 더블 어퍼로 떴죠!”

　“공 　중 　콤 　보! 3타, 4타, 대체 몇 깬가요? 콤보가 끝나지 않습니다! 저분 몇 학번이죠? 우리 후밴가요?”

　“몰라 몰라 전 그냥 형이라고 부르렵니다. 롯시 학우 손 놔 버리네요. 멘탈 나갔죠, 지금? 으아! KO입니다!”

　상대 캐릭터를 하나 죽이자 그의 예비 캐릭터가 등판했다. 상우는 잠시 방심하고 있다가 상대의 얍샙이 콤보에 걸려들었다.

　“아앗! 도전자 학우, 이를 갈았나요, 시작하자마자 이게 무슨 일인가요?”

　“페이크 하단에 국콤 제대로 들어갔고요. 누가 이길지 다시 불투명해졌어요.”

　난타전이 계속되며 상우의 캐릭터도 상대 HP를 30% 깎은 채 쓰러졌다. 남겨 놓은 캐릭터가 끌려 나왔다. 이제 물러설 곳 없는 진검 승부였다.

　“도전자 학우, 만만치 않네요. 심리전에 능해요.”

　“우리 방어자 학우는 매크로 핵 같은 느낌이죠. 빈틈이 없어요! 과연 15승을 거머쥘 것인가!”

　그들은 가벼운 정권과 하단 공격을 몇 번 주고받았다. 상대가 왼쪽 어퍼 콤보를 시도했지만 상우는 당해 주지 않고 중간에 끊었다.

마찬가지로 상우의 연퇴 파생기도 막혔다. 손에 땀을 쥐게 하는 승부였다.

초집중해서 신경이 곤두서 있던 그때, 상대가 다리를 떨고 있는 게 거슬렸다. 아케이드 게임기에서 툭 튀어나온 무릎은 어딘가 익숙했다. 상우는 그 무릎을 노려보다가 하마터면 공중에 뜰 뻔했다.

갑자기 식은땀이 났다. 어디서 많이 본 다리인데, 떠는 모양새도 이상할 정도로 익숙한데, 뭘까.

"공부 끝났나 보다?"

그때 낮은 목소리가 들렸다. 등줄기에 소름이 쫙 끼쳤다. 상우는 적의 리치를 피하며 화면 구석에 캐릭터를 밀어 넣고서 목을 빼 건너편을 보았다. 상대는 기괴한 가면을 썼지만 눈이 마주쳤다는 걸 알 수 있었다.

"준비 다 하고 노는 거지?"

"장…… 재영? 여기서 뭐…… 하는…….'

상우는 다시 화면으로 돌아와 컨트롤러를 쥐었지만 이미 평정심을 잃었다.

"게임이나 처하러 다니고 말야."

상우의 에드가 재영의 릴리스에게 속절없이 무너지고 있었다.

"우리 상우가."

하단을 괴롭히는 페이탈 차지. 피하기는 이미 늦었다.

"테크닉에 어지간히 자신 있나 봐."

중상단 다이어 킥으로 에드의 HP가 반 이상 깎여 들었다.

"존나 기대되네."

릴리스의 데슬리 아리아에 그가 쓰러졌다.

해설자들이 흥분한 목소리로 뭐라고 소리쳤지만 상우에게는 들리지 않았다.

return 0;

"진짜 괜찮다니까요. 가지세요."

"아냐. 난 그거 가질 자격 없어."

상우는 어깨를 축 늘어뜨린 채 느릿하게 걸었다. 지혜의 손에는 슈퍼포미콤CX가 들려 있었지만 상우는 빈손이었다. 각기 상품을 타서 교환하기로 약속했는데 처참히 실패해서 고개를 들 면목이 없었다.

"저 진짜 괜찮은데……. 이렇게 오래된 게임기를 어디다 쓰겠어요. 할 줄도 몰라요."

"중고로 팔아. 전에 하는 법 알려 줬잖아."

"그럼 오빠한테 팔까요?"

상우의 고개가 번쩍 들렸다. 역시 류지혜! 머릿속에 최적의 방법이 빠르게 시뮬레이션 되었다. 상우는 흥분한 목소리로 말했다.

"너 오늘 저녁에 중고 거래 앱에 올려. 그러면 내가 게시글 찾아서 너한테 연락할게. 다른 사람한테 팔지 말고 꼭 나한테……."

"오빠……. 바보예요?"

지혜가 킥킥거리며 상우의 어깨를 붙잡았다. 상우는 슬쩍 옆으로 피하며 그녀의 손을 흘려 냈다. 지혜가 한참 웃은 뒤에 상우의 손에 게임기가 든 쇼핑백을 쥐여 주었다.

"자요. 이게 직거래지 뭐예요."

"아……."

"게임기 값으로 돈 말고요, 오늘 저녁 사 주세요."

"이거 10만 원 넘어."

"거래 조건이 싫으면 도로 주시고요."

지혜는 엄한 얼굴로 손을 내밀었고 상우는 고민에 빠졌다.

[무임승차3: 내일밤10시에집앞으로데리러갈게] 23:09

전날 받은 메시지를 떠올리니 가슴이 울렁거리면서 멀미하는 기분이 들었다. 원래는 지혜와 지금쯤 헤어져 집에서 마음의 준비를 해야 마땅하지만……. 금요일에 재영을 만났을 때만 해도 자신만만했던 상우의 태도는 남성 간의 성관계 프로세스를 이론적으로 정복한 다음부터 온데간데없어졌다.

'도저히 안 되겠어.'

어차피 재영에게 사과하고 결정을 번복할 예정이었으니까. 상우는 게임기를 끌어안으며 대답했다.

"아냐. 저녁 먹으러 가자."

"좋아요."

지혜는 뭐가 그렇게 즐거운지 또 입을 가리고 혼자 끅끅거렸다.

어느새 날은 어둑했다. 지혜에게 이끌려 접어든 인문대 길에는 전구가 색깔별로 밝혀져 있었다. 알록달록한 리본이 눈을 어지럽혔다. 아카펠라 노래 주점, 수족관 음식점, 강아지 카페, 보드게임 주점 등 다양한 동아리에서 주최하는 노점이 성행했다.

"앗! 저기 가요, 저기!"

조용히 걷던 지혜가 방방 뛰며 사람이 유난히 많이 몰려서 줄을 길게 선 노점을 가리켰다. '유령 주점' 간판은 으스스한 분위기였고 천막 입구에서 저승사자와 처녀 귀신이 서서 지나가는 사람들을 겁주었다.

"죄송한데 지금 자리가 다 찼어요. 대기 명단에 이름 올리셔도 1시간 반 기다리셔야 해요."

도깨비로 분장한 여학생이 손사래를 치며 반복해서 말했다.

"아⋯⋯. 재미있어 보이는데, 안 되려나 봐요."

지혜는 아쉽다는 표정이었다. 상우는 유령 따위에 관심 없었지만 지혜에게 빚을 지고서 가만히 있고 싶지 않았다. 쇼핑백에 든 게임기의 무게는 그녀의 바람을 들어줘야 한다는 의무감이나 마찬가지였다. 상우는 지혜더러 기다리라고 하고선 인파를 헤치며 천막 안으로 비집고 들어갔다.

동굴처럼 어두운 내부는 여러 기괴한 장식으로 꾸며져 있었으며 테이블 열 개가 전부 손님으로 꽉 차 있었다. 좀비, 마법사, 무당, 천사와 악마, 뱀파이어, 프랑켄슈타인. 공들여 분장한 점원들이 서빙하며 손님들을 즐겁게 해 주었다. 상우는 그들 중 팔짱 끼고 삐딱하게 선 뱀파이어의 뒷모습에서 기시감을 느꼈다.

'설마⋯⋯.'

아케이드 게임 대회에서 그를 꺾은 마지막 도전자도 저런 차림을 하고 있었더랬다. 그 순간에 뱀파이어가 뒤돌면서 둘의 눈이 자석처럼 마주쳤다.

"⋯⋯."

상우는 머리를 얻어맞은 기분으로 뒷걸음질 치다가 도깨비와 부딪치고 말았다. 그녀 입에서 준비된 대사가 자동 응답기처럼 튀어나왔다.

"죄송한데 지금 자리가 없어요."

"네. 나갈게요."

상우는 빠르게 답하고 뒤돌았다. 그때 등 뒤에서 뱀파이어의 목소리가 들렸다.

"자리 하나 만들어 볼래?"

"이제 진짜 테이블 놓을 공간이 없어요, 선배님!"

"다 먹은 사람 내보내면 되지."

상우는 천막에서 황급히 뛰쳐나왔다. 지혜에게 자리가 없어서 다른 곳으로 가야 한다고 설명하자 그녀가 시무룩한 표정으로 고개를 끄덕였다. 막 걸음을 옮기려는 찰나 도깨비가 천막에서 뛰쳐나왔다.

"모자 쓰신 학우님? 방금 자리 났으니 들어오시면 돼요! 얼른 오세요."

"아닙니다. 아까 분명히 자리 없는 거 봤어요. 갈게요."

"좋은 말로 할 때 오세요."

가면 속에서 흘러나온 목소리가 서늘해서 상우는 저도 모르게 걸음을 멈추고 말았다. 주저하는 사이 천막에서 야구선수처럼 덩치가 큰 프랑켄슈타인과 좀비가 나타나 양팔을 막무가내로 잡았다.

"자, 가시죠!"

"이거 놔요. 조폭이에요?"

상우가 남학생들과 몸싸움하는 사이 지혜는 도깨비와 대화를 나누었다.

"오빠, 마침 안에 자리 났대요. 정말 운이 좋아요!"

그녀가 까르륵 웃으며 천막으로 들어가 버려서 상우는 낙동강 오리알 신세가 되었다. 상우는 프랑켄슈타인의 손을 겨우 뿌리쳤지만 이번에는 뒤에서 좀비가 등을 밀었다. 힘이 무식하게 센 놈들이었다. 그는 반항할 새도 없이 천막으로 끌려 들어갔다.

"어서 오세요."

그리고 띠꺼운 표정으로 그들을 환영하는 뱀파이어를 마주했다. 왁스로 앞머리를 올려 이마를 드러냈고 눈가에는 까만 화장을, 피부에 하얀 분칠을 해 놓았다. 입가에 검붉은 물감으로 피를 표현한 기괴한 모습인데도 근사해 보이는 것이 신기할 따름이었다. 그는 희한한 차림을 한 점원들 중에서도 단연 눈에 띄었다. 그 순간에도 학생 몇 명이 그의 주변을 서성이며 사진을 함께 찍으려고 대기하고 있었다.

"안녕하세요, 재영 오빠!"

"지혜 오랜만에 보네. 서비스 팍팍 나가야겠는데."

"우와! 진짜요? 미리 감사드려요. 오빠 분장이랑 옷 진짜 잘 어울리세요. 최고 최고! 완전 드라큘라 백작 같고 멋있어요."

"상우랑은…… 데이트?"

"아니, 데이트라뇨! 하하하하! 그냥…… 상추 오빠가 저한테 빚진 게 좀 있어서 밥 사 주기로 하신 거예요."

"그래. 잘 놀다 가."

뱀파이어는 그리 말하고서 어디론가 가 버렸다. 상우는 아무것도 안 먹었는데도 토할 것 같은 기분이 들었다.

"진짜 잘 꾸며 놨네요. 역시 연극부는 퀄리티가 있다니까……. 완전 좋아요."

반면 지혜는 기분 좋은 듯 천장에 붙은 박쥐와 호박 장식을 둘러보며 사진을 찍었다.

"저 사실……."

지혜가 핸드폰을 집어넣으며 목소리를 낮추었다.

"연극부에서 하는 줄 알았으면 안 왔을 거예요."

"왜?"

그녀가 주변에 사람이 없는 걸 확인하고서 속삭였다.

"재영 오빠가 저 싫어하시는 줄 알았거든요."

"왜?"

"그냥…… 감이었어요."

"그럴 이유가 없어 보이는데."

"맞아요. 오늘 보니까 제가 착각한 것 같아서 기분 좋아졌어요. 그동안 약간 찝찝했거든요."

상우는 이해가 안 된다는 표정으로 입을 다물었다.

"그리고요, 오빠……."

지혜가 상체를 테이블 쪽으로 내밀며 은밀하게 말했다. 상우는 그녀의 목소리를 듣기 위해 자연히 몸을 앞으로 기울였다.

"제가 오늘 할 말이 있어요."

동그란 눈동자에 촛불 빛이 비쳐 일렁거렸다. 상우는 처음으로 지혜의 얼굴을 자세히 들여다보았다. 이제껏 몰랐는데 볼에 옅은 보조개가 있었다.

"윙가—르디움 레비오—우사!"

그 순간 마법사 복장을 한 남학생이 달려와 그들 사이에 메뉴판을 들이밀며 아이 컨택을 끊어 버렸다. 상우는 다시 정자세를 하고 메뉴판을 보았다.

끔찍한 계란말이, 천년 묵은 알밥, 으스스한 어묵탕. 가격이 비싼 편이었지만 지혜가 타 온 게임기에 비하면 아무것도 아니었다.

"먹고 싶은 거 다 시켜. 13만 원 안으로만."

"네!"

지혜는 고심 끝에 '썩어 빠진 튀김 우동'을 시켰고 상우는 '미쳐 버린 김치찌개'와 '거미줄 친 공깃밥'을 주문했다. 마법사가 사라진 뒤, 상우는 어딘가 불만스러운 표정으로 앉아 있는 지혜와 눈이 마주쳤다.

"너 무슨 얘기 하고 있지 않았어?"

"아······. 아니에요. 나중에 이야기할게요."

"그래."

침묵이 감돌았다. 상우는 꼼짝 않고 앉아 있었지만 귀로는 천막 안에 나는 모든 소리에 집중했다. 장재영이 뭘 하는지, 누구와 무슨 얘기를 하는지 궁금해서 그러지 않을 도리가 없었다. 목소리는 여기 저기서 들렸다. 모르는 사람들과 웃으며 농담하는가 하면 테이블에서 주문을 받고 서빙하기도 했다. 가슴이 두근두근, 조금 빠르게 뛰었다.

"아, 오빠! 제가 재미있는 얘기 해 드릴까요?"

"어? 어······. 해 봐."

"있잖아요. 참치 김밥이랑 치즈 김밥이랑 길을 가고 있었는데요. 단무지를 만난 거예요. 그런데······."

"뾰르르르르!"

"어맛 미친 깜짝야!"

돌연 프랑켄슈타인이 못 박힌 머리를 들이밀며 놀라게 하는 바람에 지혜가 공중에 30cm는 뜬 것 같았다. 지혜는 화난 표정이었지만 손님들한테 장난치는 게 유령 주점의 콘셉트다 보니 씩씩거리기만 하고 아무 말도 못 했다.

"점원들이 좀 짓궂네요."

"네가 좋다고 들어온 거잖아."

"그러게요. 할 말 없네요······."

또 대화가 끊겼다. 지혜는 한참 동안 손가락만 꼼지락거리다 시답잖은 질문을 하나 던졌다.

"오빠, 전부터 궁금했는데······ 혹시 여자친구 있으세요?"

"아니."

"아, 정말요? 그럼 만일 괜찮은 기회 있으면…… 만나실 생각 있으세요?"

상우가 학업으로 바빠서 그럴 생각이 없다고 대답하려는데 악마가 달려와 요란한 몸짓으로 (그 자리에서 지어낸 것 같았다) 저주를 퍼붓고 사라졌다.

"뭐라는 거야?"

상우는 멀어지는 뒷모습에 대고 중얼거렸다. 지혜는 한동안 말이 없었다.

"식사만 하고 나갈까요?"

"너 좋을 대로 해."

"네……. 여기 너무 시끄러워서 무슨 얘기를 못 하겠어요."

상우는 처음에는 그녀가 예민하다고만 생각했는데, 갈수록 그 말이 이해되었다. 이상하게도 지혜가 무슨 말만 하려고 하면 음식이 하나씩 나왔고 대화가 시작되면 꼭 연극부원이 훼방을 놓고 갔다. 우연의 일치겠지만 이야기 나누기엔 적합하지 않은 장소인 건 분명했다.

그러거나 말거나 상우의 신경은 온통 다른 사람에게 쏠려 있었다. 비록 그가 한 번도 근처로 오지 않아서 분장을 자세히 볼 기회조차 없었지만.

'다른 곳에 가서는 사진도 잘 찍어 주면서……. 나는 섹스 파트너라 이건가.'

이제는 그도 아니게 될 예정이었지만.

상우는 한숨 쉬며 등을 의자에 기댔다. 재영과의 성관계를 시뮬레이션하면 할수록 암담해졌다. 상우는 도저히 그의 직장에 제 음경을 삽입할 용기가 없었다. 또한, 시청각 자료 속 사람들처럼 재영이 고통스러워하는 모습을 볼 자신도 없었다.

재영은 서비스 팍팍 주겠다는 말을 지켰다. 벌써 시키지도 않은 소주 세 병에 마른안주와 과일, 계란말이를 줬다. 금방 나가겠다던 지혜도 공짜 음식과 술 앞에서 탐욕스럽게 젓가락을 들었다.

"오빠, 술 잘 드시네요."

지혜도 마시고 있기는 했지만 소주는 주로 상우의 입으로 들어갔다. 주말에 받은 스트레스가 너무 심해서인지 취해 버리고 싶었다.

그의 마음 상태는 새빨간 에러 코드가 백 줄쯤 뜬 컴파일러나 다름없었다. 알 수 없는 서운함, 정의하기 어려운 두려움, 성교의 거부감, 막연한 불안감, 사라지지 않는 욕정, 게임에서 져서 키보드를 못 탔다는 패배감까지. 온갖 부정적이고 모호한 감정이 뒤섞인 잡탕이었다. 술을 마셔서 다 잊을 수만 있다면 얼마든지 마시리라.

"크르르르……. 술이랑 안주 왔다. 크르르……."

"또요? 정말 감사해요. 너무 많이 주시는 거 아니에요?"

"크륵, 어리석은 인간들아……."

"어, 떨어뜨리겠다. 콘 버터 이리 주세요. 제가 들게요."

지혜는 초반에 프랑켄슈타인하고 날을 세우더니 나중에는 익숙해져서 그가 무슨 장난을 치든 놀라지도 않았다.

그들은 한동안 말없이 공짜 안주와 소주 한 병을 들었다. 어느새 지혜의 얼굴도 술기운으로 붉어졌다. 그녀가 콧노래를 흥얼거리며 상체를 흔들거렸다. 그러면서 까르르 웃었다. 상우는 눈을 천천히 깜빡였다. 눈꺼풀이 무거웠다. 그는 취해 있었다.

"오빠……. 제가 오늘 할 말 있다고 했잖아요."

"그래? 해."

지혜는 고개를 저었다. 그녀는 손으로 머리카락을 정리하더니 의자를 테이블에 바싹 당겨 앉았다. 그러고는 꽤 진지한 얼굴로 말했다.

"저 좀 취한 것 같아서…… 괜히 말실수하느니 다음에 하려고요."

"다음 언제?"

"또 기회가 있겠죠. 오늘 같이 만화도 보고, 게임도 하고, 술도 마시고, 재미있게 논 것만 기억해 주세요. 알겠죠?"

지혜가 웃으며 손바닥을 내밀었다. 게임기를 탔을 때처럼 하이파이브 하자는 것이었다. 상우는 그때의 기억이 나서 피식 웃으며 오른손을 들어 올렸다. 짝 소리가 나며 손바닥끼리 마주쳐야 할 순간이었다.

"……."

분명히 손을 힘껏 뻗었는데, 왜 손바닥이 지혜가 아닌 뱀파이어의 손과 맞닿아 있는지 모른다. 단단한 손아귀가 상우의 손가락을 빠져나가지 못하도록 꼭 붙들고 있었다.

"아쉽지만 폐점 시간이야, 애들아."

재영이 상우의 손을 그의 무릎에 던지며 말했다. 지혜는 여전히 손바닥을 든 채 황당하다는 표정을 짓고 있었다. 재영이 그녀를 향해 웃었다.

"시간 늦었는데 집에는 연락했어?"

"저희 집은 통금도 없고 분위기 프리해서 괜찮아요."

"그래도 얼른 들어가야지, 부모님 걱정하셔. 어디 사는지 모르겠지만 아직 막차 안 끊겼을 거야."

쓸데없는 대화였다. 상우는 졸음을 못 이기고 눈을 감았다. 이상하게도 혼란스럽던 기분은 흩어지고 재영의 목소리가 바로 위에서 들리니 기분 좋다는 생각만 들었다. 그런다고 아무것도 해결되지 않는데. 술을 너무 많이 마셔서, 취해서이리라.

"걱정해 주셔서 정말 감사해요. 그럴게요."

지혜가 대답하고서 잠시 동안 침묵이 감돌았다. 곧 그녀가 말을 이었다.

"상추 오빠…… 안 가세요?"

"상우는 걱정하지 마. 내가 집에 데려다줄 거야."

"네?"

"밖이 이렇게 어두운데 어떻게 혼자 내보내. 무슨 일 생길 줄 알고."

"……."

"지혜야, 조심해서 가."

잠깐 졸았나 보다. 깜빡깜빡. 눈을 겨우 뜨자 천막 사이로 사라지는 지혜의 뒷모습이 보였다. 집에 가야 하는데, 도저히 힘이 없었다.

천막 안에서는 사람들이 식기와 테이블을 치우느라 바빠 보였다. 재영이 다른 곳을 보며 뭐라고 말하고 있었다. 그가 상우를 힐끔 바라보았다. 둘이 눈이 마주치자 상우는 안면 근육을 제어하지 못하고 함박웃음을 짓고 말았다.

'아……. 멍청이 같아 보였겠다.'

상우는 떨떠름한 표정으로 고개를 돌렸다. 가슴 벅차는 두근거림과 끔찍한 불안감이 가슴속에 공존했다. 그때 커다란 손바닥이 다가와 그의 눈을 덮으며 시야가 어두워졌다. 심장이 떨려서 입이 저절로 벌어졌다.

"형진아, 내 차 어디 있는지 알지?"

"네, 형."

"애 좀 데려가서 조수석에 재워 주라."

"예! 키 주세요. 형은요? 안 들어가세요?"

"이러고 어딜 가냐? 옷 갈아입고 분장부터 지워야지."

"맞네요. 아, 그나저나 오늘 진짜 고생하셨어요. 형 덕에 매출 장난 아니에요. 레전드 찍었어요. 바쁘시다고 들었는데 저희 부탁 들어주셔서 진짜 감사해요."

"아냐. 나도 잘 놀았어."

"원래 오픈 때만 잠깐 도와주기로 하신 거잖아요. 끝까지 계셔 주셔서 감동이에요."

"몇 시간인데, 뭐."

재영의 손이 떨어지자 눈꺼풀을 뚫고 다시 빛이 들어왔다. 눈을 떴을 땐 뱀파이어의 뒷모습이 멀어지고 있었다.

"저기요?"

누군가가 상우의 어깨를 거칠게 흔들었다.

"일어나요. 재영이 형이 차에 가 있으래요."

프랑켄슈타인이 상우의 팔을 무식하게 잡아끌었다.

Magenta

Magenta

　세수를 꼼꼼하게 한 재영은 고개를 들었다. 거울 속, 턱에서 물이 뚝뚝 떨어지는 남자가 복잡한 표정으로 자신을 노려보고 있었다. 손바닥으로 얼굴을 쓸어내리고 수건으로 물기를 닦았다. 그러고 나니 종일 널뛰던 감정이 조금 진정되었다. 옅은 기대감, 충격, 분노, 자괴감, 질투, 그리고 최종은 혼란인가. 이처럼 다채로운 정서를 하루만에 느끼기도 어려울 것이다.

　"씨발……. 나 뭐 하냐."

　씁쓸하게 중얼거리고 코스튬이 든 쇼핑백을 들었다. 인문대에서 나오자 더운 바람이 볼을 때렸다.

　추상우가 저를 연애 대상으로 보지 않는 거야 잘 알았다. 그의 옆자리는 '정상적인' 상대에게만 열려 있으며 자신은 '비정상적인 욕정'의 대상일 뿐이란 걸.

　다른 사람도 아닌 추상우와 몸만 섞는 관계. 아동용 캐릭터로 그린 19금 만화 같은 기묘한 감상이 들긴 해도 차라리 잘됐다고 생각했다. 어차피 뭐든 잘 질리는 재영의 특성상 상우와 한 번 자고 나면 흥미가 식을 게 뻔했다. 괜히 연애해 보겠다고 설치다가 지저분해지는 전개는 사양이었다.

그런데 흡혈귀 차림으로 간판 들고 캠퍼스를 돌다가 꽃나무 앞에서 셀카 찍는 남녀를 보고서 재영은 눈이 돌아갔다.

'섹스는 나랑, 연애는 류지혜랑?'

형이라 부르며 게임 같이 만들자고 꼬시고, 실기실 옆자리에 앉아 살랑살랑 남의 마음 흔들고, 머리를 쓰다듬질 않나, 기습 뽀뽀에, 찐하게 키스하며 혼을 빼놓고서도 연애는 할 수 없다고 못 박더니. 류지혜와는 축제 데이트?

'이 새끼가 누굴 쓰레기라고 욕해?'

열이 뻗쳐서 심장이 쿵쾅쿵쾅 뛰어 댔다. 재영이 대리 출석 좀 한게 1리터짜리 종량제 봉지에 담긴 쓰레기 정도라 치면, 추상우의 행태는 하수 처리장 그 자체나 다름없었다. 정신 차려 보니 재영은 후배의 가면을 빼앗아 쓰고 그들을 쫓아가 훼방 놓고 있었다.

기계식 키보드를 타서 돌아오는 길, 재영은 혼란에 빠졌다. 생각해 보면 화날 이유가 단 한 가지도 없었다. 관계를 섹스 파트너로 규정짓지 않았다면 모를까, 상우가 좋아하는 표현대로 색욕만 풀고 나머지는 나 몰라라 하기로 합의한 게 아닌가. 추상우가 쓰레기 소각장 마인드든 말든 무시할 필요가 있었다. 그러한 생각으로 마음을 다잡았다.

'어차피 오늘 밤이다. 깔끔하게 섹스하고, 색욕 풀고, 그리고 끝. 깔끔하게 섹스하고, 색욕 풀고, 그리고 끝.'

머릿속에서 그 말만을 되뇌고 있었는데 상우가 천막으로 들어온 순간 무너지고 말았다. 억지로 자리 만들어서 그를 붙잡아 앉히고,

가지 못하게 서비스 내주고, 이벤트성으로 오픈 때만 도와주기로 한 행사에 끝까지 남아 있으며, 이렇게 되었다.

촛불 밝힌 테이블에 마주 앉은 남녀는 잘 어울렸다. 무뚝뚝한 남자와 애교 많은 여자. 무심하지만 성실한 남자와 적극적이고 싹싹한 여자. 상우가 류지혜에게 눈곱만큼도 관심이 없는 게 눈에 보이는데도 속이 뒤틀렸다.

'인간의 복잡한 생체 메커니즘은 2세를 만들기 위해 서로 다른 성별 간 성애를 느끼는 형태로 진화했어요. 비효율적인 방법이라고 생각하지만 인류가 짝을 짓고 복잡한 임신 과정을 통해 생존하고 번성한 건 사실이죠.'

자신이 끼어들지 않는다면 추상우가 아무 갈등 없이 다른 성별에게 성애를 느끼고, 짝을 짓고, 그렇게 예상 가능한 전개로 흘러가리란 생각 때문에.

류지혜는 그 결말을 쟁취하려고 작정한 듯했다. 볼 때마다 화장이 진해지고 옷이 화려해지다가, 오늘은 기어이 허리에 주름 잡힌 녹색 원피스에 에나멜 구두, 큐빅 박힌 머리띠가 등장했다.

'네가 도로시냐, 그러고 돌아다니게?'

과한 감이 있기는 해도 그녀는 풋풋하고 예뻐 보였다. 재영은 상우가 그녀를 보는 게 싫었다. 그래서 한다는 짓이…….

'성혁아, 3번 테이블에 메뉴판 안 줬네.'

'엇! 지금 다녀올게요!'

'형진아, 3번 애들 심심해 보이는데.'

'그럼 안 되죠! 제가 당장 갈게요.'

'다윤아, 3번에 서비스 좀.'

'넷! 지금 나가요.'

'서현아, 3번······.'

'네에, 당장 다녀오겠습니다!'

'형진아.'

'네, 지금 가요!'

나중에는 말을 안 해도 후배들이 알아서 술 갖다 주고 안주 갖다 주는 지경이 되었다. 구질구질하다 정말. 왁스 때문에 엉킨 앞머리만큼 지저분하다.

재영은 천막으로 돌아와 짐을 챙겼다. 단체 사진이나 몇 장 찍어 주고 후배들의 숭배를 받으며 차로 향했다.

'내가 뭐가 아쉬워서 이래.'

주차장 앞에 서서 담배를 세 개비 연달아 피웠다.

추상우가 대체 뭐라고. 남자 새끼 따라다니면서 괴롭히고, 환심 사려고 노트북 뜯고, 노예가 되어 밤낮으로 일하질 않나, 스토커처럼 뒤밟고, 관심도 없는 오락 행사에나 가서 나대고.

'빨간 패딩, 빨간 저지, 빨간 비니, 빨간 팬티 입고 집에서 나오던 날부터 망한 거야. 아주 좆된 거라고.'

뭐가 아쉽냐고? 죄다 아쉽다. 그때는 추상우가 자신의 존재를, 이름을 몰라줘서 아쉬웠다. 조금 지나니 자신이 얼마나 멋있는 놈인지 알아주지 않아서 아쉬웠다. 이제는 저를 연애 상대로 봐 주지 않아서 아쉽다.

담배가 썼다. 검은 하늘을 올려다보니 한숨이 저절로 나왔다. 대체 연애할 처지도 아니면서 그렇게 집착해서 뭐 하냐고, 뭐 하러 에너지를 낭비하느냐고, 스스로 다그쳐도 답은 없었다.

재영은 반만 태운 꽁초를 버리고 차 문을 열었다. 그리고 차에 몸을 밀어넣자마자 심각한 공격을 당했다.

"……."

상우가 고개를 문 쪽으로 누이고 잠들어 있었다. 그 때문에 재영의 약점(사실상 이것만 아니었어도 이 지경은 안 됐을 것이다)인 그의 길고 하얀 목이 시야 전면에 노출되어 있었다. 주먹이 불끈 쥐이고 숨이 가빠졌다. 들키면 상우에게 고소당할 만한 생각이 머릿속에 펼쳐졌지만 눈을 가만히 감고 호흡을 골랐다. 아무리 급해도 술 취해서 잠든 애 덮치는 짐승 새끼 아니니까.

'정신 차리자.'

다시 눈을 떴을 땐 마음이 조금 진정되어 있었다. 재영은 심호흡을 하고 다시 상우를 보았다. 손을 그쪽으로 뻗으며 구실을 생각해 냈다.

'벨트만 매 주려는 거야. 다른 속셈은 전혀 없고.'

상우에게 다가가 팔을 뻗고, 벨트를 쥐고, 몸을 숙이며 벨트를 쭉 늘였다. 빨간 버튼 옆에 상우의 손이 놓여 있었다. 손톱이 어제 자른 것처럼 짧게 다듬어지고 뼈마디가 튀어나온 손이었다.

딸깍.

벨트를 꽂고 상체를 일으키며 일부러 고개를 돌렸다. 살짝 벌어진 입이 10cm 거리에 있었다. 술 냄새가 언제부터 이렇게 야했던가. 현기증이 났다. 시선으로 흰 목덜미를 핥으며 아주 천천히 자리로 돌아왔다. 벨트 매다가 진을 다 뺐다.

재영은 심호흡하고 시동을 걸었다. 자리에 타자마자 출격 준비 상태를 마친 물건은 진정할 줄을 몰랐다. 대체 요즘은 사타구니에 스프링이라도 달고 있는지 의심이 되었다. 마치 세상의 모든 물체가 남성기와 여성기로 보여 항시 발기한 상태였던, 성에 처음 눈뜬 중학생 시절로 돌아간 기분이었다.

오른쪽을 보지 않으며 액셀을 밟았다. 어떻게 될지 모르니 일단 가까운 상우의 집으로 향했다. 주차할 곳도 마땅치 않은 원룸 건물 앞, 차를 아무렇게나 대고 시동을 껐다.

"추상우, 일어나."

'성교할 시간이다, 이 쓰레기 새꺄.'

뒷말은 생략했다. 몇 초간 가만히 앉아 진정을 좀 하고서 차분한 상태로 제 벨트를 풀었다. 심호흡을 하고 옆으로 몸을 틀었다.

또 저 목이 문제였다. 재영은 눈을 가늘게 뜨고 상우의 어깨를 흔들었지만 그는 깨어나지 않았다.

"벨트…… 풀어 줄게."

괜히 찔려서 듣지도 못할 상대한테 중얼거리고서 등받이를 오른팔로 감쌌다. 왼손은 길게 뻗어 차 문 손잡이를 잡았다. 불필요하게 가슴을 앞으로 들이밀었다. 코가 상우의 볼에 닿을락 말락 했다.

어둠 속에서 달빛을 받아 빛나는 살갗이 창백해 보였다. 흑백 영화처럼 모든 것이 검거나 희었다. 재영은 상우의 얼굴을 보고 싶은 욕심에 모자를 벗겨 뒷자리에 던져 버렸다.

대비가 강한 화면이 가슴을 두근거리게 했다. 코와 속눈썹, 입술이 만드는 그림자의 모양이, 창문의 얼룩이 볼에 만들어 낸 거무스름한 무늬가, 모든 장치가 상우를 주인공으로 만들고 있었다. 잠든 얼굴이 눈을 뜨고 있을 때보다 훨씬 순진무구해 보여서 재영은 입맛을 다시면서도 죄책감을 느꼈다.

'얘를 상대로 뭘 어떻게 해야 해.'

불가사의한 욕정이었다. 그는 이제껏 재영이 이끌렸던 사람들과 공통점이 전혀 없었으니까. 눈에 띄는 구석도 없고 조용하며 꽉 막힌 스타일. 몇 가지 분야에선 전문가일지 몰라도 연애에는 그만큼 백치.

연애라면 해 볼 만큼 해 본 재영은 제게 무관심한 상대를 따라다니지 않는다. 세상에 사람이 얼마나 많은데, 어차피 반짝하다가 식어 버릴 열정에 목맬 필요 없다는 생각이었다. 그런데 추상우한테는 왜 그게 안 될까.

그때 상우가 눈을 떴다. 졸린 듯 몇 번 깜빡이더니 번쩍, 동전만 한 크기로 떴다.

"아니야. 아무 짓도 안 했어."

재영은 황급히 말했다. 정석적인 키스 직전 자세로 그렇게 말해 봤자 안 믿을 게 뻔했다. 상우의 가슴이 위아래로 오르락내리락했다. 재영은 은행 털다 걸린 강도마냥 손을 들어 무기가 없다는 걸 확인시켜 줬다.

"오해야. 가만히 있어."

그러고는 오른팔을 천천히 내렸다.

"자, 봐. 이러려고 했을 뿐이야."

붉은 버튼을 톡 누르자 상우의 가슴을 감싸고 있던 벨트가 후루룩 풀어지며 빨려 올라갔다. 상우가 눈을 내리깔고서 숨을 몰아쉬었다. 재영은 제자리로 돌아가야 할 상황인데 꼼짝도 할 수 없었다.

"할…… 말…… 있어요."

차 속 공기가 목욕탕처럼 뜨거운 느낌이었다. 아니, 느낌만이 아니었다. 창문에 김이 잔뜩 서려 있었다. 들이마시고 내쉬는 숨이 하나같이 무겁고 더웠다.

"뭐냐면…… 아, 씨발……."

'술 마시면 욕하는구나.'

욕하는 걸 보는 게 두 번째였다. 상우가 신음을 흘리며 얼굴을 찡그렸다. 손바닥으로 눈을 가리고 한참 동안 있었다. 잠시 후, 다시 보인 눈은 지쳐 보였다.

"뭐냐면요. 아……. 진짜, 미치겠네."

'존나 야하네, 씹새끼가.'

순진해 보인다고 생각한 게 조금 전인데 지금은 숨만 쉬는데도 성인용 영화다. 19금과 전체 연령가를 오가는 기복에 정신 차리기가 어려웠다. 재영은 침을 꿀꺽 삼켰다.

"저…… 저, 제가…… 제가요. 공부를 하다가……."

미안하지만 무슨 말을 하는지 하나도 안 궁금하다. 재영은 상우의 입술이 움직이는 모습을 보고 있을 뿐이었다. 야한 입술 두 쪽이 벌어졌다 닫히는 모양새를.

"합법적 경로로…… (어쩌고저쩌고) 결제…… (어쩌고저쩌고) 다운로드……."

'뭐라는 거야, 대체.'

"도저히…… (어쩌고저쩌고) 폭력…… (어쩌고저쩌고) 직장……."

기어이 오디오가 꺼졌다. 입만 움직이고 소리가 들리지 않았다. 욕정에 귀가 멀어 버린 순간, 재영은 이성을 잃고 상우에게 달려들었다.

"아!"

비명과 신음의 중간쯤. 재영의 입술이 상우의 목소리를 삼켜 버렸다. 잠시 머뭇거렸던 상우의 혀가 곧 돌진해 왔다. 전부터 그렇게 생각했지만 마치 진공청소기 같다. 밀당 따위 모르는 당기기일 뿐인데 왜 이렇게 안달하게 될까. 그대로 끌려가 버린다. 재영은 상우의 혀를 휘감고 뽑아 버릴 기세로 빨아 당겼다. 거칠게, 더 거칠게, 시간이 없어 급한 사람처럼 그의 입술을 빨아 댔다.

상우의 손가락이 재영의 뒤통수를 파고들어 머리카락을 움켜쥐었다. 다른 쪽 팔은 재영의 등을 감고 제 쪽으로 끌어당겼다. 요즘은 끌면 그대로 끌려가는 재영이었다. 그의 왼쪽 무릎이 상우의 허벅지 위로 휙 올라갔다. 조수석으로 무게 중심을 옮겨 가, 상우의 무릎에 엉덩이를 대고 앉아 버렸다. 등을 구부린 채 키스를 퍼부었다.

"헉, 헉……."

상우가 재영의 얼굴을 밀어내더니 숨을 토해 냈다. 재영은 그와 마찬가지로 헐떡거리고 있었다. 이게 짐승이지 사람인가. 잠시 자괴 감이 느껴졌지만 그를 바라보는 한 쌍의 눈을 보고 안심했다. 상우 의 눈동자 속에서 색정이란 이름의 광기가 번들거리고 있어서 재영 은 자제할 필요성을 느끼지 못했다. 바라보는 시간도 아까웠다. 숨 을 얼마 고르기도 전에 둘의 입술이 또 붙어 버리고 말았다.

물어뜯어 먹어 치우고 싶은 기분이 들었다. 그의 피부에 자국을 남기고 제 이름을 새기고 싶어졌다. 성욕? 연애 감정? 구분할 필요 성을 느끼지 못했다.

재영은 상우의 허벅지에 올라탄 채 왼손을 시트 아래에 넣었다. 레버를 잡아당기자 등받이가 뒤로 휙 기울어졌다. 상우의 몸이 흔들 리며 외마디 비명이 들렸다. 짧은 머리카락이 등받이 위로 흐트러졌 다. 상우는 깜짝 놀란 표정을 짓고 있을 뿐인데, 제 다리 아래 깔려 누워 있단 이유만으로 일부러 유혹하는 것처럼 보였다.

떨어진 것도 잠시, 재영은 상체를 기울여 상우에게 바싹 가슴을 붙였다. 겁먹은 듯 일그러진 얼굴을 손바닥으로 쓸고서 어깨에서 목 으로 휘어지는 곡선을 손가락으로 그어 보았다. 그리고 드디어 소원 을 이루었다. 이를 세워 눈앞에 보이는 목덜미를 물자 어깨를 쥔 상 우의 손에 힘이 들어갔다.

"미쳤어요?"

대답하지 않고 같은 자리에 입술을 문댔다. 흰 피부에 도드라지게 난 점이 공략 지점처럼 보였다. 상우가 몸을 움츠리는 것이 느껴졌다. 혀로 살살 자극하다가 이를 세워 또 깨물고, 핥기를 반복했다. 그저 사람 살갗일 뿐인데 왜 이렇게 달콤할까. 너는 뭐가 그렇게 특별한 걸까.

목에서 턱까지 핥아 올렸다. 볼을 만나 입술로 몇 번 쪽쪽거리다 귀에 다다라 작은 계곡을 혀로 훑쓸었다. 귓바퀴를 물자 상우의 입에서 낮은 신음이 새어 나왔다. 재영은 상우의 입술에 길게 입 맞추며 오른손으로 남색 남방에 숨겨진 허리를 뱀처럼 감았다.

이런 느낌일 줄 알았다. 군살이 없지만 비리비리하지 않았다. 말랐지만 탄력 있었다. 재영은 양손으로 그의 등을 쓸며 황홀함을 느꼈다. 성급한 손이 납작한 배를 거쳐 가슴으로 향했다. 작은 돌기를 건드리며 지나가 다시 목으로.

입술을 떼자 상우가 괴롭다는 표정으로 숨을 몰아쉬었다. 코로 숨 쉬라는 충고를 건넬 새도 없이 재영은 남방 단추를 풀었다. 손재주가 없는 편도 아닌데 왜 이렇게 손이 꼬이는지. 남방에는 단추가 너무 많았다. 세 번째까지 겨우 풀었지만 힘 조절을 잘못해서 나머지를 다 뜯어 버리고 말았다. 하얀 단추 몇 개가 시트 위에서 통통 튀다 그림자 속으로 사라졌다. 혼날 줄 알았는데, 상우는 전혀 신경 쓰지 않았다. 그가 재영의 손목을 움켜쥐며 말했다.

"선배…… 제 말, 못 들었어요?"

"……어."

"저 많이 취해서…… 판단이 잘 안 돼요. 그러니까…….'

"그게 문제가 아니야. 네 가슴 보여."

술을 마신 건 상우인데 취하긴 제가 취한 것 같았다. 재영은 머릿속이 핑핑 도는 것을 느끼며 그대로 나신에 입술을 박았다. 뜨거운 살갗을 입 안으로 잔뜩 빨아들이고 움푹 파인 빗장뼈를 혀로 희롱했다. 상우의 허벅지가 들썩거리고 팔을 붙잡은 손에 힘이 들어갔다. 저를 밀어내려는 손을 붙들어 결박하고 계속 애무했다.

"아…… 학, 제 말, 왜…… 무시해요?"

언어 기능을 잃었나 보다. 아까부터 상우의 말이 전혀 이해되지 않았다. 상우는 계속 재영을 밀어내려고 했지만 술을 마신 뒤라서인지 흥분해서인지 평소만큼 힘이 없었다.

"말이 왜 필요해? 너도 몸으로 얘기해."

재영의 입이 어느새 상우의 가슴까지 내려왔다. 하나는 입술로 희롱하고 하나는 손으로 괴롭혔다. 머리카락을 쥐고 당기는 걸 기분 좋다는 의미로 받아들였다. 혀를 놀릴 때마다 상우가 몸을 비틀었다. 재영은 그가 도망치기라도 한다는 듯이 허리를 단단히 끌어안았다. 움푹 들어간 등뼈에 땀이 잔뜩 고여 있었다.

재영의 옷도 어느새 상우의 손길에 목까지 들렸다. 재영은 점퍼와 안에 받쳐 입은 티셔츠를 한 번에 벗어서 뒷좌석에 던져 버렸다. 그 틈에 안경이 벗겨졌다. 약간 흐려진 시야에서 상우가 누운 채 그를 바라보고 있었다. 이글거리는 눈빛이 재영의 몸을 쓰다듬는 듯했다.

"상우야."

"네."

부른다고 평소처럼 대답하는 것이 우습게 느껴졌다. 저렇게 가슴팍을 풀어헤치고 얼굴에는 욕정이 그득해서는.

재영의 시선이 질긴 청바지를 뚫을 것처럼 튀어나온 상우의 사타구니를 향했다. 그가 벗기는 재미가 있는 사람이라고 재영은 생각했다. 시커멓고 단조로운 옷, 희고 단정한 사람, 그리고…….

"네 안에 이렇게 시커먼 늑대가 있는지 누가 알겠어."

"뭐래? 변…… 태 새끼가."

재영은 손을 뻗어 빡빡하게 조인 허리띠를 풀고 바지 버클을 열었다.

"잠깐만요."

상우가 재영의 손을 단단히 붙들었다. 재영은 짜증스럽게 대답했다.

"왜 그래, 나 바쁜데."

"저…… 중요한 할 말이 있는데."

"말해."

"자꾸 못 하게 하잖아요."

"그럼 하지 마."

재영의 상체가 다시 아래로 쏟아졌다. 시끄럽게 구는 입을 입술로 막으며 손을 바삐 움직였다. 지퍼를 내리고 바지를 성급하게 끌어당겼다. 눈을 감고 있었지만 손의 감촉으로 속옷이 면으로 된 트렁크인 걸 느낄 수 있었다. 이제껏 손대지 않은 중심부를 더듬자 상우가 재영의 입술을 세게 깨물었다.

이제까지 달뜬 얼굴로, 몽롱한 눈빛으로, 떨리는 목소리로, 거친 입맞춤으로만 미루어 짐작하던 사실이 뚜렷해졌다. 재영의 바지 속 물건처럼 상우의 것도 어디든 쑤셔 박아 달라고 성내고 있었다. 부드럽게 애무할 정신 따위 없었다. 이미 젖어 있는 옷감 위를 거머쥐자 상우가 몸을 경직시키며 신음을 흘렸다.

"이거 왜 이렇게 됐어, 상우야?"

"국소 자극…… (어쩌고저쩌고) 음경 해면체에…… (어쩌고저쩌고) 혈류가 증가……."

들으나 마나 한 소리를 하고 앉았다. 상우는 이제까지 크게 반항하지 않더니 페니스를 공략하려니까 사타구니를 지키기 위해 사투를 벌였다. 재영은 그의 손을 쳐 내고, 밀어내고, 치워야 했다.

"으읏…… 안 돼……."

"안 되긴 뭐가 안 돼."

'마음 같아서는 엎어 놓고 박아 대고 싶은데, 좁은 차에서 그러다 다칠까 봐 배려하고 있구만.'

재영은 상우의 손목을 쥐고 그의 눈을 바라보았다. 반쯤 풀린 눈이 고통스럽다는 눈빛을 쏘아 댔다. 그를 보고 있는 재영도 고통스러웠다.

'씨발, 너무 오래 참았어.'

배출하겠다는 신호만 보내고 손대지 않아서 배가 아픈 지 오래였다. 재영은 버클을 풀고 제 바지를 쭉 내렸다. 몸에 딱 붙은 드로즈는 상태가 안 좋았다. 물을 얼마나 흘려 댔는지 앞이 흥건하게 젖어 있었다.

두 속옷을 한꺼번에 내리며 상우에게 몸을 밀착했다. 하체는 하체끼리, 상체는 상체끼리 붙여 놓고선 손으로 두 성기를 한 번에 쥐었다. 상우가 몸을 움찔거리며 재영의 손을 붙잡았다.

"그거라면 집에 가서…… 혼자 할게요."

"내 얼굴 보면서 갈 수 있는 기회인데?"

"어차피 늘…… 그렇게 해요."

"뭔 소리야, 그게."

"말하고 싶지…… 아, 으!"

재영은 한 번에 잡히지 않는 두 기둥을 억지로 쥐고서 위아래로 압박하기 시작했다. 얼굴을 보면서 하고 싶었는데, 강한 자극 때문에 자세가 무너져 내렸다. 재영은 등받이에 이마를 박은 채 숨을 헐떡거렸다.

"으읏, 씨……발……."

그는 상우의 목덜미에 얼굴을 파묻고서 다시 손을 움직였다. 눈을 감아 시각이 차단되었는데도 감각은 차고 남았다. 귀에 부딪히는 거친 숨결이, 등을 파고드는 성급한 손가락이, 코를 자극하는 체향과 땀 냄새가, 몸에 맞닿은 뜨거운 살갗이 그를 머리끝까지 흥분하게 했다.

"아, 아…… 상…… 우야."

손짓이 점점 거칠고도 빨라졌다. 자신의 몸에 관해서라면 잘 알고 있었다. 그러나 두 개를 동시에 자극해 본 적은 없었다.

"추상우, 읏. 너…… 뭐 해?"

상관없었다. 가장 서투른 손짓에도 반응할 만큼 그의 성기는 예민해졌으니까. 단단해진 살덩이끼리 부딪치며 물기를 흘려 대서 손이 다 젖었다. 재영은 팔이 슬슬 아팠지만 더 속도를 올렸다.

"우리 지금…… 뭐 하고 있어?"

상우는 엉덩이를 들썩거리며 난리 치는 것치고 조용했다. 목소리 듣고 싶은데. 그래서 재영은 자꾸 말을 걸었다.

"아……. 읏."

머리를 지배해 버린 쾌락에 이기지 못하고 상체를 완전히 상우에게 기대 버렸다. 손놀림은 점점 빨라졌다. 상우의 한쪽 팔이 재영의 목을 감아 졸랐다. 반대쪽 손은 아래로 내려와 재영의 손 위를 덮으며 힘을 더했다. 재영은 고개를 틀어 상우의 목에 입술을 문댔다.

"내가…… 누구야?"

머릿속을 하얗게 뒤덮는 자극에 취해, 겨우 상체를 일으켜 상우의 가슴에 딕을 댔다. 상우는 입을 꽉 다무느라 턱에 주름이 잡혀 있었다. 재영은 자유로운 한쪽 손을 가져가 꽉 다물린 그의 입을 억지로 벌렸다.

"아학! 하아, 하아……."

그러자마자 야하기 짝이 없는 신음이 터져 나왔다. 재영은 혼미해지려는 정신을 붙들어 매고 상우가 입술을 깨물지 못하게 이 사이에 손가락을 집어넣었다.

"아, 아……. 으윽, 훗……."

상우의 목소리에 물기가 섞여 있었다. 지금 이 정도라면…….

"너…… 웃, 본 게임 들어가면…… 울겠다."

재영은 손을 더욱 빠르게 움직였다. 울먹이는 추상우를 아래 깔고 있다는 사실, 그 사실 하나로 절정으로 빠르게 치달아 갔다. 황홀한 감각에 상우가 손가락을 깨무는 게 아프게 느껴지지도 않았다.

"상우…… 야. 내가 누구야?"

"닥…… 쳐."

"너, 말을 왜 그렇게 해? 으웃, 내가…… 누구야?"

"아, 학……. 장재영, 씨발…… 형……."

완벽한 청각적 자극이 더해진 순간, 손에 힘이 들어가며 눈이 질끈 감겼다. 엔진이 고장 난 기차가 내리막길을 질주하다가 공중에 뜬 순간. 재영은 그 같은 무중력 상태를 느꼈다. 미친 듯이 쌓이던 감각이 펑 폭발하며 까만 시야를 관능의 색으로 붉게 수놓았다. 재영의 손가락을 끊어질 듯이 물고 있던 상우가 어깨를 떨며 신음을 토해 냈다.

꽉 쥔 손바닥에 두 성기가 사이좋게 결과물을 뱉어 냈다. 재영은 상우의 몸 위로 쓰러져 숨을 헐떡거렸다. 난생처음 사정한 순간처럼 아찔한 기분이 손에 잡힐 듯이 생생했다. 온몸이 저릿저릿했다.

"하아…… 하아, 하아……."

머리를 쭈뼛쭈뼛 서게 한 쾌락이 서서히 사라지며 기분 좋은 나른함이 찾아왔다. 아직 옅게 떨리는 어깨를 끌어안으려고 든 손은 정액 범벅이었다.

"네가 이런 변태 새끼일 줄은…… 몰랐어."

"……사돈 남 말하네."

몸을 겨우 일으키고 더러운 손으로 상우의 볼을 감쌌다. 그의 눈꼬리에 맺힌 눈물을 손등으로 닦아 주었다. 이마를 끌어와 정신없이 입술을 부딪쳤다.

잠시 동안의 소강상태가 지났다. 둘은 거친 숨만 몰아쉬며 가슴을 맞대고 있었지만 해결된 건 아무것도 없었다. 아랫배에 느껴지는 부피감이 상우도 자신과 마찬가지로 성욕을 해소하지 못했음을 알려 주었다.

비좁은 차가 답답하게 느껴졌다. 상체를 일으키자 맞닿은 살갗이 끈적끈적한 느낌을 남기며 떨어졌다. 상우는 못할 짓이라도 한 것처럼 팔로 얼굴을 가리고 입을 꾹 닫고 있었다. 재영은 속옷을 추어올리며 말했다.

"불결해서 안 되겠다."

"……."

"너희 집에서…… 같이 샤워해야겠는데."

상우는 여전히 눈을 가린 채 한동안 침묵을 지켰다.

"들어가서 성교하자는 뜻이에요?"

요즘 들어 그는 눈치가 꽤 빨라졌다.

"싫어?"

아까부터 상대가 좀 이상하기는 했다. 서부감이 있는 거야 이해하지만, 단순히 그 정도가 아닌 것 같았다. 하지만 재영은 마음이 앞서서 상우를 배려할 겨를이 없었다. 그리고 지금도 마찬가지였다. 그의 철없는 페니스는 한 번 배출하고서도 그 전과 다름없이 꼿꼿한 상태를 유지하고 있었으니까.

"우선…… 비켜 주세요. 할 말이 있는데 이 상태로는 도저히 못 해요."

옷을 풀어헤친 채 머리카락은 땀범벅이며 볼에 정액을 묻히고 거기는 세운 상태 말이지. 상우를 물끄러미 내려다보던 재영은 음심이 치밀었으나 운전석으로 돌아왔다. 바지 매무새를 정리하고 콘솔을 열어 오늘을 위해 구비한 콘돔을 주머니에 쑤셔 넣었다. 어차피 다시 벗을 거란 생각에 상의는 걸치지 않았다.

잠시 한눈판 사이에 상우는 차에서 내려 건물로 빠르게 걸어가고 있었다. 왜 그 모습이 탈출하는 것처럼 보였을까. 재영은 서둘러 차에서 내려 그를 쫓아갔다.

맞았다, 도망가는 거. 상우는 풀어헤친 남방을 휘날리며 계단을 두 개씩 건너뛰며 올라가고 있었으니까. 재영은 난데없는 추격전 끝에 상우를 3층 계단에서 붙잡았다. 뒤에서 무작정 허리를 껴안고 보니 그가 휙 뒤돌았다.

"왜 도망가?"

불이 들어오지 않는 원룸 계단, 창문을 통과한 가로등 빛이 상우의 눈동자에 반사되었다. 처음 봤을 때 무감정했던 눈은 증오심과 짜증을 품었다가, 모호한 연대감을 거쳐 이제 뜨거운 무언가를 담고 있었다. 그러나 재영은 그 너머에서 일렁이는 난처함을 보았다. 왜일까. 마음껏 즐겨도 모자를 순간에 왜 저렇게 곤란하다는 표정을 짓고 있을까. 하고 싶은 말이 있다더니, 너무 무시했나 보다. 그러나 재영은 아무 말도 듣고 싶지 않았다. 상우의 허리를 감싸 안은 팔에 힘이 들어갔다.

'더 좋은 방법이 있는데 왜 말을 해야 해?'

그는 심장에서 들끓으며 혈관을 통해 펌프질하는 감정을 몸으로 완전히 표현할 준비가 되어 있었다. 상우의 상체를 끌어안아 제 쪽으로 당기고, 눈을 감고 목덜미에 입술을 묻었다. 손이 탄탄한 등을 쓸어내리고 입술이 어깨 위로 미끄러졌다.

상우의 몸은 열병을 앓는 사람처럼 뜨거웠다. 재영의 손가락이 그의 등에서 허리로 움직였다. 손가락이 옆구리를 타고 올라가며 늑골을 하나하나 느끼다, 겨드랑이를 간질였다가, 근육이 날렵하게 붙은 팔을 타고 내려와, 손을 찾아 깍지 끼었다.

감은 눈을 뜨자마자 가슴이 강한 힘에 뒤로 밀렸다. 뒷걸음 두 번에 등이 차가운 회벽에 닿았다. 바싹 다가온 짐승은 괴롭단 듯이 얼굴을 찡그렸다.

"자꾸…… 말을 못 하게 해."

입술 간의 거리가 한 뼘도 되지 않았다. 상우에게서 술 냄새 이외에도 저를 자극하는 호르몬이 뿜어져 나오는 것이 분명했다. 그렇지 않고서는 이 흥분을 설명할 수 없으리라.

"왜…… 자꾸 유혹해서, 사람 곤란하게 해요."

상우의 이마가 재영의 이마에 맞닿았다. 그가 손바닥으로 눈을 가리는 바람에 재영의 시야가 깜깜해졌다. 심장이 터질 듯이 쿵쿵거렸다. 곧 상우의 입술이 목에 닿았다. 똑같이 해야 한다는 강박이라도 느끼는 것인지, 재영이 그랬던 것처럼 목덜미를 꽉 깨물었다. 뜨거운 혀가 늑골을 간질였다. 서투른 애무에 재영은 정신이 혼미해졌다. 조용한 건물 층계에 할짝거리는 소리만이 가득했다.

재영은 얼마 참지 못하고 상우를 품에 꽉 안아 버렸다. 그를 층계 위로 밀고 한 평도 안 될 평지를 만나 벽에 몰아붙였다. 그러자 상우가 재영의 손목을 쥐고 그를 코너로 밀었다.

"지금은 제 턴이잖아요."

상우는 말없이 아까 멈추었던 자리부터 다시 핥기 시작했다. 재영이 벗어날까 봐서인지 손으로 그를 가둔 채로. 재영은 상우를 바람대로 내버려 두었으나 가만히 있기가 어려웠다. 몸이 자꾸 들썩거려서, 상우를 홀딱 벗기고, 눕히고, 하나가 되고 싶어서 돌아 버릴 지경이었다. 안이 얼마나 좁을까, 그는 얼마나 적극적일까, 어떤 신음을 들려줄까, 그런 상상을 펼치느라 머리카락이 쭈뼛쭈뼛 섰다.

"일단 들어가자."

재영은 어느새 바지에 들어와 엉덩이를 더듬는 상우의 손목을 쥐고 층계를 성큼성큼 올랐다. 도어록을 여는 순간이 왜 그렇게 길게 느껴졌는지. 재영은 도저히 못 참겠다고 생각했다. 어쩌면 그가 뒤에서 상우의 가슴을 만지며 귀를 깨물어서 시간이 더 지체되었는지도 모르지만. 상우는 번호를 세 번이나 틀리고서야 문을 열었다.

재영은 어두운 공간에 들어서자마자 상우의 몸을 감싸 안고 그를 뒤로 밀었다. 윤곽으로 침대를 찾아 그를 쓰러뜨리고 곧바로 위에 올라탔다. 키스하려는데 상우가 고개를 피하며 재영을 밀어냈다.

"준비할 시간이…… 필요해요."

재영은 그의 말을 무시하고, 턱을 쥐어 저를 보게 하고 입 맞추었다. 상우는 안간힘을 쓰며 재영의 얼굴을 떼어 냈다.

"준비한다니까요……. 아, 선배…… 제발 좀…….."

재영은 버클을 풀고 상우의 바지를 내렸다. 그러자 상우가 상체를 일으키며 화난 얼굴로 소리쳤다.

"좀! 그만하고 마음의 준비 할 시간을 주세요."

뜻밖의 전개에 놀라는 사이 문이 세게 닫히는 소리가 들렸다. 재영은 뒤돌아 화장실 입구로 추정되는 문을 물끄러미 바라보았다. 허무한 기분으로 일어서서 문 앞으로 다가갔다. 똑똑. 노크하고 문에 귀를 댔지만 아무 소리도 나지 않았다.

"괜찮아?"

"잠시만, 잠시만 기다려 주세요."

물소리가 났다. 샤워기 소리 같지는 않았고 세면대에서 세수하는 것 같았다. 재영은 한동안 벽에 등을 기대고 바닥에 멍하니 앉아 있었다.

과도한 흥분이 좀 가라앉았을 때, 물이라도 한 잔 마실 생각으로 벽을 더듬거리며 스위치를 찾았다. 불이 들어온 원룸은 주방과 방이 분리된 구조였다. 새집처럼 깔끔했고 가구가 적어서 휑한 느낌이 났다.

방에는 침대와 책상 두 개, 책장, 행거, 작은 서랍장 외에는 아무 것도 없었다. 주방에는 레인지와 선반, 작은 냉장고가 있었다. 열어 본 냉장고에는 캔 커피 일곱 개와 달걀 몇 알, 우유 한 팩, 생수 두 통이 있었다.

생수통을 꺼내 콸콸콸 마시며 방으로 돌아왔다. 있을 곳이 마땅하지 않아서 침대에 앉았다. 흰색 시트 위에 남색 차렵이불이 각을 맞춘 듯 단정하게 덮여 있었다.

'여기서 매일 잔단 말이지.'

겨우 진정한 그곳에 또 피가 몰리는 느낌이 들었다. 재영은 다른 곳으로 시선을 돌렸다.

책장에는 판형이 큰 프로그래밍 책뿐, 그 흔한 소설 한 권 없었다. 이제껏 본 책장 중 재미없기로는 제일이었다. 2단 행거 위쪽에는 외투와 상의를, 아래쪽에는 하의를 걸어 놓았다. 상의는 전부 여섯 벌, 하의는 두 벌이었다. 전부 눈에 익었고 처음 보는 건 하나도 없었다. 어쩐지 옷 입는 규칙이 있다 싶었는데, 순서가 정해져 있는 듯했다.

책상은 두 개였다. 하나는 스탠드만 놓인 것으로 보아 공부용인 듯했고 그보다 큰 사무용 책상에는 어마어마한 데스크톱이 설치되어 있었다. 얼핏 봐도 40인치가 넘는 TV 겸용 UHD 듀얼 모니터, 본체는 투명 케이스, 부품은 보나마나 하이엔드로만 때려 박았을 것이다. 기계식 키보드, 게이밍 마우스, 스피커까지 모조리 고가 브랜드였다.

'이 새끼는 적당히라는 게 없구나.'

저 책상에 놓인 PC 세트가 집의 다른 세간을 통틀어 합친 것보다 비싸 보였다. 재영은 행거와 컴퓨터의 괴리가 참으로 상우답다는 생각을 하며 소리 없이 웃었다.

"재영 선배."

그러다 목소리가 들린 순간, 그는 스프링처럼 튕겨 올라 화장실 앞으로 달려갔다.

"어, 왜? 괜찮아? 어디 아파?"

"저 술이 좀 깼어요."

상우는 담담하게 말했다. 불길하게 왜 저럴까. 여기까지 와서 안 된다는 건 아니겠지. 재영은 불안한 마음으로 주먹을 꼭 쥐었다. 조금 기다리자 문 너머에서 목소리가 들렸다.

"제가 잘해 보려고 했는데…… 했는데……. 공부도 많이 하고, 했는데……. 도저히 자신이 없어요."

"……."

"돌아가 주세요."

"뭐?"

재영의 턱이 툭 떨어졌다. 남자와 관계한다는 부담감이라면 이해했다. 게다가 추상우의 특성상 그게 몇 배로 심할 것도 알았다. 하지만 조금 전까지 같이 찰싹 붙어서 즐길 거 다 즐기고서 저렇게 나오니 당황스러울 뿐이었다. 할 말을 떠올렸다 지우기를 수 번, 재영은 입을 열었다.

"내가 여기 문 따고 들어왔어? 상호 합의했잖아."

그의 목소리는 스스로 듣기에도 차가웠다. 대답은 약간의 머뭇거림 끝에 나왔다.

"화내실 줄 알았어요. 하지만 도저히…….”

"화내는 거 아냐. 이해가 안 돼서 그래."

"영상처럼 못 하겠어요. 그뿐이에요."

상우가 네 기대감 따위 휴지조각이 되었다고 단정하게 통보했다. 재영의 숨이 거칠어졌다. 조금 전까지 향락으로 터질 듯했던 심장은 이제 시뻘건 분노에 사로잡혀 있었다.

"이제 나 만나지 않겠다는 뜻이야? 게임이고 뭐고?"

"네. 제가 미쳤었나 봐요. 돌아가 주세요."

"미친 거 아니야?"

머리끝까지 화가 나서 소리를 버럭 질러 버렸다. 상우는 잘나가다가도 한 번씩 이렇게 재영을 엿 먹여 왔다. 재영은 그럴 때마다 휘둘리지 않은 적이 없었다.

"왜 그렇게 개념이 없어?"

"돌아가 달라고 했잖아요."

"숨지 말고 나와, 개새끼야. 그딴 소릴 할 거면 내 눈 보고 똑바로 말해."

묵묵부답. 추상우랑은 대체 뭐가 문제일까. 잊을 만하면 한 번씩 꼭지 돌 일이 생기고 만다. 그리고 이번이 그중 최악이었다.

재영은 문에 대고 쌍욕을 퍼부었다. 섹스 못 해서 삐친 수컷 같아서 스스로가 초라하게 느껴졌지만 체면 차릴 정신도 없었다. 한바탕 퍼붓고도 기분은 조금도 나아지지 않았다. 상우는 한동안 침묵을 지켰다. 그러다 쾅, 문을 주먹으로 치는 소리가 났다.

"선배야 쉽겠죠! 가만히 있으면 되잖아요!"

"그건 또 무슨 소리야? 나 이대로 못 가니까 나와서 납득시켜. 안 그러면 아무 데도 안 가."

"나가면? 또 정신 못 차리게, 판단력 흐려지게…… 키스하고…… 만지고, 그럴 거잖아요!"

"판단력이 흐려졌으면 흐린 채로 좀 있어, 정신 차리려고 하지 말고!"

"그게 무슨 말 같지도 않은 소리예요? 선배 때문에 되는 게 없어!"

"넌 왜 말이 안 통하냐!"

재영은 고함을 지르며 문에 뒤통수를 쿵 찧었다. 그리고 미끄러져 내렸다. 어쩌면 이놈하고 뭘 하려는 자체가 어리석은 짓이었는지 모른다. 아는 길로만 직진한다. 수상한 길로는 한 발짝도 움직이지 않는다. 익숙한 것만 하는 겁쟁이.

"너 평생 그따위로 살아. 하던 것만 하고, 입던 것만 입고, 먹던 것만 처먹고, 그놈의 잘난 계획에서 한 치도 빗나가지 않으면서."

"그렇게 잘 살아왔어요, 선배가 끼어들기 전까지만 해도."

이번에도 저는 아무 잘못도 없고 다 재영의 탓이란 거다. 머리가 지끈거렸다. 그의 인생에 끼어들어서 헷갈리게 한 것 자체는 사실이라 더욱 골치 아팠다. 하지만 그렇게 일방적인 관계가 아니었다. 재영이 상우의 일상을 망쳐 놓았다면 그 반대도 똑같았다. 재영이 상우에게 신경 쓰는 것도, 게임 제작에 시간과 노력 들이는 것도, 영향받은 건 피차 마찬가지인 것이다. 그런데 저 새끼는 이게 두 사람 간의 일이라는 인식이 전혀 없었다. 가해자와 피해자만 있을 뿐. 제 일상 챙기고 싶어서 안달 났을 뿐. 재영은 그 사실이 기분 나빠 견딜 수 없었다.

"얘기하게 일단 나와, 이 씹새꺄."

"싫어요."

"좋은 말로 할 때 나와."

"그냥 꺼져 버려요."

"도발하지 마. 10초 안에 안 나오면 무슨 짓 할지 몰라."

"진상 새끼, 네가 해 봤자……."

"해 봤자, 뭐? 그 문 못 부술 거 같냐?"

"어디 한번 해 보세요. 경찰서 가서도 그렇게 자신만만할 수 있는지 볼게요."

추상우는 아무래도 재영을 열 받게 하려고 태어난 사람 같았다. 재영은 짜증스러운 표정으로 방을 둘러본 뒤 말했다.

"컴퓨터, 비싼 거 같은데."

"안 돼요! 컴퓨터는 보면 안 돼요."

상우가 황급하게 대답했다.

"10."

"아……. 제가 이미 거절했잖아요?"

"8. 이미 늦었어. 내가 여기 들어오기 전에 말했어야지."

"판단력이 흐려졌어요. 술 많이 마셔서, 선배가 자꾸 서비스 줘서……."

"안 들려. 7."

"누구도 원치 않는 성관계를 강요할 수는 없어요."

"5……. 일단 나와. 얘기는 네 팬티 안에 있는 애랑 할 거니까."

"지금은 가라앉았거든요."

"3초 남았다."

"아, 진짜…… 죽이고 싶다."

이러니저러니 해도 순진한 녀석. 시간이 다 되기 전에 문이 칼같이 열렸다. 미리 피해 있던 재영은 벽에 기대앉은 채, 얼굴이 새빨개져 씩씩거리는 상우를 올려다보았다. 위에서부터 단추 세 개는 잘 잠갔는데 그 아래로는 단추가 없어서 옷이 팔랑거렸다. 그는 우스운 꼴을 하고서 심각한 얼굴로 말했다.

"저 진심이에요. 선배 때문에 스트레스 너무 많이 받아서, 이러다 큰일 날지도 몰라요."

'이 새끼 대체 뭘까.'

재영은 그의 눈을 마주치고 한동안 가만히 있었다. 야멸차게 밀어내다가 돌연 레스토랑에 찾아와 할 말이 있다고 붙잡을 때는 너무 당돌해서 놀랐다. 섹스 파트너 하겠다고 담담하게 선언할 때도 마찬가지였고. 그래서 이번에도 깔끔하게 몸 부딪칠 줄 알았다. 납득만 되면 밀어붙이는 스타일이면서, 갑자기 왜?

"똑바로 설명해. 나도 사람이란 걸 잊지 마. NPC 아니야."

"……."

"그렇게 쉽게 말할 일 아니란 뜻이야."

고뇌하는 표정으로 땅을 보던 상우가 그 말에 눈을 치켜떴다.

"쉽…… 다고요?"

"그럼 아니야? 앱 삭제하듯이 인스턴트로 해치우려고 했잖아. 인간관계가 그렇게 쉬운 줄 알아?"

"선배야말로 모든 게 쉽겠죠! 그렇게 능숙하게, 아무렇지도 않게……. 양아치 새끼, 내가 어떤 상태인지도 모르면서."

"그럼 네가 어떤 상탠지 말을 똑바로 해. 난 좋아 죽는 것밖에 못 봤으니까."

"아까부터 계속 말하려고 했어요. 그런데 자꾸 머릿속이 새하얘져서, 기분이 이상해져서……."

"그럼 된 거 아냐? 뭐가 문제야?"

"그렇게 함부로 말하지 말라고!"

상우가 버럭 소리를 질렀다. 재영은 움찔거리며 뒤로 살짝 물러났다. 저러다 사람 치겠다 싶을 정도로 기세가 흉흉했다. 한동안 눈싸움이 계속되었다. 상우는 정말 화난 모양이었다. 치켜 올라간 눈이 뾰족해서 찔리면 아플 것 같다고 재영은 생각했다.

그리고 얼마나 있었을까, 새까만 눈동자에 물기가 어리며 상우의 표정이 점차 일그러졌다. 느낌이 싸했다.

"상우야?"

재영의 다리가 저절로 움직여 몸을 일으켰다. 눈높이를 맞추자 눈꼬리에 고인 눈물이 확실히 보였다. 떨리는 안면 근육, 질끈 깨문 입술. 재영은 무심코 그의 볼을 향해 손을 뻗었다가 당연하게도 블로킹 당했다.

"너…… 울어?"

상우는 재영을 가만히 노려보다 몸을 휙 돌렸다. 팔을 잡자마자 세게 뿌리쳐서 뒷걸음질을 치게 만들었다. 그가 화장실로 또 들어가려고 하길래 돌진해서 문틈으로 팔을 끼워 넣었다. 상우는 문을 닫는 데 실패하자 어쩔 줄 모르며 좁은 화장실 구석으로 도망쳤다. 손바닥으로 얼굴을 가리고 벽에 이마를 박았다. 눈물이 조금 고인 정도가 아니었다. 볼을 타고 눈물이 흘러내리고 있었다.

'아……. 반칙이다.'

재영은 일시에 전투력을 잃었다. 자신을 방어할 목적으로 마음에 잔뜩 두른 가시가 허물어졌다. 상우를 공격하기 위해 날카롭게 벼린 말들은 촉이 무뎌지고 꺾여 버렸다. 인간적으로, 싸우다 우는 건 너무한 거 아닌가.

재영은 처참한 기분으로 상우를 한동안 내버려 두었다. 조용한 공간에 불안정한 숨소리만이 크게 울렸다. 얼마나 지났을까, 그가 수도를 틀고 세수했다.

"좀 진정됐어?"

다행히 상우의 공격성도 한풀 꺾인 듯했다. 그는 재영을 지나쳐 침대로 향하더니, 이불을 목에서 발목까지 칭칭 감고서 침대 구석에 등 붙이고 쪼그려 앉았다. 번데기 같은 이불 더미 위로 눈만 노출한 방어 자세였다.

재영은 속으로 혀를 차면서도 책상 위에서 휴지를 몇 장 뽑아 상우의 발치에 놓았다. 그에게서 최대한 멀리 떨어져 침대 끝에 걸터앉았다. 그렇게 시간이 흘렀다.

"선배는 몰라요."

상우가 문득 운을 뗐다.

"자위를 아무리 해도 해결이 안 되고……. 계속 발딱발딱 서기만 하고, 이성을 잃어요."

재영은 '나랑 똑같네' 따위의 말로 방해하기보단 상우의 말을 들어주기로 했다.

"머릿속엔 늘 교미하는 생각뿐이고, 요즘 사는 게 말이 아니에요. 선배는 쉽게 생각하겠지만 제게는……."

상우는 자신이 얼마나 힘든지, 재영으로 인해 얼마나 피해 입었는지 자세히 설명했다. 차라리 화학적 거세를 하고 싶단 말은 좀 무서웠지만 재영은 끼어들지 않고 가만히 들었다. 그러나 들을수록 그의 처지가 공감되기보다는 의구심이 들었다.

뭐라고 말해야 할지. 그거 정상이라고, 인간의 본능이라고, 남들도 대체로 그런 고충을 겪으며 산다고 하면 믿기나 할까? 재영은 머릿속에서 할 말을 신중하게 골랐다. 추상우는 남의 말을 선택적이면서도 표면적으로만 받아들이는 경향이 있어서 화법을 특별히 주의해야 했다.

"너…… 혹시 동정이야?"

"아니에요."

"근데 왜 유난이야? 난생처음 세워 본 초딩처럼."

실패. 마음의 여유를 잃은 재영은 제 입에서 막말이 나오는 것을 막을 수가 없었다.

상우가 코를 훌쩍거렸다. 이불 밑에서 손이 빠져나와 휴지를 집어 갔다. 목 근처에서 다시 나오더니 코를 팽 풀었다.

"이제껏 성욕을 잘 다스리며 살아왔어요. 성 충동을 느끼면서도 그다지 불편함을 느낀 적이 없다는 뜻이에요. 다 선배가 이상해서 그래요."

"내가 이상해?"

"야시시하게 생겨서는……. 제가 선배 보면서 했던 생각, 전부 실행에 옮겼으면 평생 감옥에 갇혀 있어야 돼요."

"……."

"아니에요. 선배가 무슨 잘못이 있어요? 이쁜 게 죄도 아니고, 그냥 제가 음란한 쓰레기예요. 왜 절 이렇게 만들어 놨어요, 왜? 나 망했어요. 선배 때문이에요."

'대체 꼬시려는 거야, 원망하는 거야?'

이랬다가 저랬다가, 그는 평소와 달리 오락가락했다. 재영은 상우가 하고자 하는 말의 요지를 뒤늦게 파악했다. 그러니까, 다른 사람들한테는 시들시들하던 '욕정'이 제게만 강렬하게 반응한다는 거다. 영화 한 편 만들 수 있을 정도로 자극적인 소재인데 저렇게 멋대가리 없는 고백으로 소비되어 아쉬울 뿐이었다. 에로 영화 감독들 다 뭐 하나, 추상우 안 데려가고.

"그러니까 나랑 한번 해 봐. 어떨지 모르잖아."

야생의 본능을 버리지 못한 남자의 마지막 발악이었다. 애가 앞에서 훌쩍거리는데 어떻게든 한번 건드려 보겠다고. 이 정도 죄질이면 10L 종량제 봉지쯤 될까. 상우는 피곤하다는 얼굴로 고개를 가로저었다.

"제가 선배한테 어떻게 그래요? 아무리 발정이 나도 그렇게 아프게…… 도저히 못 해요. 게다가 배설하는 기관에…… 삽입할 자신 없어요. 기대 많이 하신 것 같은데, 실망시켜서 죄송해요."

"……."

아무튼 자기중심적인 놈. 상대도 남자란 건 고려도 안 하고 본인이 남자니 100% 넣는 쪽이라고 생각하고 있었다. 한숨이 저절로 나왔다.

추상우. 사회성 부족. 공감 능력 결여란 말로 설명이 안 될 정도로 극단적이다. 세계에 오직 본인밖에 없다. 25년 동안 주변인과 깊은 인간관계를 맺지 않고 형식적으로만 대해 온 건가.

'지친다, 지쳐.'

한 번 자 보겠다고 덤비는 것치고 감정 소모가 너무 컸다. 이놈 때문에 롤러코스터를 몇 번이나 타는지 모른다.

'씨발, 수지 안 맞는 장사라고.'

재영은 손바닥으로 눈을 가리고 한참 동안 앉아 있었다.

"일단 무슨 말인지는 알겠어. 자고 내일 얘기하자. 지금은 둘 다 제정신 아니니까. 너 술도 깨야 하고."

"……."

"대답 안 해?"

'이 새끼가 또 열 받게 하네.'

휙 돌아본 재영은 입을 다물었다. 상우는 그새 벽에 머리를 기댄 채 잠들어 있었다.

"저걸 확 그냥."

잠든 얼굴이 너무 결백해 보여서 더욱 부아가 치밀었다. 주먹을 쥐었지만 휘두를 곳이 없어 재영은 고개를 돌려 버리고 말았다.

구부정하게 앉은 채 생각에 잠겼다. 앞으로 어떻게 해야 할지 슬슬 결정할 때였다. 이렇게 삐거덕거리다 끝날 바에는 게임도 지금 때려치우는 게 낫다. 이미 노예처럼 일하며 큰 틀은 만들었지만 곧 프로토타입 나오면 작업량이 늘어날 테니까.

"뭐가 이렇게 복잡해."

끌리면 proceed, 별로면 stop. 단순하기 짝이 없는 원칙이 허물어졌다. 일, 성욕, 연애. 가장자리 뾰족한 삼각형이 그를 괴롭히고 있었다. 어쩌면 상우의 말처럼 관둬 버리는 게 가장 현명한 선택일지도.

재영은 한숨을 쉬며 일어나 화장실에서 손을 씻고 간단히 세수했다. 그러고서 나왔을 때 이 공간에서 가장 큰 존재감을 뽐내는 PC가 눈에 들어왔다.

'안 돼요! 컴퓨터는 보면 안 돼요.'

하지 말라면 더 하고 싶은 게 당연하다. 재영은 상우의 집을 떠나기 전, 깨끗한 투명 케이스에 다가가 전원 버튼을 눌렀다. 옷은 시꺼먼 색밖에 안 입으면서 컴퓨터 본체는 LED 전구가 무지개색을 뽐어 댔다. 초고사양이다 보니 부팅은 순식간이었다. 혼자 쓰는 PC라 암호도 걸어 놓지 않았고, 곧바로 격자무늬가 반복되는 흑백 배경 화면이 나왔다. 넓은 듀얼 화면에 체스판이 펼쳐져 있는 것처럼 보였다. 아이콘은 세 개밖에 없었다.

내 컴퓨터, 휴지통, 그리고…….

'어?'

재영은 잘못 보았나 싶어서 화면 가까이 고개를 들이밀었지만 폴더에 확실히 '장재영'이라고 적혀 있었다.

대체 저게 뭘까, 짐작이 되지 않았다. 약점을 저장해 놓은 폴더인가, 고소 준비 중인 서류 모음인가. 재영은 불안한 마음으로 폴더를 더블 클릭했다.

'이게 뭐야.'

폴더에는 새영의 사진이 가득했다. 수십 개의 사진과 열 개도 넘는 영상이 저장되어 있었다. 언제 찍었는지도 기억나지 않는 고딩 때 사진부터 최근에 SNS에 업로드했던 것까지. 사진 찍은 년도와 날짜, 장소와 출처에 따라 정렬되어 있었다.

"날 딸감으로 썼을 줄은 몰랐네, 이 변태 새끼가."

기타 폴더는 더 가관이었다. 재영이 좋아하는 물건이나 스타일, 운동선수, 취미가 문서로 꼼꼼하게 정리되어 있었다. 플레이리스트의 업데이트 일자가 오늘인 거 보면 아침에 확인했다는 뜻이다.

시트콤의 한 장면처럼 황당한 상황이었지만 마음 밑바닥에서부터 뜨거움과 따뜻함 사이의 온기가 서서히 번졌다. 가슴이 두근두근, 살갗 아래 뛰었다. 피식 웃음이 새어 나왔다.

'추상우 너…… 단순 욕정인 거, 확실해?'

재영은 '장재영' 폴더를 끄고 상우의 컴퓨터를 탐험했다. 게임 제작자 하겠다는 놈답게 최근에 출시된 게임은 모조리 깔아 놨다. 비단 온라인뿐 아니라 화제가 되는 PC 게임까지도. 이것저것 열어 보다 마우스 커서가 다운로드 폴더에 잠입했다.

차에서 상우가 공부하려고 영상을 결제했다고 말했던 것이 얼핏 기억났다. 그 말처럼 폴더에는 이틀 전 다운로드한 영상 파일이 다섯 개 있었다. 재영은 제목을 보고 얼굴을 찌푸렸다.

'대물, 페티시, 딜도까지는 그렇다 쳐도……. 근친 난교, 윤간, 고문, 본디지?'

더블 클릭으로 영상을 차례대로 재생했다.

첫 번째 영상은 실험복을 입은 두 남자가 알몸인 남자의 눈을 가려 놓고 연구하는 분위기로 진행되었다. 촛농을 떨어뜨리거나 바이브레이터로 자극하는 것부터 시작해서 마지막에는 신체 훼손까지 갔다.

두 번째 영상은 켜자마자 엄청난 대물이 아주 마르고 왜소한 남자에게 퍽퍽퍽 박는 장면부터 시작했다. 거기까지였으면 괜찮았을 걸, 나중에는 상대를 차마 눈 뜨고 못 볼 정도로 괴롭히며 끝내 피를 보았다.

세 번째는 집단 난교. 네 번째는 윤간. 다섯 번째는 차마 말도 못 할 과격한 플레이.

영상 속 등장인물들은 (연기인 게 티 나긴 해도) 하나같이 고통스럽게 소리지르고 있었다.

'그런 거였군.'

매뉴얼을 신봉하는 상우가 영상 자료 다섯 편을 보고 무슨 생각을 했을지 너무 뻔했다. 그의 성격상 인기 순위 1위에서 5위까지 다운받았을 텐데, 하필 들어간 게 하드코어만 취급하는 사이트였나 보다.

재영은 5분간 꼼짝 않고 자리에 앉아 있었다. 상우가 자신을 원한다는 눈빛을 하고도 끊임없이 밀어내며 할 말 있다느니, 준비해야 한다느니, 도저히 못 하겠다느니 거절한 전말을 알게 되니 생각이 정리되었다.

사람은 저마다 알맞은 속도가 있으니까. 너무 빨리 항해하려다 보면 배가 뒤집힐 수도 있다. 이제 어떻게 해야 할지 조금 알 것도 같은데, 너무 늦지는 않았겠지.

재영은 영상을 전부 삭제하고서 자리에서 일어났다. 그리고 곤히 잠든 상우에게 다가갔다. 불편하게도 잔다 싶어서 몸 주위로 꼼꼼하게 감은 이불을 풀고 침대에 똑바로 눕혔다. 이불을 덮어 준 뒤 그 앞에 쪼그려 앉아 얼굴을 내려다보았다.

깨어 있으면 퉁명스럽게 툴툴거리거나 바락바락 대들거나 둘 중 하나인데, 잠든 얼굴은 이렇게 평화로울 수가 없었다.

"야, 또라이."

대답은 돌아오지 않았다.

"오늘 네 삽질 인상적으로 잘 봤는데."

재영은 상관없이 말을 이었다.

"난 포기할 생각 접었으니까 그렇게 알아라."

그렇게 지랄했는데도 이뻐 보이기만 하는 게 아무래도 이상했다.

"오늘 하다 만 거……."

재영의 손등이 상우의 볼을 쓸었다. 엄지가 광대뼈 위로 미끄러졌다.

"나중에 이어서 할 거니까, 느낌 잘 기억해 둬."

그러고서 퇴장할 참이었는데, 재영은 못 참고 그의 이마에 입을 맞추었다. 그런 뒤에도 미련을 못 버리고 질척거리며, 일어서기 전에 기어이 상우의 귓가에 속삭였다.

"오늘은 무조건 내 꿈 꿔."

⟨111⟩

⟨111⟩

기억.

상우는 기억 때문에 곤혹스러웠던 적이 잦았다. 죄다 비슷하게 생
긴 남자애들끼리 모인 중고등학교 땐 사람 구별하기를 포기했고, 군
대에서는 가슴에 수놓은 이름이 아니었다면 일상생활이 불가능했을
지도 모른다.

기억 때문에 곤란했던 최초의 기억은 일곱 살 때로 거슬러 올라간
다. 설날에 친척 집에 간 상우는 사촌들과 놀다가 나이가 다섯 살 많
은 사촌 형을 울리고 말았다.

'우리 엄마 이름 갖고 놀리지 마, 이 나쁜…… 나쁜 녀석아!'

'놀린 거 아닌데.'

그는 눈물을 흩뿌리며 제 부모에게 달려가 상우가 고모를 모욕했다
고 고자질했다. 자초지종을 묻는 어른들 앞에서 고모의 이름이 '추고
자'라고 말했다가 상우는 처음으로 아버지가 화내는 모습을 보았다.

집에 돌아가는 길, 아버지는 상우에게 무섭게 대해서 미안하다고

사과하면서도 남의 이름을 바꿔 부르며 놀리면 안 된다고 타일렀다. 상우가 고모를 놀리려던 것이 아니라 이름을 말한 것뿐이라고 말하자, 누나가 고모 이름도 모르는 바보 멍청이라고 조롱했다. 그녀가 할머니부터 사촌까지 친척들의 이름을 하나씩 묻길래 상우는 성실하게 대답했지만 문제 스물한 개 중 열여덟 개를 틀렸다. 아버지는 한숨을 쉬었고 어머니는 말없이 있다가 상우의 지능 지수를 검사해 보아야겠다고 했다.

그다음 주에 상우는 어머니, 아버지와 함께 커다란 종합병원에 갔다. 흰 가운을 입은 의사는 상우에게 겁먹을 필요 없다면서 여러 가지 재미있는 놀이를 하자고 말했다. 그러나 그녀는 그 말과는 달리 그림을 다섯 장도 넘게 그리도록 강요했으며 쓸모없는 질문을 계속해서 던졌다.

'와아아아, 정말 재미있지?'

'아니요. 집에 가고 싶어요.'

마지막에는 숫자 외우는 놀이를 하고 종이에 적힌 도형 문제를 풀었다. 그 시간만이 유일하게 재미있었다.

나중에 알고 보니 그 활동은 기억 지수 검사, 다면적 인성 검사, 정신 진단 검사, 지능 검사, 사회관계 능력 검사를 비롯한 13종 심층 검사였다. 어머니는 상우가 열세 살이 되어 학교에서 비슷한 사건으로 다투고 '빡대가리'란 소리를 듣고 왔을 때 검사지를 보여 주며 결과를 설명했다.

'전두엽이 손상되었다는 소견은 없었으니 걱정 안 해도 된단다. 안면 인실증으로 의심되는 증상은 관계 애착 부족으로 인한 것으로, 인지 지능적 문제가 아닌 선택적 기억 유실이라고 해. 네가 거만해질까 봐 이야기하지 않았지만 오히려 기억 지수는 천재에서 수재 사

이의 초고수치가 나왔어.'

'제가 잘못한 게 아니죠?'

'그럼. 본래 인간의 뇌는 불필요한 정보를 폐기 처리한다. 네 뇌는 남들과 우선순위가 조금 다르고, 남들보다 효율적으로 작동하는 것뿐이야.'

'제가 빡대가리 새끼가 아니라서 다행이에요.'

'……그런 말 쓰는 거 아니야. 그리고 의사는 네 정서가 극단적으로 안정되어 있어서 우려된다고 했는데 난 그게 뭐가 문제인지 모르겠다. 그 외엔 가벼운 강박증이 있다고 하니 참고해라.'

'많이 해로운 건가요?'

'아니. 장애까지는 아니라니까 신경 쓸 거 없어. 나도 같은 증세가 있지만 불편함 없이 잘 살고 있지 않니.'

선택적 기억 유실. 쓸모없는 기억을 지우고 필요한 것만 남기는 기술. 지금 반드시 필요한 능력이지만 이상하게도 뇌는 평소처럼 작동하지 않았다.

전날의 기억은 소름 끼치도록 생생했다. 술을 주량까지 마신 심신 미약 상태였는데도, 재영의 차에 탄 이후의 시간은 고화질 카메라로 찍어 놓은 영상처럼 또렷하게 남아 있었다. 시각과 청각뿐 아니었다. 후각과 촉각 그리고 미각까지. 장재영의 살갗에서 무슨 맛이 났는지, 그가 어깨를 얼마나 꽉 죄었는지, 차 속이 얼마나 더웠는지, 하나하나 떠올릴 수 있었다.

땀으로 번들거리는 이마에서 나던 왁스 냄새, 시트가 뒤로 넘어갔을 때 심장이 철렁 내려앉던 느낌, 가쁜 숨소리, 그의 잇새에서 새어 나오던 거친 신음, 귓가에 달콤하게 속삭이고, 황당한 얼굴로 내뱉고, 쏟아 내던 모든 말.

떠오르지 않는 순간은 재영의 손바닥에 사정한 전후뿐, 상우는 그 외 모든 것을 지나치게 자세히 기억했다.

"어머니, 저 망했어요."

상우는 힘없이 중얼거리며 침대에서 일어났다. 아무것도 안 하고 멍하니 누워 있는 사이 점심시간이 되었다. 샤워하고서 선반에서 즉석 밥과 레토르트 카레를 꺼내 조리해 먹었다. 설거지를 끝내 놓고 컴퓨터 앞에 앉았다.

〈베치 벤처러〉가 엎어진 거나 마찬가지니 다른 디자이너를 구할 때까지는 작업하는 게 의미 없었고, 그렇다고 게임할 기분도 아니었다. 가만히 앉아 있던 상우의 눈에 깜빡거리는 데스크톱 불빛이 보였다.

"뭐지?"

그는 전력을 절약하기 위해 자리를 비우면 컴퓨터를 꼭 *끄는* 버릇이 있었으니 10시간도 넘게 켜 놓았을 리가 없었다. 마우스를 움직이자 화면이 밝아졌다. 상우는 게임 플랫폼과 폴더 여러 개가 난잡하게 열린 화면을 쏘아보다가 다운로드 폴더 속 시청각 자료가 사라진 걸 발견했다.

손이 바빠졌다. 실수로 지웠나 싶어서 확인해 보았지만 휴지통에도 없었다. 로그에서 액세스 내역을 확인하니, 오전 00:55:21에 삭제했다고 기록되어 있었다.

"장재영!"

상우는 기성을 지르며 제 머리카락을 마구 헝클었다. 영상이야 어차피 지우려고 했으니 상관없지만, 바탕 화면에 뻔히 있는 폴더를 못 봤을 리 없겠지. 웹에서 찾을 수 있는 모든 정보를 찾아 아카이브해 놓은 광경을 보고 그가 뭐라고 생각했을까.

상우는 수치심을 이기지 못하고 장재영 폴더를 통째로 영구 삭제해 버렸다. 손이 덜덜 떨리고 얼굴이 화끈거렸다. 떳떳하게 살아서 수치스러울 일이 없던 인생이었다. 그러나 최근에는 죄다 낯선 감정뿐. 상우는 망망대해 한가운데를 표류하는 듯한 외로움을 느꼈다.

'상우야? 너…… 울어?'

어제도 그러다 눈물이 왈칵 났지. 폴더처럼 지워 버리고 싶은 기억이었다. 상우가 마지막으로 운 건 화생방 훈련 때였다. 그 전에는 누나의 잡지로 모기를 잡았다가 얼룩이 묻었다는 이유로 그 괴물이 복수했을 때였다. 불닭을 사 와서 하나도 안 맵다고 거짓말해서 입안 가득 넣고 먹었다가 생리적 눈물을 흘렸다.

상우는 언제나 사람들이 너무 잘 운다고 생각했다. 이를테면 수련회에서는 마지막 날 애들을 모아 놓고 촛불을 들게 하고서 잔잔한 음악을 깔며 억지로 감동을 자극했다. 수도꼭지처럼 꺼이꺼이 우는 놈들 사이에서 상우는 늘 눈을 멀뚱멀뚱 뜨고 있었다.

'야 인마, 왜 너만 안 울어?'

'안 슬퍼요.'

슬프다는 영화를 봐도 그는 아무 감흥이 없었다. 아무리 비극적이라도 그건 영화 속 인물의 서사일 뿐이니 상우에게 영향을 미치지 않았다. 그에게 울음이란 안구에 이물질이 들어갔을 때나 나타나는 작용이었지만, 이번에 하나 배웠다. 억울하고 답답한 마음이 극단적으로 심해지면 눈물이 난다는 걸. 아무리 노력해도 멈추지 않고 줄줄 흘러내린다는 걸.

잠시간 앉아 있던 상우는 또 울고 싶어졌다. 스트레스를 관리하는 능력이 이렇게 바닥인 줄은 몰랐다. 마음대로 되는 게 없는 생활은 엉망진창이었다. 장재영이 빨간 패딩 차림으로 설치던 나날엔 그

때가 가장 힘든 줄 알았지만, 최근에 일어난 일을 보면 차라리 그 시절이 평화로웠다. 이제 그보다 훨씬 고통스러운 상황에 처한 상우는 그런 괴롭힘 따위 픽 웃어넘길 자신이 있었다.

정욕을 못 이기고 상대와 부적절한 관계를 맺을 생각을 했다니. 그리고 가장 폭력적인 방식으로 성욕을 풀어낼 생각을 했다니. 뭐에 씌었던 것 같다. 괜히 안 하던 짓 하려다가, 뱁새가 황새 따라가려다 가랑이가 찢어진 셈이다.

조별 과제로 인해 시작된 악연은 여기까지. 작은 오류가 어쩌다 프로그램 전체를 지배하는 에러로 발전했는지 몰라도, 상우는 아무리 기를 써도 장재영이란 시맨틱 에러를 잡아낼 수 없었다. 차라리 여기서 그만두는 게 다행이다. 더 나빠지기 전에, 더 아파지기 전에. 그가 생활에서 제거되면 컨디션은 최악으로 치닫겠지만, 다 잘못된 결정을 일삼은 대가라는 생각이 들었다.

"집에 가고 싶다."

상우는 난생처음으로 강한 향수를 느꼈다. 모든 것이 어머니의 계획대로 이루어지며 모든 물건이 제자리에 있는 그곳, 어떤 위협도 그를 해칠 수 없는 요새로. 어쩌면 독립해서 혼자 잘 살 수 있다는 생각은 자만이었는지도 모른다. 꽤 합리적으로 돌아간다고 여긴 세상은 알고 보니 격랑으로 가득했고, 그 시련을 불러온 해적선은 대포를 펑펑 쏴 대며 상우의 배를 난파시켰으니까.

상우는 키보드를 밀며 천천히 엎드렸다. 난파 직전, 너덜너덜한 상태로 어이없는 생각이 떠올랐다.

'해적 분장한 거…… 보고 싶은데.'

그 상황에 엔도르핀이 도는 걸 보면 미치광이 다 됐다. 뇌에 이상이 생겼는지 확인하러 그 의사를 다시 만나야 할 판이었다.

상우는 엎드린 채 마우스를 건성으로 쥐고 인터넷 브라우저를 열었다. 즐겨찾기 목록에서 재영의 SNS를 찾아 접속했지만 마지막 게시물은 여전히 상우와 찍은 중국어 스킷 사진이었다. 클릭과 검색 몇 번에 모르는 사람들이 올린 사진이 주르르 나타났다.

검색, 클릭, 클릭, 캡처. 검색, 클릭, 캡처. 클릭, 검색, 캡처. 클릭, 검색, 캡처.

#한국대 축제 #경연제 #유령 주점 #한국대 연극부

창백한 얼굴로 웃고 있는 뱀파이어, 인상을 찌푸린 뱀파이어, 무서운 표정을 짓는 뱀파이어, 안주 접시를 손바닥에 하나, 팔에 하나 올리고 소주 세 병을 다른 손에 든 뱀파이어. 분장을 지운 채 단체 사진 속에서 혼자 반짝반짝 빛나는 장재영. 더 보고 싶은데 사진은 턱도 없이 부족했다.

상우는 데이터 복원 프로그램을 돌려 장재영 폴더를 롤백했다. 그리고 새로 저장한 이미지들의 제목을 형식에 맞춰 수정해 넣었다.

'못 지우겠어, 당장은. 아직은. 당분간은.'

그 하루는 너무 길었다. 상우는 극도의 스트레스를 해소하기 위해 낮잠을 오래 잤다. 그러고선 집을 구석구석 청소한 뒤 저녁을 간단하게 먹었다. 게임을 몇 판 하고 키보드 키캡을 죄다 뽑아서 먼지와 이물질을 정리한 뒤에도 시간이 남아서 팔 굽혀 펴기를 비롯한 맨손 운동 루틴을 다섯 세트 한 뒤 샤워했다. 잘 준비를 마치고 나니 겨우 12시가 되었다.

그는 12시가 되면 습관적으로 도서관 자리를 맡고 메일을 확인했다. 수요일까지 수업이 없어서 학교에 가지 않아도 되니 자리 예약은 스킵하고, 메일함을 열었지만 주목할 만한 건 없었다. 구독해 둔 게임사에서 온 뉴스레터와 일주일에 한 번씩 오는 영어 문법 강의 메일 등등. 열어서 전부 읽고 각각 카테고리에 맞춰 정리하고 나니 그사이에 메일이 한 통 와 있었다.

발신자: Jae Jang

제목: 0430 작업물

내용:

4/30 작업내역

1) 요청한 파티클 수정

2) 무기류 오브젝트 추가

3) Lv7–10 맵

4) 무한 모드 리소스

5) 래더 랭킹 UI

대용량 첨부 파일: 0430.zip

상우는 메일을 열어 놓고 3분간 쏘아보기만 했다. 어쩌자는 걸까, 그 난리를 치고서 아무 일 없었다는 듯이. 게다가 재영은 상우가 수 차례 요청했는데도 이제까지 자정에 작업 내용을 메일로 보낸 적이 한 번도 없었다. 늘 미팅 직전에 파일을 클라우드에 업로드하거나 외장 하드로 넘기는 식이었다.

첨부 파일을 나운 받아 본 상우는 깜짝 놀랐다. 파일에는 가이드 라인에 맞지 않는 제목이나 오탈자가 하나도 없었다.

"이렇게 완벽하게 할 수 있으면서."

하루 동안 많이도 했다. 스케줄 표에 나와 있는 일정대로 맞추었으며 밀린 작업도 50%가량 끝냈다. 그러면서도 대충 한 흔적이 없었다. 꼼꼼하게 확인해 봤지만 한 가지 실수도 찾지 못했다. 상우는 파일 목록을 제목으로 정렬하고서 약간 흥분해 있다가, 어느 순간 창을 꺼 버렸다.

'디자인 잘하는 거 알겠는데, 이게 무슨 의미냐고.'

혹시나 해서 확인한 핸드폰에는 아무 메시지도 오지 않았다. 상우는 큰 혼란에 빠졌다.

return 0;

그는 다음날도 비슷한 일과를 보냈다. 프로그래밍 공부는 아무리 해도 부족했으니 미리 앞으로 배울 내용을 예습해도 되지만 의욕이 들지 않았다.

'하루 정도는 날려도 되겠지.'

중간고사도 끝났고 수업도 없으며 무엇보다 충격적인 일을 겪었으니 쉴 자격이 있었다. 마치 굼벵이같이, 베짱이같이, 게으름뱅이같이, 장재영같이.

그런데 그게 의외로 어려웠다. 게임하거나 낮잠을 자지 않으면 시간이 안 갔다. 상우는 빈둥거리는 법을 알지 못했다. 어머니의 집에는 갖고 놀면서 시간 보낼 만한 장난감이 꽤 있었지만 공부할 목적으로 자취를 시작하면서 그런 건 당연히 하나도 들고 오지 않았다.

좁은 방을 돌아다니며 뭐 할 거 없나 찾아다녔다. 괜히 멀쩡한 가구를 들어내서 먼지 털고, 화장실 청소하고, 빨래하고, 장 봐서 선반을 채워 넣으며 시간을 보냈다.

아무렇지 않은 척해도 살얼음판을 걷는 듯한 긴장감이 그의 정서를 지배하고 있었다. 날이 밝을 때는 그나마 괜찮았지만 자정이 가까워질수록 상태가 점점 안 좋아졌다. 상우는 초조한 기분을 느끼며 장재영의 행동을 분석하고 가설을 세웠다.

i) 장재영은 부적절한 관계를 지속할 생각이다.
ii) 장재영은 부적절한 관계를 포기했지만 게임 제작은 지속하고 싶다.
iii) 예전에 작업해 둔 파일을 보낸 것뿐이다.

상식적으로는 2안이 가장 설득력 있었지만 전에 했던 말과 모순되었다. 그는 늘 상우의 예상을 벗어난 행동을 해 와서 무슨 생각일지 가늠하기 쉽지 않았다.

'오늘 어떻게 나오는지 보면 알겠지.'

상우는 메일함을 새로 고침하며 자정을 기다렸다. 5분 전, 잘 준비를 마치고 방을 돌아다니다 컴퓨터 앞에 앉았다. 그때 책상에 놓인 핸드폰에 불이 들어왔다. 상우는 양손으로 기기를 덥석 쥐고 눈앞으로 가져왔다.

[무임승차3: 마감5분전] 23:55
[무임승차3: 프로토타입개발−리마인드] 23:55

그는 어이없다는 표정으로 메시지를 노려보았다. 재영에게 마감 재촉 받는 날이 올 줄은 몰랐다.

'대체 무슨 속셈이야.'

장재영은 이상해도 너무 이상했다. 아무리 머리를 굴려 봐도 이해할 수도 없고 예측할 수도 없었다. 상우에게는 아무리 노력해도 풀

수 없는 난제와 같았다. 그런 생각을 하는 사이 자정이 되었다.

새로 고침한 메일함에는 어제와 마찬가지로 메일이 와 있었다. 발신자는 'Jae. J', 제목은 오늘 스케줄 표에 나와 있는 내용과 밀린 작업물 전부. 메일을 클릭하려던 상우의 시선이 환하게 밝혀진 핸드폰 화면으로 향했다. 전화가 오고 있었다.

발신자가 누구인지 인식하자마자 손이 뻗어 나가 전화를 받고 말았다. 받는 행위가 적절한지 아닌지 파악하기도 전에 몸이 한 짓이었다. 상우는 눈을 크게 뜨고 한동안 가만히 있었다. 전화를 받아 놓고 그 흔한 '여보세요'도 안 하는 사람이나 걸어 놓고 아무 말도 없는 사람이나 이상하기는 마찬가지였다. 상우는 기기를 천천히 귀로 가져갔다.

—안녕.

불쑥 들린 인사에 놀라서 핸드폰을 떨어뜨릴 뻔했다. 그는 핸드폰을 부여잡고 입을 여러 번 뻐끔거리다 겨우 목소리를 냈다.

"뭐예요?"

—마감 시간 됐는데 연락 없길래.

"프로토타입 만들어 놨는데요. 미팅이 없어서 시연 못 했을 뿐이에요."

—잘했어. 안 했을 줄 알았는데.

"제가 선배는 아니잖아요."

그러고 말이 끊겼다. 상우는 약간의 노이즈 너머에서 저처럼 핸드폰을 붙잡고 있을 재영이 무슨 표정일지, 어떤 자세일지, 잠옷 차림일지, 안경은 썼을지, 그딴 것이 궁금해졌고 그러한 자신이 의아했다.

—이틀 동안 잘 지냈어?

"못 지낼 이유가 없잖아요."

—왜, 못 지낼 수도 있지.

"잘 지냈는데요."

—잘났어요.

또 대화가 끊겼다. 쓸데없는 말, 말, 말. 그들은 의미 없이 전파를 낭비하고 있었다. 그러나 한가하게 잡담할 때가 아니었다. 그들 사이에는 해결해야 할 문제가 있었다.

"재영 선배."

상대를 불렀지만 대답은 돌아오지 않았다.

"파일 왜 보냈어요? 그저께 일어난 일로 관계가 악화돼서 〈베벤〉 접는 줄 알았는데요."

재영은 한참 동안 대답하지 않았다. 그렇게 어려운 질문인가 자문하는데 그가 헛기침을 했다. 상우는 땀으로 끈적끈적해진 손으로 핸드폰을 고쳐 쥐었다.

—유학 자금 만들어 준다며.

역시나 예상치 못한 대답이 돌아왔다. 재영이 손에 잡히지 않는 구름 같아서, 만져 보려고 손을 뻗으면 사르르 녹는 눈 같아서 상우는 조금 열이 받았다.

"저야 그러고 싶죠. 그런데 선배가 저랑 작업하면 불편하다고, 성욕과 일을 분리하는 게 불가능하다는 식으로 말했잖아요."

—뭘 또, 내가 언제 그렇게까지…….

"'잘 들어. 난 네가 남자여도 상관없다고 말했어. 둘 중 하나 선택해. 나랑 시작해 보든지 게임이고 뭐고 싹 집고서 나신 안 보든지. 중간은 없어.' 이게 선배 워딩인데요."

—너 미쳤냐? 그걸 왜 외우고 있어?

"전 선배와 관련된 거라면 뭐든 기억해요."

이제까지 중 가장 긴 침묵이 전파를 잡아먹었다. 기다리는 건 참으로 힘이 들었다. 상우는 제일 싫어하는 속담이 '밑 빠진 독에 물 붓기'인 만큼 무의미한 일에 노력을 쏟고 싶지 않았다. 재영이 게임 제작에서 발을 뺀다고 확실히 말해 준다면 다른 사람을 찾아볼 생각이었다.

─포기할 생각 없어.

재영은 한참 뒤에 천천히 말했다. 핸드폰을 쥔 손에 힘이 들어갔다. 상우는 이미 기기를 귀에 바싹 붙이고 있었지만 더 세게 갖다 댔다.

─〈베벤〉도 계속할 생각이야.

베벤'도'라니. 조사를 이상하게 쓰고 있었다.

─이유는 크게 세 가지인데, 첫째는 이미 작업이 많이 돼서 지금 엎기 아까워. 결과물이 꽤 그럴듯하게 나올 것 같기도 하고.

"동의해요."

─둘째는, 너 포트폴리오 잘 만들고 싶다고 했잖아. 웬만하면 끝까지 도와주고 싶어.

그 말에 심장이 헐거운 서랍처럼 덜컹거렸다. 그런 상우의 마음을 아는지 모르는지, 재영이 아무렇지 않게 말을 이었다.

─그리고 세 번째는…….

그러다가 뜸을 들였다.

─이건 만나서 얘기하고 싶은데.

"그러세요, 그럼."

─넌 어때? 계속할 거야?

"당연히 관두는 줄 알았어요. 선배가 끝까지 하신다면 제가 안 할 이유가 없어요."

─그래. 그럼 잘 자고…….

재영이 말끝을 늘였다.

—내일 미팅 때 보자.

상우가 뭐라고 말할 새도 없이 전화가 끊어졌다.

통화 시간 21분, 누군가와 이렇게 오래 통화해 본 적은 처음이었다. 상우의 볼은 디스플레이 온도만큼 뜨거워져 있었다. 상우는 불을 끄고 좀비처럼 침대로 다가가 쓰러졌다.

return 0;

"추상추 오랜만."

"마지막으로 본 지 일주일도 안 됐는데요."

"전에는 매일 왔잖아."

상우는 유나의 영양가 없는 말을 들으며 실기실에 들어섰다. 의자에 앉아 등을 보이고 있던 재영은 상우가 들어왔는데도 알은척하지 않았다. 상우는 빈 옆자리에 배낭을 내려놓고 의자에 앉았다.

"저 왔어요, 선배."

재영은 그제야 발을 이용해 의자를 스르르 돌렸다. 후드를 푹 쓰고 있었는데 오랜만에 보는 얼굴이 지쳐 보였다. 어디가 문제라고 콕 집어서 말하기는 어렵지만 컨디션이 안 좋은 듯했다.

"어디 아파요?"

"여기서 이틀 밤새셨답니다. 대단한 워커홀릭 나셨어."

유나가 재영의 대변인이라도 되는 것처럼 말했다. 상우는 얼굴이 빨개지는 걸 느끼며 손바닥으로 눈가를 감쌌다.

'바보, 누가 밤새서 작업하랬나.'

늘 요령 피우면서 잘 빠져나가다가 갑자기 왜 저러는지 모른다.

상우는 마음이 조금 안 좋아진 채로 핸드폰을 꺼냈다.

"타이틀과 캐릭터 스테이터스, 월드 맵 일부와 농장 레벨1 구현해 놨어요. 데미지 밸런스는 아직 조절해야 되니까 감안해서 보세요."

핸드폰에 미리 옮겨 놓은 파일을 실행하고 재영에게 넘겼다. 그리고 앉아서 천장을 보았다.

"뭐야, 뭐야. 앱 테스트야? 나도 볼래."

"아직 프로토타입이야."

"엄청 기대된다."

재영이 시연하는 동안 유나가 등 뒤에서 구경하며 떠들어 댔다.

"오오오, 멋진데. 응? 어, 뭔가 잘 안 이어지네. 어⋯⋯. 음, 그렇구나. 파하하! 뭐야, 저건! 쟨 왜 저렇게 걸어? 겁나 구려⋯⋯."

악평을 쏟아 내는 유나와 달리 재영은 피곤한 얼굴로 화면을 보며 긴 손가락으로 툭툭 게임을 조작할 뿐이었다. 처음에 별생각 없던 상우는 그의 표정이 통 변하지 않아서 약간 불안해졌다.

"이거 아직 시범이라 허접한 거지?"

"그렇다고 막 만들어도 되는 건 아니지."

상우의 한쪽 눈썹이 들렸다.

"그치⋯⋯. 이건 좀 심했다, 어뢰도 아니고. 그래도 게임 자체는 재미있어 보이네."

유나가 자리로 돌아가 헤드폰을 집어 쓰고 얼마 안 있어, 재영이 손바닥으로 눈두덩을 쓸며 상우의 핸드폰을 내려놓았다.

"추상우."

"네."

"내가 너 처음 본 날 그랬지, 구동된다고 다가 아니라고."

상우는 괜히 긴장한 채로 고개를 끄덕였다. 드디어 재영이 오늘

들어 처음으로 눈을 마주쳤다. 무슨 생각인지 전혀 알 수 없는 모호한 시선이었다. 그는 상우를 가만히 바라보았다가 피곤한 듯 눈을 아래로 깔았다.

"타이틀, 너무 느려."

"얼마나요? 합의한 대로 1.8초인데⋯⋯."

"정정. 너무 느려 보여. 더 속도감 있어 보이게 조절해 줘. 화면 전환할 때 투명도 변화도 느려."

"그것도 마찬가지로⋯⋯."

"정정. 느려 보이니까 가속도 줘 봐. 캐릭터 기본 동작 어색해. 최유나 하는 말 들었지? 수류탄 날아가는 거 되게 이상해. 그리고 크리 뜰 때 이펙트에 잔상 주면 좋겠는데⋯⋯. 이건 나중에 다시 얘기할게."

상우는 재영이 말한 모든 것을 머리에 일단 메모했다. 하지만 그가 어떻게 하라고 정확히 알려 주지 않아서 혼란스러웠다. 재영은 몇 가지 더 지적하고서 덧붙였다.

"네가 단순한 개발자면 상관없는데, 제작자 타이틀 달고 싶다면 이렇게 감각 없이는 안 돼."

직격타. 가뜩이나 이런저런 지적을 당해서 불편해져 있던 심기를 꿰뚫은 한마디였다. 재영이 종종 장난식으로 식상하다느니, 상상력이 부족하다느니 말한 적은 있어도 둘이 일하며 늘 혼난 건 재영이었다. 그 반대 상황은 처음 겪었다. 마음에 들지 않았지만 상우는 할 말이 없었다.

"그런 표정 짓지 말고, 협업하고 있는 기 잊지 마."

"제가 무슨 표정 지었는데요?"

"글쎄⋯⋯. 전교 1등이 79점 맞은 표정? 엔진이나 틀어 봐. 무슨 말인지 알려 줄게."

상우는 대답하지 않고 노트북을 켰다. 분위기가 평소와 달라서 적응이 안 됐다. 밤을 새서 그런지 재영은 평소처럼 투덜거리지도 않았고 얼굴에 장난기도 전혀 없었다. 이제까지는 구슬리고 채찍질해서 어떻게든 끌고 가야 하는 야생마 같았는데, 오늘은 웬일인지 진지한 파트너처럼 느껴졌다.

"선배 이거 다룰 줄 모르잖아요."

"아까 좀 찾아봤어. GUI 꽤 잘돼 있더만. 모르는 부분은 네가 알려 주면 되잖아. 타이틀부터 틀어 봐."

재영이 상우의 영역에 들어왔다. 의자를 곁에 적당히 붙여 앉고서, 불필요하게 접촉하지 않으며 시선은 모니터만 보았다. 그런데도 상우는 그가 빤히 바라보거나 머리를 쓰다듬을 때와 비슷한 긴장감을 느꼈다.

"그럼 몇 초로 할까요?"

"시간 건드리지 말고 적정 크기에서 살짝 더 커졌다가 작아지는 걸로 하자."

"크기는 어느 정도로…… 110%면 되나요?"

"숫자 맞출 생각하지 말고 느낌을 직접 봐."

방심하고 있던 그때, 재영의 손이 마우스를 쥔 상우의 손등을 덮었다. 재영이 너무 진지하게 모니터를 보고 있어서 상우는 손 빼낼 타이밍을 놓쳐 버렸다.

'어…… 어, 어?'

허둥대는 사이 재영이 그의 손등을 쥐고 마우스를 달각거렸다. 그는 아무렇지 않은 표정으로 마우스를 움직여 타임 라인을 조작하고 이미지의 크기를 조절했다.

"프리뷰 어떻게 해?"

상우는 그 말에 퍼뜩 정신이 들어서 손을 빼고 단축키를 입력했다. 새로 뜬 창에 재영이 만진 결과물이 나타났다. 아까와 시간은 똑같았지만 효과를 조금 주었더니 훨씬 역동적으로 보였다. 상우는 모니터를 쏘아보았다.

"추상우."

"네."

"경쟁 관계 아니야. 협업하는 거 잊지 마. 그래픽 분야는 내가 더 잘 알까, 네가 더 잘 알까?"

"선배요."

"그럼 누가 리드해야겠어?"

"선…… 배요."

재영은 한동안 말이 없었다. 상우는 고개를 돌렸다가 저를 빤히 보는 두 눈을 마주쳤다. 재영이 돌연 크게 소리쳤다.

"최유나!"

유나는 이전과 마찬가지로 머리만 흔들거리며 작업하고 있었다. 듣는 귀가 없다는 걸 확인한 재영이 목소리를 낮추며 이어 말했다.

"인간관계도 마찬가지로 혼자 하는 거 아니야. 둘이 합의한 일을 너 혼자 결정하고 취소하면 되겠어?"

돌연 주제가 바뀌었다. 재영은 이제 모니터에 관심이 사라진 듯했다. 상우는 그의 집요한 눈빛을 맞닥뜨렸다.

"아뇨."

"잘못했지?"

"모르겠어요."

"그만두자는 거 못 받아들이겠어. 지금부터 이유 설명할 테니까 잘 들어."

재영은 눈을 피하지도 깜빡거리지도 않으며 말했다.

"내 옆에 있으면 성욕이 치밀어서 괴롭다고 했지? 네가 잘 모르나 본데, 보통 사람들은 그럴 때 더욱 서로 가까이 붙어서 성욕을 풀어. 검증된 방법이라고. 실패했다고 규정하기엔 우린 거의 아무것도 해본 게 없잖아. 너무 성급했다는 결론이야."

"저도 노력은 했어요."

"네가 관두자고 한 결정적인 이유가 영상 때문인 것 같은데, 네 리서치 너무 미흡했어."

"미흡…… 했다고요?"

"그래. 너랑 나랑 둘 사이를 참고하는데 왜 사람이 세 명, 여덟 명씩 나오는 걸 결제하냐? 집에 바이브레이터 달린 목마 갖고 있는 사람이 어디 있어? 따라 했다간 할 때마다 병원 가야 돼. 솔직히 말해봐. 너 차트에서 일괄 다운 받았지?"

"다운로드 회수가 높은 자료는 그만큼 유익함이 공증되었다고 생각했어요."

"포르노 산업은 사람들의 판타지에 기반해. 그걸 간과하다니, 네가 FPS 게임 많이 하면 살인자가 된다고 믿는 꼰대들이랑 뭐가 다른지 모르겠는데."

"말이 너무 심한 거 아니에요?"

"전제부터 틀렸잖아. 우리 관계는 너랑 나 둘뿐이고 다른 사람은 절대로 낄 수 없어. 그리고 난 맞고 싶지도 않고 널 때리고 싶지도 않아. 그거 아니라고. 틀렸다고. 알겠어?"

뜻밖에 일리 있는 지적에 상우는 할 말이 없어졌다. 재영의 말처럼 잘 모르는 분야를 조사하면서도 필드 특성을 고려하지 못한 것 같았다. 하지만 그렇다고 해도…….

"제가 본 자료들이 심각하게 왜곡된 형태라고 쳐요. 하지만 전 영상으로만 공부한 게 아니에요. 제가 읽은 대부분의 텍스트에서 직장에 음경을 삽……."

"생물학 강의 그만."

재영이 "최유나!"라고 한 번 더 소리쳐 그녀가 음악에 몰두한 걸 확인했다. 그가 상체를 조금 낮추며 속삭이듯 말했다.

"상우야."

"……."

"우리가 섹스한다고 치면 내 직장……에 너의…… 씨발, 아무튼 그럴 필요 없어. 제발 두 명이란 걸 기억해. 한 명이 넣는다면, 다른 한 명은 안 해도 되는 거야."

"그래요? 공평하게 하는 게 아니고?"

"벌 받는 게 아니잖아. 넣는 게 싫다면 반대만 해. 뭐…… 듣기로는 뒤로도 엄청난 쾌감을 느낄 수 있다고 하더라. 성욕 해소에는 그만 아닐까?"

"들었다니요? 직접 해 봤다고 했잖아요."

재영의 표정이 미묘하게 변했다. 그가 상우를 빤히 바라보았다.

"뭐겠어. 상상력 좀 발휘해 봐."

상우의 두뇌가 빠르게 가동되었다. 장재영은 분명히 남성과 자 봤다고 했다. 남성 간의 성관계에는 전립선과 관련된 쾌락 메커니즘이 있다. 장재영은 그걸 느끼지 못했다고 했다. 결론은 두 가지다. 기술이 부족해서 못 느꼈거나, 그게 아니라면…….

"아, 그럼 혹시 선배가……."

상우의 왼 손가락이 저절로 동전 모양으로 구부려졌다. 오른 검지가 둥글게 만들어 놓은 공간을 꿰뚫었다. 재영은 상우의 손짓을 보고 헛웃음을 지었다. 부정하지 않는 걸 보면 맞나 보다.

"그럼…… 제가?"

상우는 ok 모양을 한 왼손을 멍하니 바라보았다. 한 번도 해 본 적 없는 상상에 사고가 멈추었다.

"그건 나중에 생각하시고요……. 영상처럼 날 때리거나 조…… 아무튼 기구 같은 거 안 써도 돼. 나도 너한테 전혀 폭력 쓰지 않을 거고. 약속해."

재영은 빠르게 말을 마치고서 "휴." 한숨을 내쉬었다. 그는 상우가 대답할 시간도 주지 않고 고개를 들며 말을 이었다.

"지금부터는 대안을 제시할 테니 잘 들어."

"대안이요?"

재영은 고개를 끄덕거리더니 자세를 고쳐 앉았다. 적당히 벌린 무릎 위에 팔꿈치를 기대고, 그가 양손을 모아 깍지를 꼈다. 그 모습이 어드벤처 액션 게임 표지 구도처럼 보였다.

"난 달라진 거 하나도 없어. 여전히 너랑 손도 잡고, 키스도 하고, 섹스도 하고 싶어."

재영이 피자도 먹고 치킨도 먹고 냉면도 먹고 싶다는 듯이 아무렇지 않게 말했다.

"넌 나보다 머릿속이 훨씬 복잡한 거 같으니까 내가 기다려 줄게."

"무슨 뜻이에요?"

"천천히 가자는 뜻이야. 네게 아무런 강요도 하지 않을 거야. 네가 내켜서 제의하지 않는 이상 나는 아무것도 안 할 거야."

"진짜예요? 그러다 하기 싫어지면 중간에 그만둬도 돼요?"

"네가 싫다면 내가 뭘 어쩌겠어? 억지로 하겠냐?"

상우는 고개를 끄덕였다. 재영을 만날 때는 늘 긴장한 상태였다.

무슨 터무니없는 말을 할까, 어떤 예상치 못한 행동을 할까, 얼마나 휘둘릴까. 그러나 오늘만은 달랐다.

'경쟁 관계 아니야. 협업하는 거 잊지 마.'

사흘 전에는 마음대로 관둔다고 그렇게 화냈으면서 무슨 심경의 변화가 생겼는지 모르겠다. 그날 재영은 몹시 감정적인 태도를 보였다. 오늘 그는 차분한 태도로 알아듣기 쉽고 구체적인 화법을 썼다.

한동안 가만히 있던 재영이 기지개를 켜며 자리에서 일어났다.

"그럼 그런 걸로 알고 눈 좀 붙일게. 너 여기서 작업하다 가든지."

"……."

"뽀뽀하려면 깨워서 해."

"안 해요, 안 해!"

그가 눈웃음을 치며 상우를 지나쳤다. 상우는 재영이 간이침대에 눕는 뒷모습을 보고 실기실 창문에 블라인드를 치고 불을 껐다. 그러자 유나가 헤드폰을 빼며 신경질을 냈다.

return 0;

엎어졌다고 생각한 프로젝트는 벌떡 일어나더니 어느 때보다도 원활하게 진행되었다. 기본 리소스를 어느 정도 해치운 재영은 애니메이션에 관여하기 시작했다. 처음엔 '조금, 더, 너무, 적당히' 같은 어휘로 수치를 재단하는 그에게 맞추기 어려웠지만 상우는 시행착오를 거치며 요령을 배워 나갔다.

예를 들어 '조금 더 크게'라는 말을 들으면 스케일의 109%를 키웠고 '너무 작아'라는 말을 들으면 134%를 키우는 등 머릿속에 매뉴얼을 만들었다. 그 뒤에는 재영이 내놓는 세부 피드백을 들으며 조절했다.

　금요일에 상우는 18:31에 실기실에 입장해서 디자이너의 코치를 받으며 수정하란 부분을 전부 작업했다. 캐릭터 기본 모션이 전부 수정되었고 무기 사용 애니메이션이 바뀌었다. 유나가 보더니 캐릭터 중 하나가 상우와 닮았다고 했다. 다른 캐릭터가 재영과 더 닮았는데 그것도 모르다니, 상우는 그녀가 디자이너치고 참 눈썰미 없다고 생각했다.

　21:03에 셋이 치킨을 시켜 먹고 쓸모없는 잡담으로 시간을 낭비하느라 그 뒤에는 작업하지 못했다. 22:00에 실기실을 퇴장하면서, 상우는 재영이 닭다리를 건네주다 손등 스친 걸 제외하면 저에게 한 번도 손대지 않았음을 깨달았다.

　주말에는 미팅을 잡지 않았다. 토요일에도 일요일에도, 알바 끝나고 집에 돌아가는 22:01에 재영에게 전화가 왔다. 그는 토요일에는 용량에 관해, 일요일에는 기기별 이미지 차이에 관해 질문했다. 상우는 최적화에 신경 쓰는 재영이 갸륵하게 느껴져 자세히 답변해 주었다. 두 날 다 재영은 곧바로 전화를 끊지 않았다.

　'근데 넌 어디서 태어났어?'

　대체 그딴 걸 왜 물어보는 건지. 대전에서 태어났다고 대답하니 어디서 자라고 무슨 학교 나왔냐고 물어보았고, 대전시 곡문구에서 열아홉 살 때까지 자랐으며 곡문중, 곡문고 졸업했다고 대답하니 신발 사이즈와 시력을 물어보았다. 270에 양안 1.0이라고 답하자 저는 270 신을 때도 있고 275 신을 때도 있으며 시력이 0.7이라 안경을 끼기도 벗기도 참 모호하다고 고충을 토로했다.

　끊고 나서 보니 놀랍게도 통화 시간이 각각 29분과 34분이었다. 딱히 한 이야기도 없었는데, 통화로 시간을 그렇게 오래 낭비한 것이 신기할 따름이었다.

5월의 첫 월요일, 상우는 수업을 듣고 도서관에서 공부했다. 저녁을 먹고 실기실에 갔다가 문을 막 열고 나오는 유나와 마주쳤다. 털옷을 입고 있던 게 얼마 전 같은데, 민소매 셔츠 차림이었다.

"어, 추상추 안녕."

"네."

"난 저녁 먹고 놀러 가려고. 너도 갈래?"

"아뇨."

상우는 그녀를 지나쳐 실기실에 들어갔다. 유나가 한여름처럼 입고 있는 게 이해될 만큼 내부는 더웠다. 상우는 재킷을 벗어 의자에 걸고 창가로 향했다. 창문을 활짝 열자 미지근한 공기가 몸에 부딪혔다. 모르는 사이 날씨가 상당히 더워졌다.

그때 문이 벌컥 열렸다. 상우는 고개만 틀어 뒤를 바라보았다가 흰색 비닐봉지를 들고 온 재영과 눈이 마주쳤다. 그는 머리에 남색 야구 모자를 쓰고 있었다. 무릎이 다 찢어진 밝은색 청바지가 눈에 거슬렸다.

"왔어?"

"네."

"오늘 왜 이렇게 덥냐."

재영은 휘적휘적 들어와 책상에 봉지를 내려놓았고 상우는 다시 바깥을 보았다.

"5월인데 무슨 한여름 같아."

"무분별한 화석 연료 사용으로 온실 효과가 가속화돼서 그래요."

"밥은 먹었어?"

"네."

뒤에서 비닐봉지 부스럭거리는 소리가 났다. 상우는 저녁인데도 밝은 학교 전경을 물끄러미 내려다보다 자리로 돌아왔다. 재영은 종이 그릇에 든 내용물을 비비고 있었다. 묻지도 않았는데 알밥이라고 알려 주었다. 그가 봉지에서 스티로폼 용기를 꺼내 고무줄을 떼어 내자 큼직한 만두 여섯 개가 나왔다.

"왜 너밖에 없어?"

"최유최는 놀러 갔어요."

"그럼 단둘이네. 좋다."

그가 플라스틱 숟가락을 입가로 가져가며 말했다. 상우는 뭐라고 대답해야 할지 몰라서 고개를 돌려 버렸다. 지나가듯이 던진 말에 두드려 맞은 기분이었다. 갑자기 목이 말랐다. 상우는 배낭에서 노트북을 꺼내 책상에 올려놓고 까만 화면을 뚫어져라 바라보았다.

"상우야."

평소처럼 부르는 것뿐인데 왜 이렇게 긴장될까. 상우는 겨우 대답했다.

"네."

"만두 먹어. 유명한 데서 줄 서서 사 온 거야."

권유가 아닌 지시였다. 옆을 돌아보니 재영이 커다란 만두를 젓가락으로 집어 들고 있었다. 가장자리가 간장에 젖어 있었다.

"내려놔요. 제가 먹을게요."

"얼른, 팔 아파."

만두가 코앞으로 다가와, 상우는 어쩔 수 없이 입을 벌렸다. 크게 베어 물자 재영이 만두를 도로 가져가 간장에 찍어 반을 해치웠다.

"제가 먹던 건데."

"뭘 그런 걸 신경 써, 키스도 한 사이에."

오늘은 그가 하는 말마다 묘하게 신경 쓰였다. 게다가 균 감염을 우려하기엔 이미 과거에 타액을 교환했다는 논리도 반박하기 어려웠다.

"더 먹을래?"

"……네."

재영이 아무렇지 않은 태도로 남은 조각을 상우의 입에 넣어 주었다. 상우는 만두를 입에 가득 머금고 열심히 씹었다. 너무 열심히 먹어서인지 만두가 뜨거워서인지 주변이 덥게 느껴졌다.

"오늘 왜 이렇게 덥냐."

"그러니까요."

재영이 젓가락을 내려놓더니 모자를 벗어 책상에 올려놓았다. 양손으로 옷 밑단을 잡고 검은 맨투맨 티를 훌러덩 벗었다. 안에 받쳐입은 흰 티셔츠가 배까지 말려 올라가는 바람에 상우는 숨 쉬는 법을 잊었다. 맨날 놀기만 하는 주제에, 배에 복근이 잡혀 있었다.

재영은 옷을 간이침대 위로 던지고 다시 모자를 썼다. 처음 보는 것도 아닌 맨팔이 시선을 끌어당겼다. 상우의 눈빛이 재영의 팔에 잡힌 근육과 힘줄을 조심스럽게 쓸었다. 어깨에서 시작되는 문신 일부가 옷소매에 가려져 있었다. 차에서 그가 저 팔로 무슨 짓을 했는지 떠올리기 싫어도 안 그럴 수가 없었다.

재영이 돌연 고개를 획 돌려 시선을 맞추었다. 상우는 깜짝 놀라서 부팅도 하지 않은 모니터를 보며 올려놓지도 않은 마우스를 잡으려 손을 뻗었다.

"이거 처음 봤구나."

재영이 소매를 어깨까지 올리며 이상한 문신을 드러냈다.

"지난번에 봤어요."

"언제? 아……."

잠시 침묵이 감돌았다. 상우는 배낭에서 물통을 꺼내 벌컥벌컥 목을 축였다. 다 마시고 입가에 조금 흘러내린 물기를 손등으로 쓸었을 때 재영이 말했다.

"차에서 너랑 나랑 딱 붙어서 즐거운 시간 보냈을 때 봤나 보네."

물을 다 마셔서 망정이지, 안 그랬으면 뿜을 뻔했다. 재영이 "그날 존나 좋았는데."라고 중얼거렸다. 상우는 화제를 돌려야 할 필요를 강하게 느꼈다.

"문신 왜 했어요?"

"왜, 양아치 같아?"

"약간요."

"몇 년 전에 디자인한 시그니처야. 그냥 그림이라고 생각해."

"왜 피부에 그림을 그렸어요?"

"그러고 싶어서?"

재영은 한동안 밥만 먹었다. 상우는 의자에 앉은 채 재영의 팔에 새겨진 시그니처를 구경했다. 문신은 깡패들이나 하는 건 줄 알았는데 그가 해서인지 그렇게 나빠 보이지 않았다. 자세히 보니 새 같기도 하고 모르는 나라의 글자 같기도, 떨어지는 유성 같기도, 불타는 화염구 같기도 했다. 상우는 그 모양이 정체를 도통 알 수 없다는 점에서 재영과 비슷하다고 느꼈다.

"거 되게 쳐다보네."

"그런 거 처음 봐서 그래요."

"그렇게 신기하면 너도 팔에 뭐 그려 줄게."

상우는 얼굴을 찌푸렸다. 가장 먼저 거부감이 들었지만 곧바로 낯선 호기심이 치밀었다. 그처럼 팔에 그림이 있다면 어떤 기분이 들까. 상우가 고민하는 사이 재영은 알밥을 해치우고 종이 그릇을 구겨 버렸다. 그가 컴퓨터를 켜며 말했다.

"좋아하는 모양 있어?"

상우는 생각에 잠긴 채 재영의 옆얼굴을 멍하니 보았다. 재영이 그 시선을 느꼈는지 뻔뻔하게 말했다.

"나 말고 다른 거. 사람 얼굴로 타투 하면 안 예뻐."

"미쳤어요?"

장난을 안 치면 입 안에 가시가 돋치나 보다. 상우는 씩씩거리며 불명예스러운 오해를 벗을 길을 모색했다. 고민은 길지 않았다. 그는 팔에 그림 그리고 싶을 만큼 좋아하는 사물이 몇 가지 없었다.

"포크레인 그려 주세요."

"오케이."

재영이 모니터를 켜고 인터넷 창을 틀어 이미지를 검색하기 시작했다. 상우는 그에게 가까이 붙어 참견했다.

"크롤러 말고 휠로요."

"크롤러가 뭔데?"

"지금 그거요. 무한궤도잖아요. 벨트로 구동되는 방식 말고 휠로 찾으라고요. 바퀴요, 바퀴."

재영은 엉뚱한 사진을 자꾸 눌렀다. 그가 너무 말을 못 알아들어서 상우는 답답해졌다.

"그건 버킷이 너무 작아요. 아니, 버킷이 작다고."

"난 이게 제일 예쁜데?"

"공팔은 돼야 뭘 좀 옮길 거 아니에요. 진짜……. 뭘 모르네."

"그만 구박하고 그냥 네가 찾아."

재영이 마우스를 넘겨주자 상우는 기다렸다는 듯이 가장 좋아하는 기종을 찾아 화면에 띄웠다. 재영은 모니터를 1분간 꼼짝 않고 보더니 서랍을 열어 펜을 몇 개 꺼냈다. 시중에서 파는 문구류들과 달리 몸체가 두꺼웠다.

"어디에 해 줘?"

그가 여전히 모니터를 보며 말했다. 상우는 혹시 뭐가 잘못돼도 일상생활에 지장이 없으며 바깥으로 노출되지 않을 만한 위치를 고민했다. 그리고 왼팔을 내밀었다.

"팔꿈치 위로요."

재영이 의자를 스르르 돌리며 펜을 하나 쥐고 다가왔다. 상우의 팔목을 잡아 단추를 풀고 소매를 어깨까지 걷어 올렸다. 왼팔을 상우의 팔에 맞대며 겨드랑이 아래 살이 비교적 부드러운 부분을 손바닥으로 감싸 쥐었다.

날이 더워서인지 그의 피부도 뜨거웠다. 벌레가 살갗 위를 기어가는 것처럼 간질간질한 느낌이 들어서 벅벅 긁고 싶어졌다. 상우는 불편했지만 이미 허락한 터라 가만히 있을 수밖에 없었다.

"시작해?"

"……네."

재영이 눈을 마주한 채 이로 펜 뚜껑을 열었다. 별것도 아닌 그 모습이 뇌쇄적으로만 보였다. 재영은 펜을 쥔 손으로 뚜껑을 책상에 올려놓고, 의자를 밀어 상우의 코앞까지 슝 다가왔다. 상우의 팔 안쪽을 고쳐 잡고서 촉이 두꺼운 펜으로 그림 그리기 시작했다.

쓱싹쓱싹, 거침없는 펜 끝이 살갗 위로 미끄러졌다. 직선, 직선, 직선 그리고 곡선. 펜촉을 세웠다, 비스듬히 눕혔다, 바꿔 잡을 때마다 선의 굵기가 달라졌다. 또한, 재영이 고개를 꺾을 때마다 얼굴 보이는 각도가 달라졌다. 어떨 때는 모자챙 아래로 콧날이 보였다가 어떨 때는 몰두한 두 눈이 보이기도 했다. 재영이 그림 그리는 데 집중하고 있어서 상우는 마음 놓고 그를 훔쳐볼 수 있었다. 이런 기회는 흔히 오지 않는다.

"'임베디드 시스템' 첫 시간에도 이 펜으로 제 얼굴에 낙서했어요?"

재영이 움찔거리느라 선이 망가졌다.

"······그럴걸."

그는 울퉁불퉁한 선을 이어 그리며 말했다.

"갑자기 그건 왜 물어봐."

"잘 안 지워지겠다 싶어서요. 그날 지우느라 힘들었거든요."

"이렇게 열심히 그리고 있는데 쉽게 지워지면 안 되지."

재영은 말없이 바퀴를 그려 나갔다. 뭐든 대충인 성격상 동그랗게 그려 버리고 말 줄 알았는데, 펜촉을 세워 트레드를 톱니 모양으로 자세하게 표현했다.

기분은 점점 이상해졌다. 다른 사람도 아닌 장재영이 저와 살 맞대고 몸에 가장 좋아하는 모양을 그리고 있는데 그럴 수밖에. 장재영 혼자만 해도 벅찬데, '장재영'+'포크레인'이라면 심장이 멀쩡할 리 없었다. 이성적인 상태니 망정이지 술을 많이 마시고 판단력이 흐려졌다면 규범을 무시하고 그를 덮쳤을지도 모른다.

상우는 희열과 긴장감, 불쾌감과 성욕이 한데 어우러진 기분을 가만히 즐겼다. 처음 그런 것을 느꼈을 때는 어쩔 줄 몰랐는데 이제 꽤 겪어 봐서 그렇게까지 낯설지가 않았다.

펜이 내는 소리 외에 완벽한 침묵 속에서 그림이 얼추 잡혀 갔다. 재영은 주행체부터 그리고 상부 선회체를 그 뒤에, 그리고 작업 장치를 마지막에 그렸다. 상우는 제 팔 위에 점차 완성되어 가는 중장비의 모습에 흥분을 느꼈다.

"선배."

"왜?"

"마법사 같아요."

재영의 입가가 호선을 그렸다. 눈 보고 싶은데, 거지 같은 챙이 가리고 있었다. 상우는 야구 모자와 메이저리그 야구팀마저 싫어졌다.

"모자 벗어 주세요."

"왜?"

"말하기 싫어요."

피식. 재영의 어깨가 흔들리며 그가 묘사하던 버킷이 찌그러졌다. 상우는 속으로 비명을 질렀다. 곧 펜촉이 지저분해진 부분을 넓은 면으로 뭉개 버리고 그 위에 다시 묘사하기 시작했다.

"안 돼. 너도 한번 당해 봐야지."

재영이 한참 뒤에 밀했다.

'뭐라는 거야.'

상우는 입을 삐쭉거리며 천장을 노려보았다.

"귀찮으면 그냥 귀찮다고 해요."

재영은 웃기만 할 뿐, 대답하지 않고 그림만 그렸다.

return 0;

다음 날, 상우는 모처럼 평화로운 시간을 보내고 있었다. 부분 유료화에 관한 의견 차이 때문에 디자이너와 갈등이 있었지만 감정적인 다툼은 아니었다.

20:43에 유나가 밤샐 예정이라며 피자를 시키겠다고, 먹고 싶은 종류 있냐고 의견을 물었다. 재영은 제가 살 것도 아니면서 특정 브

랜드를 들먹거리며 그거 아니면 안 먹겠다고 말했다. 유나는 꼴값 떤다고 욕하면서도 그 피자집에 피자를 주문했다.

"피자 왔다는데, 추상추 네가 1층 가서 받아 와."

40분 정도가 지나자 유나가 말했다.

"왜 제가 가요?"

"네가 여기서 제일 애기잖아."

"여기 아기가 어디 있어요?"

"피곤하게 굴지 말자. 원래 이런 건 제일 어린 사람이 가는 거야."

"나이가 어리다고 덜 힘들거나 시간이 덜 가치 있는 건 아닌데요."

"또 저러네. 그냥 좀 갔다 와!"

나이가 어리니까 라면을 끓이고 물을 떠 와야 한다는 비합리적 사고방식의 극치. 급하다고 불러서 가 보면 불을 꺼 달라던 누나의 밉살스러운 얼굴이 떠올랐다. 상우가 작정하고 유나와 한판 붙기 직전, 재영이 그들 사이로 지나갔다.

"넌 또 어디 가?"

"담배."

"그럼 네가 피자 받아 와."

그때 유나의 핸드폰에 알림이 왔다. 그녀가 화면을 보고 인상을 찌푸렸다.

"엥? 갑자기 돈은 왜 보냈어?"

재영은 문 앞까지 향하더니, 한마디 남기고 나가 버렸다.

"내가 살 테니까 앞으로 상우한테 그런 거 시키지 마."

"뭐?"

유나가 황당하다는 듯 물었지만 재영은 사라진 뒤였다. 유나는 욕설을 내뱉으며 혀를 찼다. 고작 3층 아래 다녀오는 게 별거냐면서, 재영이 본인 이미지 관리하느라 저를 쓰레기로 만들었다고 분노했다.

"야. 쟤 너랑 일한다고 착한 척하나 본데, 속지 마. 알았어?"

"저도 많이 당해 봐서 알아요."

"상우야, 상우야, 으웨에엑……. 존나, 왜 저러는 거야? 누가 보면 너한테 관시……."

흥분해서 떠들던 유나가 돌연 입을 다물었다. 불만스럽던 얼굴이 불가해하다는 표정으로 변했다. 그녀는 한참을 조용히 있었다.

"나도 담배 좀 피우고 올게."

그러고는 실기실에서 나가 버렸다. 그러거나 말거나, 상우는 작업 내용을 저장하고 책상을 정리했다. 재영의 책상에서 쓰레기를 모아 버리고 화장실에 가서 손을 씻고 왔는데도 재영과 유나는 돌아오지 않았다. 피자가 도착했다더니, 13분이 지나가고 있었다.

멍하니 앉아 2분간 더 기다리자 문이 열렸다. 유나가 먼저 들어와 제 의자에 앉았다. 재영은 커다란 피자 상자와 콜라를 들고 들어와 상우의 책상에 놓았다. 열자마자 피자를 한쪽 들어 상우에게 내밀었다. 상우는 불필요한 친절이 의아했으나 조각을 받아 가장자리를 베어 물었다. 피자는 미지근했다. 재영은 한 조각 더 떼서 이번에는 제 입으로 가져갔다. 유나가 의자를 끌어와 그들 책상으로 다가왔다.

"나는 안 주냐?"

"손이 없냐, 발이 없냐."

"말을 말자……."

그녀는 피자 한 쪽을 거칠게 떼더니 반으로 접어 입에 밀어 넣었다. 한동안 다들 먹느라 바빠서 조용했다. 그러다 각각 두세 조각씩 먹었을 때 유나가 불쑥 상우에게 말했다.

"야, 번호 좀."

그에게 내민 핸드폰 화면은 거미줄처럼 금이 가 있었고 정신 사나운 형광 주황색 젤리 케이스가 기기를 감싸고 있었다.

"왜요?"

"그냥? 너 앞으로도 실기실에서 자주 볼 것 같아서. 연락할 일 있을 수도 있잖아."

'없을 것 같은데.'

상우는 속으로는 다른 생각을 하면서도 제 번호를 입력해 주었다. 그러자 유나가 5초 정도 전화를 걸었다가 껐다.

"너도 내 번호 저장해. 추…… 상추. 됐다!"

"실명으로 저장해요, 좀."

유나는 그 말을 무시했다. 상우는 전화번호 저장하는 페이지를 띄웠다. '시각디자인과 최유'까지 적고서 손이 멈추었다. 다음 글자가 '최'일 리 없는 거야 확실하지만 늘 그렇게 부르다 보니 헷갈렸다.

"나."

옆에서 화면을 함께 보고 있던 재영이 넌지시 알려 주었다. 저장 버튼을 누르자마자 핸드폰이 어디론가 사라졌다. 재영이 채 가서 숫자를 입력하고 있었다. 본인 전화번호였다. 그는 화면에 나타난 이름을 보고 눈을 가늘게 떴다.

"무임승차는 언제 적 무임승차야? 성공했으면 억울하지나 않지."

"한번 저장하면 바꾸는 거 안 좋아해요. 어차피 핸드폰은 바깥에서 검색할 용도 아니면 잘 쓰지 않아요."

"1이랑 2도 있어?"

"걔들은 진작 삭제했죠."

재영이 전화번호부를 열자 몇 명 없는 목록이 나타났다. 남의 전화번호부가 왜 보고 싶은지 상우는 이해되지 않았지만 그렇다고 해를 끼치는 것도 아니니 그를 내버려 두었다.

곡문고 김원종
곡문고 김충호
곡문중 임세원

"얘네는 동네 친구야?"
"네."
"친해?"
"가끔 만나서 술 먹거나 게임하는 정도예요."

기계공학과 박성중 선배
기계공학과 임민호
도락PC방 사장
무임승차3
불어불문학과 류지혜

"박성중 이놈이 너보다 선배였나?"
"음……."
"누군지 모르는 거 같은데? 삭제한다?"
"그러세요."
"임민호는 누구야? 얘도 삭제해도 돼?"
"지난 학기에 그래픽 카드 사 간 사람 같은데 아닐 수도 있어요.
지우세요."
　재영은 할 짓이 없는지 상우의 전화번호부 정리를 자처했다. 그런데 기준이 너무 빡빡하다는 게 문제였다. 3개월 동안 연락 안 한 사람들이야 지워도 상관없지만, 그렇지 않은 경우에도 고집을 부렸다. 예를 들어 현재 같이 수업 듣는 류지혜는 학기 말까지 연락처가 필요할 가능성이 높은데도 세 번이나 무턱대고 지우려고 했다.

상우는 데이터를 함부로 삭제하지 않겠다는 약속을 받고서 재영에게 핸드폰을 다시 주었다. 쭉쭉 내려가던 목록이 돌연 멈추었다.

"뭐야, 이 새끼는?"

재영이 인상을 쓰며 말했다. 화면을 슬쩍 보니 '종한♥'이란 이름이 보였다. 아무리 이상한 형식으로 저장되어 있다곤 해도 다짜고짜 새끼라니, 상우는 기분이 조금 상했다.

"이제 그만하고 내놔요."

"누구냐고."

"줘요. 일하기 싫어서 시간 때우는 거 다 알아요."

"누구냐니까."

재영은 급기야 정색하며 언성을 높였다. 상우는 팔짱 끼고 그런 그를 노려보았다. 또라이 새끼, 며칠 착하게 군다 했더니 본성을 드러낸다. 역시 장재영은 분노 조절 장애 치료를 받아야 한다는 생각이 들었다.

"야."

띠꺼운 표정과 띠꺼운 목소리로 그가 말했다.

"내가 물어보잖아, 두 번씩이나."

"성함은 추 종 자 한 자, 55세, 직업은 시인이에요. 됐어요?"

상우와 화면을 번갈아 가며 보던 재영의 얼굴에 황당함이 번졌다. 입을 벌리고 멍하니 있던 그가 헛웃음을 터뜨렸다. 얼굴을 잔뜩 찌푸리며 손바닥으로 눈을 가렸다.

"세상에 누가 아버지를 이렇게 저장해 놔."

상우도 핸드폰을 처음 샀을 때는 아버지를 실명인 '추종한'으로 저장했다. 그러나 그걸 발견한 날 아버지는 술을 많이 마시고 들어와 집구석에 정이 하나도 없다며 가족을 모아 놓고 눈물을 보였다. 수정 요청을 거듭 받고서 합의한 결과가 이거였다.

"아무 데나 하트 붙이면 오해의 소지가 있잖아."

"아무 데는 아니죠. 아버지가 없었으면 전 태어나지도 못했을 텐데."

"지랄들을 하고 있네."

돌연 유나가 욕설을 외치고서는 실기실에서 나가 버렸다. 문이 쾅 닫히고 나자 재영은 전화번호부를 마저 스캔했다. 화면을 쓱쓱 내리던 손이 또 한 번 멈추었다.

"추상희 씨는 누나분?"

"네."

"왜 하트 안 해 놨어?"

"제가 왜요? 남매는 태어나면서부터 적이에요."

상우는 누나 생각을 하니 문득 열이 받았다. 그녀 이름 뒤에 하트를 붙이느니 손가락이 부러지는 편이 나을 것이다.

"누나 예쁘냐? 너 닮았으면 예쁘실 것 같은데."

"존나 못생겼는데요."

"사진 없어?"

"괴물 사진 저장 안 해요."

재영은 말없이 전화번호부를 끝까지 보았다. 마지막 항목은 '황금례'였다.

"어머니시지? 여기도 하트 없네."

"따로 요청하지 않으셔서요."

재영은 고개를 끄덕거리더니 전화번호부를 껐다. 이제 돌려 달라고 손을 내밀었으나 그는 이미 사진첩을 열고 있었다. 사진첩에는 화이트보드를 찍은 사진 몇 개와 폴더 하나가 있었다.

"이 폴더 혹시……."

"내놔요!"

상우는 재영이 폴더를 터치하기 전에 그에게 달려들었다. 어차피 PC에 저장해 놓은 걸 걸렸으니 모바일 버전을 본다 한들 별 차이 없겠지만, 그래도 눈앞에서 저를 놀릴 기회를 제공하기 싫었다.

"어, 뭐 하는 거야 이 변태가……."

재영이 손을 뒤로 한껏 뻗었다. 상우는 핸드폰을 탈환하는 데 혈안이 되어 무작정 그의 팔을 잡고 끌어당겼다. 그러다 보니 포옹하는 것처럼 가슴이 맞닿았다.

"어딜…… 만져?"

상우는 한동안 굳어 있다가 자신이 재영의 허벅지 안쪽을 짚었음을 깨달았다. 손을 재빨리 뗐는데도 뻔뻔한 입가에 미소가 번졌다. 재영의 혓바닥이 나타나 입술을 느릿하게 쓸고서 사라졌다. 상우는 그런 식의 유혹에 너무 약했다. 이번에도 어김없이 본능이 천천히 고개를 들었다.

마지막으로 키스한 지가 9일 전이었다. 오늘도 저 입술에서 바닐라 향이 날까. 실기실, 술집, 실기실, 재영의 차. 입맞춤에 관련된 네 가지 데이터가 스쳐 지났다. 하지만 기억으로는 부족했다, 기억으로는.

비록 기다려 준다고는 했지만 장재영은 상우와 한번 자 보고 싶어서 안달 난 사람이었다. 허리를 끌어안을 시점인데도 그는 눈을 맞추고 얌전하게 있었다. 마치 그의 머리카락을 쥐고 폭력적으로 입맞추고 싶은 상우의 욕망을 알기라도 하는 듯했다.

보이지 않는 손이 심장을 쥐어짜는 것처럼 고통스러웠다. 그러나 상우는 고도로 발전한 문명의 구성원이었다. 한때 육욕에 흔들려 야만에 발을 담갔으나 처참하게 실패하고서 성욕에 고삐를 채웠다. 교양인에게 성 충동은 제어해야 할 대상일 뿐이다. 본능에 끌려다녀서는 야만인과 다를 것이 없지 않은가.

상우는 입을 굳게 닫고 팔을 뻗어 공중에서 달랑거리던 핸드폰을 탈환했다. 문명인의 품위를 지키며 곧바로 뒤돌자 혼잣말이 희미하게 들렸다.

"아깝다."

이제 실기실에서 더 버틸 힘이 없었다. 상우는 노트북 전원을 뽑아 정리하지도 않고 배낭에 거칠게 넣었다.

"인내심 장난 아닌데?"

"원래 그런 편이에요."

"쓸데없이."

"칭찬이에요, 욕이에요?"

"욕이야."

그 말을 무시했다. 퇴장할 시간이었다.

return 0;

〈베지 벤처러〉의 그래픽 완성도가 높아질수록 재영이 팔에 그려준 그림은 점점 흐릿해졌다. 일부러 왼팔에 비누칠을 하지 않았는데도 이틀이 지나자 세부 묘사가 날아가 버렸다. 연해지는 펜 선과 달리 실기실에 감도는 긴장감은 점점 진해졌다.

기다려 준다길래, 마음대로 하라길래 일에 전념할 수 있을 줄 알

있는데 너무 순진한 생각이었나 보다. 재영은 약속한 대로 아무 강요도 하지 않았지만 상우를 은근히 자극했다. 그러다 보니 하루에 한 번씩은 불편한 상황이 생겼다. 거기엔 상우의 잘못도 있었다.

'너 입술 텄네. 립밤 바를래?'

각질 세포가 피부에서 떨어지는 게 자연스러운 작용이란 걸 알면서도 상우는 그 사실을 입 밖으로 내지 못했다.

'네. 꼭 필요해요.'

정신 차려 보니 재영이 의자를 굴리며 무릎이 맞닿을 거리까지 다가와 있었다. 그때까지만 해도 기회가 있었다. 립밤을 달라고 요구해서 직접 바르면 됐는데, 비합리적인 기대감이 상우를 가로막았다.

가만히 앉아 있으니 재영이 흰색 스틱형 제품의 뚜껑을 열어 펜처럼 쥐었다. 립밤 하나도 평범하게 바르지 않았다. 그의 왼손이 응당 그래야 한다는 듯 턱에 닿았다. 그렇게 상우의 얼굴을 고정하고 눈을 똑바로 마주친 채 립밤을 천천히 입술로 가져갔다.

장재영의 얼굴이 특별히 야하게 느껴진 순간들이 있었다. 도서관에서 영화 보러 가자고 말했을 때가 그랬고 차에서 벨트를 풀어 줬을 때도 그랬다. 그날도 재영은 미용 제품이 아닌 날카로운 무기를 든 사람처럼 위협적으로 느껴졌다.

입술에 닿은 게 립밤은 맞는지, 그렇다면 왜 그렇게 느리고 부드럽게 움직이는지, 가슴은 왜 정신 사납게 구는지, 실기실은 왜 이렇게 더운지, 그러한 의문이 머릿속을 가득 채웠다.

'눈은 왜 감아?'

재영은 웃음기 가득한 목소리를 남기고서 자리로 돌아가 버렸고, 상우는 곧바로 화장실로 도망쳐 찬물로 세수했다. 입술에 남은 은은한 바닐라 향, 직접 발라 보기 전에 다른 경위를 통해 이미 알고 있던 냄새를 지워 버리고 싶기도, 계속 간직하고 싶기도 했다. 그런 모순적인 기분 때문에 실기실로 한동안 돌아갈 수 없었다.

다음 날도 상우는 무슨 일이 일어날까 잔뜩 긴장하며 실기실에 들어섰다. 만두, 립밤 따위의 돌발 요소가 있는지 재영의 책상을 살폈지만 평소 같은 쓰레기와 콜라 캔뿐 눈에 띄는 건 없었다.

"저 왔어요."

재영은 얼굴을 찌푸린 채 모니터를 보고 있었다.

"왔어? 저녁은?"

"먹었어요."

간단한 대화가 끊겼다. 재영은 그날따라 유난히 말이 없었다. 프로토타입 시연 후 뭐가 마음에 안 든다고 UI를 고치겠다더니, 그게 잘 안 돼서 그런가. 불만스러운 표정으로 마우스만 움직이고 있었다. 상우는 노트북과 마우스를 꺼내 빈자리에 세팅하고서 부팅하는 동안 천장을 보았다.

평소라면 재영이 장난을 두세 번은 쳤어야 정상일 시간이 조용히 지났다. 상우는 게임 엔진을 켜고 전날 작업하던 곳부터 이어서 보기 시작했다. 며칠 강도 높게 작업해서 이미지 출력과 이동 처리를 얼추 끝냈다. 오브젝트 충돌을 해결하고선 서버와 성능 관리로 눈을 돌릴 생각이었다.

시작한 지 5분이나 됐을까, 상우의 시선이 옆자리로 향했다. 다시 모니터를 봤으나 고개가 또 저절로 돌아갔다.

사람이 이렇게 일관성이 없어서야. 만두를 먹여 주질 않나, 팔에 그림 그린다고 1시간을 낭비하지 않나, 립밤을 직접 발라 주고 주말에도 굳이 전화해 쓸데없는 말로 괴롭히더니, 오늘은 왜?

"오늘은 뭐 안 해요?"

이상한 질문이 불쑥 튀어나왔다. 그러자 모니터에 시선을 고정한 옆얼굴이 장난스럽게 구겨졌다. 아무래도 저 표정이 보고 싶었나 보다. 이상한 만족감이 들며 상우의 입가도 덩달아 꿈틀거렸다. 재영이 손끝으로 책상을 툭툭 치며 대답했다.

"진실한 버전과 전략적인 버전, 어떤 대답으로 들을래?"

"진실한 버전이요."

"오늘은 감이 와서 기다려 보려고."

상우의 질문에 대응하는 대답이 아니었다. 재영이 헛소리하는 게 하루 이틀도 아니니 상우는 그러려니 했다.

"됐고, 그냥 전략적인 버전으로 들려줘요."

숨죽이고 웃던 재영이 돌연 표정을 싹 지우고 상우를 바라보았다. 장난스럽던 표정이 사라지는 과정은 학교 축제에서 본 마술 쇼보다 훨씬 신기했다. 재영이 작게 한숨 쉬며 손끝으로 제 이마를 매만졌다.

"수정 작업이 마음처럼 잘 안 되네. 우울해서 너랑 산책이라도 해야 할 것 같은데."

'저 또라이 자식.'

저렇게 말한다고 순순히 산책 가자고 할 줄 아나, 할 게 얼마나 많은데. 상우는 다시 노트북으로 관심을 돌렸다.

어이가 없어서 웃음이 나왔다. 재영과 잠시 이야기했다는 이유로 청량하고 산뜻한 기분이 들었다.

"집중할 거니까 이제 말 시키지 마요."

"아, 예……."

재영은 그 말을 지켰다. 진지한 얼굴로 마우스와 키보드만 매만지며 마치 상우가 실기실에 없는 것처럼 행동했다. 약간의 긴장과 함께 작업 속도에 탄력이 붙었다. 시야 왼쪽 끝에 걸린 오른손이, 키보드

달각거리고 가끔 기침하는 소리가 신경 쓰였지만 가벼운 두근거림이 집중력을 높여 주었다. 재영과 나란히 붙어서 일하는 건 그런 장점이 있었다. 사실상 그가 상우에게 제공하는 유일한 순기능이었다.

늘 그렇듯 실기실에서는 시간이 빠르게 흘렀다. 2시간 작업하다 물 마시고, 재영과 쓸데없는 얘기 몇 마디 나누고, 그가 마친 작업을 체크한 뒤 다시 1시간 작업, 그리고 화장실에 다녀오니 어느덧 귀가할 시간이 되었다.

"오늘은 진짜 방해 안 했네요. 장난도 안 치고 잘 참았어요."

상우가 노트북과 마우스를 정리하며 말했다. 덕분에 그래픽이나 개발이나 작업량이 상당했다. 옆에서 재영이 기지개를 켜며 벽에 붙은 시계를 확인했다.

"10시네. 가 버릴 거지?"

"갈 시간 됐는데 가야죠."

상우는 노트북을 배낭에 넣고 지퍼를 잠갔다. 등에 휙 메고 나가려는 찰나 재영이 그를 불렀다.

"상우야."

고개만 돌려 보니, 그가 구겨 신었던 운동화의 접힌 부분을 손가락으로 펴고 있었다. 밖에 나가려는 것 같은데 어딜 가려는 걸까.

"너 집까지 데려다주고 싶은데, 어떻게 생각해?"

"왜요?"

"진실, 전략?"

"진실이요."

"아까 말했잖아, 감이 왔다고. 전략적인 버전도 들을래?"

"그건 됐어요."

상우는 실기실에서 나왔다. 곧 문이 열리고 재영이 따라왔다. 좋은지 싫은지 도무지 구별할 수 없는 모호한 기분이 들었다.

학교에서 집까지 거리는 약 1.8km, 자전거로 8분 걸린다. 평균적인 인간이 걷는 속력이 시속 4km이니 도보로는 27분 소요된다.

"EPL이나 NBA는 안 봐?"

"챙겨 보는 운동 리그 없어요. 스포츠 자체를 안 봐요."

그런 줄 알면서도 상우는 자전거를 끌고 느릿하게 걷고 있었다. 그가 살면서 해 본 가장 비효율적인 행동 중 하나였지만 재영에게 이미 그렇게 하겠다고 말해 놔서 어쩔 수 없었다.

"관심 없는 게 신기하네. 운동 좀 한 몸이던데."

"보는 거랑 하는 거랑 다르잖아요. 책상에 오래 앉아 있어야 하니 기초 체력이 있어야죠."

아무짝에도 쓸모없는 이야기를 주고받으면서 걷는데도 괜찮은 기분이 사라지지 않는 것이 신기했다. 상우는 매일 자전거로 스쳐 지나가던 거리를 걸으며 한 번도 못 본 간판이 얼마나 많은지, 가로등이 몇 개인지 따위를 헤아렸다. 미지근한 밤공기는 습기를 품고 있었다. 그러나 가방끈 아래로 땀이 차는 감각도 그의 기분을 망치지 못했다.

"난 둘 다 좋아해. 다음에 같이 농구할래?"

"작업 시간에는 말고요."

재영은 한동안 말이 없었다. 상우는 무표정한 옆얼굴을 힐끔 보았다가 다시 앞을 바라보았다. 가로등 불빛이 번진 거리가 온통 주황색이었다. 집까지 도착하는 목표가 있는데도 남은 거리가 줄어 가는 것이 아쉽게 느껴졌다.

"벌써 다 와 버렸네."

"올 때 돼서 온 거예요."

시계를 보니 예상 시간이었던 27분보다 22분이나 더 오래 걸렸다. 평균 속력보다 훨씬 느리게 걸었다는 뜻이다.

원룸 건물이 보이는 골목에서 재영이 멈추어 섰다. 상우의 걸음은 더 느려졌다. 자전거를 끌고 보관대로 가서 지정된 자리에 세우고 잠금을 걸었다. 최대한 천천히 했는데도 삽시간에 끝나 버렸다. 건물로 들어가야 할 차례였지만 상우는 뒤돌아보았다.

아직 떠나지 않은 재영이 양손을 주머니에 넣고 자신을 바라보고 있었다. 야한 말을 귀에 속닥대는 것도, 눈을 감고 자는 척하는 것도 아니었다. 그저 가만히 있을 뿐인데 왜일까, 어쩌면 가로등 빛의 농간일지도. 상우는 온종일 붙어 있던 것도 잊고 재영을 가까이서 보고 싶어졌다.

그와 있다 보면 자주 가슴께에 불쾌감을 느꼈다. 심장이 정상 속도보다 빠르게 뛰는 감각도, 혈관에 피가 빠르게 도는 느낌도 달갑지 않았다. 그 순간 상우는 어느 때보다도 강한 불쾌감을 느꼈다.

'인내심 장난 아닌데?'

추상우는 철저한 머리형 인간이다. 그의 세계는 25년 동안 이성이란 컨트롤 타워가 독재 통치해 왔다. 그런데 평소엔 쪽도 못 쓰고 뱃속에서 통제되던 욕정이란 세력이 최근 반기를 들고 일어나, 아무리 핍박해도 뿌리 뽑히기는커녕 날이 갈수록 세가 불어서 골치였다.

상우의 시선이 재영의 실루엣을 정신없이 훑었다. 주황색 빛에 휩싸인 훤칠한 남자를, 아무리 바라봐도 질리지 않는 모습을. 그저 서 있을 뿐인데 너무 멀리 있다는 이유로 심한 갈증을 느끼게 하는 사람을. 비이성적인 감상인데도 무시할 수 없었다.

통제 불능. 최근 재영의 은근한 유혹을 힘겹게 뿌리쳐 왔지만 다 소용없었다. 물리쳤다고 생각한 자극은 쌓이고 있었고 임계치를 넘어 버린 순간, 그 거리를 못 견디겠다는 기분을 거역할 길 없이 발이 저절로 움직였다.

상우는 천천히 걸어서 재영에게로 다가갔다. 머리는 구실을 생각했지만 아무리 생각해도 한 가지뿐이었다. 더는 못 참겠다고, 차라리 야만인이 되겠노라고, 충동의 깃발이 상우의 성벽을 점령했다.

"재영 선배, 제가……."

상우는 재영 앞에서 멈추었다. 그는 상우를 빤히 볼 뿐, 조금도 움직이지 않았다.

"며칠 전부터 하고 싶었던 게 있어요."

장난기가 전혀 없는 진지한 시선이 상우를 긴장하게 했다. 상우가 부연하려고 입을 열려는 찰나에 그가 말했다.

"알아."

"해도 돼요?"

"어, 마음껏."

상우는 고개를 끄덕이고 재영에게 한 발짝 다가섰다. 허락 받았으니 주저할 필요 없었다. 기꺼이, 스스로, 이번에는 술에 취하지 않은 맨정신으로 재영에게 다가갔다. 예쁜 빛이 반사된 갈색 눈동자를 바라보며 양손을 볼로 뻗었다. 그의 얼굴을 끌어당기며 발꿈치를 든 순간, 재영이 뒤로 물러나며 골목의 그늘 속으로 숨었다. 그가 달려들려는 상우의 입술을 손가락으로 저지하며 말했다.

"이번에는 부드럽게. 느긋하게 하나하나 느끼며, 할 수 있겠어?"

상우는 당장 손가락을 치워 버리고 싶었지만 재영의 태도가 워낙 진지해서 고개를 끄덕였다. 재영의 손이 입술에서 천천히 떨어졌다.

상우는 지침을 머릿속에 박아 넣으며 재영을 어두운 벽으로 밀어붙였다. 다시 까치발을 들고 그의 입술을 삼켰다. 모자챙이 재영의 이마에 부딪히며 뒤로 떨어졌다. 상우는 립밤의 바닐라 향과 담배 냄새, 장재영의 냄새를 기꺼이 들이마셨다. 혀를 내밀었다가 등에 닿은 손이 멈칫하는 것을 느꼈다.

'아차, 부드럽게.'

눈을 질끈 감았지만 어떻게 해야 하는지 아는 바가 없었다. 이렇게까지 키스하고 싶어 안달 나 본 적이 없었으니까.

"코로 숨 쉬어야지."

작게 들린 두 번째 지침을 따른 순간, 재영이 부드럽게 밀고 들어왔다. 그의 입술이 이미 침으로 미끌미끌한 상우의 입술을 덮고서 문질렀다. 혀로 살짝 핥고선 윗입술만 입에 머금고 천천히 빨았다.

'얼른 어떻게 해 줬으면 좋겠는데.'

상우는 몹시 감질나서 그의 목을 끌어당겼다. 재영이 상우의 허리를 감싸 안으며 혀끝으로 입술 안쪽을 간질였다. 부드럽게, 천천히, 느릿하게. 그가 상우를 녹이고 있었다.

혀가 잇새로 들어왔다. 상우는 조심스럽게 굴려고 노력했지만 잘 안 됐다. 둘의 혀끝이 만나 곧 얽혔다. 재영이 상우의 혀를 얽어매는 동시에 손으로 귀를 쓰다듬었다. 어깨가 저절로 움츠러들도록 귓바퀴를 쓸고 귓불을 부드럽게 만지고선, 관자놀이를 스쳤다가 상우의 뒤통수를 넓게 받쳤다. 그러곤 속삭였다.

"숨."

상우가 잊고 있던 호흡을 코로 내쉬자 그가 고개를 꺾으며 더 깊이 들어와 혀뿌리를 핥았다.

'느긋하게, 하나하나 느끼며.'

이제껏 먹을 때나 썼던 감각이 다른 방식으로 깨어났다. 어질어질한 쾌감이 머릿속을 점령해, 재영의 목을 꽉 감게 했다. 더, 더, 더 가까이. 더 깊이. 재영이 그쪽으로 순순히 끌려왔다.

'부드럽게.'

재영의 혀가 치열을 훑고 빠져나갔다. 상우를 감질나게 하던 그가 이로 입술을 살짝 깨물었다. 억지로 참고 있던 신음이 입 밖으로 새어 나왔다. 재영의 손바닥이 상우의 볼을 고쳐 쥐었다. 그가 고개를 90도로 틀어, 반대쪽으로 입술을 문댔다.

"하아, 하아······."

이번에는 숨을 못 쉬어서가 아니라 흥분 때문에 숨이 가빴다. 먼저 그를 밀어내는 수밖에 없었다. 재영의 입술이 천천히 떨어졌다.

"감이 이렇게 정확하다니까. 돗자리 펴야겠어."

그의 얼굴이 어둠 속에서도 불그스름해 보이는 이유가 흥분 때문인지 조명 때문인지 알 길이 없었다.

"제가 졌어요."

"경쟁 관계 아니라고 했잖아."

"제가 선배한테 진 게 아니라, 이성이 정욕에 졌다는 뜻이에요."

"정욕은 네 일부 아니야?"

논쟁하기 적절한 시점은 아니었다. 혼을 쏙 빼놓은 키스 때문에 서 있기도 어려웠으니까. 더 큰 쾌감을 맛보고 싶은 욕망과 안전한 곳으로 피신하고 싶은 마음이 충돌했다. 더 강한 것은 두려움이었다.

"갈게요."

"그래."

재영은 허리 숙여 모자를 집더니 상우의 머리에 비뚤게 씌워 놓았다.

"잘 자, 상우야."

"······선배도요."

상우는 더 욕심나기 전에, 재빨리 뒤돌아 건물을 향해 걸었다.

return 0;

"여보세요."

―잘 들어갔어?

"30초 거린데 못 들어갈 게 어디 있어요. 왜 전화했어요?"

―목소리 듣고 싶어서.

"아, 사람 목소리 듣는 거 좋아한다고 했죠."

―아니. 네 목소리 듣고 싶어서 전화한 거야.

"……."

―…….

"선배."

―어?

"왜 그렇게 잘해요?"

―…….

"연습 많이 했어요?"

―……글쎄.

"할 말 없으면 끊을까요?"

―아니. 오늘 무슨 일 있었는지 얘기해 줘.

"오늘요. '대중문화와 문화 이론' 수업 들었어요. 오리엔탈리즘 이해 잘 안 됐는데, 같이 듣는 애가 설명을 잘해서 도움이 많이……."

―지혜?

"네. 그러고서 점심 먹었는데…… 설렁탕, 골뱅이 소면 무침, 미역 줄기 볶음, 요거트, 깍……."

―둘이 먹었어?

"네. 그리고 산책……."

―지혜랑 같이?

"네. 아, 그리고 저 금요일에는 평소보다 조금 늦을 수도 있어요. 미리 말할게요."

―왜?

"저녁 약속 생겨서요."

―왜?

"누가 저한테 할 말이 있대요."

―상우야.

"네."

―우리 요즘 뭐 하고 있어?

"게임 만들죠."

―말고.

"선배가…… 저 기다려 주고 있어요."

―뭘?

"말해야 해요?"

―응.

"성교요."

―너랑 그게 왜 하고 싶을까?

"모르겠어요. 선배 마음이죠."

―알겠어. 지혜 전화번호 좀 알려 줄래?

"왜요?"

―안부 인사한 지 오래돼서.

"개인 정보라 안 돼요. 금요일에 본인한테 물어보고서 괜찮다고 하면 알려 줄게요.”

　—그래, 끊을게. 다음 미팅 때 보자.

　뚝.

　“내일 봐요, 형.”

La dame du mercredi

La dame du mercredi

프랑스 낭만주의 문학을 좋아하는 21세 대학생. 타이틀이 풍기는 이미지와 달리 류지혜는 현실적인 성향이었다. 빅토르 위고나 플로베르를 즐겁게 소비하기는 해도 실제 연애를 그런 식으로 하는 건 사절이었다. 세 번의 연애에서 실패할 때마다 그녀는 슬퍼하기보단 미래에 걸러야 할 연애 대상의 특질을 살폈다.

허풍이 심하지 않을 것, 지나치게 꾸미지 않을 것, 친구가 너무 많지 않을 것, 미사여구 많이 쓰지 않을 것, 외모에 관해 자신감이 너무 넘치지 않을 것, 쫄티 입지 않을 것, 흡연자 아닐 것, 머리 나쁘지 않을 것, 주사 없을 것, 허언증 없을 것 등등.

그런 점에서 추상우는 완벽한 남자친구감이었다. 지혜가 꺼리는 특질이 한 가지도 없는 청정 지대. 평소 그리던 이상형은 아니어도

La dame du mercredi : 수요일의 아가씨

볼수록 괜찮은 남자. 하지만 첫인상은 그다지 좋지 않았다.

3개월 전, 지혜는 사물함에 미리 짐을 갖다 놓으려고 욕심을 좀 부렸다. 읽을 리도 없는 책을 잔뜩 넣어서 박스를 싼 탓에 고생을 많이 했다. 그때 만난 행인이 추상우였다. 그들의 첫 만남은 운명적이지도 낭만적이지도 않았다.

사람이 끙끙거리며 무거운 짐을 들고 있으면 보통 측은한 마음이 들지 않나? 박스가 바닥에 엎어지고 물건이 쏟아지는 광경을 보고서도 쓱 지나가던 그를 잡아 세우며 지혜는 참 야박하다고 생각했다.

'어디까지 가는데요?'

일자로 다물려 있던 입에서 들은 첫마디는 표정만큼 퉁명스러웠다. 검은 패딩에 검은 모자, 핏이라곤 신경도 안 쓴 듯한 일자 청바지. 인성도 우중충한 코디만큼 별로란 생각이었다. 하지만 주변에 도와줄 만한 사람이 그뿐이었다.

'30kg 넘는 것 같은데. 이 정도면 직업 택배 기사들도 추가 요금 받아요.'

왜 그 말에 꽂혔을까. 어쩌면 양심 없이 어딜 밥 한 끼로 때우냐는 일침이었을지도 모르지만, 지혜의 귀에는 왜 이렇게 무거운 걸 혼자서 드냐는 새침데기 언사로만 들렸다.

그때부터 모든 것이 달라졌다. 퉁명스럽던 얼굴은 책임감 넘쳐 보였고, 평범하다고 여긴 외모도 훈훈해 보였다. 이름도 묻고 과도 물었다. 몇 학번인지, 어디 사는지도 물어보았다. 그는 귀찮다는 표정을 지으면서도 전부 대답해 주었다. 도서관까지 반쯤 갔을 적에 패딩 벗고 팔을 걷어붙이는데 그 모습이 왜 그렇게 멋있어 보였는지 모른다. 땀이 송골송골 맺힌 이마도, 적당히 근육 잡힌 팔도 자꾸 바라보게 되었다. 그러나 류지혜는 로맨티스트가 아니었다. 그녀는 추상우에게 첫눈에 반하지 않았다.

그 남자는 서서히 좋아졌다. 처음에는 좀 이상한 사람, 그다음에는 특이한 사람, 괜찮은 사람, 좋은 사람, 진국. 놓치지 않아야겠다는 판단이 들었을 땐 학기 중반이 지나고 있었다.

문제는 상대가 저한테 관심이 전혀 없다는 점이었다. 얘기해 보면 성격이 안 맞는 건 아닌데, 상우는 지혜의 눈을 거의 맞추지 않았다. 아니, 지혜와 함께 있어도 그녀를 보지 않았다.

'내가 안 예쁜가.'

남자들이 좋아한다는 옷을 입어 보고 인터넷에서 배워 화장도 바꿔 보았지만 전혀 효과가 없었다. 상우는 지혜에게 아예 관심이 없었다.

그래도 지혜는 포기하지 않았다. 계속 노력하면 언젠가 진심이 전해지리라 생각했다. 실제로 축제 때 함께 돌아다니며 관계가 개선될 기미가 보였다. 그러다 뜻밖의 방해를 받았지만.

장재영. 그는 몇 개월 전까지만 해도 연예인 같은 느낌의 멋있는 선배일 뿐이었다. 친한 친구가 배우처럼 좋아하는 유명인, 주변인을 오징어로 만들어 버리는 미남, 장신에 스타일 좋은 이탈리아 레스토랑 웨이터, 공연에 출연한다는 소문만으로 표를 매진시키는 연극부 스타.

그렇게 비현실적인 사람을 알고 지내리라곤 생각하지 않았는데 추상우 덕에 안면을 트게 되었다. 그와 통성명하고 학생 식당에서 식사하게 되었을 땐 많이 설렜다. 잘생긴 이성과 밥 먹는 걸 싫어하는 사람이 어디 있겠는가. 그러나 그는 그저 근사한 선배가 아니었다.

'우리 상우랑 많이 친한가 보네, 별명도 부르고.'

'상우는 걱정하지 마. 내가 집에 데려다줄 거야.'

처음 학생 식당에서 견제당했을 때는 보기보다 성격이 특이한가 보다 여기고 넘어갔다. 그러나 축제 유령 주점에서 그는 더 노골적으로 굴었다. 꼬장의 수준이 눈치 없이 구는 정도를 훌쩍 넘어섰다. 지혜의 예감이 맞다면 그건 연적을 향한 경고였다.

"너 상우 좋아해?"

친구가 들었으면 부러워했을 독대 자리에서 장재영은 인사도 없이 물었다. 지혜가 자리에 앉은 지 1초 만에 일어난 일이었다.

지혜는 황당한 기분으로 상대의 얼굴을 살폈지만 밝은색 눈동자에는 아무 힌트도 보이지 않았다. 그는 지루하다는 듯 빨대를 물고 아메리카노로 보이는 음료를 쭉 마실 뿐이었다. 눈알이 그려진 징그러운 검은 티셔츠, 귀에는 뾰족한 귀걸이 여러 개, 몰랐는데 팔에 타투까지 있었다. 지혜는 겁이 나면서도 오기가 생겼다.

"네."

그래서 더욱 단호하게 대답했다. 재영은 무표정한 얼굴로 지혜를 빤히 보았다.

"너랑 상우랑 물에 빠졌는데 구명조끼가 하나뿐이야. 어떻게 할래?"

무례한 첫 질문도 아무렇지 않게 넘긴 지혜의 얼굴이 구겨졌다. 혹시 넌센스 퀴즈인가 싶었지만 재치 있는 답이 떠오르지 않았다. 그녀는 비상식적인 질문에 상식적으로 답했다.

"일단 제가 쓰겠죠."

지혜는 상우에게 좋은 감정을 쌓아 가고 있었지만 아직 일방적인 호감에 불과했다. 게다가 지금은 21세기, 로미오와 줄리엣이 동반 자살하는 시대가 아니다.

"그러면 추상우 익사할 거 아냐."

상대는 터무니없는 질문을 던져 놓고서 적당히 답한 지혜를 쓰레기로 만들었다. 지혜는 어안이 벙벙해진 채로 있다가 겨우 대답했다.

"안 그러면 제가 죽는데요?"

"죽고 못 살 정도로 좋아하진 않는다는 거잖아. 그럼 포기해도 되겠네."

"결론이 어떻게 그렇게 돼요?"

지혜는 종잡을 수 없는 흐름에 현기증을 느꼈다. 그녀는 발끈하며 받아쳤다.

"그럼 오빠 같으면, 상우 오빠한테 조끼 주고 물에 빠지실 거예요?"

"난 물놀이 안 좋아해서 상우하고 그런 데 안 가려고. 상우도 그닥이래."

지혜는 할 말을 잃고 눈만 깜빡거렸다. 고학번에 연장자, 학교 유명인, 게다가 자신보다 추상우와 가까운 사람. 지혜는 여러모로 상대에게 밀렸지만 이렇게 황당한 방식으로 끌려다니고 싶지 않았다. 그녀는 주먹을 꼭 쥐고 반격했다.

"혹시 상우 오빠 좋아하세요?"

장재영도 남자, 추상우도 남자. 민감한 문제일 수 있으니 웬만하면 직접적으로 묻지 않으려 했다. 하지만 저쪽에서 계속해서 위협하는데 가만히 있을 수도 없는 노릇이었다.

"어."

그러나 대답은 너무 쉽게 돌아왔다. 지혜는 저도 모르게 주변을 살폈다. 목요일 3시, 학교 카페에는 사람이 거의 없었다. 일부러 구석 자리에 앉은 이유가 있었던 것이다. 재영은 빨대로 음료를 빨아 마시고는 이어 말했다.

"네가 떠벌리고 다닐 위험성을 알면서도 인정할 만큼, 좋아한다고 해야겠지."

또 나왔다, 상대 쓰레기 만드는 화법. 지혜는 입이 무거운 편이었고 좋아하는 오빠를 좋아하는 다른 오빠한테 구박당했다고 소문내서 스스로 비참해질 정도로 바보도 아니었다.

"나 성격 좋아 보이지?"

재영이 빈정거리듯 물었다. 지혜는 얼굴을 찌푸리며 고개 저었다.

"아니요, 전혀."

"맞아. 나 성질 더러워. 수틀리면 추잡한 짓도 잘하고."

"그래서요?"

"내 얘기 하고 다니는 건 상관없는데."

재영이 의자를 끌어당겨 테이블에 바싹 붙어 앉았다. 무덤덤하던 눈빛이 바뀌었다.

"상우한테 조금이라도 피해 가면 가만 안 둔다."

나사 하나 빠진 듯, 뭐라도 저지를 것처럼 저를 노려보는 시선에 지혜는 덜컥 겁이 났다. 그녀는 한동안 굳어 있다가 정신이 들었다.

'정신 차려야 해! 난 잘못한 게 없어!'

수업 같이 듣는 오빠와 연애하고 싶은 게 무슨 죄란 말인가. 저 둘이 사귀는 사이면 모를까, 추상우는 그런 티를 전혀 내지 않았다. 그러므로 현재 그녀가 받는 취급은 너무 부당했다. 지혜는 손바닥으로 양 볼을 톡톡 치고 마음을 다잡았다.

"비밀 지켜 드릴 테니까 그렇게 무섭게 말씀하지 마세요."

일단 바싹 약 오른 맹수를 진정시키고.

"전 전혀 몰랐어요. 두 분 사귀시는 거면 당연히 제가 포기해야죠."

회심의 카운터펀치를 먹였다. 지혜는 상대의 눈이 살짝 가늘어지는 것을 놓치지 않았다. 둘이 사귀는 사이라면 상우를 통해 추근거리지 말라는 메시지를 넌지시 전달하면 되지, 굳이 자신을 따로 불러내 얘기하지 않으리라 짐작했다. 지혜는 둘이 아무 사이도 아니라고 결론 내렸다.

"네가 짜증 나는 이유는 아무래도 너무 똑똑해서인 것 같아."

재영은 웃으며 말했지만 조금도 칭찬처럼 들리지 않았다. 지혜는 굳은 얼굴로 하하하 웃었다. 손바닥에 흥건한 땀을 청바지에 닦고, 만만해 보이지 않도록 허리를 펴고 앉았다. 잠시 침묵이 흐르고 재영이 말했다.

"사귀는 사이 아냐. 내가 일방적으로 좋아하는 거야."

본인에게 불리한 말을 하는 것치고 아무렇지도 않은 태도였다. 재영이 눈을 치켜뜨며 시선을 맞추었다.

"근데, 그런다고 뭐가 달라져?"

당연히 모든 것이 달라진다. 둘이 연인 사이라면 지혜는 구질구질한 방해물이 되어 버리지만, 장재영이 그녀와 마찬가지로 짝사랑 중이라면 동등한 경쟁자가 된다.

"오빠나 저나 같은 처지라면 제가 포기할 이유가 없지 않나요?"

"아냐. 너 착각하고 있어."

지혜는 입을 다물었다. 아무리 생각해 봐도 자신이 어느 지점에서 착각했는지 짚을 수 없었다. 재영이 음료수를 마시고서 제 손톱을 보았다. 눈을 내리깐 얼굴이 화보처럼 근사해 보였다. 성격이 이 모양인 사람이 어쩜 저렇게 껍데기가 멀쩡할까, 지혜는 의아하게 여겼다.

"너랑 나랑 상우 두고 싸우는 구도라고 생각하는 건 아니지? 에이, 설마."

"그럼 아닌가요?"

지혜는 다른 플롯은 떠올릴 수 없었다. 자신을 떼어 내려는 속셈이 아니라면 왜 굳이 건너 건너 전화번호를 알아내 불러냈단 말인가.

재영이 의자에 등을 기대며 살짝 웃었다.

"너 말이야. 나한테 전혀 위협 안 돼."

"네?"

"상우랑 나 사이에 너, 방해물조차 아니라고. 이 관계의 장애물은 추상우 본인이고 그 외엔 없어."

지혜는 거만했다가 장난스럽다가 날카로웠다가 변화를 거듭하는 눈매를 바라보며 다음 말을 기다렸다.

"내일 밥 먹고 고백하려고 했지? 우리 연애합시다. 네가 그렇게 말했다고 치자. 대답 예상 안 돼?"

"……."

"불가능해. 이번 학기는 학과 공부와 게임 제작에 집중하기 위해 연애에 일정을 할당하지 않았어."

재영이 턱을 살짝 들더니 뚱한 표정으로 말했다. 딱딱한 말투를 완벽하게 재현한 성대모사였다. 지혜는 그럴 순간이 아닌데도 하마 터면 풉 하고 웃음을 터뜨릴 뻔했다.

"그냥 간단하게 대답할지도 모르겠다. '그런 데 낭비할 시간 없어' 라고."

추상우에 빙의한 메소드 연기를 마친 재영이 본래 모습으로 돌아 왔다. 유쾌했던 순간도 잠시, 지혜는 재영을 상대해야 하는 위치로 다시 끌려왔다. 기분이 좋을 리 없었다. 그가 고른 대사가 너무 그럴 듯해서, 꼭 추상우의 머릿속에서 꺼낸 것 같아서 아직 고백도 안 했 는데 차인 기분이 들었다.

어차피 차일 각오는 하고 있었다. 이번에 사귈 수 있다고 기대하 지도 않았다. 그런데도 고백하려는 건 추상우에게 자신을 이성으로 각인시키기 위함이었다. 그렇게 하고서 차근차근 호감을 쌓아 가면 가망이 있다고 생각했다. 꼭 이번 학기가 아니더라도 언젠가는. 그게 지혜의 전략이었다.

"무슨 말씀이신지는 알겠어요. 그런데 제가 위협이 안 된다면 왜 부르신 건가요?"

지혜는 더이상 표정을 관리할 수 없었다. 여섯 학번 차이 나는 선배를 맹랑한 눈빛으로 노려보고 있을 테지만, 상냥함을 가장할 여유가 없었다. 재영은 지혜를 물끄러미 바라보다 대답했다.

"거슬려서 그래."

툭 뱉은 말은 너무 대수롭지 않게 들렸다. 재영이 자신을 동등한 적수로 보지 않는다는 느낌이 강하게 들어서 지혜는 조금 타격을 입었다.

"요즘 많이 예민해서 내가 안 보는 데서 상우가 딴 사람하고 수업 듣고, 떠들고, 밥 먹고, 산책할 생각하면 속이 뒤틀려."

머리가 아파졌다. 아들한테 집착해서 며느리 잡는 시어머니 영화가 생각나기도 하고 아내의 주변 관계를 말려 버리는 의처증 남편 이야기가 떠오르기도 했다. 이 사람, 분명히 쿨한 스타일이라고 들었는데, 이 모습을 봐서는 대체 어떻게 그런 말이 나왔는지 전혀 모르겠다. 재영이 조곤조곤 이어 말했다.

"그런 상황에서 고백이라니, 삽질인 거 알면서도 싫어. 네가 상우한테 그런 말 하는 게, 상우가 그런 말 듣는 게 싫다고. 지혜야, 무슨 말인지 알겠어?"

무슨 말인지는 알겠는데 이해는 잘 안 되었다. 그렇게 자신만만하다면 왜 추상우와 이어질 가망도 없는 자신을 질투한단 말인가. 게다가, 애초에 학교에서 가장 예쁘고 잘난 언니들만 골라서 사귀고 다닌 사람이 무심하고 괴팍한 추상우를 짝사랑하는 것부터가 이상하다고 지혜는 생각했다.

'대체 왜 저러는 거야.'

재영이 쏟아 낸 좀스럽고 비상식적인 말을 곱씹으며 그녀는 다른 것을 감지했다.

문학을 탐독하면서도 레날 부인을 향한 줄리앙의 이끌림과 에스메랄다를 향한 콰지모도의 절절함을 이해하지 못한 지혜였다. 한 번도 그런 열정을 느껴 본 적이 없었으니 단지 소설적 장치라고 생각했다. 그런데 추상우와 밥 먹고 산책 좀 했다고 으르렁거리는 사내에게서 그녀가 한 번도 갖지 못한 뜨거움이 엿보였다.

'진짜 사랑하나 봐…….'

진 기분이었다. 그뿐 아니라…….

'그 색…… 아니, 사람이 너무 싫어서 어떻게 해야 할지 모르겠어.'

'그…… 장……재영 선배 말이야. 여자친구 있는 것 같던데.'

'수락할 거면 6시까지 '올리브 나무'로 와.'

머리가 빠르게 돌아가며 그녀가 처한 상황을 파악했다. 왜 진작 몰랐을까. 추상우가 어떤 식으로든 적극성을 보인 적은 게임기 탈 때랑 문화 이론 설명해 달라고 조를 때가 아니면, 죄다 장재영에 관한 거였는데.

'짝사랑 아닐지도.'

지혜의 전투력이 빠르게 하락하고 있었다. 그 가정으로 모든 것이 맞아떨어졌다. 추상우가 그런 성향이라면 지혜에게 눈길 한 번 안 주었던 이유도 설명이 된다. 어쩌면 둘은 이미 사귀는 사이인지도 모른다. 재영이 상우를 배려한다고 거짓말했을지도. 지혜는 손바닥으로 얼굴을 쓸어내렸다. 패배가 목전에 다가와 있었다.

"미안하지만 너 거기 앉아서 고민하게 놔둘 시간도 없고, 여유도 없고, 그럴 기분도 아냐. 나 할 말만 하고 갈게."

재영이 빠르게 말했다. 지혜는 고개를 끄덕이며 머리카락을 정리했다. 똑바로 앉아 다시 상대를 보았다. 그는 카페에 입장하며 봤을 때와 다를 바 없이 무표정했다.

"추상우, 욕심날 만하지. 나도 이해해. 머리 좋지, 귀엽지, 준법정신 투철하지, 목 이쁘지. 졸업하면 돈도 잘 벌 거야."

'헐……. 왜 저래, 진짜.'

지혜는 눈을 가늘게 떴지만 재영은 아랑곳하지 않고 사무적으로 말을 이어 갔다.

"내가 무슨 권리로 너한테 포기하라고 강요하겠어. 계속 지금처럼 상우 옆에서 얼쩡거리든, 깔끔하게 관두든, 네가 알아서 해."

지혜는 헛웃음을 지었다. 추상우에게서 당장 떨어지라고 이제까지 강요한 거나 마찬가지면서 이제 와서 알아서 하라니, 당최 무슨 소린지 헷갈렸다. 재영이 웃으며 말을 이었다.

"단, 계속 얼쩡거리면 나랑 붙을 각오 해야겠지. 너와 달리 진짜배기 장애물인 나랑."

"……."

"얼마나 막장일지 기대된다."

'이럴 줄 알았다.'

이미 전투력을 상실한 지혜는 피식 웃었다. 카페에 들어올 때만 해도 입장 똑 부러지게 밝히고서 먼저 일어날 생각이었는데, 정신차리고 보니 이리저리 물어뜯겨 너덜너덜해져 있었다. 지혜는 마지막 기력을 쥐어짜서 말했다.

"협박하시는 거예요?"

"맞아. 처음부터 협박이라고 말 안 해 줬나?"

"그런 말 못 들었는데요."

"협박은 여기까지만 하고, 지금부터 회유할 거야."

재영이 옆자리에서 서류 봉투를 들고 내밀었다. 지혜는 수상하단 표정으로 묵직한 봉투를 받았다.

'설마 현금인가?'

황당한 생각이 뇌리에 스쳐 지나갔지만 뜯어보니 A4 용지로 된 서류였다.

각 페이지에 사람 사진과 간단한 신상 정보가 적혀 있었다. 지혜는 인상을 찌푸리며 목록을 촤르르르 넘겼다. 국회의원 아들, 밴드 보컬, 의대생, 법대생, 음대생, 아마추어 야구 선수, 로봇 개발자, 성우, 해외 대기업 입사 예정자……. 한 가닥씩 하게 생긴 남자들의 프로필이 스쳐 지나갔다.

"네 취향이 어떤지 몰라서 이놈 저놈 뽑아 봤어. 전부 소개 가능. 횟수 제한 없음. 다 별로면 새로 그만큼 뽑아 줄게."

"대체 이게 몇 명이에요?"

"50명."

"에릭 스미손? 얜 또 뭐야……."

심지어 스웨덴 국적인 외국인도 있었다.

"걔 한국어 잘해. 너보다 잘할 수도 있어."

"무슨 말도 안 되는 소리예요."

지혜는 이 상황이 너무 황당해서 참지 못하고 웃기 시작했다. 자포자기 심정으로 실실거리며 마지막 장까지 넘기다 낯익은 얼굴을 보았다.

박형진, 21세, 180cm, 한국대 철학과 재학, 현 연극부 회장, 배우 지망생, 책임감 강하고 의리 있음, 연애하면 자상할 스타일

"이 사람, 그 프랑켄슈타인 아니에요?"

"그날 분장 진하게 했는데도 기억하네."

"기억날 수밖에 없잖아요? 오빠가 이 사람을 우리 테이블에 몇 번을 보냈는데!"

"나중엔 지가 알아서 간 거야. 너한테 관심 있는 거 같더라고."

지혜는 할 말이 없어서 볼을 부풀렸다. 이 얼굴이 자기와 동갑이라니, 말도 안 된다고 생각하면서도 '철학과'라는 글자에 눈이 갔다.

"그럼 첫 타자는 형진이로?"

"아뇨. 그런 말 안 했는데요."

지혜는 두꺼운 소개팅 서류를 봉투 속에 정리하고선 가방에 집어넣었다. 허리를 펴고 똑바로 앉아 재영을 바라보았다. 협박과 회유에 굴한 모양새였지만 끝까지 만만해 보이고 싶지 않았다.

"일단 알겠어요. 제가 마음 접는 걸로 생각은 해 볼게요."

"말이 통해서 좋다."

"착각하지 마세요. 제가 포기하는 건 오빠가 협박하거나 회유해서가 아니에요. 저는 오빠처럼 뻔뻔하게 굴 정도로 이성을 잃지 않았으니까요. 이미 열렬해 보이는 관계에 끼어들기 싫은 것뿐이에요."

재영이 말없이 웃었다. '그러든지 말든지'라는 대사가 들리는 듯했다. 지혜는 주저하다가 물어보았다.

"친구로는 지내도 되죠?"

"안 돼. 이제까지 뭐 들었어?"

대답은 곧바로 돌아왔다. 지혜는 좀 억울해져서 언성을 높였다.

"왜요? 어차피 저한테 관심도 없는 거 아시잖아요! 맨날 버튼 누르면 문화 이론 설명 나오는 자판기 취급이나 하고. 뭐 하나 잘못 설명하면 고장 난 기계처럼 봐서 두 배로 공부해야 된다고요!"

"하루 이틀이냐."

"이성적인 호감만 있는 거 아니에요. 전 상추 오빠랑 있으면 재미있고 좋아요. 친구로 지내고 싶단 말이에요."

"네가 그래서 싫은 거야."

재영이 팔짱 끼며 뻔뻔한 표정을 지었다.

"네가 걔 동생이야? 피도 한 방울도 안 섞인 게 오빠는 무슨 오빠야. 그리고 어디서 하늘 같은 선배님한테 버릇없이 채소 이름을 붙여."

"상추 오빠가 그렇게 해도 된댔어요!"

"내가 싫어. 하지 마."

"그럼 뭐라고 불러요?"

"부르지 마. 꼭 불러야 되면 추 씨라고 불러. 어이, 추 씨! 이렇게."

헛웃음과 한숨이 동시에 나왔다. 재영 본인도 어이없다는 듯이 웃고 있어서 대체 농담인지 진담인지 구별할 수가 없었다.

'이게 대체 무슨 상황이냐.'

지혜는 우울한 감상과 유쾌한 기분이 뒤섞인 상태에 혼란을 느꼈다.

"아, 진짜……. 상추 오…… 아니 추 씨, 추 선배는 오빠가 이런 사람인 거 알긴 해요?"

"글쎄, 요즘은 디자인 잘하는 천사인 줄 아는 것 같던데."

"추 선배가 너무 아까워요."

"내가 얼마나 고생하는지 알면 그런 말 안 나올걸."

재영은 그리 중얼거리고서 주머니에서 핸드폰을 꺼내 시간을 확인했다. 지혜는 자리에서 일어나는 그를 물끄러미 바라보았다.

"가 봐야겠다. 소개 받고 싶을 때 연락해."

"알겠어요."

"전화는 하지 말고. 상우가 오해할 수도 있잖아."

"어쩌라고요!"

지혜는 기어이 소리 지르고 말았다.

"농담하는 거 같냐? 아니야."

재영은 그런 말을 남기고 퇴장했다. 그가 휘몰아치고 떠난 자리를 바라보며 지혜는 한동안 앉아 있었다. 아무 생각 없이 있다 보니 허탈한 웃음이 나왔다.

'이렇게 되어 버렸네.'

승산 없는 경기에서 잘 빠진 거야. 현명한 선택을 한 거야. 스스로 나독여도 아쉬움이 남는 건 어쩔 수 없었다.

이제껏 들인 공이 아깝다는 생각, 꼴이 우습다는 생각, 왜 나는 항상 미지근할까 싶은 생각, 소설처럼 영화처럼 뜨겁게 사랑하는 건 어떤 기분일까 궁금하다는 생각. 생각, 생각, 생각. 이번에도 가슴이 아닌 머리가 움직이고 있었다.

지혜는 그런 자신이 싫지 않았다. 지금은 21세기, 로미오와 줄리엣이 동반 자살하는 시대가 아니니까.

"공부나 하란 뜻인가 보다."

그녀는 어깨를 으쓱거리며 일어났다. 적어도 다음 기말고사 땐 연애하느라 정신 팔린 추상우보다 시험 잘 볼 수 있겠지. 공부를 그렇게 했는데도 중간고사 점수가 8점이나 뒤진 걸 자존심이 잊지 않았다. 지혜는 카페 문을 밀고 나와 유난히 파란 하늘을 보았다.

"날씨 좋다아, 짜증 나게!"

로맨티스트는 못 될 류지혜의 네 번째 연애, 시작하기 전에 자체 종료.

미래 연애에서 걸러야 할 새로운 특질: 주변에 얼쩡거리는 미남이 없을 것

⟨1000⟩

〈1000〉

[불어불문학과 류지혜: 선배님 저 내일 급한 일이 생겨서 약속 취소해야 할 것 같습니다. 죄송해요.] 22:37

[나: 알겠어.] 23:49

상우는 답장을 보내고 핸드폰을 내려놓았다. 금요일 저녁 약속이 취소되며 변동된 사항은 두 가지였다. 우선 실기실에 제시간에 도착할 수 있게 되었다. 또 다른 하나는······.

"처분해야 하는데."

그는 책상에 올려 둔 영화 예매권을 물끄러미 바라보았다. 재영이 두 달 전에 문틈으로 넣고 간 예매권은 기한이 이번 주 일요일까지였다. 비록 지혜가 준 콘솔 게임기를 술 취해서 잃어버리기는 했지만, 13만 원짜리를 받아 놓고 우동 한 그릇 사 준 게 영 계산이 맞지 않는다고 생각해서 그녀에게 주려고 했다. 하지만 약속이 취소되는 바람에 글러 버렸다.

'그렇다면 팔아야겠지.'

그런데 금요일 동선과 인맥을 고려할 때 예매권을 판매할 만한 상대는 두 명밖에 없었다. 최유나와 장재영. 그중에서도 재영에게 받은 걸 (그것도 싸우면서) 다시 그에게 되파는 것보단 유나에게 파는 게 나은 선택지였다. 그때 상우의 뇌리에 '영화'란 단어로 데이터베이스 검색이라도 한 듯 재영이 한 말이 줄줄이 떠올랐다.

'영화 보여 줄까?'

'응? 같이 보자고 한 거 아냐. 너 혼자 보여 주겠다고 한 건데.'

'나랑 영화 보러 가자.'

'야 이 씹새끼야, 넌 내가 영화 보러 가자고 한 게 수업을 쨀 정도로 끔찍해?'

'그게 웬 고조선 마인드야? 난 남자애들하고도 영화 잘만 보러 다녀.'

각각 재영이 램 카드도 없는 노트북을 들고 PC방에 찾아온 날, 처음으로 그에게 성적으로 끌렸던 날, 그가 문 앞에서 욕설을 내뱉고 가 버린 날의 기억이었다.

"영화를 좋아하나 보지."

돌이켜 보면 영화, 영화 노래를 불러 댔다. 판매하지 않고도 영화표를 처분할 방법이 떠오른 게 그때였다. 상우는 잠시 고민한 끝에 그 방법을 2안으로 미뤄 두었다.

마침 자정이 되어 메일을 확인하고 재영이 보낸 작업물을 열었다. 마음에 안 드는 몇 가지를 피드백해서 답장 보내고 컴퓨터를 끈 다음 불 끄고 이불 속으로 들어가 눈을 감았다.

return 0;

"저기 앉는 사람, 어디 갔어요?"

상우에게 눈인사만 하고 작업 중이던 재영이 그 물음에 의자를 빙그르르 돌렸다. 육면체 안에 육면체가 또 들어 있고 그 안에 육면체가 또 든 티셔츠가 흥미로워 보였다. 그 다음에 눈이 간 얼굴에는 무언가 마음에 안 든다는 표정이 걸려 있었다.

"넌 나한테 인사도 안 하고 한다는 말이 그거야?"

"바빠 보여서 안 한 건데요."

"바빠 보이면 쓸데없는 질문을 안 해야 할 거 아냐."

"죄송해요. 계속 일하세요."

상우는 난데없는 공격을 받고서 좀 당황했으나 일리 있는 지적이라고 여겨 꼬리를 내렸다. 노트북과 마우스를 세팅하고 자리에 앉자 재영이 물었다.

"최유나는 왜?"

"용건이 있었는데 부재중이니 어쩔 수 없게 됐어요."

"그러니까 무슨 용건이냐고."

"뭐 팔려고 했어요."

"나한테 팔아."

상우는 얼굴을 찌푸리며 그의 시선을 마주했다. 이런 분위기일 때 장재영은 끝까지 물고 늘어지며 듣고 싶은 대답을 얻어 내곤 한다. 시간 낭비하느니 말해 버리는 게 낫다는 판단이 들었다.

"선배가 전에 문틈으로 넣고 간 영화 예매권, 이번 주말에 기한 끝나요."

재영이 비틀린 미소를 지었다. 이래서 말을 안 하려고 했다. 서로에게 너무 불편한 소재였다. 상우는 재영이 욕하거나 짜증내거나, 아무튼 감정 조절에 또 실패하기 전에 먼저 내뱉었다.

"안 살 거죠?"

"너 지금 그걸 말이라고 하냐?"

"그럼…… 영화 볼래요?"

재영이 미간을 좁혔다. 무슨 말인지 모르겠다는 표정이었다. 상우는 "싫으면 말아요."라고 말하고서 컴퓨터로 몸을 돌렸다. 드르르르 의자 바퀴가 움직이는 소리가 들렸다.

"너랑 둘이?"

상우는 말없이 고개를 끄덕였다. 옆얼굴을 빤히 보는 시선이 느껴져 볼에 열기가 몰렸다. 재영은 한참 동안 그러고 있다가 툭 내뱉었다.

"남자끼리 안 징그러워?"

상우는 모니터를 노려보았다. 그때는 진심으로 그렇게 생각했고, 지금이라고 사고방식이 달라지지 않았다. 하지만 이제 그렇게 말할 명분이 없어졌다.

"더한 짓도 했는데요, 뭐."

"똥을 이미 쌌으니까 이제 방귀 정도는 막 뀌어도 상관없다?"

"진짜, 비유하고는……. 싫으면 말라니까요. 모르는 사람한테 팔 거예요."

재영은 말이 없어졌다. 상우가 중고 앱을 열고 게시물 제목을 작성하고 있을 때 그가 말했다.

"정릉동으로 예매해. 내일 10시에 PC방 앞으로 데리러 갈게."

가격을 입력하던 상우의 손이 멈추었다. 고작 시간과 장소를 고지하는 말일 뿐인데, 굉장히 열 받는 소리를 들은 것처럼 심장이 쿵쾅거렸다.

'별일도 아닌데.'

실기실에 최유나가 없어서 2안으로 장재영에게 주기로 한 것뿐이다. 그는 최근에 팔에 포크레인 그림도 그려 주었고, 만두도 한 입 주었고, 그 덕에 푯값 정도의 이익은 보았을 테니까.

중고 거래 앱이 종료되고 인터넷 브라우저에 멀티 플렉스 메인 페이지가 나타났다. 상우의 손가락이 화면을 부지런히 터치했다. 여자친구가 있었던 4년 전 11월 이후로 처음 해 보는 일이었다.

"고르세요. 1번 〈슈퍼맨 리바이벌〉, 2번 〈스파이의 여동생〉, 3번 〈뿌뿌와 꾸꾸〉, 4번 〈뜨거워 핫 뜨거워〉."

"4번 〈뜨거워 핫 뜨거워〉."

"뭔지는 알고 고른 거예요?"

상우는 새빨간 포스터를 물끄러미 바라보다, 한심하단 듯이 재영 쪽으로 고개를 돌렸다. 어느새 자리로 돌아간 그가 천진난만한 표정으로 어깨를 으쓱거렸다.

"몰라. 에로 영화 같고 어감 좋은데."

"〈슈퍼맨 리바이벌〉 예매할게요. 이게 예매율 1위예요."

"암요, 대감마님 뜻대로 하셔야죠. 쇤네가 뭘 알겠나이까."

시간대 선택, 수량 선택, 좌석 선택, 결제. 상우는 예매를 일사천리로 진행하고서 빠르게 말했다.

"〈슈퍼맨 리바이벌〉, 정릉동 국제 시네마, 오후 10시 35분, 5관, L13, L14 좌석으로 예매했어요."

"알려 줘서 고마워, 시리야."

"……."

그렇게 상우는 남자와 키스할 뿐 아니라 영화도 같이 보는 신세가 되었다.

return 0;

토요일 알바가 끝난 뒤, 상우는 게임 제작 스케줄과 기말고사 일정을 고려해 5월까지만 일하고 싶다는 의향을 사장에게 전했다. 그가 몹시 아쉬워하며 왜 바쁜지 꼬치꼬치 캐물어서 10분이 지체되었다. 상우는 대신 다음번에 10분 일찍 끝내 달라고 딜 하고서 계단을 밟았다.

지상으로 나오자 노면에 재영의 차가 세워져 있었다. 직선이 강조된 디자인의 해치백은 루프와 미러가 새빨갰다. 차주는 차에 기대 핸드폰을 보고 있었다.

재영은 상우가 처음 보는 밝은 회색 바지에 흰 셔츠를 입고 있었다. 귀걸이와 안경은 보이지 않았고 소매를 걷어 올려 드러난 손목에는 시계와 가죽으로 된 팔찌를 찼다. 차이를 정확히 알기 어려웠지만 머리도 어딘가 평소와 다른 것 같았다. 잠시 멈춰 서 있던 상우는 다시 걷기 시작했다.

'내 꼴이 어떻더라?'

난생처음으로 제 옷이 신경 쓰였다. 상우의 시선이 검은 운동화와 오래된 청바지, 남색 남방까지 서서히 올라왔다. 걸음이 조금 느려졌다가 다시 빨라졌다.

'장재영 만나는데 이런 걸 왜 신경 써야 해?'

상우는 약간 기분 나쁜 상태로 차량 앞까지 다가갔다. 재영이 고개를 들더니 상우를 보고 웃었다.

"안녕."

"늦어서 죄송해요."

"첫 데이트네. 설렌다."

"이상한 말 갖다 붙이지 말고 타기나 해요."

재영은 상우의 말을 무시하고 조수석 문을 활짝 열었다. 들어가라고 손짓하길래 상우는 조금 머뭇거렸다. '그날' 이후 처음 타는 것이었다.

"안경은요?"

"안 쓰고 왔는데."

"그럼 일일 보험 들고 제가 운전할까요?"

"아니."

"1종 보통 운전면허 있는데요."

"내가 할 거야."

그는 운전석으로 재빨리 걸어가 문을 열고 앉아 버렸다. 상우는 그를 노려보다가 22:12이란 숫자가 찍힌 전자시계를 확인했다. 영화 시작 시간은 35분, 정릉동까지는 못해도 10분. 여기서 더 시간을 지체했다가는 지각이다. 어쩔 수 없이 조수석에 타며 문을 닫았다.

벨트를 매자 재영이 팔로 상우의 머리 받침대를 살짝 받치고 뒤를 보며 핸들을 돌렸다. 단지 차 빼는 것뿐인데, 상우의 시선이 단추를 두 개 풀어 놓은 셔츠 사이로 드러난 재영의 빗장뼈로 향했다. 턱선에서 이어지는 목에 힘줄이 돋아나 있었다. 상우는 아찔함을 느끼며 재영의 옆얼굴을 정신없이 훑어보았다. 그러다 다시 기어를 바꾸는 그와 눈이 마주쳤다.

"진짜 개수작은 알아채지도 못하면서."

재영이 다시 정면을 응시하며 중얼거렸다. 아무리 검토해 봐도 못 알아먹을 이야기였다. 상우는 여전히 불안한 마음이었다.

"너, 내가 안경 안 썼는데 운전 똑바로 할 수 있을까 신경 쓰고 있지?"

그는 상우의 머릿속에 들어갔다 나온 것처럼 말했고 상우는 고개를 끄덕였다.

"내 시력 몇?"

"근시 0.7 난시 약간."

"그 정도면 전방 잘 보여."

"보험 넉넉하게 들었죠?"

"사고 나도 너한테 수리비 내라고 안 해."

"안경 왜 안 썼어요?"

재영은 한동안 대답이 없었다. 그러다 정지 신호에 걸려서 대기하는 동안 그와 눈이 마주쳤다.

"큰일을 위해선 작은 불편함을 감수할 줄 알아야 돼."

"그 말이 여기서 왜 나오죠?"

재영은 몰라도 된다고 답하고 운전했다. 상우는 가뜩이나 불안한 마음에 그를 방해하지 않았다.

재영은 멀티 플렉스 주차장이 아닌 외딴 유료 주차장에 차를 세웠다. 상우가 동선을 문제 삼으며 물어도 제대로 대답해 주지 않았다. 영화 시작까지 11분 남은 시점, 그들은 반쯤 뛰고 반쯤 걸으며 영화관으로 향했다. 재영은 도착해서도 팝콘을 산다며 꾸물거려서 상우를 분노하게 했다.

그와 영화를 보는 과정이 대단히 만족스러우리라 기대하지도 않았지만 이렇게까지 정신없을 줄도 몰랐다. 장재영이 평소에 어떻게 사는지, 왜 마감을 못 맞추고 미팅에 자꾸 늦는지, 단면을 엿본 기분이었다.

"몇 관이야?"

"5관이요."

시작 시간이 3분 지났는데도 재영은 천천히 걸었다.

"늦었잖아요. 빨리 가요."

"광고 10분은 하는데."

"시작 시간에 분명히 35분이라고 적혀 있는데, 지금 38분이잖아요."

재영은 상우의 손에 팝콘 통을 건네더니 팝콘을 한 줌 쥐어 그의 입에 밀어 넣었다. 상우는 불만이 많았지만 어쩔 수 없이 입에 든 걸 씹어 삼켰다. 다 먹고서 말하려고 했더니 재영이 또 같은 행동으로 입을 막았다. 그러는 동안 상영관 앞까지 왔다.

"L13, L14예요."

"자리 좋네."

재영은 좌석표를 쓱 보더니 어두운 극장으로 들어섰다. 상영 끝물인 데다 시간이 늦다 보니 사람이 별로 없었다. 그들이 앉을 좌석 열은 끄트머리에 노부부 한 쌍이 있을 뿐 텅 비어 있었다.

재영의 말처럼 스크린에서는 광고가 한창이었다. 자리에 앉은 뒤 몸을 등받이에 기대니 안정이 찾아왔다. 상우는 눈을 천천히 깜빡거리며 부산한 기운을 몰아냈다.

마침 목이 마르다는 생각이 들었는데 재영이 그의 마음이라도 읽은 듯 탄산음료를 내밀었다. 저 혼자 마시려고 그랬는지 빨대를 한 개밖에 안 들고 왔다. 상우는 불평하려고 입을 열었다가 다시 다물어 버렸다.

'뭘 그런 걸 신경 써, 키스도 한 사이에.'

그의 대답을 이미 알고 있었기 때문이다.

말없이 톡 쏘는 음료수를 쭉 빨아 마셨다. 컵을 다시 재영에게 넘기자 그가 빨대를 물었다. 투명한 빨대로 검은 음료가 빠르게 빨려 올라갔다. 그러면서 왜 남을 그렇게 빤히 바라보는지는 모르겠다고 상우는 생각했다.

어둠이 뒤덮은 공간에서 어지럽게 바뀌는 빛이 재영의 얼굴 한쪽을 밝혔다. 검어졌다 밝아졌다, 그에 따라 그의 얼굴도 변화를 거듭했다. 콧대 그림자가 볼 위에서 짧아졌다 길어지기를 반복했다. 상우는 조금 전에 음료수를 마셨는데도 입 안이 말랐다. 눈을 깜빡이지 않아 안구 표면이 따끔거렸다.

이 긴 눈싸움의 승자는 누구일까, 아마 재영이었을 것이다. 잠깐 스크린이 검어지고 모든 빛이 사라졌을 때, 상우는 눈을 감으며 그에게 입 맞추고 말았으니까.

비록 "도와줘요!"란 비명과 함께 주변이 갑자기 밝아지는 바람에 놀라서 떨어졌지만 상우는 자괴감을 느꼈다. 처음에야 잠든 줄 알았고 두 번째는 술 취해서 그랬다고 치고, 나머지도 합의하에 점잖게 했지만 이번에는 뻔히 눈뜨고 있는 사람한테 허락도 없이 저질러 버렸다. 손바닥으로 눈을 가리고 있는 사이 초반부를 놓치고 말았다.

'망했다.'

상우는 그런 것을 좋아하지 않았다. 저를 유혹한 장본인을 홱 쏘아보았지만, 그는 아무렇지 않은 표정으로 스크린을 보고 있었다. 공동 팔걸이에 당연하다는 듯 올려놓은 손이 거미처럼 요사스럽게 까딱거렸다. 상우는 억지로 몸을 바로 하고 앞을 보았다.

다행히도 영화는 초반부를 놓쳐도 줄거리 이해하는 데 지장 없을 정도로 내용이 단순했다. 광속으로 비행할 수 있고 모든 물리적 피해에 버티는 피부를 가졌으며 햇빛으로 에너지원을 채우는 외계인이 등장했다. 그 외계인이 자신의 약점을 이용하려는 적의 음모를 간파해 퇴치하는 줄거리였다.

상우는 이중으로 괴로웠다. 하나는 영화에 이해할 수 없는 부분이 여러 가지 있었기 때문이었고, 또 다른 이유는 재영이 자꾸 손을 움직여서였다. 어둠 속에서 희게 빛나는 손가락은 도무지 가만히 있을 줄을 몰랐다. 팔걸이를 손끝으로 톡톡 치는가 하면 기지개 켜듯 쫙 펴기도 했고 손바닥이 위를 향하도록 홀랑 뒤집을 때도 있었다. 2시간 반 동안 일부러 재영의 얼굴을 보지 않아서 안면 근육도 그렇게 움직였는지는 모르나, 손만 보면 정신이 성치 않은 사람 같았다.

영화가 끝나고 그들은 상영관에서 퇴장해 말없이 걸었다. 엘리베이터를 타고 내려와 바깥으로 나오자 따뜻한 공기가 팔에 부딪혔다. 밤하늘은 새까맸고 거리는 회색이었다. 시간은 어느덧 새벽 1시가 넘었고 사람이 바글바글했던 정릉동 큰길은 텅텅 비어 있었다.

"영화 어땠어?"

9분 동안 아무 말도 안 하던 재영이 입을 열었다. 오른손을 주머니에 넣은 자세가 여유로워 보였다.

"슈퍼맨은 동물로 분류해야 할까요, 식물로 분류해야 할까요?"

"그게 무슨 소리야?"

"에너지원을 공기와 햇빛에서 얻는다죠. 아무리 신체 구조가 사람만큼 복잡하다고 해도 광합성과 비슷한 작용으로 살아간다면 동물보다 식물로 분류하는 게 맞지 않나요?"

"어…… 잘 모르겠어."

"그리고 작중 면도한다는 대사가 있는데, 어떻게 체모를 잘라 냈을까요? 초신성이 폭발하는 한가운데서도 머리카락 한 올 타지 않았는데요. 철로 된 일반적인 면도기는 당연히 들지 않을 테고."

"으음……."

"크립토나이트가 약점인 건 불쌍했어요."

그것은 상우가 유일하게 몰입해서 본 장면이었다. 무적이던 슈퍼맨이 고향 행성에서 가져온 보석 조각에 무너지는 장면. 녹색 보석을 가까이 갖다 대니, 우라늄 방사능에도 끄떡없던 피부가 보통 인간처럼 약하게 변하고 마는 것이었다. 상우는 마치 제 일인 것처럼 위기감을 느꼈다.

"슈퍼맨 시리즈의 역 데우스 엑스 마키나지, 뭐."

"뭐요?"

"요컨대 치트키란 거야. 너무 세기만 하면 재미없으니까, 꼭 크립토나이트를 써서 슈퍼맨을 궁지에 몰거든. 그랬다가 위기가 쉽게 해결되니 별 의미 없긴 하지만."

"오……."

"슈퍼 히어로물이 대체로 그래. 관객층 자체가 참신한 서사를 바라기보다 액션에 초점을 맞추다 보니 징벌적인 구조를 띠는 거야. 너처럼 광합성하고 면도 신경 쓰는 사람은 거의 없어. 중요한 건 슈퍼맨이 존나 잘생기고 센 우리 편이고 쫄쫄이를 입고 있다는 거야."

재영의 왼손이 복잡한 궤도를 그리며 공중에서 움직였다. 그는 말을 마치고선 덥다는 듯 셔츠의 가슴팍을 쥐고 두어 번 펄럭거렸다. 상우는 오늘따라 유식해 보이는 그의 옆얼굴을 멍하니 바라보았다.

"선배, 몰랐는데 똑똑하네요."

"넌 대체 내가 뭐라고 생각하냐?"

인간 말종, 양아치, 싸이코, 사디스트, 쓰레기. 그때와는 너무 많은 것이 달라져서 이젠 정말 모르겠다. 재영에게서 눈을 떼고 앞을 보자 양옆에 규칙적으로 심어 놓은 키 큰 가로수가 시야에 들어왔다.

"여기 어디예요?"

"정릉 공원이잖아."

"왜 이쪽으로 왔어요?"

"지름길이야."

상우는 얼굴을 찌푸렸다. 지름길이라면 아까 왜 이 길로 오지 않았단 말인가. 그러면 늦지 않았을 텐데. 그런 생각을 하고 있는데 재영이 모자챙을 툭 쳤다. 옆을 보았다가 그와 눈이 마주쳤다. 달이 흑갈색 머리카락 뒤에서 빛을 뿜어 대고 있어서 눈이 부셨다.

"그래서 재미있었다는 거야, 없었다는 거야."

"재미요?"

"그래. 영화를 봤으면 감상부터 들지 않아?"

"음⋯⋯. 모르겠어요. 이상한 영화였어요."

상우는 재영의 의견이 궁금해져서 "선배는요?" 하고 덧붙였다. 앞만 보고 걷던 재영이 옆을 돌아보았다. 그가 눈을 마주치며 답했다.

"난 재미있던데."

"어느 부분이요?"

"몰라."

"왜 몰라요?"

"네 얼굴 보느라 영화 못 봤어."

상우는 말문이 막혔다. 그리고 무슨 조화인지 발도 멈추고 말았다. 재영은 걸어가 버렸고 상우는 제자리에 멈춰 서서 그의 등을 노려보았다.

쿵쿵쿵. 불쾌함과 쾌감을 동시에 뿌려 대는 심장을 진정시키는 사이 뒷모습이 점점 멀어졌다. 상우는 재영의 말에서 모순을 발견하고선 다시 움직였다. 빠르게 걸어 곁에 가까스로 섰다.

"말도 안 돼요. 영화를 못 봤다. 재미있었다. 둘 중 하나는 거짓이잖아요."

"둘 다 참인데."

"영화를 못 봤는데 어떻게 재미있다는 감상이 나와요?"

"상상력 좀 발휘해 보세요, 아저씨."

느긋한 대답을 듣자마자 깨달음이 찾아왔다. 상우는 괜히 덤벼들었다가 본전도 못 찾았다. 그 뒤에는 고개를 푹 숙이고 걷는 수밖에 없었다.

공원이 끝나자 담벼락 길이 이어졌다. 서울에서 꽤 유명한 데이트 코스라 상우도 전 여자친구와 교제하던 시기에 와 본 적이 있었다. 그때는 사람이 하도 많아서 짜증 났던 기억이 났다. 지금은 쥐새끼 한 마리 보이지 않아서인지 두근거리는 기분만이 가슴을 꽉 채우고 있었다.

그들은 한동안 말없이 걷기만 했다. 상우는 앞을 보고 있었지만 시야 끝에 재영의 왼손이 늘 걸려 있었다. 오른손으로는 코도 긁적거리고 뒤통수도 만지작거리고 주머니에 넣기도 하던데, 왼손은 늘 그 자리에 있었다. 영화관에서부터 요사스럽게 움직이던 그 손은 1분이 지나도, 2분이 지나도, 3분이 지나도, 그 자리에 있으며 상우를 괴롭혔다. 상우는 문득 시계를 보았다가 2시가 다 되어 가는 걸 알게 되었다.

'지름길이라더니.'

평소 잠드는 때보다 2시간이 늦었는데도 정신은 또렷한 각성 상태였다. 감각이 어느 때보다도 곤두서 있었다. 상우는 오른쪽에서 오는 자극이라면 어떤 것도 놓치지 않을 준비가 되어 있었다. 재영이 숨 쉬는 소리, 손이 흔들거리는 자취, 보폭 변화, 바지에 잡혔다 풀어지는 주름의 모양새까지도 감지했다.

"재영 선배."

"왜?"

손을 잡아도 되냐고 묻는 건 아무래도 좀 면구스러웠다. 상우는 할 말이 없어졌다.

"주차장까지 얼마나 남았어요?"

"다 왔어."

가슴 속에서 파도가 요동치는 듯했다. 우리에 갇힌 맹수가 울부짖었다. 빨리 저 손을 잡아야 한다고, 아니면 어떻게 될 것 같다고 종용하는 바람에 상우는 어쩔 수 없이 손을 내밀며 눈을 질끈 감았다.

자연스럽게 흔들거리던 재영의 손바닥에 손끝이 스쳤다. 그리고 아무 짓도 하지 않았는데 두 손이 어느새 깍지를 끼고 있었다. 상우는 숨을 조용히 몰아쉬었다. 맞잡은 손이 바람에 흔들리듯 앞뒤로 천천히 진자 운동을 했다. 맞닿은 부위에서 저릿저릿한 감각이 시작되어 온몸으로 퍼져 나갔다.

"선배."

"왜?"

"아니에요."

그런데 그게 다가 아니었다. 상우의 뱃속에 사는 맹수는 손을 잡아 주었더니 더한 것을 달라고 발광을 해 댔다. 상우는 안 된다고, 사람 체면 좀 차리자고 녀석을 달랬지만 도무지 말을 듣지 않았다.

"선배."

"왜?"

"그냥요. 아무것도 아니에요."

그렇게 괴로운 심정으로 견디며 주차장에 다다랐다. 손바닥에서 땀이 났다. 걸레처럼 짜면 물이 쭉 떨어질 정도였다. 이렇게 심한 욕정을 품고서 25년 동안 어떻게 정상인인 척 살았단 말인가. 도무지 이해가 되지 않았다.

"너 웃긴다. 원래 할 말 못 할 말 안 가리면서, 오늘 왜 그래?"

장난스럽게 말하는 재영의 얼굴을 올려다본 그 때였다. 걷는 내내

기를 쓰고 피하던 낯을 본 순간 머리가 핑 돌았다. 어질어질할 정도의 열정이 가슴 속에서 들끓고 있었다. 상우는 자신에게 안 좋은 영향을 미치는, 손과 손의 연결을 끊고 대답했다.

"저 오늘 좀 이상해요. 영화관에서 사람들 흥분하라고, 콜라에 각성제 타진 않겠죠?"

"이제까지 네가 창의성이 부족한 줄 알았는데 다시 생각해 봐야 할 것 같아."

상우는 가파르게 오르는 상향 그래프를 멈출 방법을 몰랐다. 치열한 내적 갈등을 겪는 동안 어느새 차 앞까지 왔다. 영화관 갈 적에 10분 만에 주파한 거리를 33분 걸려서 도착해 놓고, 재영은 뻔뻔한 얼굴로 말했다.

"벌써 다 왔네."

상우는 다른 생각으로 머리가 가득 차 있어서 그 말을 문제 삼지 않았다.

"선배."

"어, 말해."

그러나 정말로 쉽지 않았다. 이게 무슨 바보 같은 짓이란 말인가. 상우는 스스로 다그치고서, 내내 입가에서 맴돌던 말을 잡초 뿌리 뽑듯이 끄집어냈다.

"남자하고 자면 어때요?"

"남녀 관계하고 비슷하다고 생각해."

"……."

"사람이 다른 사람한테 끌려서 하는 일인데, 뭐가 그렇게 다르겠어?"

"선배."

"또 왜?"

"아니에요."

재영은 평소처럼 짜증 나게 캐묻지 않았다. 그가 말없이 차 키를 작동하자 잠금이 풀렸다.

집으로 돌아가는 길, 분위기는 숨 막혔다. 재영은 장난치지도 실없는 말을 하지도 않고 앞만 보며 운전했다. 무슨 표정을 지었는지는 차마 그의 얼굴을 볼 수 없어서 상우로서는 알지 못했다.

차는 텅 빈 도로를 시원하게 달렸지만 상우의 마음은 꽉 막힌 것처럼 답답했다. 빨리 도착하길 바라는지, 시간이 천천히 가서 도착하지 않기를 바라는지, 자신도 종잡을 수 없었다.

상우의 바람과 상관없이 일정한 시속으로 달리던 차는 원룸 건물 앞에 도착했다. 재영은 차를 바르게 주차하고서 시동을 껐다. 그러고서 체감상으로 아주 오랜 시간 동안 침묵이 흘렀다.

"여기서 살게?"

농담하는 목소리에는 웃음기가 없었다. 웃음이 날 만한 분위기가 아니었다. 상우의 표정도 굳어 있었다.

"지금은 내릴 수 없어요."

"왜?"

"할 게 있어요."

안 그러면 진정할 수 없을 것을 상우는 잘 알았다. 왼쪽을 보자 한 쌍의 눈동자가 기다렸다는 듯 시선을 맞추었다. 재영이 몸을 틀며 팔꿈치를 제 등받이에 올렸다.

"해 봐."

아무렇지 않은 척 그의 눈을 마주했지만 가슴은 방망이질 치고 있었다. 상우는 전에 본 대로, 무릎으로 콘솔을 짚고 반대편 다리를 운전석으로 휙 넘겼다. 재영의 무릎에 엉덩이를 대고 앉아 어깨를 양

손으로 쥐자 그가 머리를 받침대에 바싹 붙인 채 눈을 크게 떴다.

"해 보라더니, 뭘 그렇게 놀라요."

상우는 오른손으로 그의 뺨을 쓰다듬으며, 눈을 감고 가까이 다가갔다.

'차분하게.'

시끄럽고 난잡스러운 속과 달리 그의 입술이 재영의 입술에 부드럽게 닿았다.

'느긋하게.'

배운 대로 상대의 윗입술을 입에 넣고 굴렸다. 입술 안쪽의 여린 살갗을 느끼며 손으로는 목을 쓰다듬었다.

'부드럽게.'

한동안 아무 반응도 없던 재영이 응답해 왔다. 상우는 그의 입술을 빨아들였다가 놓아주었다. 그러고서 재영의 혀를 마중 나갔다.

'숨은 코로 쉰다.'

고개를 틀어 입술을 더 효과적으로 맞추고 재영의 혀뿌리를 자극했다. 재영이 신음을 내며 얽혀 왔다. 그의 손이 티셔츠 안으로 들어왔다. 열기로 뜨거운 피부끼리 맞닿으며 상승 곡선이 가팔라졌다.

재영은 한동안 상우의 허리와 등을 쓸다가, 모자를 집어 던지고서 머리카락을 움켜쥐었다. 상우는 손끝으로 재영의 귀며 눈두덩이며 코며, 평소에 보기만 하던 곳을 마음껏 헤집었다. 모양이 달라졌다고 생각한 앞머리는 뭘 발라 놓았는지 딱딱했다. 상우는 손바닥으로 재영이 매만졌을 스타일을 바스러뜨렸다. 그를 이렇게 마음껏 만질 수 있는 기회는 희귀했다.

흥분은 점점 거세지기만 하고 해소될 기미가 없었다. 상우는 쾌감과 괴로움을 동시에 느꼈다. 각도를 몇 번이나 바꿔 가며 키스했을까, 재영이 얼굴을 밀어냈다. 이런 거라면 영원히도 하겠다고 생각하던 상우는 조금 아쉬웠지만 그의 눈을 들여다보았다. 그의 얼굴이 그토록 빨개진 것은 처음 보았다.

"너…… 연습했어?"

"네."

시계를 슬쩍 보니 9분이나 했다. 연습한 효과가 있었던 것이다. 재영이 숨을 헐떡거리며 미간을 찌푸렸다.

"어떻게? 누…… 구랑?"

"말하기 싫어요."

"사람하고 한 건 아니지?"

"네."

"그럼 됐어."

머리가 엉망이 된 채 그가 상우를 바라보았다. 상우는 그의 눈 속에서 자신과 같은 종류의 충동을 쉽게 감지할 수 있었다. 장재영은 처음부터 성욕을 숨긴 적이 한 번도 없었다.

"저…… 들어가 볼게요."

상우는 남의 무릎에 앉은 불편한 상황을 해결하고자 문손잡이로 손을 가져갔다. 그 순간, 재영이 상우의 어깨를 끌어당기며 상체를 제 품에 안았다. 그가 입술을 이마에 문댔다.

"조금만 있다가 가. 나 떨려서 진정이 안 돼."

재영은 온 힘을 다해 상우를 껴안았다. 너무 꽉 죄여서 숨쉬기가 어려웠다. 상우는 가만히 눈을 감고 속에 득시글거리는 정욕을 마주보았다. 늘 이런 식이었다. 광포하게 솟구치는 충동에 휘둘리기만 하고, 제대로 해소해 본 적은 한 번도 없었다.

"형."

상우는 아무 말도 할 의도가 없었다. 이성이 짜낸 말이 아니었다. 늘 극점에 도달하지 못하고 스러지는 성욕이 운전대를 잡고 있었다.

재영은 대답하지 않았다. 숨을 거칠게 들이마시고 내쉬었을 뿐이다. 상우의 입이 다시 열렸다.

"하고 싶어요, 형이랑."

침묵이 흘렀다. 그 순간에 상우는 놀랍도록 평온했다. 심장이 빠르게 뛰고 있었지만 그거야 차에 기댄 재영을 본 순간부터 계속 그랬다. 그는 뚜렷한 목표가 있었고 가장 효과적인 해법이 무엇인지 알고 있었다.

"수락할 거예요?"

목소리는 떨리지 않았으며 머릿속은 깨끗했다. 상우의 어깨를 움켜쥔 손에 더욱 힘이 들어갔다. 잠시 기다리니 재영이 달뜬 목소리로 대답했다.

"들어갈까?"

"준비할 시간이 필요해요."

"얼마나?"

"1시간."

재영은 왼팔을 들어 시계를 보았다.

"3시 32분까지 올게."

"네. 이따 봐요."

상우는 그리 말하고 차에서 내렸다.

return 0;

쾅쾅쾅쾅쾅!

장재영은 분침이 32분에서 33분으로 넘어가는 순간에 문을 두드렸다. 1초도 어기지 않은 정확성이 상우조차 놀라게 했다.

상우는 한동안 문을 노려보다가 심호흡을 하고 다가갔다. 멀찍이서 손가락을 뻗어 도어록을 해제하자 기계음이 나며 걸쇠가 풀렸다. 문이 벌컥 열리며 재영이 현관에 들어섰다. 그 기세가 너무 흉흉해서 상우는 의도치 않게 멀리 뒷걸음질 쳐 버렸다.

문이 도로 닫히기도 전에 재영의 신발이 아무 곳으로나 날아가고 한 손에 잔뜩 쥐고 온 피임 도구가 표창처럼 바닥에 흩뿌려졌다. 그는 오른손에 든 와인 병을 신발장에 내리꽂듯이 놓고선 (깨지지 않은 게 용했다) 상우에게 곧바로 달려들었다.

1시간 동안 마인드 컨트롤과 유사 성행위로 욕정을 밑바닥까지 가라앉혀 놓은 상우는 흥분하기보다 심하게 긴장해 있었다. 마음의 준비를 단단히 했는데도 가슴을 바싹 붙이며 허리를 감싸 안는 재영이 두렵게 느껴졌다. 이전까지는 그다지 신경 쓰지 않았는데, 그 순간만은 재영이 저보다 키도 덩치도 큰 게 의식됐다.

재영은 상우를 벽에 몰아붙이며 입술이며 뺨이며 콧등이며 이마며 턱이며 가리지 않고 입술을 박아 댔다. 그가 몹시 불안정한 상태로 보여서 상우도 덩달아 불안해졌다. 그나마 그의 입에서 청량한 치약 향이 나서 조금 안심이 되었다.

아랫입술을 물고 늘어지던 재영의 입술이 턱을 지나 목 위로 미끄러졌다. 혀로 질척이는 소리를 내며 핥는 바람에 상우는 몸이 저절로 움츠러들었다. 어느새 옷 안으로 들어와 등을 더듬거리던 손이 상우의 허리를 잡아당기며 하체끼리 바싹 붙였다. 사타구니에 살이라기엔 너무 단단한 무언가가 느껴진 순간, 상우의 몸이 완전히 굳어 버렸다. 보편적인 전희 코스를 숙지하고, 여러 번 시뮬레이션 해 보았고, 이론 공부도 부족하지 않았는데, 너무 떨리고 무서워서 손 끝 하나 움직일 수 없었다.

"저기요."

"……."

"확실히 남자랑…… 해 보신 거…… 맞죠?"

재영은 대답 없이 상우의 목을 핥아 올렸다. 그가 입술을 잠시 뗀 순간, 어느새 가슴까지 올라와 있던 티셔츠가 훌러덩 벗겨졌다. 상우가 당황하는 사이 이번에는 재영이 그의 입술을 막았다. 아까 9분이나 했는데도 모자랐나 보다. 이제 그와의 키스도 익숙해질 때가 되었는데 상황이 상황이다 보니 손을 어디에 둘지조차 헷갈렸다.

상우는 키스하는 내내 재영이 조금씩 몸을 민다고 생각했다. 한 걸음, 두 걸음 뒷걸음질 쳤던 것 같은데 어느새 침대가 뒤에 있었다. 분명히 눈을 감고 있었던 재영은 유도 기술처럼 상우를 자연스럽게 넘어뜨렸다. 뻣뻣하게 굳은 몸이 기울어졌고 머리가 베개에 부딪히며 하얀 천장이 보였다.

'올 것이 왔구나.'

불안감이 치밀며 몸이 굳었다. 성욕이고 뭐고 다 집어치우고 싶은 심정이었다. 밝은 조명 아래 상의를 탈의하고 있자니 수치스러운 기분이 들었지만 결정을 철회하기에는 그간의 불편함이 너무 컸다.

'10분 정도 참으면 끝나 있겠지.'

상우는 속으로 그리 중얼거리며 눈을 질끈 감았다. 그러자 몸 여기저기를 더듬던 손길이 더는 느껴지지 않았다. 눈을 살짝 떠 위를 본 그는 재영과 시선이 마주쳤다. 재영의 눈빛이 술 마신 날처럼 몽롱하게 풀려 있었다.

"너 왜 이렇게 침착해? 아까랑 다르잖아."

"떨려서 그래요."

"준비는 됐어?"

"일찍도 물어보시네요."

"정신이 없어서."

"다 됐어요. 몸 구석구석 청결하게 씻었으니 걱정하지 마세요. 손톱도 깎았고 장……."

재영이 손바닥으로 상우의 입을 꽉 막았다.

"쉿. 그런 거 설명하는 거 아냐."

"어므 믐믐 머으멈."

"알겠으니까 이제 조용히 해."

손이 빠진 자리를 입술이 채웠다. 오직 드는 생각은 두렵다는 것뿐. 적막을 깨는 질척이는 소리가, 눈을 감고 미간을 찌푸린 재영의 표정이, 허리와 목을 쓰다듬는 그의 손길이, 허벅지를 누르는 무게가 상우를 긴장하게 했다.

"지금 무슨 생각해?"

재영이 입술을 잠시 떼고 말했다. 상우는 침을 꿀꺽 삼켰다. 뭐라고 대답해야 할까. 머릿속이 성교의 과정과 쾌락 메커니즘, 인터넷에서 읽은 요령, 안전 수칙, 질병 예방 같은 것으로 복잡했다.

"여러 가지…… 요."

"이론은 잊어버려. 실전이잖아."

재영이 그리 말하며 다시 키스했다. 귀를 집요하게 만지작거리던 그의 손이 목으로, 빗장뼈로, 가슴으로 내려갔다. 그의 엄지가 남자의 몸에 왜 붙어 있는지 모를 무용한 돌기를 꾹 누르더니 살살 만지기 시작했다. 꼬집는 듯 돌리더니 또 둥글게 비볐다. 그의 혀가 상우의 입술에서 떨어져 반대쪽 가슴을 머금었다. 입 안으로 강하게 빨아들이더니 유두를 이로 살짝 물었다.

"아……."

목구멍에서 이상한 신음이 흘러나왔다. 상우는 재빨리 손바닥으로 입을 가렸지만 재영이 팔목을 잡고 다시 끌어 내렸다. 그가 한동안 혀끝을 세워 가슴을 누르며 집요하게 괴롭혔다. 그 때문에 허리가 들썩거리고 발가락에 힘이 들어갔다. 상우는 재영의 뒤통수를 잡고 제 몸 쪽으로 더 당겼다. 그러자 재영이 허락이라도 받은 듯 가슴의 돌기를 깨물었다. 상우는 이를 악다물고 신음을 참았다.

'답답해.'

그는 정신없는 와중에 갈증을 느꼈다. 성감이 고조될수록, 간질간질한 기분이 증폭될수록 답답함은 커져만 갔다.

'빨리…… 어떻게 해 줬으면 좋겠어.'

키스하고 서로 몸을 만지는 건 예전에도 해 보았다. 오늘 재영을 부른 이유는 이 간질간질한 기분을 끝까지 끌어올려 완전히 해소하기 위함이었다.

"그만해요."

재영의 입술은 어느새 배까지 내려와 있었다. 상우는 언제 자신이 속옷 바람이 되었는지 알지 못했다. 재영은 다른 곳은 다 만지고 핥으면서, 터질 것처럼 부푼 성기만은 건드리지 않았다. 일부러 놀리는 것 같아서 약이 올랐다. 분명히 그만하고 다음 단계로 넘어가라고 지시했는데도 그는 말을 안 들었다.

"그만……. 이제 그만하라니까요."

대답하는 대신 옆구리를 꽉 깨무는 재영 때문에 상우가 저도 모르게 비명을 질렀다. 상우는 좀 짜증이 나서 상체를 벌떡 일으켰다. 재영이 놀란 표정을 지었다.

"벗어요."

상우는 재영의 셔츠를 단추도 풀지 않고 거칠게 끌어올렸다. 잘 짜인 몸이 드러나며 호흡이 가빠졌다. 재영은 옷을 구겨서 멀리 던지고 상우를 바라보았다. 아무것도 안 하고 있는데 숨이 찼다. 재영의 편편한 가슴도 빠르게 오르내렸다.

분명히 남자인데, 심지어 어깨는 저보다도 넓은 것 같은데, 왜 이모습에 성욕을 느끼는 걸까. 이런 취향이었다면 남중 남고 군대에서 어떻게 아무 일도 없었던 것일까. 상우가 여러 의문을 품고 있던 사이 재영이 벌떡 일어났다.

그가 벽으로 성큼성큼 걸어가 불을 끄고 뒤돌았다. 인공적인 빛이 사라진 새벽은 검었다. 창문으로 새어 들어오는 희미한 빛만이 그들을 비추고 있었다. 상우는 긴장감에 마른침을 삼켰다. 재영은 걸어오는 동안 바닥에서 콘돔과 윤활제를 줍고서 바지를 벗어 아무렇게나 던졌다. 그리고 속옷 차림으로 침대에 기어 올라왔다.

어둠에 휩싸인 남자가 느릿하게 눈을 깜빡였다. 입술을 달싹이더니, 가장 부드러운 종류의 입맞춤이 이어졌다. 눈이 저절로 감긴 순간, 재영이 상우의 등을 감싸 안고서 뒤로 밀었다. 그를 침대에 완전히 눕히고서 성교할 준비를 마친 상우의 생식기를 손으로 가볍게 쥐었다. 장난스럽게 웃으며, 약간 쉰 목소리로 속삭였다.

"이거 왜 이렇게 됐어?"

"해면……."

"잘못 물어봤어. 조용히 해."

재영은 제 속옷을 내리고선 콘돔을 뜯었다. 상우는 그가 피임 기구 착용하는 장면을 일부러 보지 않았다. 곧 어디로 들어올지 잘 알고 있으니까, 차라리 육안으로 확인하지 않는 게 정신 건강에 나을 것 같았다.

"제대로 낀 거 맞아요? 안 뒤집고?"

"어."

"끝 잡아서 공기 뺐어요?"

"그렇게 신경 쓰이면 직접 하든가."

재영은 콘돔을 하나 더 뜯어 손가락에 꼈다. 그 위에 젤을 쭉 짜는 걸 보며 상우는 입 안이 바싹 말랐다. 입술을 잘근잘근 깨물며 다리를 꽉 접었다.

재영은 아랑곳하지 않고 한 손으로 상우의 속옷을 내리더니 몸을 겹쳤다. 그러고서 키스하는 걸 보면 아래쪽에 신경 쓰지 못하도록 교란할 작정인 것 같았다. 정신없이 키스하는 사이 몸 안으로 손가락이 비집고 들어왔다. 심한 이물감, 그 외에는 아무것도 느껴지지 않았다.

재영은 계속 혀로 상우의 입안을 헤집으며 동시에 젤을 더 짜서 손가락을 이리저리 움직였다. 상우는 심호흡하며 그의 목을 팔로 감았다. 해 본 적이 있다고 하니 믿어 볼 생각이었다. 만일 유경험자가 아니었다면 절대로 이토록 위험한 일을 맡기지 않았을 것이다.

"상우야."

재영이 속삭였다. 손가락은 여전히 분주하게 움직이고 있었다. 상우는 너무 긴장해서 대답할 수 없었다.

"이따가도 그렇게 얌전히 있을 거야?"

"그때가 되어 봐야 알죠."

바보 같은 문답이 지나고 이물감은 훨씬 심해졌다. 아무래도 손가락 하나가 아닌 것 같았다. 재영이 손을 앞뒤로 천천히 움직였다. 상우는 얼굴을 찌푸리며 그의 팔을 꽉 잡았다.

"아파?"

"계속해요. 전 고통을 잘 견뎌요."

안에서 손가락을 벌린 것 같았다. 근육이 늘어나며 불쾌감이 심해졌다. 재영은 남의 뒷구멍에 손가락이나 넣고 있는 사람답지 않게 조곤조곤 말했다.

"아프라고 하는 거 아닌데."

"전립선 자극을 통해 쾌감을 느끼는 원리라면 알고 있어요. 비뇨기과 치료에도 쓰는 방법이니까요."

한참 동안 끈적거리는 소리를 내던 그가 손을 틀며 어딘가를 꾹 눌렀다. 이상한 기분이 잠깐 느껴진 것 같았다. 그러다 재영의 손이 빠져나가고 엉덩이에 뭉툭한 것이 닿았다. 예상하고 있던 일인데도 등줄기에 소름이 쫙 끼쳤다. 머릿속이 새하얘진 상우는 저도 모르게 재영의 가슴을 밀어내려고 했지만 그는 상체를 더 바짝 붙였다.

"잠깐만요. 직경 좀 확인할게요."

"이런 상황에 그런 말 좀 쓰지 마."

"직장은 탄력성이 전혀 없어요. 잘못하면……."

"안 다치게 조심할게."

재영은 조금도 웃고 있지 않았다. 상우는 그가 자신 못지않게 긴장했음을 알 수 있었다. 불안한 마음에 손에 땀이 흥건하게 잡혔다. 지금이라도 그만두는 게 좋지 않을까 진지하게 고민하는데 손가락과는 비교도 안 되게 굵은 물건이 입구를 벌렸다. 상우는 입을 꾹 닫고 견디면서도 속으로 비명을 질렀다. 살짝 들어왔던 재영이 얼굴을 찌푸리며 다시 빠져나갔다. 그는 윤활제를 마구잡이로 짜고선, 성기로 차가운 젤을 먹어 치우며 다시 밀고 들어왔다.

상우는 아무 소리도 내지 않으려고 이를 악물었다. 그는 정말로 고통을 잘 참았다. 하지만 이건 한 번도 해 본 적이 없는 경험이라

쉽지 않은 게 당연했다.

재영이 상우의 손을 잡으며 깍지를 꼈다. 그는 접합부를 들여다보며 천천히 움직이다 앞으로 무너져 내렸다. 그가 상우의 귀를 만지며 평소보다 훨씬 거칠게 입 맞추었다. 상우는 입을 벌린 채 숨을 멈추고 죽은 듯이 가만히 있었다. 머리가 새하얘지고 심장이 쿵쾅쿵쾅 뛰었다. 신경은 온통 아래에 쏠려 있었다. 점점 더 깊이 들어오는 것 같기는 한데 어디가 끝인지 알 수가 없었다. 재영이 상우의 입술을 깨물었다.

"너 일부러 그러는 거지?"

"뭘…… 요?"

그가 숨을 거칠게 쉬며 아주 천천히 단어를 이어 붙였다.

"제발, 긴장, 풀어. 끊어지겠어."

"……."

"자, 침착하고…… 긴장 풀리게 네가 좋아하는 거, 떠올려 봐. 포크레인 같은 거."

"그게 무슨 개소리야?"

상우는 사납게 대답했다. 목소리가 그의 불안감을 드러내듯 잔뜩 쉬어서 나왔다. 장재영은 농담할 여유가 있는 모양이었지만 상우는 아니었다. 자신이 허락해서 시작한 일인데도 이제 미친 짓으로밖에 느껴지지 않았다.

재영이 고개를 조금 들어 상우의 눈을 마주했다. 그의 얼굴이 일그러져 있어서 상우는 그 와중에 황당함을 느꼈다.

"표정이 왜 그래요?"

"존나 아파."

"뭐요? 상식적으로 누가 더 아프겠어요?"

"몰라 난. 아프다고."

"아……."

상우는 울고 싶은 기분이 들었다.

"그냥 빨리 해 버리고 끝내요."

"아니, 씨발……. 네가 직접 봐. 반의반밖에 못 들어가게 해 놓고서 하긴 뭘 해?"

상우는 고개를 저었다. 그런 걸 굳이 보고 싶지 않았다. 이론적으로 받아들이는 쪽이 아프다고 들었는데 왜 반대인지 모르겠다. 무언가 잘못된 모양이었다. 상우는 재영의 어깨를 밀어내며 말했다.

"쾌감이 전혀 없어요. 빼요."

재영이 필사적으로 고개를 저으며 상우의 목을 감았다. 그가 엉겨 붙으며 답했다.

"안 돼. 싫어."

"좋은 말로 할 때 빼요."

"그럼…… 너 원주율 외워 볼래? 어, 100자리까지 외우면 바로 뺄게."

"……못 할 줄 알아요?"

"얼른."

'미친놈 아니야?'

상우는 헛웃음을 지었지만 재영의 표정은 진지했다. 그는 남의 성기나 뒤에 꽂고 있는 처지에 왜 원주율이나 외워야 하는지 알지 못했지만, 그러지 않으면 장재영이 포기하지 않을 것 같아서 입을 열었다.

"알았어요. 3.1415926……."

100자리라면 2분 안에 돌파할 수 있었다. 조금만 견디면 이 미친 짓이 끝나리란 생각에 마음이 조금 편해졌다. 상우는 눈을 감고 머릿속에 떠오르는 숫자를 읊었다.

"535897……. 으, 으윽!"

가만히 있던 재영이 돌연 좁은 틈을 비집고 들어왔다. 상우가 말을 멈추자 그도 행동을 멈추었다. 그를 노려보자, 재영이 순진한 표정을 지으며 말했다.

"아냐, 아무 일 없었어. 계속해."

"932……38. 아, 아…….."

"계속하세요."

"46……. 흐윽, 잠깐만요. 그만…….."

"상우야, 까먹었어? 1,000자리까지 안다며."

"1,024자리……. 아악!"

비명을 지르지 않을 수 없었다. 조금만 방심하면 재영이 성기를 밀어 넣었다. 이번에는 살짝 넣고 말지 않았다. 허용치보다 너무 큰 것이 몸속으로 쑥 들어오며 팽팽하게 늘어난 살갗끼리 맞닿았다. 상우는 눈물이 찔끔 나서 눈을 질끈 감았다.

"아파, 아파요."

그의 어깨를 주먹으로 쳤으나 재영은 아랑곳하지 않고 골반을 움직여 음경을 삽입했다.

"괜찮아. 괜찮아."

"안 괜찮아요. 피 나는지 봐요. 빨리요."

차마 직접 확인할 용기는 없어 그리 재촉하자 재영이 한숨을 쉬며 아래를 살폈다. 그러고선 고개를 거칠게 젓더니 상우의 목에 이마를 기댔다.

"이거 아닌 거 같아요. 관두고 다른 거 해요."

"아이 씨……. 기다려 봐, 좀."

재영이 눈을 치켜뜨더니 접합부에 젤을 쭉 짰다. 그의 중심이 약간 빠져나가더니 윤활제를 머금으며 다시 들어왔다. 몸이 흔들릴 정도로 거센 삽입이었다.

상우는 재영의 어깨를 꽉 부여잡고 충격을 견디었다. 이런 짓을 허락하다니, 단단히 미쳤던 것이 분명하다. 말도 안 되는 것이 내장을 가득 채우고 있었다. 상우는 신음을 내지 않기 위해 이를 악다물었다.

재영이 손바닥을 짚고 상체를 일으켰다. 그가 상우를 내려다보며 골반을 천천히 움직이기 시작했다. 일그러진 표정으로 입술을 깨물고 있었다. 그 또한 아무런 쾌감도 못 느끼는 것이 분명했다. 역시 남자끼리 뭐가 될 리가 없었다.

'빨리 끝나 버렸으면.'

이제 상우가 바라는 건 한 가지뿐이었다. 그를 성적으로 흥분시키면 조금이라도 빨리 사정하지 않을까. 상우는 지푸라기라도 잡는 심정으로 재영의 양 볼을 손바닥으로 감싸고 제 쪽으로 끌어당겼다. 입술에 키스하자 그가 움직임을 멈추고 상우의 가슴에 몸을 기댔다. 그의 입에서 거친 숨이 들락날락거렸고 가슴이 빠르게 헐떡거렸다.

"왜 안 해요? 아파서 그래요?"

재영은 대답하지 않았다. 대신 고개를 조금 들어, 초점 풀린 눈빛으로 상우를 바라보았다. 상우는 잠시 동안 숨 쉬는 법을 잊었다. 비록 기대하던 쾌감은 없었지만 홀딱 벗은 재영과 몸을 맞대고 있자니 심장이 빠르게 뛰었다.

상우는 숨을 고르며 땀으로 축축해진 그의 허벅지를 더듬었다. 손끝을 등허리까지 쭉 그려 올리자 재영이 몸을 부르르 떨었다. 상우는 그의 목덜미를 감싸 쥐며 귓가에 입술을 바싹 붙였다. 그리고 낮게 속삭였다.

"형, 나랑 섹스하고 싶다고 했잖아요. 빨리 해요."

재영의 미간이 찌푸려졌다. 그가 돌연 상우에게 무게를 완전히 기댔다. 상우가 영문도 모른 채 눈을 깜빡거리는 사이 그가 신경질적인 태도로 성기를 쑥 빼 버렸다.

"아이 씨, 왜 갑자기 안 하던 짓을 해."

"……."

재영이 콘돔을 빼서 매듭을 만들더니 아무 데나 던졌다. 목표 달성이었다.

그러나 사정하고서도 그의 중심은 여전히 꼿꼿하게 위로 서 있었다. 상우는 뒤늦게 그 직경을 눈으로 확인하고서 제 안에 들어왔었다는 사실에 황당함을 느꼈다. 재영이 새 콘돔을 주워 뜯으려고 하길래 상우는 무릎걸음으로 다가가 그의 팔을 잡았다.

"이거 말고, 지난번처럼 유사 성행위 해요."

"왜? 싫어. 제대로 하지도 못했는데."

"못하는 건 잘못이 아니에요. 더 잘할 수 있는 걸 하면 돼요."

"못하긴 누가 못해!"

재영이 새빨개진 얼굴로 버럭 소리쳤다. 작은 한숨이 이어졌다.

"너무 좁아서, 네가…… 너무 야해서 그렇잖아."

"생각해 봐요. 좁은 게 늘어날 리도 없고 야한 게 안 야해질 리도 없잖아요."

재영이 픽 웃더니 상우를 바라보았다. 평소의 여유를 조금은 되찾은 모습이었다.

"하지만 난 한 번 뺐으니 다른 데 신경 쓸 수 있겠지."

상우가 말릴 틈도 없이 재영이 콘돔을 뜯었다. 끝을 집고 빠르게 끼우더니 상우에게 얼굴을 바싹 붙였다.

"한 번만 더 기회를 줘."

"……."

"5분만."

단칼에 거절할 타이밍이었으나 재영의 표정이 너무 진지했다. 상우는 그 간절한 시선에 넘어가 버렸다.

"……그럼 딱 5분만이에요."

어차피 망한 거, 5분 더 견딘다고 크게 다를 것 같지 않았다. 상우는 저렇게 좋아하는데 한 번 더 시켜 주자는 심정으로 도로 누웠다.

튜브 짜는 소리가 들리고서 재영이 다시 몸을 겹쳤다. 그런데 이번에는 그가 상우를 반대로 돌려 눕혔다. 미는 힘에 얌전히 움직이고 보니 엎드려 있었다.

"……선배?"

상우는 불길한 기분으로 뒤를 돌아보았다. 재영은 대답하는 대신 상우의 등에 올라타며 천천히 삽입했다. 상우는 이번에도 이를 악물고 참으며 300부터 카운트다운하기 시작했다. 두 번째라 그런지 처음만큼 아프고 불쾌하지는 않았다. 다 들어오고 나면 오히려 괜찮으니까, 상우는 그 순간만 기다렸다. 그런데 재영은 끝까지 넣지 않았다.

재영은 뒤에서 가슴을 상우의 등에 바싹 붙이고선 성기를 느릿하게 움직였다. 무턱대고 박아 대던 아까와 다르게 글씨를 쓰는 것 같기도 하고 벽을 긁는 것 같기도 했다. 짐승처럼 엎드린 둘의 자세와 장기의 구조를 헤아려 본 상우는 곧 그의 의도를 알아차렸다.

224까지 셌을 때였다. 피스톤질도 꽤 익숙해졌다고 생각하며 마음 놓고 숫자를 세고 있던 순간, 손바닥으로 침대를 받치고 엎드려 있던 상우는 저도 모르게 신음을 흘렸다.

"아……."

성기의 뭉툭한 끝이 어느 지점을 스치듯 건드린 탓이었다. 상우는 입을 굳게 다물고 계속 숫자를 세었다. 220…… 219…… 218…….

"으윽……."

"상우야, 잘 세고 있어?"

"215예요. 걱정 마세, 윽……."

재영이 허리를 꽉 안으며 더 세게 부딪쳤다. 이번에도 같은 자리였다. 손에 힘이 저절로 들어가며 시트가 구겨졌다. 우연인가 싶었는데 또 같은 곳을 쑤셨다.

"이제 반 왔는데 왜 그래. 그만할까?"

상우는 대답할 수 없었다. 대답하려고 하기만 하면 이상한 기분이 들어서 이를 악다물게 되었다. 이전까지 느릿하게 탐색하는 느낌이었다면 이제 재영은 집요하게 후벼 파기 시작했다. 곧 성기를 직접적으로 자극하는 것과는 다른 종류의 뭉근하고 깊은 쾌감이 찾아왔다. 난생처음 느껴 보는 감각이었다.

"아읏…… 아, 아……."

미묘한 느낌은 주기적으로 찾아왔다. 신음을 안 내려고 입술을 깨무는데도, 나갔다고 안심하면 곧바로 밀고 들어와 자꾸 입이 벌어졌다.

"잠깐만요……. 잠깐, 윽……."

"왜? 뭐가 문제야?"

"처……천천히. 아니, 빨리……."

스스로 무슨 말을 하는지 모르겠다고 상우는 생각했다. 그는 눈을 질끈 감고 새로운 쾌락에 휩쓸리지 않으려고 애쓸 뿐이었다. 그러면서도 한편으로는 그 감각에 정신을 잃고 싶었다. 어느 것이 진심인지 알지 못했다.

재영이 턱을 상우의 어깨에 기대며 몸을 더 바싹 붙였다. 가슴과

목을 더듬던 손이 볼로 올라갔다가 상우의 머리카락을 쥐었다. 그러고선 허리를 흔들어 대는 방법이 점점 노골적으로 변했다. 좌표를 찍고 공습하는 것처럼 상우의 팔을 바르르 떨리게 하는 지점을 찾아 눌렀으며, 점점 주기가 빨라졌다.

"으, 으읏, 윽······. 아!"

상우는 팔에 힘을 단단히 주고 버티었다. 그러나 아무리 입을 다물려고 노력해도 속에서부터 터져 나오는 신음을 막을 수 없었다. 감각의 파도를 견디기도 전에 다른 파도가 찾아왔다. 상우는 속절없이 휩쓸리기 시작했다. 템포는 점점 빨라졌다. 1초에 한 번씩이라고 생각했는데 어느 순간부터는 숫자를 셀 여유가 없어졌다.

"아, 아, 하아!"

입에서 평소에 절대로 낼 리 없는 이상한 목소리가 나왔다. 귓가에 부딪히는 숨소리가 점점 거칠어졌다. 그러다 재영이 귓바퀴를 깨물며 성기를 뿌리까지 강하게 올려 박았다. 상우는 배를 얻어맞은 듯한 쾌감을 느끼며 외마디 비명을 질렀다.

잘 버티고 있던 팔이 후들거리며 자세가 무너졌다. 손바닥을 짚고 다시 일어나려고 해도 불가능했다. 상우는 몸을 지탱할 힘을 잃고 볼과 어깨를 침대에 댄 채 숨을 헐떡거렸다. 그러자 그 위로 재영의 무게가 쏟아졌다. 그가 상우를 등 뒤에서 꽉 안으며 귓가에 속삭였다.

"왜······ 그래? 그만할까?"

상우는 엎드린 채 고개를 저었다. 몸이 이상해지는 기분이었지만, 괴로워서 눈물이 왈칵 날 것 같았지만 멈추는 건 더 싫었다. 더, 더. 더 빨리, 더 세게. 이를 악문 채 속으로 소리쳤다.

재영이 돌연 움직임을 멈추었다. 연속적으로 밀려드는 쾌락의 주기에 익숙해져 있던 상우는 순간적으로 화가 나서 뒤를 휙 돌아보았다. 재영이 쑥 빠져나가더니 상우의 몸을 옆으로 밀어 정면을 보도록 눕혔다.

그는 빠르게 바싹 다가와 자세를 낮추며 상우의 양다리를 어깨에 올렸다. 손으로 엉덩이 사이를 벌리고선 그의 분신이 또 한 번 밀려들었다.

재영이 신음을 흘리며 엎드려 상우의 입술을 물었다. 상우는 재영의 양팔을 꽉 잡았다. 눈을 질끈 감고서 세 번째로 단단한 살덩이가 내장을 파고드는 불쾌감을 견뎌 냈다.

이번에 재영은 시작부터 거칠게 굴었다. 단번에 뿌리까지 꿰뚫고선 살과 살이 맞닿아 철벅거리는 소리가 나도록 밀어붙였다. 그의 하체가 난폭하게 움직이며 또다시 규칙적인 자극이 시작되었다. 재영의 코끝에서 땀방울이 뚝뚝 떨어졌다. 진지한 얼굴은 화난 것처럼 보였다.

"아, 아, 으흑……. 윽, 씨발, 잠깐만요……."

상우는 어쩔 줄을 모르며 재영의 목을 끌어안고 매달렸다. 재영의 손바닥이 뺨을 누르더니 이내 참을성 없는 손가락이 입 속으로 들어왔다. 상우는 고통과 쾌감의 경계에 걸쳐 있는 감각에 휩쓸리지 않기 위해 그의 손가락을 꽉 물었다. 처음 만나는 자극의 폭풍이 육신을 흠뻑 적시며 허리가 저절로 들썩거렸다. 살끼리 마찰하는 소리가 커질수록 갈증도 심해져만 갔다.

상우는 답답함을 느끼며 제 성기로 손을 가져갔다. 간질간질, 뭉근하게 피어나며 계속 고조되기만 하는 성욕을 해소하기 위해 기둥을 붙잡고 위아래로 빠르게 움직였다. 이상할 정도로 달아오른 남근은 약간의 자극에도 바르르 떨렸다. 조금만 더 만져 주면 최고의 쾌감을 느낄 수 있을 것 같았다.

그런데 재영이 돌연 빠르게 상하 운동을 하던 상우의 손을 쥐어

깍지를 꼈다. 반대쪽 손까지 그렇게 해 버리니 아무것도 할 수 없어졌다.

"놔요. 학……. 놔!"

상우는 거칠게 상체를 흔들었지만 재영이 몸으로 눌러 제압했다. 그는 말없이 상우를 바라보며 허리를 움직일 뿐이었다. 다시 작정하고 같은 곳을 공략하니, 한 번 쳐올릴 때마다 눈앞이 번쩍거렸다. 사사건건 반기를 들던 성욕이 날개를 달고서 날뛰었다. 상우는 당장 사정하고 싶어서 몸부림을 쳤다.

"씨발, 이거 놓으라고!"

"하아, 하아, 매너 없이 왜 그래? 자꾸 욕하면…… 그만한다."

재영이 성기에 손을 못 대게 해서 대신 엉덩이를 움직이는 수밖에 없었다. 상우는 재영이 들어오는 틈을 참지 못하고 그 속도에 맞추어 제가 먼저 가서 박았다. 정제되지 않은 신음이 공기를 가르고 살끼리 부딪쳐 물결쳤다. 철썩거리는 소리가 작은 방을 가득 채웠다. 마라톤을 뛴 사람처럼 거친 숨이 폐부에서부터 터져 나왔다. 상우는 재영의 손을 부러지도록 세게 쥐고 그의 어깨를 물었다.

"아니, 씨발……. 돌아 버리겠네."

신음과 숨소리 사이에 재영이 속삭였다. 욕하지 말라더니, 저도 하고 있었다. 그가 상체를 낮추어 상우의 목에 입 맞추었다.

"헉, 헉……."

"상우야, 학…… 사람 미치게 하면 징역 몇 년이야?"

"헉…… 홋, 으윽……. 학!"

"어? 이 새끼야. 사람…… 돌아 버리게 하면 벌금 얼마냐고."

재영의 신음이 귓가에 부서졌다. 그가 상우의 손목을 놓더니 물을 흘려 대는 성기를 꽉 쥐었다. 상우는 자제할 생각을 까맣게 잊은 채 입을 크게 벌리고 비명을 질렀다.

제 목소리 같지가 않았다. 이런 것이 자신일 리 없었다. 남자의 성기를 받아들이며 어질어질할 정도의 쾌감을 느끼는 몸이 제 것일 리 없었다. 그러나 상우는 신경 쓰지 않았다. 총체적인 자극이 끝을 향해 치달아 가고 있다는 것만이 중요했다.

"무슨…… 소린지…….."

"추상우 너, 미치게 섹시하다고."

재영이 귓가에 속삭이며 성기를 뿌리까지 박아 올린 순간에 상우는 절정을 맞이했다.

자극의 끝을 보았다. 눈이 질끈 감기며 내부에서 용암처럼 들끓던 물질이 해방되었다. 검은 시야에 색정의 불꽃이 번쩍거렸다. 눈을 감고 있는데도 시야가 환한 빛으로 어지러웠다. 상우는 이제껏 그런 것을 단 한 번도 느껴 본 적이 없었다.

"하아, 하아…….."

재영이 몸에서 빠져나가며 이상한 소리가 났는데도 수치감을 느낄 여력이 없었다. 그만큼 그는 쾌락에 절어 있었다. 재영이 관능이란 물감을 머리부터 발끝까지 쏟아부은 것 같았다. 그러지 않고서야 이렇게 깊은 만족감을 느낄 수 있을 리 없었다.

"많이 부었네."

목소리가 먼 곳에서 울려 퍼지는 것 같았다. 저릿저릿한 기분이 손끝에 남아 있었다. 상우는 믿을 수 없다는 생각으로 땀에 젖어 울퉁불퉁해진 손가락을 바라보았다.

이성은 천천히 돌아왔다. 4:58을 가리키는 벽시계가 고장 났나 싶었다. 자신과 달리 여전히 흥분한 그대로인 재영의 성기가 흐릿하게 보였다. 그다음에는 몸이 불결하다는 문제의식이 들었다. 그러나 손

하나 까딱거릴 수 없을 정도로 나른했다. 이 기분으로는 아무것도 하기 싫었다.

"졸리지? 시트만 갈고 자자."

상우는 눈을 깜빡거렸다. 어둠 속에서 재영이 사각형으로 접어 놓은 시트를 들고 있었다. 상우는 일어나는 대신 팔을 그쪽으로 벌렸다. 곧 재영이 다가와 쭈그리고 앉았다. 상우는 그의 목을 끌어당겨 안으며 눈을 감아 버렸다.

"상우야."

"……."

"자?"

상우의 취침 시간은 1시를 넘기지 않는다. 5시까지 깨어 있던 것이 사실상 기적이었다. 재영이 "자냐고, 이 변태 새끼야."라고 말했을 땐 이미 잠들어 버린 후였다.

Yellow 1

Yellow 1

눈을 떴을 때 누군가가 곁에 살 붙이고 있는 감각은 오랜만이었다. 더군다나 그게 남자고 추상우란 점이 기묘했다.

재영은 제 팔에 뒤통수를 기대고 똑바로 누워 잠든 남자의 옆얼굴을 자세히 뜯어보았다. 콧날이나 눈썹에는 분명히 강인한 인상이 있었다. 눈을 뜨면 날카롭고 지적인 느낌이 더해진다. 한편 턱에서부터 이어지는 날렵한 목선이나 흰 피부는 소년 같은 느낌을 준다. 재영은 이 얼굴에서 느껴지는 상반된 인상을 무척 좋아했다.

창문으로 햇살이 환하게 들어오고 있었다. 빛의 입자가 새까만 머리카락과 눈썹 위에서 춤추는 듯했다. 그날 아침에는 그렇게 낭만적인 구석이 있었다.

몸을 구부려 그를 껴안은 순간에 상우가 눈을 떴다. 졸린 듯 몽롱하게 깜빡이던 눈꺼풀이 번쩍 뜨이며 고개가 휙 돌아갔다. 재영은 그와 시선을 맞춘 채 가장 자신 있는 미소를 지어 보였다.

"잘 잤어?"

상우가 눈을 크게 뜨며 눈알을 굴렸다. 전날 무슨 일이 있었는지 파악하는 표정이었다. 한 손으로 이마를 받치는 동작이 관능적이었다. 동작 자체가 그렇다기보단 나신이 드러나서 그런 것이리라.

"네."

상우는 들어온 질문을 처리하고선 몸을 돌려 자리에서 일어났다.

"으……."

그가 불편한 신음을 흘리며 절뚝거렸다.

'너무 무리했나.'

재영의 일상이 늘 그렇듯 전날도 계획대로 되지 않았다. 원래는 와인을 따라 놓고 분위기를 한껏 달아오르게 한 뒤 상우가 먼저 달려들길 기다렸다가, 그를 머리부터 발끝까지 녹이고 본게임을 여유롭게 치르려 했다. 부드러운 매너와 완벽한 테크닉으로 자신과의 섹스가 아주 만족스럽고 달콤하다는 인상을 심어 주려고 했는데.

문 앞에서 기다리는 10분 동안 별의별 상상을 다 하다 몸이 통제 불능 상태에 가까워져 약속 시간까지 참는 것도 힘들었다. 그렇게 뜨거운 상태로 얼음장처럼 차가운 상대를 녹이려는데 애무하다 혼나고, 넣자마자 아무 느낌 없다고 빼라질 않나.

어떻게 밀고 들어가긴 했는데 왜 그렇게 정신을 못 차렸는지 모르겠다. 상대가 뒤로 처음 하는 남자라서 그런가, 아니면 그가 '직경'이 유난히 작은 건가. 자극이 너무 심해서 움직이기도 어려운 상황에 재영은 정말로 고군분투했다. 그러다 보니 마지막에는 흥분하기도 하고 오기도 생겨서 의도치 않게 행동이 거칠어졌던 게 사실이다.

상우가 말없이 화장실로 들어가 버리는 바람에 재영은 혼자 남았다. 베개에 등을 받치고 누워 전날 느꼈던 감각을 하나하나 되살리다 또 흥분해 버렸다. 인간은 24시간이 발정기라더니.

재영은 아무것도 안 하고 한동안 누워 있다가 침대에서 일어나 창문을 활짝 열었다. 그러고는 어지러운 방을 돌아다니며 전날의 흔적을 치웠다. 옷은 주워 입고 쓰레기는 모아서 버렸다. 구석에 뭉쳐 놓은 시트는 세탁기에 넣고 미니청소기를 한 바퀴 돌렸다. 청소는 즐기지도 않고 재능도 없었지만 그가 안 하면 상우가 해야 할 테니 어쩔 수 없었다.

상우는 재영이 정리를 마치고 냉수를 마시고 있을 때 나왔다. 속옷 바람으로 들어갔을 때와 달리 상하의를 모두 입고 나왔으며 머리카락이 젖어 있었다. 샤워하고 나온 것치고 시간이 오래 걸려서 재영은 농담을 건넸다.

"너 딸 쳤지?"

"……."

그냥 해 본 소리였는데 진짜였나 보다. 상우는 불안한 표정으로 서 있었다. 컵에 물을 담아 건네자 단번에 마셨다. 경계하는 시선이 재영의 얼굴 위로 내려앉았다.

"안 가요?"

"가야지."

시계를 보니 정오가 다 되어 간다.

"점심은?"

"알아서 먹을게요."

'찬장에 3분 카레밖에 없던데.'

밥을 사 주고 싶어도 얼굴을 보아하니 '혼자 있고 싶어요' 따위의 이유로 거절당할 것 같았다.

상우는 의자에 앉으려다 인상을 찌푸리고 자기 다리 위에 걸터앉았다. 괜찮으냐고 물었더니 어서 가라고 손짓했다. 전략상 후퇴할 시점인 걸 잘 알았지만 재영은 발길이 떨어지지 않았다.

"오늘 알바 있지 않아?"

"쉬었다가 가면 돼요."

"그러고 어딜 가. 너 핸드폰 어디 있어?"

그가 왜 그런 걸 묻느냐는 표정을 지었다. 재영은 방을 두리번거리다 책상에서 휴대폰을 찾아 상우에게 잠금을 풀게 했다. 상우는 재영의 행동이 궁금하지 않은지 물을 한 모금 더 마시고 책상에 엎드렸다. 재영은 그 모습을 주시하며 전화번호부에서 PC방 사장을 찾아 전화를 걸었다.

─상우 학생, 무슨 일이에요?

"안녕하세요, 사장님. 상우 친한 형입니다. 애가 오늘 몸이 안 좋아서 제가 대신 갈까 하는데요."

─허어, 많이 아픈가요?

"네. 도저히 밖에 나갈 상황은 아닌 것 같아요."

─PC방에서 일해 본 경험 있으세요?

재영은 알바 경험이라면 음식점밖에 없었지만, 있다고 대답했다. 사장은 30분 일찍 와 달라는 말과 함께 상우에게 안부를 전했다. 전화를 끊고 나니 상우가 그를 빤히 바라보고 있었다.

"안 그래도 되는데."

"집에서 쉬어."

"청소 많이 해야 되는데. 창고 정리랑 음식 조리, 카드 결제도 할 줄 알아야 하는데."

"알아서 할게."

상우가 못 미덥다는 건지 미안하다는 건지 모를 표정으로 한숨을 쉬었다.

"고마워요. 월급 들어오면 하루치 송금할게요."

이렇게 멀쩡한 인사를 들을 줄 몰랐던 재영은 눈을 깜빡거렸다. 그렇다고 기회를 놓칠 그도 아니었다.

"돈은 됐고, 다른 거 해 줘."

"뭔데요?"

"내일까지 내 이름 고쳐 놔."

재영은 상우의 손에 핸드폰을 쥐어 주며 그렇게 말했다. 전화번호부를 뒤지다 제 번호가 여전히 '무임승차3'라고 저장된 것을 보았기 때문이다. 상우는 대수롭지 않다는 표정으로 답했다.

"알겠어요."

"조건. 특수 문자를 포함할 것."

"그게 뭐예요?"

"금지어도 있어. 시각, 디자인, 시디, 과, 장, 선배. 들어가면 안 돼."

상우는 한동안 '무슨 말인지 모르겠어요' 표정을 고수하고 있다가 다시 무표정으로 돌아갔다.

"알았어요."

"쉬어, 그럼."

재영은 그의 머리를 쓰다듬고서 문으로 향했다.

'나 왜 이렇게 자상하냐.'

재영은 그런 생각을 하며 층계를 내려왔다. 다정함을 가장하는 데 도가 텄어도 그는 기본적으로 이기적인 인간이었다. 어딜 가서든 최소한의 매너는 지키는 편이었지만 귀찮은 건 질색이고 마음 약한 구석도 없었다. 그런데 비스듬하게 앉아 등을 구부리고 있는 뒷모습이 왜 이렇게 불쌍한지.

차에 시동을 걸었지만 집이 있는 방향으로 달리지 않았다. 근처에서 가장 맛있는 밥집에서 김치찌개와 순두부찌개, 밥 두 공기를 포장하고 약국에서 민감한 피부가 쓸려서 부었을 때 바를 만한 연고를 샀다. 마트에 들러 음료수와 방석, 간식, 달걀, 고기, 채소, 과일 따위를 마음 가는 대로 집어 계산하고 보니 커다란 비닐봉지 두 개가 손에 들려 있었다. 마지막으로 빵집에서 이것저것 사고서 다시 상우의 집으로 향했다.

문은 두드리고서 한참 뒤에 열렸다. 재영은 평소와 달리 구부정하게 선 상우를 지나쳐 바닥에 봉지 다섯 개를 내려놓았다.

"이건 지금 먹고 이건 저녁 때 데워 먹어."

찌개를 꺼내 책상에 옮겨 놓았다. 방석을 의자에 올려놓고 주스 두 통과 떠먹는 요거트, 식사거리, 과일을 냉장고에 넣었다.

"나머지는 출출하면 먹어."

과자 박스와 주전부리, 빵이 든 봉지는 바닥에 그대로 두고, 작은 봉지에서 연고를 꺼내 상우의 손에 들려 주었다.

"이건 아프면 발라."

상우가 이해가 안 된다는 듯 얼굴을 찡그렸다. 재영은 이번에는 정말로 퇴장하려고 문 앞까지 갔다가 또 참지 못하고 획 뒤돌았다. 발끝에 반쯤 걸린 신발을 던지고 다시 방으로 들어와, 우두커니 선 남자의 어깨를 끌어안았다. 상우는 반항하지 않고 얌전히 안겼다.

"어제 좋았어."

재영이 속삭였다. 아무렇지 않은 척 굴고 있어도 그의 머릿속엔 쾌락에 물들어 있던 상우의 얼굴이 가득했다. 잠시 후에 상우가 답했다.

"거짓말. 사정 못 했잖아요."

"한 번 했잖아."

"제가 못해서 그런 거죠?"

"아닌데."

상대를 어르고, 달래고, 별짓을 다해 가며 일 치르긴 했지만 막판에는 정말로 끝내줬다. 타이밍이 조금 안 맞아서 아쉬웠을 뿐.

"이상한 연습할 생각하지 말고 푹 쉬기나 해."

"……네."

더 붙어 있다간 또 위험할 것 같단 생각에 재영은 재빨리 물러났다. 상우는 그를 붙잡지 않았다.

터덜터덜 층계를 내려와 건물 밖으로 나오자 눈부시게 새파란 하늘이 그를 맞았다. 재영은 곧바로 차에 타지 않고 자전거 보관대 옆에 서서 햇살을 온몸으로 받으며 담배를 피웠다.

'목표 달성인가.'

거사 코앞에서 대차게 거절당한 이후 얼마나 고생했던가. 추상우랑 한번 자 보겠다는 일념 하나로 알고 있는 갖은 연애 스킬을 총동원하며, 그러면서도 그에게 손끝 하나 대지 않으며 초인적인 인내심으로 버텼다. 갖고 싶은 걸 쟁취했으니 개운하고 속 시원해야 마땅한데, 만족감 뒤에 정체를 알 수 없는 찜찜함이 꾸물거리고 있었다. 재영은 그처럼 모호한 기분은 좋아하지 않았다.

'걔 말대로 사정을 못 해서인가.'

그는 피식 웃고서 반쯤 태운 담배를 휴지통에 비벼 껐다.

⌘W

다음 날, 상우는 아무 일 없었다는 듯한 표정과 태도로 같은 시간에 실기실에 등장했다. 모자를 차에 놓고 갔길래 안 쓰고 올 것을 내

심 기대했는데 비슷한 디자인의 더 낡아 보이는 검은 스냅백을 쓰고
왔다. 스페어가 있었을 줄이야.

"오랜만."

유나는 그에게 인사하며 재영의 눈치를 보았다.

"네."

상우는 성큼성큼 걸어 들어와 빈자리에 배낭을 놓고 지퍼를 열어
노트북을 꺼내 놓았다. 마우스를 연결하고서 의자에 앉을 차례인데,
무언가를 꺼내 재영에게 던졌다. 약국 로고가 프린트된 흰 비닐봉지
안에는 재영의 허리띠와 검은 드로즈, 양말이 접혀 있었다. 세탁해
온 것 같았다.

"놓고 간 거 가져왔어요. 제 모자 주세요. 그리고……."

그는 아무렇지 않게 말하더니, 유나가 등 돌리고 있다는 걸 확인
한 뒤 재영에게 불쑥 다가왔다. 손바닥을 입가에 둥글게 말고서 귀
에 대고 작게 귓속말했다.

"제 속옷 입고 갔죠? 내일까지 가져오세요."

"어? 어……."

재영은 숙맥처럼 말을 더듬었다.

"요청한 거 해 왔어요."

상우가 핸드폰을 내밀었다. 화면에 전화번호부가 떠 있었다. 재영
은 약간 두근거리는 심정으로 목록을 내렸다. 원래 '미음'에 있던 이
름이 어디 갔을까. 신나서 내리고, 내리고, 내리다 드디어 나타났다.

재영 ㅅㅂ♨

한 큐에 '재영이 형♥'이 나오리라 기대하진 않았지만 해도 해도

너무하는 생각이었다. 그리고 저 ㅅㅂ은 금기어로 막아 놓은 '선배'
의 초성이겠지만 다른 단어로 보였다.

"됐죠?"

상우는 화면을 뚫어지도록 노려보는 재영의 손에서 핸드폰을 빼
앗아 배낭에 넣었다.

"야, 저 특수 문자 무슨 뜻이야?"

"말해야 돼요?"

"어."

"특수 문자를 모조리 찾아봤는데 선배하고 제일 잘 어울리는 게
저거였어요."

"☆스타도 아니고, ※중요도 아니고, ♬유쾌도 아니고, ♨목욕탕
이라니. 장난하냐?"

"늘 뜨거워져서 그래요, 선배랑 있으면."

"……."

방심할 만하면 사람을 놀라게 한다. 작정하고 꼬장 부리려고 했던
마음이 쏙 들어가 버렸다. '재영이 형♥'과 '재영 ㅅㅂ♨'의 간극이 썩
유쾌하진 않았지만, 설명을 듣고 보니 마음에 드는 구석이 있었다.
어쨌든 '무임승차3'을 벗어난 건 고무적인 일이며 남들처럼 '시각디
자인과 장재영 선배'가 아닌 게 어딘가 싶었다. 재영의 표정을 본 상
우가 툭 내뱉었다.

"데이터 몇 바이트에 집착 좀 하지 마세요."

"집착은 누가?"

"아버지도 그렇고 선배도 그렇고, 글자 몇 개가 뭐라도 되는 것처
럼 유난이잖아요."

"그럼 넌 내가 널 아직도 씹새끼라고 저장해 놨으면 기분 좋겠냐?"

"상관없는데요, 씹새끼 아니니까."

상우는 대수롭지 않다는 듯이 말했다. 그러더니 무언가 생각났는지 손을 내밀었다.

"봐 봐요, 뭐라고 해 놨는지."

"……비밀이야."

재영은 핸드폰을 집어 슬그머니 주머니에 숨겼다. 상우는 포기가 빨랐다. 그는 제자리로 돌아가 무덤덤한 얼굴로 스케줄 표를 살폈고 재영은 흰 비닐봉지를 서랍에 집어넣었다.

"이번 주에 사운드 넣어야죠. 일단 저작권 없는 무료 효과음 중에 괜찮은 거 찾아 놨어요. 지금 메일로 링크 보낼 테니 검토하고 알려 주세요."

"음질 어때?"

"천차만별이에요. 잘 찾으면 쓸 만한 것도 있다고 생각해요."

"효과음은 그렇다 쳐도 오프닝 음악이랑 루프되는 배경 음악은 제작 의뢰하는 게 나을 것 같은데……. 이건 내가 알아볼게."

"알겠어요."

곧 타자 소리와 마우스 달칵거리는 소리가 우측에서 났다. 그러나 상우가 등장하면서부터 멈춘 재영의 손은 다시 움직일 기미가 없었다. 재영은 상우를 슬쩍 보았다가 커피 한 모금 마시고, 상우를 슬쩍 보았다가 괜히 핸드폰 켜 보고, 상우를 슬쩍 보았다가 목덜미를 긁었다.

'저걸 옆에 두고 이제껏 어떻게 일했지?'

만지고 싶어서, 키스하고 싶어서, 뒤에서 껴안고 싶어서 몸이 근질거렸다. 진도를 끝까지 뺀 마당에 사소한 스킨십에 명분을 찾아야 한다는 게 어불성설이었다. 적어도 재영에게는 그랬다. 뽀뽀하면 손이 해금되고 키스하면 뽀뽀 아래로 자유 이용권, 섹스하면 서로 몸에 접근권이 생긴다고 알고 있었다. 그런데 상대가 상대인 만큼 볼을 꼬집는 행동조차 주저하게 됐다.

'억지로 뭘 해서 잘된 적이 없어.'

이 관계를 쥐락펴락하는 건 추상우였다. 재영이 엘리베이터라면 그는 계단이나 다름없어서, 뭘 좀 해 보려고 하면 아직도 저 아래에 있었다. 그렇게 제자리에 있는 것 같다가도 어느새 훌쩍 쫓아와 눈높이를 맞추기는 하지만, 적어도 그가 정체되어 있을 때 재영은 일시정지를 누르고 기다리는 수밖에는 없었다. 이 관계는 그런 식으로 작동해 왔다.

"지금 뭐 해요?"

불쑥 들린 소리에 재영은 상념에서 깨어났다. 상우가 의자를 끌고 옆에 와 있었다. 모니터 불빛이 그의 의욕적인 눈동자에 번졌다.

"이게 뭐야?"

상우가 비율을 축소하자 화면을 꽉 채우고 있던 분홍색 원이 줄어들었다. 재영이 심혈을 기울여 명암 넣던 유륜은 100% 크기로 줄여 놓자 점으로만 보였다. 상우는 수영복 차림으로 허리에 튜브를 낀 캐릭터를 한동안 보기만 했다.

"버튼 수정 작업부터 해 달라고 했잖아요. 부분 유료화는 우선순위 아니에요."

"이거부터 할 건데."

〈베벤〉의 두 캐릭터의 이름은 '추추'와 '제제'. 상우가 처음 제안한 이름은 '철수와 재영'이었지만 옥신각신한 끝에 그렇게 바꾸었다. 처음 게임을 시작하면 둘 다 기본 옷을 입고 있지만 캐시 템을 구매해 장착하면 성능이 업그레이드되는 상술을 설계했다.

"어디까지 했는데요?"

재영은 작업물을 저장하고서 이제껏 완성한 것들을 상우에게 보여 주었다. 록스타 추추, 선생님 추추, 유생 추추, 유령 추추, 마피아 추추, 메카닉 추추, 유목민 추추, 바리스타 추추, 집시 추추, 무도가 추추. 열 가지 콘셉트를 완성해 놓았으며 현재는 수영장 추추 작업 중이었다.

"언제 이렇게 많이 했어요?"

"봐 봐. 눈이랑 머리색도 바꿀 수 있어."

"그런 얘기 없었잖아요."

"지금 말했으니까 됐잖아."

재영이 키보드를 조작할 때마다 뚱한 표정으로 당근을 들고 선 추추의 머리 스타일이 바뀌었다. 베이비 펌, 투블럭, 반삭발 스크래치, 호일 펌, 묶은 장발, 스포츠 커트, 땋은 머리. 다 하나같이 실제로 상우에게 시켜 보고 싶은 머리스타일이었다. 특히 두상이 예쁘니 반삭발 스크래치는 정말 끝내 줄 것 같다는 생각이었다. 상우는 팔짱을 끼고 녹색 눈에 애쉬 브라운 꽁지머리를 한 캐릭터를 한동안 바라보았다.

"퀄은 좋은데요, 이게 우선순위가 아니라서 그래요. 제제는요?"

"걔도 했어."

재영은 건성으로 이미지 파일을 넘기며 여자 캐릭터도 보여 주었다. 끝까지 본 상우가 눈을 가늘게 뜨더니 책상을 손가락 끝으로 찍어 내렸다.

"성차별이잖아요. 똑바로 해요."

"왜? 가짓수는 똑같아."

"치마 색깔만 바꿔서 복붙한 거, 안 걸릴 줄 알았어요?"

솔직히 모를 줄 알았다.

"이거 아니에요. 두 캐릭터 같은 퀄리티로 맞춰요. 그리고 그 전에 버튼부터 수정하세요."

"기다려. 이것만 하고."

재영은 다시 작업 파일을 열어 수영장 추추의 오른쪽 가슴을 확대했다. 대체 뭐 하는 거냐고 중얼거리는 소리를 배경 삼아 심혈을 기울여 입체감을 부여했다.

"선배 지금 되게…….."

"섹시해?"

"변태 같아요."

"야한 생각하는지 어떻게 알았지."

드디어 손댈 구실이 생겼다. 재영은 팔로 상우의 허리를 감고 제 쪽으로 은근히 당겼다. 손가락을 엉덩이로 뻗으며 말했다.

"제법이네, 독심술도 하고."

"실기실에서 이러면 어떡해요? 우리만 있는 것도 아닌데."

상우가 손을 치우며 작게 속삭였다. 재영은 웃음을 터뜨리며 고개를 내밀었다. 제 입술을 두어 번 손가락으로 톡톡 치자 상우가 고개를 저으며 도망쳤다.

"너 얼른 와, 파업하기 전에."

"미쳤냐고요, 실기실에서."

"네 하드 들고 튄다. 한 번 해 줄 때마다 파일 한 개씩 보내 줄 거야."

"컴맹 주제에, 하드는 어떻게 빼려고."

"맞다, 나 컴맹이었지."

상우도 어느새 웃고 있었다. 그가 활짝 웃는 모습은 무척 귀해서 이제껏 다섯 번도 보지 못했다. 하지만 눈을 뗄 수 없는 게 단지 희소성 때문만은 아닌 듯했다.

재영은 그쯤 그만 치댈 생각이었으나 막상 상우가 와서 옆에 앉으니 장난기가 일었다. 불시에 손가락으로 허리를 찌르자 그가 몸을 비틀며 왜 이러냐고 화냈다. 그러나 계속 옆구리를 간질이니 별수 없이 웃음을 터뜨리고 마는 것이었다. 상우는 숨이 넘어갈 듯이 웃으며 운동화발로 재영의 배를 밀었다. 그 모습이 어이없을 정도로 귀여웠다.

"아, 미친……. 그만 좀 해요, 형. 진짜…… 힘들어요."

'잡아먹고 싶다.'

갑자기 장난칠 마음이 싹 사라졌다. 대신 그를 벗겨 놓고 이 자리에서 혼내 주고 싶었다. 살갗을 잘근잘근 씹고 거칠게 범하며 누구 마음대로 그렇게 웃냐고, 아직 웃음이 나오냐고 추궁하고 싶어졌다.

재영은 어느덧 상우의 손목을 꽉 잡고 한쪽 손으로는 허리를 감고 있었다. 그의 표정을 본 상우의 얼굴에서도 웃음이 서서히 사라졌다.

공기가 변했다. 전연령가 코미디 장르에서 19금 성인물로. 차라리 짐승이 되고 싶은 순간이었다. 그들이 사람 아닌 두 마리 개였더라면 지금 당장, 전날처럼 붙어먹을 수 있을 텐데.

쨍!

그 순간, 아예 잊고 있던 녀석이 존재감을 화려하게 드러냈다. 형광 주황색 텀블러가 또르르 굴러와 재영의 발에 부딪쳤다. 재영은 무심코 그걸 줍고서 천천히 뒤편으로 고개 돌렸다. 유나가 어깨를 잔뜩 움츠린 어색한 정지 동작으로 서 있었다.

상우가 손아귀에서 스르르 빠져나갔다. 아무 일 없다는 듯 자리로 돌아가 다시 모니터를 보는 그의 귀가 새빨갰다.

재영은 유나에게 자리로 돌아가라고 손짓하고서 돌아앉았다. 며칠 전에 하도 캐묻길래 대충 말해 놨는데, 왜 저렇게 놀란 표정인지 모르겠다. 한동안 어색한 분위기 속에서 마우스와 키보드 소리만 났다. 유나가 입을 열기 전까진.

"장—재영아—우리—함께—내려—가서—담배—피우지—않을래?"

재영은 말없이 담배 케이스와 지포 라이터를 챙겨 자리에서 일어났다. 문을 향해 손짓하자 유나가 슬리퍼를 질질 끌며 먼저 나갔다. 재영은 상우의 뒤통수를 스치듯 쓰다듬고 그녀를 따랐다.

"잤어?"

1층에 도착하자마자 그녀가 물었다. 최유나는 재영이 아는 사람 중 직설적인 화법으로는 타의 추종을 불허한다. (추상우를 만나기 전의 이야기다.) 재영은 섣불리 대답하기보다 담배에 불을 붙이며 숨을 깊이 들이마셨다. 유나가 날카로운 말투로 내뱉었다.

"지난번에는 가벼운 관심이라더니, 그새 순진한 애 건드리냐?"

"무슨 말이 그래?"

넘겨들을 수 없는 소리였다. 재영은 연기를 내뿜으며 잔뜩 찌푸린 친구의 얼굴을 마주 보았다. 유나는 심각한 스타일은 아니며 시원시원하지만 연애에 있어서만은 꽤 고전적인 타입으로, 늘 연애하고 있지 않으면 연애 후유증에 시달렸다. 그리고 지금은 후자였다.

"쟤 원래 이쪽이래? 아니지 않아?"

"너 누구 편이야? 그런 건 나한테 먼저 물어봐야 하는 거 아냐?"

"너야 누굴 만나든 손해 볼 리 없지만 쟨 얘기가 다르잖아. 앞으로 어떻게 하려고?"

화난 목소리였다. 재영은 짜증스럽게 답했다.

"주제넘게 왜 그래? 네가 뭔데."

그 말에 유나가 입을 다물었다. 제가 하는 짓이, 남의 연애사에 참견하는 게 주제넘단 걸 모르지 않을 것이다. 그녀와 가까이 지내는 동안 이런 적은 한 번도 없었다. 유나는 한동안 담배만 피우다 말했다.

"지난번에 얘기 듣고서도 걱정됐지만 안 끼어들려고 했어. 근데 대체 며칠 지났다고 벌써 끝까지 가. 너 너무 무책임하잖아. 이렇게 실컷 놀다가 버리고 유학가면, 쟤 폐인 되는 거 아니야?"

재영은 반 조금 넘게 태운 연초를 던지고 발로 짓이겼다. 누가 놀고 누굴 버린다는 건지. 짜증이 확 났다. 조선 시대냐, 한 번 잤다고 평생 데리고 살아야 되게.

"너무 감정 이입하는 거 아냐?"

그녀가 가볍게 만났던 상대에게 꽂혀서 끌려다니다 좋지 않게 끝나는 바람에 반년 동안 슬퍼하는 중인 건 알고 있었다. 그거야 자기 사정이고 남의 사생활에 끼어들게 둘 생각은 없었다.

"네가 쓰레기만 골라 만난다고 세상 사람이 죄다 그런 걸로 보여?"

"말 한번 잘했네. 나 쓰레기 같은 년한테 된통 당했지. 지금 네가 쟤한테 하는 짓이 다를 게 뭐냔 말이야."

"내가 그걸 왜 설명해야 돼? 속사정 모르면서 함부로 말하지 마."

금발로 탈색한 단발머리가 바람에 흔들렸다. 유나는 마치 제 일이라도 되는 것처럼 슬픈 표정을 지었다.

"너 가 버릴 거잖아. 상황이 똑같은데 어떻게 신경이 안 쓰여."

재영은 말없이 새 담배를 입에 물었다. 불쾌함이 마음 밑바닥에 스멀스멀 번졌다. 아무래도 유나가 누르지 않아야 할 스위치를 누른 것 같았다.

그는 미래를 생각하지 않는다. 먼 미래도 결국 언젠가의 현재일 따름이니, 그 순간에 하고 싶은 걸 하면서 재미있게 살자는 게 모토였다. 현재 재영은 추상우에게 푹 빠져 있다. 현재는. 그게 무슨 문제란 말인가.

지포 라이터를 켜고 숨을 깊이 빨아들이자 기분이 약간 나아졌다. 재영은 심호흡하듯 연기를 천천히 내뱉었다.

"아니 씨발, 네가 그걸 왜 걱정해. 내가 그때까지 같은 마음일지, 걔가 같은 마음일지 누가 알아? 현재에 집중하기도 바빠서 그딴 걱정에 신경 쏟을 여력 없어."

말이 거칠게 나왔다. 그럼 지금부터 출국일 며칠 남았는지 디데이 세고, 이별을 시뮬레이션하며 눈물 흩뿌리고, 커플링 만들어 나눠 끼며 너 거기서도 날 잊으면 안 되니 마니 하란 건가. 웃기지도 않는 소리였다.

게다가 저 계단 아래 서 있는 추상우는 이 상황을 연애로 이해하고 있지도 않았다. 성욕이 너무 심해져서 성적 떨어질까 봐 걱정하는 놈이 두 달 뒤 재영이 떠난다고 크게 슬퍼하리라고 생각하지도 않았다. 이 찝찝함은 온전하게 재영의 몫이었다.

"미련한 짓은 너나 해, 남한테 강요하지 말고."

유나는 한동안 말이 없었다. 멍한 얼굴로 하늘만 쳐다보다가 담배 두 개비를 연달아 피웠다. 재영은 그녀가 준비될 때까지 기다려 주었다.

"그러네……. 상황이 너무 비슷해서 몰입했나 봐."

이윽고 유나가 원하던 말을 해 주었다. 그녀는 욕설을 내뱉더니 "오지랖 죄송."이라고 했다. 재영은 그녀의 털털한 면을 높게 평가했다. 그들은 성격과 사고방식이 달랐지만 그래서 이제까지 친구일 수 있었다.

"근데 너…… 원래 바이였어?"

"아마 아니었을걸. 모르겠어."

재영은 솔직하게 답했다. 그런 것에 관해 진지하게 생각해 본 적이 한 번도 없었다.

"재영아."

유나가 저를 이렇게 부르는 건 장난칠 때뿐이었다.

"떠날 땐 떠나더라도 좀 잘해 줘라. 마음 아프다."

그녀가 얼굴을 구기며 장난스럽게 말했다. 재영은 그녀가 별소리를 다 한다고 생각했다. 요즘 자신이 어떻게 살고 있는지도 모르면서.

"어휴, 딱한 것……. 연애 한 번도 못 해 봤을 게 뻔한데, 어쩌다 이 새끼한테 걸려서……."

재영은 어이없다는 듯 웃고 말았다. 대체 누가 누구한테 걸렸단 말이냐. 재영의 입장에서는 저가 추상우의 낚싯바늘에 걸려 파닥거리는 상황이었다. 강태공이 고기를 잡은 줄도 모르고 다른 곳을 보고 있다곤 해도. 그런 면에서 유나는 오해하고 있었지만 재영은 구태여 설명하지 않았다.

"걔가 바본 줄 알아? 연애해 봤댔어."

"뻥이겠지."

"무슨, 입이 부러져도 거짓말은 안 할 놈인데."

"상상이 안 되는데……."

유나가 고개를 갸웃거렸다.

재영은 대답하지 않았다. 예전에는 그도 비슷하게 생각했지만 지금은 다르다. 처음에 발견하기 어려워서 그렇지 한번 발 들이면 빨려 들어갈 수밖에 없는 개미지옥이나 마찬가지였다. 재영은 추상우의 매력을 알아챈 사람이 세상에 저밖에 없었다고는 자만하지 않았다.

"일단 가 보겠음. 오늘은 너희끼리 있어라. 방해 안 할게."

유나는 계단을 다다다 내려가더니, 뒤돈 채로 손을 흔들었다. 재

영은 주머니에 손을 넣고 하늘을 올려다보았다. 그러다 조금 빠른
걸음으로 건물 안으로 들어갔다.

⌘W

"예쁘다."

혼잣말이 튀어나올 정도로 황홀한 날이었다. 해 지는 하늘이 짙
은 인디고, 보랏빛 은은한 그라데이션으로 물결치며 상상력을 자극
하고 있었다. 어둑하고 쾌적하니 스케이트보드 타러 가면 딱 좋겠는
데. 그러나 악덕 고용주에게 코 꿴 재영은 실기실에서 노예처럼 일
하는 신세였다.

그래픽 쪽은 플로 차트가 바뀌면서 생긴 자잘한 수정과 기기별 최
적화라는 큰 산이 남기는 했으나, 창조적인 작업은 대체로 끝나서
심정적 여유가 있었다. 개발 쪽은 디버깅과의 전쟁이었다. 상우의
모니터에는 항상 빨간 글자가 가득했는데 코딩을 모르는 재영도 그
게 안 좋은 신호란 건 알았다.

'리소스가 아직 완전하지 않아서…… (어쩌고저쩌고) 데이터를 뿌
리고 관리하는 코드가 (어쩌고저쩌고) 전역 변수의 경우엔…….'

무슨 의미냐고 물어봤다가 본전도 못 찾은 기억이 있어서 다시 도
전할 생각은 없었다.

한동안 창가를 보다 자리로 돌아오자 상우가 작업을 멈추고 재영
을 바라보았다. 재영은 그가 요청할 것이 있나 보다 짐작했다.

"왜?"

"자꾸 창밖을 보길래요."

"그냥, 좋아하는 날씨라서 그래."

"놀고 싶으면 놀러 가도 돼요."

이게 웬일이지. 추상우는 이제껏 명분 없는 휴식을 기꺼이 허락한 적이 한 번도 없었다. 며칠 바싹 열심히 일해 놔서 관대해진 걸까, 아니면 관계가 진전되고서 말랑말랑해진 걸까. 재영은 후자면 좋겠다고 생각했다.

"그럼 오늘은 가요. 내일 봐요."

상우는 쿨하게 말하더니 등을 꼿꼿하게 펴고 바로 앉았다.

농담으로라도 머리 나쁘다곤 못할 녀석이지만 생각이 참 짧다. 왜 '놀고 싶은가 보다'에서 끝나는 걸까. 누구랑 놀고 싶은지까지는 생각이 안 미치는 걸까. 재영은 하늘을 한 차례 더 보고서 의자를 빙그르르 돌렸다.

"상우야."

"네."

"나랑 농구하러 가자."

타자 소리가 멎었다. 상우는 꼼짝 않고 10초 정도 있다가 대답했다.

"바쁜데……."

오늘따라 말랑말랑하기가 젤리 같다. '바빠요'를 예상했던 재영은 미소 지으며 일어났다. 기지개를 나른하게 켜고 괜히 상우의 모니터를 보는 척 얼쩡거리다, 그의 볼에 재빨리 입 맞추었다.

"먼저 갈게. 마무리하고 나와."

상우는 꾸물거리다 한참 뒤에 나왔다. 그들은 매우 어색한 사이처럼 말없이 계단을 내려와 어둠이 내려앉은 바깥으로 향했다. 상우가 정릉동 담벼락 길을 걸었을 때만큼 쭈뼛쭈뼛하게 구는 바람에 재영은 덩달아 연애 처음 해 보는 것처럼 간질간질한 기분에 휩싸여 있었다.

"농구 잘해요?"

그러다 묻는다는 게 그거였다.

"못하진 않을걸."

겸손하게 대답했지만 농구는 재영이 가장 자신 있는 스포츠 종목이었다. 중고등학교 때부터 푹 빠져서 뻔질나게 했으며 성인이 되고 나서는 농구 동아리 애들한테 껴서 친선 대회도 자주 나갔다.

"그럼 제가 지겠네요. 고등학교 졸업한 이후로 해 본 적 없는데."

"그냥 노는 건데, 뭘 그런 걸 걱정해."

"그래도 지는 건 싫어요."

생각해 보면 상우는 게임도 잘하지 못한다고 말했다. 승부욕이 강하고 남들보다 기준이 훨씬 높은 타입인데 겉보기에는 전혀 티 나지 않는다. 그래서 그가 열어 보는 재미가 있는 사람이라고 재영은 생각했다. 소프트웨어건 하드웨어건, 둘 다.

"공은요?"

"지금 가지러 갈 거야."

재영의 공은 동아리 부실에 있었다. 예전에 중국어 스킷하면서 옷 찾으러 간 뒤로, 상우와 함께 가는 건 두 번째였다. 계단을 오르며 재영이 물었다.

"전에 와 봤는데 기억나?"

"3월 8일 금요일이었죠. 그날 분장실에서 선배가 제 모자 벗겨서 화났어요."

"……."

그 시절 이야기는 꺼내지 않는 게 낫다. 그보다 벌써 두 달이나 지났다는 사실에 재영은 놀라고 말았다. 둘 사이가 이렇게 될 거였다고 그 시절의 자신에게 귀띔해 준다면 코웃음 치며 믿지 않았을 것이다.

상우와 나란히 걸으며 문 앞까지 왔다. 늦은 시간인데도 회의라도 하고 있는지 안쪽은 무척 소란했다. 한창 정기 공연 준비할 시기니 그럴 만도 하다고 생각하며 노크를 두 번 했다. 문을 열자 시끄럽던 소음이 잦아들었다.

"뭐 가지러 온 거니까 하던 거 해."

안에 들어서자 후배들이 호들갑을 떨어 댔다.

"혀어어어어엉!"

"오셨어요, 오빠? 기다렸어요!"

"이리 앉으세요, 선배님."

회장, 부회장, 총무야 알지만 나머지 네 명은 모르는 애들이었다. 재영은 저를 붙잡으려는 손길을 피하며 박스를 뒤졌다. 회장이 스멀스멀 다가와 그의 어깨를 주물렀다.

"요즘 많이 힘드시죠? 일하느라 고생이 많으세요."

"어, 그래. 그 손 좀 치워 줄래?"

안마하는 게 아니라 어깨를 으스러뜨리려는 듯했다. 부회장이 "이거라도 드시고 하세요."라고 말하며 캔 음료를 손에 쥐여 주었다. 까만 캔 표면에는 어디서 많이 본 로고가 그려져 있었다. 아직 '블랙홀릭'이 부실에 남아 있다는 게 놀라울 뿐이었다. 대체 저건 소비 기한도 없나.

"……괜찮아. 나 그거 안 마셔."

재영은 좋게 거절하고서 신발 더미 속에 있던 농구공을 집어 들었다. 퇴장하려는데 그들이 팔을 한쪽씩 잡고 소파에 억지로 앉혔다. 문밖에서 상우가 팔짱 끼고 그를 비웃었다.

"얘네가 왜 이럴까……."

실은 잘 알고 있었다. 그들은 이번 정기 공연의 주연 배우와 포스터 디자인을 맡아 달라고 연초부터 끈질기게 졸라 왔으니까. 이제 포스터는 포기한 모양이었지만 배우는 여전히 해 달라고 계속 연락해서 최근에 회장단 연락처가 차단 목록에 올라갔다.

재영은 당연히 거절했다. 아르바이트, 취미 생활, 인간관계가 모조리 끝장났을 정도로 지금 바쁘단 게 첫째 이유. 작년에 〈세일즈맨의 죽음〉 주연 배우, 무대 연출, 포스터 디자인을 도맡았다는 게 둘째 이유. 재영은 낯 두꺼운 구석이 있었지만 '졸업 공연'이라고 대대적으로 홍보하고 다녔던 기억을 떠올리면 얼굴이 화끈거렸다. 도대체가 쪽팔려서 어떻게 연극에 또 출연한단 말인가.

"선배…… 한 번만 도와주시면 안 될까요? 하도 바쁘다고 하셔서 저희가 배역도 작은 걸로 바꿔 드렸잖아요?"

"한 번만요. 딱 한 번만 부탁드릴게요. 요즘 전화는 왜 안 받으시는 거예요?"

"졸업하기 전에 좋은 추억 쌓으셔야죠, 형. 한 번만 봐주세요. 네? 형 연극 마지막으로 보고 싶다는 사람이 얼마나 많은데요. 서명 받아 올까요?"

재영은 후배들을 뿌리치며 일어섰다. 농구공을 품에 안고 막아서는 이들을 하나씩 돌파했다.

"축제 때 도와주면서 마지막이라고 했지? 저 사람은 졸업했다 생각하라니까?"

"아직 안 하셨잖아요!"

재영은 그를 향해 맹렬하게 달려오는 회장이 나오기 직전에 문을 쾅 닫아 버렸다.

"휴……."

정신없는 기분을 몰아내며 구겨진 옷을 정리했다. 공을 옆구리에 끼고서 옆을 보니 상우가 손가락으로 입을 가리고 웃고 있었다. 표정이 다양해졌다고 느낀다면 착각일까.

"저 사람들, 왜 저래요?"

순수하게 이해가 안 된다는 투였다. 재영은 저도 모르겠다고 대답하고서 걸었다. 건물에서 나오고선 공을 들고 장난치며 코트로 향했다. 높이 던졌다 받았다, 드리블했다가, 손끝으로 공을 돌리며 개인기를 뽐냈지만 상우는 별 관심이 없어 보였다. 한참 동안 말없던 그가 툭 내뱉었다.

"연극…… 뭐 해 달라는 거예요?"

"앞에 5분 나오는 카메오. 바쁘다고 거절했으니까 구박하지 마."

"무슨 배역인데요?"

"몰라. 해적이었나? 아무튼 5분 만에 죽는 역이야."

상우는 다시 말이 없어졌다. 재영은 그의 건조한 목소리를 좋아했지만 침묵도 좋았다. 예쁜 밤이라 그런지 모든 게 괜찮게 느껴졌다. 별 사건 없는데도 기억에 오래 남는 날들이 있다. 오늘이 꼭 그럴 것 같다는 느낌이 들었다. 어두운 보랏빛 하늘은 판타지 세계처럼 느껴졌고 재영은 낭만적인 구석이 한 군데도 없는 남자애와 농구하러 가는 상황이 마음에 들었다.

"후회돼요."

상우가 불쑥 내뱉은 게 그때였다.

"뭐가?"

"연극부 공연 한 번도 안 봐서……. 이제 기회가 없잖아요."

재영은 상우의 옆얼굴을 물끄러미 보다 고개를 돌렸다. 상우의 평소 어법과 달리 불완전한 문장이었지만 무슨 말이냐고 묻지 않았다.

그렇게 물을 수 없었다. 최근에 물밑에서만 느끼고 있던 불편함이 고개 들기 전에 재영은 농구공을 튕겼다.

어느새 그들은 녹색 코트를 밟고 있었다. 재영은 하프 라인까지 걸어가 멀찍이 떨어진 상우를 바라보았다. 어두운 울트라 마린에 휩싸인 그의 피부가 평소보다 창백해 보였다.

"10점 내기, 할래?"

"좋아요."

공을 패스하자 상우가 두 손으로 받았다. 그는 잠깐 연습해 본다며 공을 몇 번 튕기고서 드리블했다. 그가 하는 다른 일들처럼 정석적이었다. 두 걸음 걷고 통, 두 걸음 걷고 통, 자유투 라인까지 다가가 안정적인 투 핸드 숏. 하지만 아깝게 들어가지 않았다.

그렇게 네 번을 더 던졌다. 두 번 더 실패하고 나머지 두 번은 성공했다. 감을 잡은 것 같았다. 상우는 무표정으로 공을 주워 드리블하며 중앙까지 왔다.

"시작해요."

"그래. 이쪽이야."

재영은 안경을 벗어 주머니에 넣고 자세를 낮추었다. 공을 들고 꼼짝 않고 서 있던 상우가 어느 순간 드리블하며 다가왔다. 왼쪽일까 오른쪽일까 눈치 보며 기다리는데 정면으로 와 버렸다. '어차피 방해할 거잖아요?'란 표정이 얼굴에 걸려 있었다. 한쪽 팔로 몸싸움을 대비하며 오른쪽으로 돌파하려는 눈치였다.

예상대로 오른쪽. 그를 막아야 할 상황에 재영은 손대지 못하고 말았다. 체격 차이가 있으니 더럽게 플레이하려면 얼마든지 할 수 있는데, 몸이 적극적으로 움직여지지 않았다. 상우는 재영의 팔 밑으로 고개를 숙여 빠져나가며 첫 숏을 성공시켰다.

"뭐야, 똑바로 해요."

통, 통, 통. 심장 소리가 코트를 울리는 공 소리만큼 거세게 느껴졌다.

재영은 상우가 던진 공을 받았다. 농구공의 감촉이 생경했다. 그는 이 공을 수도 없이 잡아 본, 허슬 플레이에 능한 포워드였다. 그런데 이기고 싶은 마음이 전혀 들지 않았다.

내키지 않는 상태로 공을 천천히 몰았다. 상우가 달려와 앞을 막아서며 의욕적인 눈동자로 공이 어디로 갈지 살폈다. 그의 팔이 금세 재영을 안을 것처럼 공중에서 움직였다. 재영은 몇 번 돌파하려고 시늉만 하다 공을 멀리 던져 버렸다. 어림없는 하프 라인 슛, 될 리가 없었다. 공이 백보드에 맞고 멀리 튕겨져 나왔다. 상우가 공을 향해 튀어 나갔다.

'이러다 지겠네.'

헛웃음이 나왔다. 상우가 드리블하며 달려왔다. 이번에는 왼쪽으로 돌길래 기꺼이 가서 맞아 주었다. 공을 빼앗아 보려 했는데 단호하게 몸 쪽으로 가져갔다. 그리고 강한 포스트 업, 등을 밀어 대는 기술에 재영은 돌파당하고 말았다.

공을 악착같이 지키는 걸 보면 포인트 가드 체질인 것 같았다. 늘 포워드만 도맡는 재영과는 여기서도 차이가 났다. 딜러와 탱커. 디자이너와 개발자. 그들은 그렇게나 다르다.

상우는 자유투 라인까지 다가가 무릎을 구부리고 이번에도 같은 자세의 투 핸드 슛을 날렸다. 공은 포물선을 그리며 골대에 깔끔하게 들어갔다.

재영이 전혀 집중하지 못한 채 허수아비처럼 흐물거리기만 하는 사이 스코어는 어느새 8:0이 되었다.

"이기면 어떻게 돼요?"

"글쎄……."

"해 달라는 거 해 주기, 어때요?"

"좋지."

재영에게는 이기든 지든 손해 볼 것 없는 내기였다. 그는 이기면 뭘 요구해야 하나 생각해 보다가 관두었다. 쉬운 거면 그냥 요구해도 해 줄 테고, 안 들어 줄 만한 건 내기를 빌미로 요구했다가 역효과만 날 테니까.

곧 공이 날아왔다. 무심코 공을 양손으로 받고서 재영은 한 번쯤은 실력을 보여 줘야겠다고 마음먹었다. 자세를 낮추어 드리블했다. 괜히 손을 바꿔 가며 개인기를 부려 보았지만 상우는 눈 하나 깜짝하지 않았다.

그는 핵심이 아니면 관심 갖지 않는 경향이 있었다. 한때는 그런 그가 참 멋없다고 생각했다. 지금은.

'본질을 중시하는 네가 좋아.'

오른쪽으로 돌파할 것처럼 페이크 모션을 쓰고 왼쪽으로 몸을 틀었다. 상우는 영락없이 속아 넘어갔다. 그런 그가 답답하다고 생각하던 시절이 있었다. 지금은.

'꾸밈없이 정직한 네가 좋아.'

상우가 또다시 따라붙었다. 재영의 허리를 감싸며 팔로 공을 쳐 내려고 했다. 재영은 공을 등 뒤로 돌려 반대편 손으로 잡고, 크로스오버 드리블로 상대를 교란시키며 또 한 번 손쉽게 돌파했다. 상우는 포기하지 않고 뒤따라왔다. 그런 그가 미련하다고 생각하던 때가 있었다. 지금은.

'늘 최선을 다하는 네가 좋아.'

드리블하며 코트를 달리자 부드러운 공기가 앞머리를 갈랐다. 가슴이 쿵쿵 뛰었다. 재영은 골대까지 한달음에 다가가 실패할 수 없는 레이업 슛을 시도했다. 공은 골대를 깨끗하게 빠져나와 다시 손에 들어왔다. 재영은 공을 두어 번 튀기고 상우에게 던졌다.

"8대 2예요."

그가 공을 받고서 말했다. 하프 라인에 가서 서자 상우가 천천히 뛰어왔다. 정석적으로 공을 튕기며 딱딱하지만 효율적인 동작으로 다가왔다. 땀에 젖은 티셔츠가 몸에 달라붙어 날렵한 실루엣을 드러냈다. 얼굴에는 자신만만한 표정이 걸려 있었다.

그 모든 것이 사랑스럽다는 감상이 든 순간, 재영은 자신이 추상우에게 반했음을 새삼 깨달았다. 그가 어디가 그렇게 특별한지, 다른 사람들과는 뭐가 다른지, 구별하기도 전에 일어나 버린 일이었다. 자신을 향해 달려오는 상우의 모습이, 아니 그가 자신을 향해 달려온다는 사실 자체가 밤하늘만큼이나 황홀해서 재영은 두려움을 느꼈다.

어쩌다 이 지경이 되었을까. 요령 없고 미련하며, 꾸밈없고 꽉 막힌 저 사람에게 언제부터 이렇게까지 빠져들었는지 모르겠다. 옷이 가랑비에 젖듯이 서서히 진행되었으니까. 정신 차려 보니 이렇게 되어 있었다. 한 번 자고 나면 질릴 거란 생각은 너무나 허황된 착각이었다. 재영은 추상우와 밤을 보낸 이후 그를 더욱 간절히 원하게 되었다.

상우가 눈을 치켜뜬 채 의욕적으로 드리블하며 앞까지 왔다. 멀뚱멀뚱 서 있던 재영은 그를 저지하려고 팔을 뻗었다가, 참지 못하고 그대로 안아 버렸다.

"……파울이에요."

상우의 헛소리에 헛웃음도 나지 않을 정도로 그는 분위기에 도취되어 있었다. 그 순간에도 공을 놓지 않을 만큼 멋대가리 없는 상대한테 푹 빠진 자신이 우습게 느껴졌다. 재영은 아릿한 감정을 느끼며 상우의 뒤통수를 쓰다듬었다.

상우는 한동안 가만히 있다가 꼼지락거리며 빠져나왔다.

"자유투 할게요."

재영은 의욕 없는 상태로 상우가 슛을 두 번 성공시키는 걸 구경했다. 슈팅하는 자세가 프레임을 복사, 붙여넣기 한 것처럼 똑같았다. 상우는 의기양양한 표정으로 다가왔다.

"10점인데요."

"잘났다. 뭐 해 줄까?"

그는 숨을 헐떡이고 있었다. 상우는 한동안 바닥을 노려보다가, 재영이 되물으려고 했을 때쯤 고개 들었다. 목표 의식 뚜렷한 까만 눈이 재영과 시선을 맞추었다.

"키스해 줘요."

재영은 '고작 그거야?'라고 물으려고 했다. 그러나 그럴 여유도 없이 그에게 다가가, 손바닥으로 볼을 감싸며 입술을 삼켜 버렸다.

통, 통, 통. 공 튀기는 소리가 점점 멀어졌다.

낭만에 잠기고 감각에 눈머는 밤. 예쁘고 좋은 밤이었다.

⌘W

"거기 작업물이 괜찮아. 뭐랄까, 대중적이면서도 퀄리티 있달까."

"안 그래도 연말까지 포폴 빡세게 쌓고 엔코 써 보려고요. 거기가 잘나가는 스튜디오 중에 그나마 많이 뽑아요. 안 되면 대기업 가서 돈 벌어야지."

재영은 말없이 소주잔을 비웠다. 토요일 저녁, 무턱대고 나오라는 동기의 전화를 받고 식사하고 나니 자연스럽게 술자리까지 이어졌다. 데면데면한 형도 두 명 데려왔는데 한 명은 여자친구가 불러서 중간에 가 버리고 셋이 남았다. 다들 디자인과에 올해 졸업 예정이다 보니 자연스럽게 취업 얘기가 중심이었다.

"덱스는 올해도 한 명밖에 안 뽑을까요?"

"거기야 뭐…… 가망 없지. 경력자들도 들어가기 어려운데, 졸업생 나부랭이가 되겠냐?"

"형 휴학해서 모르시는구나……. 작년 졸전에 덱스 대표 왔잖아요."

"김수한 디자이너가? 진짜야?"

"네. 본새 쩔던데요. 그때 무슨 연예인 온 것처럼 난리 났는데……. 다 둘러보고서 작업 마음에 든다고 번호도 따 갔잖아요."

"와 시발……. 그 신데렐라 누구냐? 지금 거기서 일하고 있겠네? 존나 부럽다."

"누구긴요, 형 앞에 있는 놈이지."

조용히 술 마시던 재영에게 둘의 시선이 집중되었다. 데면데면한 선배가 인상을 찌푸리며 그러러 여기서 뭐 하냐고 물었다. 재영이 웃기만 하고 대답하지 않자 동기가 대신 설명했다.

"유학 간다고 덱스 깠어요."

"근데 왜 안 갔어?"

"소식이 너무 느리시네. 이 새끼 대출 걸려서 졸업 취소됐잖아요."

둘이 좋다고 낄낄거리기 시작했다. 재영은 그들이 저를 안줏거리로 씹고 즐기게 내버려 두었다. 이런 일이 하루 이틀도 아니며, 그러한 놀림에 시기 질투가 어느 정도 섞여 있음에도 악의는 없다는 걸 알았다.

"그럼 재영이 너 이 새끼, 꼴랑 수업 한 개 들으면서 연락도 안 한 거야? 요즘 왜 이렇게 안 보여?"

"그러게요. 제가 요새 좀 바빴네요."

언제 봤다고 친한 척인지 모르겠는데. 재영은 속으로 비웃으면서도 남자의 비위를 대강 맞춰 주었다.

"여자 생겼을걸요?"

동기가 음흉한 미소를 지으며 말했다. 그때부터 주제가 바뀌어 버렸다.

"보이지도 않고, 전화도 안 받고……. 지나다니면서 보면 차는 주차장에 있던데?"

"오, 씨씬가 보네. 누구야? 좀 보여 줘라. 사진 없어?"

그들은 신이 나서 재영이 지난 학기까지 가깝게 지내던 여학생들의 이름을 읊어 댔다.

"서린이 아냐?"

"에이, 걔는 너무 얌전하고……. 차라리 조민정 아니려나, 그 무용과."

"나 알겠다. 유난가 보다! 유나 있잖아, 무서운 애."

"아……. 진짜 개오바. 형은 왜 그렇게 감이 없어요? 조민정 아니면 바이올린과 정소윤 둘 중 하나다. 확실해. 느낌 왔어."

허탕. 허탕. 허탕. 실제로 사귀기 직전까지 간 이름도 나왔으나 이제는 조금도 의미 없었다. 우연으로라도 맞을 리 없는 추리를 넘겨들으며 재영은 말없이 술만 마셨다.

"근데 너 곧 유학 가잖아? 여자친구가 뭐라 안 해?"

그러다 어느 지점에서 짜증이 확 솟구쳤다. 그는 술잔을 비우고 탁 소리 나게 내려놓았다.

"적당히 안 하냐?"

주변이 갑자기 조용해졌다. 제 눈치를 보는 시선들을 마주하고서 억지로 표정을 풀었다.

"다른 얘기 하죠."

"어, 그래그래. 맞다. 어⋯⋯. 너 유나랑 친하지? 걔 졸업하면 뭐 한대? 남자친구 없대?"

별로 형이라고 불러 주고 싶지 않은 놈이 가망 없는 곳에 관심을 보이고 있었다. 재영은 주제가 다른 곳으로 흐르길 바라며 잘 모른다고 답했다.

"최유나 요즘 이상하더라? 나만 보면 그렇게 앙탈을 부려."

"형이 너그럽게 이해하세요. 걔가 성질이 더러워서 싫은 티를 못 숨겨요."

"내가 싫은 것 같진 않고, 관심을 그렇게 표현하는 것 같아. 츤데레 있잖아."

"에이, 무슨 개소리세요. 형 같은 스타일 얼마나 질색하는데⋯⋯."

유나의 이상형은 재영의 이상형과 일치했다. 스타일 좋고 센스 있고 어른스러운 타입. 재영은 그 묘사와 전혀 맞지 않는 누군가를 떠올리며 이상형이란 말이 얼마나 부질없는지 깨달았다.

스타일, 칙칙하다. 센스, 전혀 없다. 어른스럽냐고? 걸음마 막 뗀 애기 수준. 사람한테 빠지는 건 그런 조건과 상관이 없었다. 칙칙하고 센스 없는 자이언트 베이비의 펀치에 KO당하고 드러누워 있는 재영이 산증인이었다.

"아냐. 유나처럼 거친 여자애들은 원래 나처럼 부드러운 남자한테 끌리게 돼 있어."

'아니라니까, 씨발놈이. 같은 소리를 반복하게 해.'

재영은 저 말을 유나가 들었다면 지었을 법한 표정을 상상하며 일어났다. 담배나 피우고 올 생각이었다. 이렇게 재미없는 술자리는 난생처음이었다. 아니, 예전에는 어떤 자리에서든 잘 놀았는데 뭐가 달라진 걸까. 술도, 음식도, 사람도, 다 시들시들하게 느껴졌다.

문 앞까지 왔을 때 등 뒤에서 익숙한 벨 소리가 났다. 제 전화기 소리였지만 발신자가 궁금하지 않아서 문을 밀었다.

"하이고, 꼴값이다. 저장해 놓은 거 봐."

"와…… 빼박 여친이네. 받아 봐요, 형. 이름 뭐냐고 물어봐요."

"오, 좋은 생각."

재영은 휙 뒤돌아서 달렸다. 허벅지에 테이블 모서리가 부딪혔지만 그런 걸 신경 쓸 겨를이 없었다.

"여보세요? 야, 웬 남자가 받는데."

"다른 사람이겠죠. 빨리 물어봐요."

"죄송한데 그 핸드폰 주인 이름이 어떻게 되……."

자리에 가까스로 도착한 재영은 남자의 손에서 제 핸드폰을 거칠게 낚아챘다. 기기를 무작정 귀에 갖다 대자 침착한 목소리가 들렸다.

—제 이름은 왜 물으시죠?

"……."

그 음성은 순간적으로 솟구친 미움과 짜증을 단번에 허물어 버렸다. 재영은 핸드폰을 붙들고 한동안 가만히 서 있었다.

—재영 선배는 전화도 못 받을 정도로 바쁜가요?

"기다려."

재영은 그리 중얼거리고서 테이블에 빼놨던 지갑과 기타 소지품을 주머니에 쑤셔 넣었다. 술기운 때문에 조금 어지러웠다. 성큼성큼 걸어 나가자 어디 가냔 고함이 들렸다. 재영은 뒤돌아보며 말했다.

"술맛 떨어져서 먼저 갑니다."

"뭐, 왜? 왜 벌써 가?"

"그러게 씨발 왜 남의 전화를 받냐, 기분 잡치게."

"뭐? 너 말 다 했어? 야, 쟤 미쳤냐?"

남자가 테이블을 탕탕 치는 바람에 물병이 쏟아졌다. 그는 화난 표정이었지만 재영은 조금도 신경 쓰지 않았다. 문 쪽으로 달리듯 걸었다.

"형이 참아요, 참아. 취해서 저래요."

"하, 쌔끼······. 장난 좀 쳤다고 저러냐······."

"저 새끼 원래 성질 더러워요. 술이나 마셔요."

재영은 문을 박차고 나와 옆 상가 건물로 들어갔다. 조용한 계단에 앉아 핸드폰을 천천히 귀에 갖다 댔다. 전화는 아직 끊어지지 않았다.

"상우야."

이제 백 번도 넘게 불러 봤을 이름을 처음 부르는 것처럼 조심스럽게 입에 담았다.

―술집이에요?

"술 마시다가 나왔어."

―많이 취했어요?

"많이는 아니고."

―싸웠죠?

"아니야."

―누가 소리 지르는 거 들었는데······. 장난치다가 열 받게 한 거 아니에요?

"아냐. 왜 전화했어?"

핸드폰을 귀에서 떼고 시간을 확인했다. 상우가 알바 마치고 집으로 걸어가고 있을 시간이었다.

―어……. 오늘 토요일이잖아요.

"그렇지."

―내일은 일요일이고요.

"그리고 모레는 월요일이지."

술을 마시면 생각이 단순해진다. 재영은 벌떡 일어나 길거리로 나왔다. 차가 씽씽 달리는 노면에 서서 도로를 주시했다.

―글피는 화요…… 이게 아니라요. 아이 씨…….

손을 들자 택시가 천천히 다가와 그의 앞에 정차했다. 재영은 문을 열고 조수석에 몸을 구겨 넣었다.

―전화하면 안 되는 거였어요?

"전화하는 거야 네 마음이지. 근데 용건이 있을 거 아냐."

재영은 핸드폰을 손바닥으로 감싸고 택시 기사에게 주소를 작게 읊었다. 그러고서 재빨리 수화기를 귀에 갖다 댔다.

―용건이요. 있죠.

"뭔데?"

―있는데, 말하기 싫을 수도 있잖아요.

"이상한 논리네. 용건을 말해야 전화한 목적을 달성할 거 아냐."

―그건…… 벌써 달성해서 괜찮아요.

정말로, 추상우가 숙맥인지 여우인지 모르겠다고 재영은 생각했다.

"그럼 끊어도 돼?"

―되죠.

"……."

―근데요, 끊지 마요.

"왜?"

―집에 들어가기 전까진 이렇게 전화하고 있으면 좋겠어요.

아무 꾸밈없는 말에 마음이 흐물흐물하게 녹아 버렸다. 방어력 0. 재영은 그를 상대할 때 늘 무방비 상태가 되어 버린다.

"집에 들어간 다음에는?"

—씻고서 신작 게임 테스트 좀 하려고요.

창밖 풍경이 휙휙 바뀌었다. 더 빨리 갔으면, 얼른 도착했으면. 조바심이 났다. 전화기를 고쳐 쥐고 상우에게 물었다.

"어떤 거 하게?"

—〈LXT〉랑 〈이블 스크롤〉 깔아 놨어요. 아, 어제 곧 미콘에서 22일에 출시하는 RPG 프리뷰를 보는데 〈베벤〉하고 좀 비슷해 보이는 거예요. 그래서…….

그의 말을 끊지 않고 끝까지 들어 주었다. 타사 게임이 〈베지 벤처러〉랑 어디가 비슷하고 어디가 다른지 분석하는 데 5분도 넘게 지나갔지만 재영은 한순간도 지루함을 느끼지 못했다.

"분위기만 비슷하지 그 정도면 아예 다른 게임이네. 코어 설정이 안 겹쳐서 다행이다."

—어떻게 겹쳐요, 선배 아이디언데.

"칭찬이지?"

—선배는 사고 회로가 너무 이상해서 다른 사람들이 비슷한 생각을 할 수 없어요.

"말을 해도 꼭."

어느새 익숙한 거리가 보였다. 주말에 상우를 몇 번 집에 데려다주면서 걸었던 길이었다. 심장이 시동이라도 건 것처럼 요란하게 두근거렸다. 재영은 숨을 느릿하게 내뱉고서 낮게 속삭였다.

"그거 다 한 다음에는?"

—메일 확인하고 자야죠.

"자기 전에 장재영 폴더 열어 볼 거야?"

—…….

"왜 대답이 없어."

어둑한 거리 끝에서 검은 반팔 티셔츠에 청바지 차림인 남자가 걷고 있었다. 재영은 그를 아주 멀리서도 알아보았다. 손으로 내려 달라는 신호를 보내자 택시가 서서히 섰다.

—그런 걸로 놀리지 좀 마요. 생리적인 현상인데.

"놀리는 거 아니야. 진지하게 물어보는 거야."

—다 알면서 물어보는 거잖아요.

결제를 마치고 차에서 내렸다. 100m 정도 앞에서 상우가 걷고 있었다.

"네가 열 수도 안 열 수도 있잖아. 내가 어떻게 알아."

—아, 진짜.

그가 제자리에 서더니 핸드폰을 귀에서 떼고 바라보았다. 아마 던져 버리고 싶다는 표정을 짓고 있겠지. 재영은 걸음을 멈추었다가 상우가 다시 걷기 시작했을 때 따라 움직였다.

"예전엔 발기니 뭐니, 그런 말 하면서도 전혀 부끄러워하지 않았잖아. 너 왜 이렇게 변했어?"

—모르겠어요. 요즘은 엉망진창이라…….

"그래서 장재영 폴더 열 거야, 안 열 거야?"

—원래 안 열려고 했는데……. 이제 열어야 하게 생겼어요.

"왜? 내 목소리를 들으니 해면체에 혈액이 몰려?"

—…….

상우가 골목으로 사라졌다. 그를 따라 들어가자 원룸 건물이 보였다. 재영은 여전히 거리를 유지하며 걸었다.

"상우야, 왜 대답을 안 해."

—진짜 짜증 난다.

"나 짜증 나?"

—맨날 야한 얘기나 하고……. 그래 놓고 책임지지도 않을 거면서.

"책임지면 되잖아."

—뭔 소리예요. 끊어요.

상우가 건물 앞에서 멈춰 섰다. 말로는 당장 끊어 버릴 것처럼 굴더니, 기기를 귀에 댄 채로 가만히 서 있었다. 재영이 전화를 끊자 상우는 그제야 핸드폰을 내렸다. 그가 화면을 노려보며 외쳤다.

"거지 새끼!"

평소에 그렇게 생각하고 있었단 말이지. 재영은 앞을 향해 빠르게 걸었다. 조금씩 조금씩, 상우의 뒷모습이 가까워졌다. 그가 유리로 된 문을 밀고 들어가려는 찰나에 따라잡아 등을 감싸 안았다.

"나야."

기민한 동작으로 손길을 뿌리치려던 상우가 팔꿈치를 서서히 내렸다. 재영은 심장이 쿵쿵 울리는 것을 느끼며 그를 품에 더욱 꽉 안았다. 단지 포옹했을 뿐인데 저릿저릿한 감각이 몸 구석구석 퍼져 나갔다. 목에 코를 박고 숨을 깊이 빨아들이자 술기운과 뒤섞여 현기증이 났다.

"그래도 2D보다 3D가 낫지, 안 그래?"

말을 건넬 정도로 정신이 든 건 한참 뒤였다. 상우는 그 기막힌 농담에 웃지 않았다.

그의 목에 콧등만 천천히 비비던 행동이 대담해지기까지는 얼마 걸리지 않았다. 재영의 입술이 흰 살갗 위로 미끄러졌다. 닿는 곳마다 쪽, 쪽 소리 내며 피부를 빨아들였다. 몇 시간 동안 PC방에서 일한 몸이 이렇게 달콤할 리가 있나. 술기운 때문일까. 재영은 도무지 정신을 못 차리겠다고 생각했다.

짧은 머리카락이 끝나는 지점의 연한 살갗을 꽉 물었다가 혀로 귀 뒤까지 단번에 핥아 올리자 품에 안은 상우가 움찔거리는 것이 느껴졌다. 재영은 옅게 떨리는 몸을 더욱 꽉 안으며 귓바퀴를 입술 사이에 물고 혀로 완만한 곡선을 간질였다.

"선배……."

처음에 상우를 안고만 있던 손은 재영의 욕망을 대변하듯 그의 가슴으로 내려갔다. 옷 위로 편편한 가슴을 매만지고 허리를 더듬었다. 상우가 그 손을 단단히 잡고서 작게 중얼거렸다.

"준비할 시간…… 줘요."

재영은 대답하는 대신 그의 몸을 돌려세우고 얼굴을 마주했다. 가로등 빛과 그림자로 울긋불긋한 얼굴을 하고서, 상우가 눈을 피했다. 재영은 그의 턱을 손으로 들어 시선을 맞추었다.

'싫어.'

말없이 입을 맞추자 그가 밀어냈다.

"조금만 가라앉히고 만나요."

'싫다고.'

다시 말없이 키스했다. 이번에는 곧바로 거절하지 않았다. 상우의 윗입술을 빨아들이고 혀로 아랫입술 안쪽을 살살 자극했다. 이가 열리기를 기다리는데 그가 뒤로 물러나며 입술을 뗐다.

"종일 일해서 불결해요. 1시간만……."

'싫다니까.'

재영은 아직 말을 마치지 않은 입을 도로 막아 버렸다. 상우의 목을 양손으로 감싸며 얼굴을 다시 제게 끌어당겼다. 고개를 틀어 입술을 단단히 맞추고 열린 입으로 혀를 넣어 입 안을 헤집었다. 아무 말도 못 하도록, 쓸데없는 생각 안 하고 제게만 집중할 수 있도록.

상우는 이번에는 밀어내지 않았다. 포기한 듯, 곧 재영의 어깨를 쥔 손에 힘이 들어갔다. 재영의 집념에 그 잘난 이성도 한풀 꺾인 듯했다. 이윽고 상우가 까치발을 들고서 귓가에 작게 속삭였다.

"알았어요. 알았다고요."

입술은 패스하고 곧바로 혀를 빨아들이는 상우의 모습은 처음 키스했던 날을 떠올리게 했다. 요령 없고 성급하게, 아무 숨김도 없이. 그는 쓸데없는 소리 없이 몸을 맞대며 재영을 더욱 달아오르게 했다.

상우의 손바닥이 재영의 볼을 감싸며 얼굴을 제 쪽으로 당겼다. 성급한 몸짓에 입술이 짓눌리고 치아끼리 부딪혔다. 혀뿌리가 깊이 얽히며 숨이 막혔다. 입이 다물어지지 않아서 타액이 턱으로 흘러내렸다.

쿵. 어느덧 재영의 뒤통수가 유리문에 부딪혔다. 흥분한 상우는 행동이 거칠었다. 재영은 등으로 문을 밀고 깜깜한 건물 안으로 그를 끌어당겼다. 옷 속에 손을 넣어 뜨거운 등허리를 쓸어내렸다. 등의 움푹한 고랑에 손가락을 넣고 올렸다가 목을 손바닥으로 감싸 안았다. 잠시 입술을 떼고 눈을 뜨자, 꽉 감겨 있던 상우의 눈꺼풀이 올라가며 격랑을 드러냈다.

"소주 맛 나요."

그의 혀가 입에서 빠져나와 입술을 핥았다.

"알코올 성분이 중추 신경 기능을 억제해서 일시적으로 발기 장애 올 수 있는데……."

"올라가서 어떤지 직접 보시지."

누가 먼저라고 할 것도 없이 입술이 자석처럼 다시 붙었다. 키스하며 계단을 오르니 깜깜하던 천장에 불이 팟 켜졌다.

"하아……. 빨리."

내뱉은 말과는 달리 재영은 또 한 번 상우를 벽에 밀어붙이고 입 맞추었다. 준비되지 않은 상우는 몹시 거칠었고 그래서 유혹적이었다. 얼른 집에 들어가고 싶은 마음과 그를 그 자리에서 어떻게 해 버리고 싶은 마음이 충돌했다.

그 때문에 4층까지 올라가는 데 한참 걸렸다. 겨우 올라간 뒤에도 도어록 여는 새를 못 참고 키스하느라 문 앞에서 시간이 지체되었다.

깜깜한 방, 그들은 곧바로 침대에 엎어졌다. 상우는 재영을 눕혀 놓고서 그 위에 앉았다. 상체를 바싹 붙이며, 볼을 감싸고 머리카락을 잡아당기며 키스했다. 지난번엔 병원 수술대 같은 느낌이었던 침대가 오늘은 정글이었다. 목 뒤 머리카락이 흥분으로 쭈뼛쭈뼛 섰다.

재영은 제게 올라탄 채 목과 귀를 마구잡이로 빨아 대는 상우의 애무를 받으며 뜨거운 몸을 매만졌다. 손끝이 눈이나 다름없이 작용하며 새카만 시야에 보기 좋은 실루엣이 그려졌다. 재영의 손이 매끄러운 목 위로 미끄러졌다. 근육이 잘 잡힌 등을 매만지며 내려가 군살 없는 허리를 감쌌다. 빳빳한 청바지 위로 엉덩이를 꽉 쥐었다가 탄탄한 허벅지를 쓸어내렸다. 다리 안쪽을 타고 올라간 손은 이제 사타구니에 머물렀다.

"아……."

낮은 신음이 재영의 귀를 깨문 채로 흘러나왔다. 두꺼운 옷감 위로 손을 슬쩍 댔을 뿐인데 모양을 그릴 수 있을 정도로 단단했다. 그가 자신만큼 흥분했다는 증거였다. 재영은 짓궂게 꽉 움켜쥐었다가 두 눈으로 보고 싶은 마음에 버클을 풀었다.

바지를 내리고 속옷 위로 손을 미끄러뜨리자 상우가 재영의 목에 팔을 두르며 목덜미에 얼굴을 묻었다. 한 손으로는 엉덩이 사이를 만지며 한 손으로는 그의 중심을 위아래로 부드럽게 쓸었다. 상우는 소리 없이 몸을 비비 꼬고 있었다. 티셔츠를 쥐고 세게 잡아당기는 바람에 재영의 어깨가 반쯤 드러났다.

재영은 상우의 몸을 안고 자세를 뒤집었다. 한순간에 아래 깔린 그가 놀란 표정을 지었다. 그의 바지를 허벅지까지 내리고서 앞이 흠뻑 젖은 트렁크를 가만히 보았다. 잠시 내적 갈등을 느끼다, 상체를 낮추어 툭 튀어나온 부위에 입술을 갖다 댔다. 상우가 기겁하며 어깨를 일으켰지만 재영은 신경 쓰지 않고 불그스름한 색이 비친 얇은 천 위로 혀를 놀렸다.

"잠깐만. 씨, 씻고 올게요."

일어나려는 상우를 억지로 눕히고 속옷을 내리자 입에 끝까지 들어갈 리 없는 성기가 꺼떡거리며 존재감을 드러냈다.

'살면서 남의 좆을 빨 일이 생길 줄이야…….'

재영은 속으로 중얼거리면서도 입에 머금고 말았다.

"아……."

짜고 불쾌한 맛조차 저지할 수 없을 정도로 재영은 눈이 돌아가 있었다. 거부감조차 깨끗하게 날려 버릴 정도의 흥분이 덧씌워진 시야에 상우의 페니스는 징그러워 보이지 않았다. 그래서 맛있는 아이스크림을 먹는 것처럼 의욕적으로 빨 수 있었다.

"아, 으윽……."

손으로 음낭을 자극하며 혀로는 우뚝 선 기둥을 핥아 올렸다. 이를 세워 귀두를 살짝 물자 어느새 뒤통수에 다가온 손이 머리카락을 잡아당겼다.

제게도 있는 거니 어떻게 하면 좋은지 잘 알고 있었다. 게다가 공부는 상우의 전유물이 아니다. 재영은 실전과 이론으로 무장한 채

성실하게 임했다. 혀를 날카롭게 세워 움푹 들어간 기둥을 자극한다. 입술을 모아 귀두를 압박한다. 혀로 끝을 부드럽게 굴린다. 입 안으로 깊이, 세게 빨아들인다. 그러면서도 눈을 크게 뜨고 상대를 올려다볼 것.

상우가 반쯤 풀린 눈으로 저를 내려다보았다. 괴로움과 쾌락으로 얼룩진 시선이 재영을 향해 있었다. 재영은 자신이 어떤 모습으로 비쳐질지 잘 알았고 그것은 다분히 의도한 바였다. 일부러 눈을 느릿하게 깜빡이며 혀를 내보이자 머리카락을 잡아당기는 손길이 거세졌다. 거친 손길이 볼을 때리듯 쓰다듬었다. 그러다 그가 눈을 가리길래 손을 치워 버렸다.

때가 되었다고 생각한 재영은 여전히 상우와 눈을 마주치며 피치를 올렸다. 성기를 입 안 가득 물고서 입술을 오므렸다. 강하게 압박하며 위아래로 움직이자 달뜬 신음이 났다.

"아, 씨……. 진짜, 으읏……."

자극 받는 건 그인데 왜 저가 이렇게 안달 날까. 물건이 속옷 속에서 터질 것처럼 부푸는 것이 느껴졌다. 재영은 상우의 한 손을 깍지 껴서 잡고 나머지 한 손으로는 허벅지를 강하게 부여잡았다. 그 상태로 위아래로 운동하자 상우가 무릎을 세우며 엉덩이를 들썩거렸다.

"어디서…… 교습 받았어요?"

'또 헛소리하네. 낭만적인 놈.'

상우의 몸짓이 격렬해졌다. 머리카락이 쥐어뜯기고 있었다. 이윽고 그가 허리를 움직이기 시작하며 짭짤한 액을 뿜는 귀두가 입천장을 거칠게 찍어 댔다. 머리끝까지 흥분한 상우는 부끄러움이 전혀 없었다. 골반이 턱에 거세게 부딪혔지만 재영은 그의 손을 꼭 붙들고 견뎌 냈다.

상우가 거칠게 굴수록 재영은 죽을 맛이었다. 그의 하체도 덩달아 들썩거렸다. 빨리 하고 싶어서 돌아 버릴 지경이었다. 상우의 허벅지를 쥔 손에 힘이 저절로 들어가고 불끈불끈 피가 들끓었다.

격렬하던 움직임이 멈춘 것이 그때였다. 신음과 함께 입 안에 비린 향이 퍼졌다. 재영은 상우가 제 입에 남긴 사정의 증거를 가득 고인 침과 함께 삼켜 버리고 상체를 일으켰다.

상우가 숨을 헐떡이며 팔로 눈을 가리고 있었다. 재영은 그에게 달려들어 팔을 치워 버리고 키스했다. 젖은 입술이 잠시간 붙었다가 떨어졌다. 상우가 곤란하단 표정으로 저를 바라보았다.

"대체 왜…… 왜 다 그렇게 능숙해요?"

"난생처음 해 봤어."

"거짓말."

"너만 공부하냐? 나도 해."

나른함과 부끄러움이 뒤섞인 얼굴을 보며 손이 바빠졌다. 뒤늦게 신발을 벗어 던지고 상우의 운동화도 벗겼다. 그러나 제 바지를 내리고 무작정 하체를 그에게 갖다 붙여 놓은 순간 재영은 문제를 깨달았다.

"아, 씨발."

눈을 질끈 감고 손바닥으로 얼굴을 쓸어내렸다. 충동적으로 달려온 탓에 아무것도 안 들고 온 것이다. 편의점까지 다녀오려면 못 잡아도 15분. 추상우는 그사이에 분명히 샤워할 테고, 돌아오면 차갑게 식어 있을 것이다.

'그냥 하자고 하면 분명히 싫다고 하겠지.'

열이 받았지만 다녀오는 수밖엔, 할 수 있는 일이 없었다.

그런데 재영이 눈을 다시 떴을 때 상우가 일어서 있었다. 그가 책상 서랍에서 뭘 꺼내더니 침대에 던졌다.

재영은 작은 박스와 하트가 난잡하게 그려진 튜브를 물끄러미 보았다. 박스에 대문짝만하게 적힌 글귀, '엑스라지XL'를 보고 웃음이 피식 나왔다. 선호하지 않는 브랜드였지만 오늘부터 좋아질 것 같단 생각을 하며 포장을 뜯었다.

"이리 와."

상우는 그 말대로 옆에 와서 앉았다. 재영은 흠뻑 젖은 제 성기에 콘돔을 씌우고 손가락에도 하나 씌운 뒤 젤을 넉넉히 도포했다. 상우를 눕히고서 눈을 들여다보며 엉덩이 사이로 손을 미끄러뜨렸다. 그는 겁먹은 게 눈에 보이던 처음과 달리 거부하지 않았다. 창문으로 새어 들어온 희미한 빛이 밝히는 얼굴에는 기대감마저 보였다.

그의 하체에 몸을 바싹 붙이고 엉덩이를 벌렸다. 상우가 작게 욕하며 고개를 돌렸다. 손가락을 쏙 받아들이는 항문을 보니 몽둥이에 불이 났다.

'침착하자, 다치면 안 되니까.'

재영은 상우의 무릎을 붙잡고 손가락을 천천히 움직였다. 안은 지난번과 다름없이 빽빽하고 좁았다. 젤을 듬뿍 짜서 안을 꼼꼼하게 헤집으며 주름을 팽팽하게 늘렸다. 어딜 만져 주면 좋아하는지는 완벽하게 파악했다. 그곳을 스치자 아니나 다를까 엉덩이가 움찔거렸다. 올챙이 같은 발가락이 곱아드는 게 보였다.

재영은 상체를 상우의 가슴에 바싹 붙이며 그의 눈을 맞추고 손가락을 늘렸다. 더 노골적으로 찌르고서 살살 만지자 상우가 눈을 질끈 감았다. 쿡, 쿡, 쿡, 누르는 손길에 잠잠해졌던 성기가 서서히 고개를 들며 배를 찔렀다.

"형."

재영은 말없이 푹푹 쑤시기만 했다. 입 안이 바싹 말랐다. 방에 들어온 후로 계속해서 참느라 돌아 버릴 것 같았지만 아직 기다릴 때였다.

"재영이 형······."

그 효과로 상우의 건강한 페니스가 어느덧 우뚝 서서 쿠퍼액을 뿜어 대고 있었다. 그의 손가락이 재영의 가슴에 성의 없이 부딪히며 티셔츠를 성급하게 아래로 잡아당겼다.

"만지지만 말고, 어서······."

"왜, 어떻게 해 줄까?"

갈라진 목소리에는 여유가 조금도 없었다. 상우가 눈을 번쩍 떴다. 치켜뜬 눈에는 짜증과 원망이 가득했다. 그가 재영의 멱살을 잡아당기며 말했다.

"이 상황에 장난치고 싶어요?"

"······."

"씨······발, 빨리, 하라니까."

'형의 거대한 자지를 제발 제 구멍에 넣어 주세요' 같은 걸 기대하진 않았어도 저렇게 짜증 내는 건 너무하단 생각이었다. 재영은 장난기가 들었지만 성욕이 우선이었다.

'이제 도저히 못 참겠다.'

숨이 가빴다. 손가락을 빼고서 양손으로 엉덩이 골을 쩍 벌렸다. 하체를 움직여 아직 줄어들지 않은 입구에 맞추고서 박아 넣었다.

"흐윽······."

상우가 인상을 찌푸리며 몸을 떨었다. 재영은 그의 위로 무너져 내리며 반듯한 어깨를 감싸 안았다. 아직 반밖에 안 들어갔는데 사정감이 몰려왔다. 그래서 곧바로 움직이지 못하고 잠시 기다려야 했다. 이번에도 실수했다간 조루 아니라고, 너랑만 이런 거라고 아무리 설명해 봤자 믿지 않을 테다. 지난번처럼 '못해도 괜찮아요' 소리만은 안 듣겠다고 결심하며 재영은 남근을 조금씩 밀어 넣었다.

"야……. 발기 장애가 어쨌다고? 다시 말해 봐."

"으읏, 몰라……."

물리적인 자극만으로 차고 넘치는 상황에 잔뜩 흐트러진 채 누운 상우의 얼굴은 정말로 위험했다. 눈을 깜빡이는 것, 입술 달싹이는 것, 힘없는 손가락이 제 코끝에 닿는 것, 하나하나 의도적인 유혹으로만 보였다. 재영은 땀에 젖어 살갗에 찰싹 달라붙은 티셔츠를 뒤늦게 벗겼다. 창백한 나신이 드러나자 눈앞이 어질어질해졌다. 그는 뜨거운 몸을 껴안으며 골반을 세게 퉁겨 뿌리까지 박아 넣었다.

상우가 숨을 들이마시며 손바닥으로 입을 막았다. 재영은 그의 손을 치우며 손목을 붙들었다. 입술을 깨물지 못하도록 입에 손가락을 넣었다. 그리고 허리를 움직이기 시작했다. 하나, 둘, 셋, 넷. 처음에는 천천히, 느긋하게 왕복 운동을 하다 상우의 스팟에 맞추어 골반을 위로 쳐올렸다.

"아!"

그가 눈을 질끈 감으며 고개를 옆으로 돌렸다.

"상우야."

"……."

"추상우, 나 봐."

"……."

"집에 간다."

그 말에 상우가 눈을 살짝 뜨며 시선을 맞추었다. 재영은 꽉 쥐고 있던 손목을 놓고서 땀에 젖은 그의 머리카락을 쓸어 올렸다. 원래도 귀여운 얼굴, 이마를 드러내니 더욱 인물이 훤했다. 이 모습을 자신 외에 아무도 보지 못해서 다행이라는 생각이 들었다.

"상우야, 나…… 안아 줘."

목소리가 잔뜩 쉬어서 나왔다. 상우는 뜻밖의 이야기를 들었다는 듯 눈을 크게 뜨더니 머뭇거리며 팔을 재영의 목에 둘렀다. 재영은 그의 가슴에 몸을 바싹 붙이며 속삭였다.

"키스."

상우는 말을 잘 들었다. 그에게 입술을 맡기고, 재영은 달아오를 대로 달아오른 하체를 다시 움직이기 시작했다. 느긋하게, 이젠 되지 않았다. 너무 오래 참았다. 한 번 출력을 올리면 멈추기 어려운 기차처럼 재영은 폭주했다.

움직일 때마다 잇새에서 거친 숨이 새어 나왔다. 음낭이 엉덩이에 마주 닿으며 철썩철썩, 살끼리 치대는 노골적인 소리가 났다. 재영이 밀고 들어갈 때마다 상우의 몸이 거칠게 흔들렸다. 조금씩, 조금씩 속도가 빨라졌다. 가속도가 한번 붙기 시작하니 걷잡을 수 없었다.

상우의 몸은 그의 성격만큼 정직해서 자극을 주면 곧바로 반응이 왔다. 등을 파고드는 손가락도, 목을 조를 듯이 감고 있는 팔도, 깊은 곳에서 움트는 숨소리도, 점점 더 조이는 내부도 재영에게는 황홀한 보상이었다. 찌를 때마다 바르르 떨며 반응하는 몸은 예민하기 짝이 없었다. 키스하다 말고 재영의 손가락만 잘근잘근 깨물더니, 어느 순간부터는 억누른 신음이 새어 나왔다.

"하아, 하아, 학……."

"상……우야……."

"아, 아……. 흐윽."

"아파? 아니지?"

재영은 그의 다리를 어깨에 걸어 단단히 잡고 엉덩이를 공중으로 들어 올리며 더 노골적으로 위로 쳐올렸다. 비명에 가까운 신음이

터져 나오며 정욕의 먹이가 되었다. 다시 엎드려 상우의 목덜미에 얼굴을 묻고 살갗을 강하게 빨아들였다. 상우는 재영에게 매달리듯 그의 목을 꽉 안고서 엉덩이를 들썩이기 시작했다.

이윽고 그가 움직임에 맞춰 골반을 흔들었다. 혼자만의 운동이 둘의 것으로 변했다. 혼자 쳐 댈 때와는 달랐다. 밀어 넣을 때마다 상우가 예기치 못하게 바싹 다가와 있었다. 빠져나가는 순간에는 내벽이 재영을 꽉 조였다. 그가 더 깊이, 더 빠르게 박아 달라고 몸으로 애원하고 있었다. 재영은 여유를 완전히 잃고 짐승처럼 본능에 몸을 맡겼다.

"흐윽……. 학…… 아, 아, 아! 형……."

그리고 정신이 혼미해지는 열락의 순간이 찾아왔다. 그들은 한 몸처럼 움직였다. 빠르게 움직여도 상우가 그만한 속도로 따라왔다. 질척이는 소리를 내며 강하게 부딪히는 접합부에서 불꽃처럼 뜨거운 충돌이 일어나는 듯했다. 눈앞이 흰빛으로 번쩍거리며 입에서 연기로 절대로 흉내 낼 수 없는 신음이 흘러나왔다.

'기분, 끝내준다.'

재영은 제 손가락을 짓씹는 상우의 뺨을 쥐고 저를 보게 했다. 그의 골반이 움직이는 여파로 땀으로 얼룩진 가슴이 흔들리며 달빛으로 번들거렸다. 찡그린 눈가에 눈물이 맺혀 있었다. 흰 목에는 재영이 남긴 흔적이 붉게 남았다.

그의 애널에 페니스를 거칠게 처박으면서도 귓가에는 "괜찮아?"라고 다정하게 속삭이는 재영이었다. 상우는 고개를 마구 저었다.

"싫어? 별로야?"

이번에도 고개를 저었다. 목소리를 듣기 위해 한 지점을 집요하게 공략했다. 쉴 틈을 주지 않고 찍어 대니 원하는 말이 나왔다.

"형……. 흐윽, 재영…… 형…….."

물기 어린 음성이 어느 때보다도 야하게 느껴졌다. 들락날락거릴 때마다 성기를 완벽하게 빨아들이며 황홀하게 조이는 내벽이 꼭 저를 위해 만들어진 것 같았다. 크기도 모양도 어떻게 이렇게 딱 맞을 수가 있을까. 서로를 위한 몸처럼 찰떡같이 맞아떨어지며 템포까지 완벽했다.

'속궁합 끝장나네.'

재영은 흠뻑 취한 기분으로 절정으로 치달아 갔다. 콩깍지가 단단히 쓰였는지 뭘 해도 사랑스러워 보이기만 하는 상대에게 딱 붙어, 볼에 입 맞추며 온몸으로 표현했다. 나는 네가 좋아서 어쩔 줄 모르겠다고.

"상우야. 상…… 우야."

머릿속에 가득한 이름. 이 순간만은 추상우가 장재영을 꽉 채우고 있었다. 바늘 하나 안 들어갈 것처럼 빈틈없는 평소와 달리 숨이 넘어갈 정도로 헐떡이는 모습이 너무 좋아서, 야한 목소리로 불러 대는 형이란 소리가 너무 듣기 좋아서, 재영은 빨리 그와 함께 끝까지 가고 싶다고 느끼면서도 이대로 시간이 멈추도 괜찮겠다고 생각했다.

"기분…… 어때?"

"못…… 참겠어……."

상우가 괴롭다는 표정으로 재영의 머리카락을 잡아당겼다. 그가 턱을 목덜미에 문지르며 귀에 물기 가득한 음성을 흘렸다.

"형……. 아, 재영이 형…….."

"……왜, 왜."

"흐윽, 윽. 멀었어요? 나…… 학, 먼저 해도 돼요?"

머리끝까지 흥분해 버린 재영은 그 순간, 뿌리까지 쑥 박아 버리고 말았다. 상우가 재영의 귀를 물어뜯으며, 쾌락에 젖은 목소리로 비명 닮은 신음을 내질렀다. 그가 안을 꽉 조이자 재영에게도 눈앞이 새하얘지는 감각의 벼락이 내리꽂혔다.

절정부에서 불꽃이 터졌다. 무중력 상태를 닮은 비현실적 감각이 재영을 강타했다. 그 순간만은 아무것도 보이지 않고 아무것도 들리지 않았다. 온통 뜨겁다는 느낌뿐. 쾌감은 재영을 머리부터 발끝까지 물들이고서 서서히 씻겨 나갔다. 극점을 찍은 그래프가 완만하게 하강하며 손발에 저릿저릿한 느낌이 돌아왔다.

"아……. 하아, 하아……."

벗을 새도 없어 그대로 입고 있었던 재영의 티셔츠는 가슴 부분이 어느새 희고 끈적끈적한 체액으로 얼룩져 있었다.

뒤로 풀썩 쓰러진 상우의 가슴이 격렬한 운동으로 빠르게 오르내렸다. 그가 눈을 질끈 감자 눈가에 고여 있던 눈물이 볼을 타고 내려왔다. 재영은 그의 위로 쏟아지며 키스를 퍼부었다.

⌘W

"이제 진짜 그만하죠. 최소한의 인간성마저 잃는 기분이에요."

젖은 머리카락을 수건으로 털며 상우가 말했다. 침대에서 진하게 두 번, 샤워실에 따라 들어가 씻다가 벽에 찰싹 붙어서 한 번 더. 재영은 다 쏟아 내서 이제 더 이상 나올 게 남아 있지 않다고 생각했다.

"그러니까 그만 좀 덮쳐."

"웃긴다……. 같이 해 놓고서 왜 저한테만 뭐라 그래요?"

상우가 투덜거리며 서랍을 열었다. 조금 전까지 속옷 바람이었던 그는 곧 얇은 스트라이프 잠옷 세트로 무장했다. 재영은 그를 가만

히 바라보다가 다가가서 자신이 목에 만들어 놓은 불그스름한 자국
을 엄지로 만져 보았다. 상우가 질색하며 수건을 얼굴에 던졌다.

"저리 가요."

"그냥 보려는 거야."

"안 믿어요. 아까도 비누칠만-한다고 해 놓고서."

"아, 예……. 대현자 나셨어요. 그런 분이 화장실에선 왜 그러셨
대? 형, 아, 아! 더 빨리, 빨리요."

"이 집에서 당장 꺼져요."

재영은 그 말을 웃어넘겼고 상우는 성큼성큼 화장실로 들어가서
칫솔에 치약을 짠 다음 입에 물었다.

"나도 칫솔 줘."

"집에 가서 닦아요."

"지금 안 닦으면 불결해서 죽을 것 같아."

상우는 그런 재영을 못마땅하게 바라보며 양치할 뿐이었다. 재영
은 기지개를 켜며 말했다.

"안 주면 네 걸로 닦지, 뭐. 우리 사이에 그런 게 의미가 있나."

상우는 짜증 난다는 표정으로 눈알을 굴리더니, 선반을 열어 뜯지
않은 칫솔 하나를 재영에게 던졌다.

"땡큐."

재영은 칫솔 포장을 뜯어 버리고 치약을 짜 상우 옆에 서서 양치
하기 시작했다. 세면대를 한 손으로 잡고 삐딱하게 선 재영과 달리
상우는 똑바로 서 있었다. 기계적인 동작이 갓 자대 배치 받은 이등
병 같았다. 거울을 통해 눈이 마주치자 재영은 장난스럽게 윙크했지
만 상우는 못 본 척 무시해 버렸다. 어느새 '정상인' 모드였다.

상우가 먼저 나가 버린 뒤 재영은 휑한 화장실에 혼자 남았다. 칫

솔과 치약, 두루마리 휴지, 비누, 샴푸가 끝. 이렇게 간소한 욕실은 난생처음 보았다.

생각해 보면 이 집의 모든 것이 그랬다. 의자도 하나, 밥그릇도 하나, 컵도 하나, 수저도 한 세트밖에 없었다. 타인을 좀처럼 곁에 허용하지 않는 주인의 스타일을 드러내는 듯했다.

양치를 마친 재영은 상우의 칫솔과 치약이 꽂힌 양치 컵에 제 칫솔을 넣었다. 그러자 욕실이 전보다 덜 횅해진 느낌이 들었다.

밖에 나와 보니 상우가 방을 정리하고 있었다. 그는 바닥에 뒹구는 콘돔과 포장지를 치우고선 재영이 입고 왔던 티셔츠를 들고 살폈다. 기하학적인 프린트가 들어간 빨강 네오플렌 티셔츠는 땀과 정액에 젖어 구질구질해진 건 둘째 치고 목 부분이 심하게 늘어났다.

"버려야겠는데."

"제 책임도 있으니 새 걸로 사 줄게요."

"괜찮아."

"아니에요. 피해 보상 할게요. 한 3만 원쯤 하죠?"

재영이 아끼는 티셔츠는 가격이 그 열 배 이상이며 한정판이라 다시 구할 수 없었지만 그는 아무 말도 하지 않았다. 상우는 정리를 마치더니 물 한 잔 마시고 재영을 바라보았다.

"옷 빌려줄까요?"

재영은 허리춤에 수건만 두른 상태였다. 그는 말없이 서랍을 뒤져 상우의 속옷을 꺼내 입었다. 지난번에 가져간 거 돌려 달라는 잔소리가 날아왔지만 흘려들었다.

"그러고 집에 갈 순 없잖아요."

"자고 갈 건데."

"누구 맘대로?"

상우는 그리 중얼거리더니 침대에 털썩 앉았다. 3시가 다 되어 가니, 툭하면 늦게 자는 재영이면 몰라도 상우는 졸릴 만했다. 재영은 불을 끄고서 이불 속으로 파고들었다.

"진심이에요?"

"어."

"1인용 침대라 최대 하중이……."

"부서지려면 아까 부서졌겠지. 이 위에서 얼마나 뛰놀았어. 쉿. 그만 입 다물고 누워."

재영은 상우의 목을 억지로 끌어 내리고서 그의 머리를 제 팔에 누였다. 상우는 뭘 생각하는지 눈을 몇 번 깜빡거리더니 체념한 듯 옆으로 누웠다. 눈을 말똥말똥 뜨고 재영의 얼굴을 뚫어져라 보았다. 직선적인 시선을 마주하고 있자니 심장이 또 두근거렸다. 새카만 새벽에 잠도 들지 않고 왜 그렇게 보기만 할까. 재영은 그의 살짝 젖은 앞머리를 제 구미대로 매만지며 말했다.

"상우야."

"네."

"무슨 생각해?"

"……."

"이제 와서 나한테 부끄러울 게 뭐 있어. 그냥 말해."

상우는 난처하다는 표정으로 한참 동안 입 다물고 있었다. 차분히 기다려 주니 그가 허리를 안으며 품속으로 파고들었다. 그 행동에 심장이 널뛰었다. 재영은 손을 들어 상우의 뒤통수를 조심스럽게 끌어안았다.

"제가 이런 취향인 줄 몰랐어요."

그가 더 깊이 안기며 말했다.

"이런…… 취향?"

"이 정도 쾌감은 느껴 본 적이 없어서 두려워요. 차라리 남자를 모르는 게 나았을까 싶기도 하고."

재영의 표정이 냉소적으로 변했다. '장재영'이 아닌 '남자'라. 이렇게 기분 좋은 순간에 꼭 저렇게 홀딱 깨는 얘기를 해야 하나.

그러나 의미 없는 섭섭함이었다. 추상우는 제가 뭘 잘못했는지, 뭐가 문제인지 모를 테니까.

재영은 순간적으로 상우를 붙잡고 자신이 왜 짜증 났는지 자세히 설명하고 싶은 충동이 들었지만 관두었다. 그에게 이 이상을 바라려면 연애라는 전속 계약을 맺어야만 한다. 재영은 연애가 결혼의 선행 과정이라고 믿는 그에게 남자끼리 연애하자는 당위성을 납득시킬 자신이 없었다. 게다가…….

'너가 버릴 거잖아.'

유나의 말이 뇌리에 스쳤다. 골치 아픈 미래를 언젠가 직시해야 한다는 피로감이 재영을 불편하게 했다. 그들이 '정식으로 교제'하게 되면 문제는 지금과는 비교가 안 될 정도로 복잡해질 것이다.

"무슨 생각해요?"

시간이 얼마나 지났을까. 상우가 그렇게 물었다. 그가 그런 것을 질문한 적은 처음이었지만 재영은 감동 받기엔 너무 냉소적인 상태였다. 그래서 아무 이야기나 둘러댔다.

"네가 어느 달에 태어났을까 궁금해하고 있었어."

"시월이에요."

"날짜는?"

"1일."

피식 웃음이 나왔다. 하고 많은 날짜 중에 1001이라니, 영원히 까

먹지 않을 것 같았다.

"딱 네가 태어났을 것 같은 날이네."

"왜요?"

"모양도 대칭이고, 이진법이잖아."

곧바로 킥 웃는 소리가 났다. 재영이 이제껏 건넨 농담 중 가장 반응이 좋았다.

"선배는 진짜 사고방식이 이상해요."

재영은 상우에게 듣기엔 불명예스러운 소리를 넘겨듣고 그를 꽉 끌어안았다.

"생일 선물 받고 싶은 거 있어?"

"아뇨."

그렇게 대답할 줄 알았다는 생각이 스친 찰나 상우가 대수롭지 않게 덧붙였다.

"뭐 하러 물어봐요? 어차피 그때 여기 없잖아요."

어떻게든 피해 가고 싶었던 화살이 재영의 머리를 고스란히 겨누고 있었다. 재영은 얼굴을 찌푸렸다. 최고의 순간을 보낸 뒤에 왜 이런 대화를 나눠야 할까. 한동안 불편한 침묵이 감돌았다. 물론, 상우는 별생각 없을 테니 재영만 불편하다고 느끼는 것일 테다. 재영은 차라리 정면으로 돌파하기로 했다.

"섭섭해?"

"섭섭할 이유가 없죠. 그때쯤이면 성욕도 정리될 텐데."

그 대답에 기분은 더욱 나빠졌다.

"아, 그럴 것 같아?"

"그래야죠. 애초에 선배랑 이러고 있는 이유를 생각해 봐요. 청나라 장수, 기억 안 나나 보죠?"

"……."

"근데 아직까지는 성공적인지 모르겠어요. 성욕이 감퇴되는 기미가 없어서 불안해요."

재영은 할 말을 한마디도 찾지 못했다. 어떤 헛소리를 들어도 그런대로 잘 대처해 왔지만 이번만은 임기응변을 발휘할 수 없었다. 재영이 말없이 있자 상우가 덧붙였다.

"그럴 리는 없겠지만, 만일 그때까지 정리 안 되면…… 다른 사람 찾으면 돼요."

'해도 해도 너무하네, 이 새끼가.'

재영은 상체를 벌떡 일으키고 상우를 노려보았다. 그가 계단 저 아래 있는 거야 알았지만, 온도 차가 있다는 것쯤 알고 있었지만 막상 귀로 들으니 피가 싸늘하게 식는 기분이었다.

'섹스 파트너……란 거지?'

'네.'

'그래. 잘…… 해 보자.'

원래 아무 문제 없었는데. 차라리 그게 깔끔하다고 생각해 동의한 주제에, 막상 상우가 먼 미래에라도 다른 사람을 만난다고 생각하니 기분이 못 견디게 더러웠다.

재영은 제 감정에 심각한 모순을 느꼈다. 머리가 아파졌다. 상우의 말마따나 그들이 성욕을 풀기 위해 만나는 사이라면 저게 정상이며, 재영이 느끼는 열정이 도리어 에러인 것이다.

"집에 가게요?"

상우가 영문을 모르겠다는 표정으로 재영을 올려다보았다. 갈 테면 가라는 얼굴을 보니 한숨이 저절로 나왔다. 아무리 봐도 연애하기에는 덜 자란 애기 같다. 사람 간의 복잡한 감정 교류에 관해 전혀 모른다. 지금 재영이 느끼는 감정을 설명해 봤자 그는 아무것도 이해하지 못할 것이다.

"왜 그래요?"

그러나 저를 빤히 보는 상우와 눈을 맞추며 재영은 화가 조금씩 풀리는 것을 느꼈다. 아무리 쓰레기 같은 소릴 해도 무지의 소산이라 도무지 탓하기가 어려운 상대였다, 추상우는. 더군다나 그는 이치에 맞지 않는 말은 하지 않는다.

'당연한 거잖아. 어떻게 사람을 독점할 수 있어.'

사랑의 유효 기한은 통상적으로 6개월이라고 한다. 재영의 경우는 그보다 훨씬 짧아서 한 달 안에 끝난 적도 부지기수였다. 이제껏 한 번도 겪은 적 없는 형태이긴 하나, 지금의 뜨거운 감정조차 곧 시들해질 것을 알았다. 그렇다면 괜히 운명적인 사랑이라도 된다는 듯, 이제까지 한 번도 느껴 본 적 없는 감정을 제게 느낀다고 믿으며 환상 갖지 않는 편이 상우에게도 나을 것이다.

쿨하게, 깔끔하게, 선을 넘지 않으며.

그러나 남을 걱정할 때가 아니었다. 어쩌면 괜히 운명적인 사랑이라도 된다는 듯, 이제까지 한 번도 느껴 본 적 없는 감정을 느낀다고 믿으며 환상 갖는 건 오히려 자신이 아닐까. 갓 양치한 입에서 쓴맛이 났다.

proceed도 stop도 아닌 어중간한 무엇. 초록도 빨강도 아닌 노란불. 재영은 그처럼 모호한 건 좋아하지 않았다.

'현재의 감정에 집중하면 돼.'

재영은 천천히 다시 누웠다. 상우의 앞머리를 손바닥으로 밀어 올리고 이마에 입 맞추자 그가 의아하다는 표정을 지었다.

"나중은 생각하지 마. 지금만 생각해."

"전 누구랑 달라서 그런 스타일 아니에요."

"웃기시네. 그런 분이 나랑 빨가벗고 뭐 한 거야."

"그거야 선배한테 휘둘려서 그런 거고……."

"그래서, 후회해?"

상우는 재영의 눈을 빤히 보더니 천천히 고개 저었다. 그러고서 다시 품으로 파고들었다. 재영은 작게 한숨 쉬며 그의 등과 어깨를 손바닥으로 쓸었다. 어떻게 될지 모르는 미래를 걱정하기보다 현재를 충실하게 산다. 그것이 재영이 사는 방식이었다. 현재 그는 상우에게 뭐든지 다 해 주고 싶었다.

"상우야."

"네."

"정말 갖고 싶은 거 없어? 운동화나, 시계나, 모자나……."

"없어요. 지난 주 금요일에 그 차에 놓고 내린 제 모자나 좀 가져와요."

"아니면 다른 거……. 그래픽 카드나, 모니터나, 외장 하드나."

"됐어요. 컴맹이 뭘 나대요, 얼마나 비싼지도 모르면서."

"……."

대화가 끊겼다. 상우가 자나 보다 싶어 재영도 눈을 감았다. 격렬한 정사의 나른함으로 몸이 노곤했다.

"〈베지 벤처러〉가 성공했으면 좋겠어요."

상우가 불쑥 말한 건 그때였다. 맥락상 뭐가 갖고 싶으냐 질문의 대답인 듯했다. 재영은 그의 목을 만지작거리며 답했다.

"지금까지 진행된 거 봐서는 아웃풋 괜찮게 나올 것 같은데……."

"그 정도로 안 돼요. 유명해지고 남들한테 크게 인정받아야 돼요."

이상한 말이었다. 마케팅 효과를 전혀 기대할 수 없는 인디 게임은 많이 팔리기 어려운 게 현실이다. 완성도 높은 포트폴리오 만드는 거면 족할 텐데, 물욕도 없는 놈이 시장 흥행에 왜 집착할까.

"왜?"

상우는 대답하기를 주저했다. 또 말하기 싫다고 하겠지. 그래도 끈질기게 물으면 끝내는 말해 주는 것을 알고 있었다. 재영이 물으려던 순간에 상우가 덧붙였다.

"형하고 하는 거잖아요. 나중에 떠올려 보면 크게 성공해서 좋았다고, 열심히 한 만큼 인정받았다고……. 그렇게 느꼈으면 좋겠어요."

"뭐야, 그런다고 감동 받을 줄 알아?"

가슴이 뭉클해지는 걸 보니 받았나 보다, 감동.

연애를 이해하지 못하는 추상우가 어떤 방식으로 저를 좋아하는지 알았다. 사진을 저장하고 플레이리스트를 외우며 시력과 발 사이즈를 기억한다. 일에 필요 이상으로 몰두하는 것도 완벽주의적 성향 때문만은 아닌 것이다.

재영은 상우의 턱을 찾아 제 가슴에서 떼어 내고 입술을 그의 것에 갖다 댔다. 밤새 끊임없이 괴롭힌 살갗은 여전히 말랑말랑하고 촉촉했다. 쪽, 쪽, 쪽. 가볍게 맞대며 빨아 당기자 상우가 웃으며 눈을 감았다.

약간 변한 입술 모양에 맞추어, 각도를 바꿔 가며 또 쪽, 쪽. 어느덧 상우의 손바닥이 재영의 볼을 감싸고 있었다. 가벼운 버드 키스는 금세 끈적끈적한 프렌치 키스로 변질되었다. 그 감각이 체온보다 뜨거운 건 감정 때문일까 성욕 때문일까. 혼란스러운 기분으로 재영은 또 상우에게 골몰하고 말았다. 오늘은 실컷 표출했다고 생각했는데 아찔한 기분이 뱃속에서 득시글거렸다.

인간성 운운하던 상우는 제가 한 말도 잊고 재영의 혀를 정성스럽게 빨았다. 혀끼리 얽히고 입술끼리 모양을 바꿔 가며 맞닿는 로맨틱한 키스가 꽤 오래 지속되었다. 재영은 흥분이 더 심해지기 전에 상우를 밀어냈다. 그가 아쉬움이 묻어나는 눈빛으로 입맛을 다셨다. 입가에 묻은 타액을 엄지로 닦아 주자 심각한 얼굴로 말했다.

"전 인간이 아닌가 봐요. 인간 실격이에요."

재영은 미소 지으며 그의 머리를 헝클어뜨렸다. 그리고 손가락으로 상우의 코끝을 간질였다.

"아쉽게도 콘돔을 다 썼네."

"사 올까요?"

"너 그러다 내일 못 걸어 다녀. 네 발로 기어 다니려면 사 와."

"또 대타 뛰어 줘요. 알바비 정산해 줄게요."

농담을 진담으로 받아들이는 그를 나가지 못하게 붙잡아야 했다. 재영 또한 인간 자격을 박탈당한 상태였지만 한편으론 손 하나 까딱할 힘이 없어서 잠들고 싶었다.

"잘 자요."

상우가 손가락으로 재영의 앞머리를 가르고선 이마에 뽀뽀했다. 재영의 입가에 큼지막한 미소가 걸렸다. 요즘 그가 만나는 남자는 보고 겪은 게 있으면 꼭 따라해 보는 경향이 있었다.

"상우야."

"……네."

반쯤 잠에 취한 목소리로 그가 대답했다.

지금 머릿속에 떠오르는 말을 내뱉었다간 속옷 바람으로 도망가겠지. 재영은 잠들기 위해 위를 보고 똑바로 누운 상우를 끌어안으며 말없이 몸을 웅크렸다.

⌘W

아침에 일어났을 땐 머리가 지끈지끈 아팠다. 재영은 침침한 천장을 보며 눈꺼풀을 느릿하게 깜빡였다. 몸을 옆으로 돌려 눕자 침대에 팔과 턱을 올린 채 저를 빤히 보는 상우와 시선이 마주쳤다.

'여기서 잤지, 참.'

벽시계를 보니 11시가 조금 넘었다.

"잘 잤어?"

"피곤해서 좁은 줄도 모르고 푹 잤어요."

"오늘은 안 아파?"

"불편하기는 하지만 거동하는 데 지장 있을 정도는 아니에요."

남을 걱정할 처지가 아닌 게 속도 안 좋고 머리도 아팠다. 술을 많이 마시진 않았는데 여러 가지 섞어 마신 데다, 밤새 운동해서 그런 모양이었다.

저도 모르게 표정을 찡그렸나 보다. 얼굴을 살피던 상우가 물었다.

"왜 그래요?"

"머리 아파."

"그럼 집에 가서 쉬어요."

자기 공간이라고 거 되게 내쫓으려고 그런다. 아직 헤어지고 싶지 않은데. 재영은 잠시 고민하다 빌미를 구상했다.

"나 점심 사 줘."

"제가 왜요?"

"어제 무지 좋았잖아. 그럼 나한테 보답해야지, 안 그래? 너 어제 분명히 나한테 막 달려들면서 형, 안이 꽉……."

상우가 황급하게 침대에 뛰어오르더니 팔을 뻗어 입을 손바닥으로 막았다. 재영은 이때다 싶어 그를 끌어안으며 입을 놀렸다.

"이거 봐, 아침부터 또 이러네. 밥은 먹인 다음에 하자고 해라, 좀. 왜 마님이 돌쇠한테 쌀밥 주는지 몰라?"

"그게 아니라!"

상우가 표정을 찌푸리며 품에서 빠져나갔다. 그는 침대에서 조금 떨어지더니 다른 곳을 보며 말했다.

"알았어요. 어제…… 좀…… 괜찮았던 건 사실이니까 밥 사 줄게요."

재영은 웃으며 화장실로 향했다. 대충 씻고 나와서 옷을 입으려고 보니 티셔츠는 어제 버렸고 바지는 보이지 않았다.

"내 바지 어디다 숨겼어?"

"빨래해서 주려고 그러죠."

"참나, 네가 선녀 옷 훔친 나무꾼하고 다를 게 뭐야?"

"선의를 베풀어도 꼭……. 물에서 구해 줬더니 보따리 내놓으란 사람하고 선배가 다를 게 뭐예요?"

그는 제법 잘 받아쳤다. 재영은 행거로 다가가 몇 안 되는 옷가지 중 입을 만한 게 있나 살폈다. 항상 보던 것들이라 꼭 제 옷처럼 익숙했다.

무채색 행거를 주시하던 재영은 심각한 문제점을 발견했다. 거기엔 상우와 어울리는 옷이 한 가지도 없었다. 손가락으로 옷을 헤집자 상우가 곁으로 다가왔다. 꽤 간절한 표정으로 그가 말했다.

"이번엔 빌려주면 꼭 가져와야 돼요. 네? 약속해요."

"알았어."

재영은 건성으로 답하고서 남색 남방과 검은 면바지를 꺼냈다. 택을 슬쩍 보니 바지는 32에 남방은 105였다. 딱 봐도 표준 M 사이즈인 놈이 왜 이렇게 크게 입는 건지.

"너 흰 티 없냐?"

"흰색은 오염에 취약해서 구매하지 않아요."

'입으면 존나 예쁠 것 같은데…….'

속으로 그리 중얼거리며 바지에 발을 넣었다. 얌전한 일자바지를 입으니 범생이가 된 기분이 들었다. 상우가 입었을 때 헐렁헐렁하던 남방은 재영의 어깨에 딱 맞았다. 재영은 손목 단추를 풀고 소매를 몇 번 접어 올렸다. 정장 입듯이 밑단을 바지에 넣고 나자 아래로 내려다본 제 모습이 그리 나쁘진 않았다.

상우는 입을 살짝 벌리고 그런 재영을 감상하고 있었다. 그가 선호하는 스타일을 알고 있었다. 안경 없이, 조금이라도 단정하거나 격식 차려 입은 듯하면 저렇게 멍한 표정을 보여 주곤 한다.

"그만 봐. 뚫어지겠어."

"……제 옷 같지가 않아서 그래요."

"마음에 드나 본데……. 한 번 하고 갈래?"

가까이 다가가며 허리에 손을 감자 상우가 얼굴을 붉히며 짜증을 부렸다.

"시간 없어요! 빨리 밥 먹고 와서 알바 가야 돼요."

"넣자마자 쌀게. 자신 있어."

"미친, 그럴 거면 뭐 하러 해요."

어깨를 바싹 붙이며 귓가에 속삭이자 상우가 그를 세게 밀고서 현관으로 도망쳤다.

원룸에서 나왔을 땐 중천에 뜬 해가 빛나고 있었다. 여름처럼 화창하고 더운 날씨였다. 그들은 나란히 걸어 큰길로 나온 뒤 택시를 호출했다.

재영은 상우를 뒷자리에 타도록 유도하고 곁에 바싹 붙어 앉았다.

자리에 등을 기대고 그의 손가락을 만지작거렸다. 상우는 손을 뿌리치지 않고 말없이 정면만 보았다.

그들은 재영이 자주 가는 베트남 쌀국수집에 가서 식사했다. 재영은 소고기 쌀국수를 시켰고 상우는 볶음밥을 주문했다. 뜨끈한 국물을 마시니 속이 좀 괜찮아졌다.

"이제야 좀 살겠네."

재영은 의자에 등을 기대 노란 천장을 멍하니 응시하다가, 앞에 앉은 상대에게로 시선을 돌렸다. 시그니처나 다름없는 볼캡과 공대생표 체크무늬 남방, 연식이 궁금해지는 진한 청바지. 그는 스타일링의 장벽을 훌쩍 넘어 옷감 속에 든 사람을 바라보았다.

눈을 내리깔고 열심히도 먹고 있었다. 입술을 꼭 다문 채 밥을 왼쪽 볼에서 오른쪽 볼로, 또 오른쪽 볼에서 왼쪽 볼로 보내며 꼭꼭 씹었다. 그냥 식사하는 모습일 뿐인데 눈길이 떨어질 줄을 몰랐다. 좀 흘리기라도 해야 닦아 준단 핑계로 볼이라도 만질 텐데, 워낙 빈틈없는 분이라 그런 일은 일어나지 않을 것 같았다. 그때 상우가 고개를 살짝 들고 재영의 눈을 마주 보았다.

"왜요?"

재영은 말없이 상우의 그릇에 숟가락을 푹 담그고 한 입 빼앗아 먹었다. 아무 표정 없이 먹고 있길래 맛이 별론가 했는데, 닭고기가 씹히는 매콤한 볶음밥은 맛이 썩 괜찮았다.

"맛 어때?"

"모르겠어요. 향신료 맛이 많이 나요."

"나중에 또 먹고 싶냐고 묻는 거야."

"음…… 네."

"그럼 맛있는 거네."

"꼭 그런 건 아닌데."

상우는 말을 얼버무리더니 다시 먹기 시작했고 재영은 그를 내버려 두고 국수를 빠르게 해치웠다. 좋은 계획이 있었다. 상우가 알바가기 전에 실행하려면 서둘러야 했다.

그들은 밥을 다 먹고서 말없이 일어났다. 재영은 상우가 핸드폰을 꺼내 결제하는 것을 지켜보았다. 지갑도 옷도 모자도 손목시계도 운동화도. 그의 물건은 뭐든 깨끗했지만 낡아 보였다. 그러나 컴퓨터와 부속 용품을 하이엔드로만 맞추는 걸 보면 가난해서가 아니라 단지 검소한 것 같았다.

"야, 어디 좀 같이 가자."

재영은 음식점 앞에서 상우가 가 버리기 전에 팔을 잡았다. 상우가 휙 뒤돌더니 눈을 마주쳤다. 어차피 거절할 거지만 말이나 해 보란 표정이었다. 그와 몇 달 동안 다니며 우격다짐에 도가 튼 재영은 아무렇지 않게 말했다.

"네가 어제 내 옷 버렸잖아."

"그래서요?"

"그러면 옷이 더 필요하겠지?"

"언젠가는 그렇겠죠."

"지금 사러 갈 건데, 네가 따라와서 나랑 잘 어울리는지 판단해 줘야 돼."

무덤덤하던 표정이 팍 찌그러졌다. 그런 것을 예상했던 재영은 웃으며 덧붙였다.

"실수로 이상한 거 샀다가 돈 날리면 네 책임이잖아."

"그게 웬 궤변이에요."

상우는 짜증스러운 표정으로 재영을 노려보다가 무언가 떠올랐다는 듯 눈을 크게 떴다. 그가 잠시 뜸 들이더니 내뱉었다.

"알겠어요. 갈 거면 빨리 가요."

이렇게 쉬울 줄은 몰랐는데. 재영은 뜻밖의 행운에 내심 놀라며 근처에 보이는 백화점 쪽으로 걸었다. 상우는 의기양양해 보였다. 그가 으스대는 표정은 처음 보는지라 재영은 흥미를 느꼈다.

"선배도 보면 되게 웃겨요."

횡단보도를 건너며 상우가 말했다.

"왜?"

"그냥 사 달라고 하면 되지, 뭘 그렇게 돌려 말해요?"

"……."

"아무렴 해 놓은 말이 있는데……. 제가 입 싹 씻을까 봐 그랬어요?"

표정 관리 불가. 재영은 주먹으로 입을 가린 채 조용히 웃었다.

"따라와요, 예쁜 거 사 줄 테니까."

성큼성큼 앞서 걸어가는 상우를 따라잡기 위해 살짝 뛰어야 했다.

주말이라 백화점에는 사람이 바글거렸다. 누가 봐도 학생이라고 꼬리표를 붙여 놓은 듯한 상우는 향수와 화장품이 진열된 화려한 가게 배경과 이질적으로 보였다. 그들은 에스컬레이터를 타고 스포츠 용품과 캐주얼 코너가 있는 3층에 내렸다.

재영은 몇 군데 들어가서 설렁설렁 둘러보다 청바지 전문 매장에 상우를 끌고 들어갔다. 왜 티셔츠를 버려 놓고선 바지를 보냐고 잔소리 듣기 전에 괜찮은 게 있나 실내를 재빨리 스캔했다. 주로 색이 밝은 쪽을 찾아보았다. 흰색에 가까운 회색 진을 꺼내 들자 상우가 못마땅하단 표정을 지었다.

"이거 어때?"

"무릎이 찢어졌어요."

"그러네."

티도 안 날 정도인데 그걸 귀신같이 발견하고 거슬려 한다. 재영은 그 바지를 깨끗이 포기하고 다른 걸 살폈다. 그러나 뭘 보여 줘도 그는 흠을 찾아냈다. 주머니 모양이 이상하다, 버클이 두 개라서 불편할 것 같다, 지퍼가 뻑뻑하다 등등.

"야, 이건 괜찮지?"

"그건 괜찮네요."

무난한 베이지색 10부 바지와 통이 좁은 검은 청바지를 팔에 걸고서 계산해 달라고 하려던 찰나, 재영은 눈길을 사로잡는 옷을 보았다.

하늘색에 가까운 연청 슬림진. 눈으로 사이즈를 가늠하고 재빨리 이곳저곳 확인했다. 버클도 한 개고 찢어진 곳도 없었다. 주머니도 평범하고 박음질도 튼튼하게 잘 되어 있었다. 바짓단을 넓게 접어서 발목이 살짝 보이게 입힌다면……. 생각만 해도 코피가 날 것 같았다. 재영은 몹시 흥분하며 피팅룸에 들어가서 바지를 입고 나왔다.

"상우야, 상우야! 여기 봐. 이거 예쁘지?"

팔짱 끼고 다른 곳을 보고 있던 상우가 다가왔다. 그의 시선이 재영의 하체를 찬찬히 살폈다.

"색이 너무 밝은데…… 선배가 입으니까 괜찮아요. 근데 좀 작으니까 한 치수 큰 걸로 사요."

그 정도면 파격적인 허락이었다. 재영은 싱글벙글 웃으며 옷을 다시 갈아입고 나와, 바지 세 벌을 들고 계산대 앞에 섰다. 앞으로 나서려는 상우의 팔을 밀며 제가 결제했다.

"뭐예요?"

"넌 더 비싼 거 사."

상우는 불가해하단 표정이었지만 낭비할 시간이 없었다. 재영은 그의 팔을 붙잡고 다른 매장으로 향했다. 몇 군데 소득 없이 돌아다니다, 품질 괜찮은 티셔츠를 파는 매장에 도착했다. 옷걸이, 벽, 마네킹에 갖가지 디자인의 티셔츠가 걸려 있었다. 재영은 전혀 관심 없어 보이는 상우의 어깨를 붙잡고 옷걸이를 보게 했다.

"너도 좀 봐, 괜찮은 거 있는지."

"선배는 뭘 입어도 괜찮아요."

그런 뜻으로 물은 게 아닌데. 재영은 상우의 모자 위를 쓰다듬고서 옷걸이에 걸린 티셔츠를 삭삭 넘기며 살폈다. 새빨간 티셔츠, 가슴에 주머니가 달린 귀여운 티셔츠, 단추가 달린 얌전한 티셔츠, 노란 병아리가 연상되는 티셔츠, 마음 같아선 죄다 입히고 싶은데 상우는 재영이 꺼내는 족족 비난했다.

"무늬가 조잡해요."

"소매가 이상해요."

"길이가 짧아요."

"너무 두꺼워요."

"너무 얇아요."

그는 생각보다 훨씬 까다롭고 훨씬 비협조적이었다. 재영은 어쩔 수 없이 다 포기하고서 흰 티 몇 개를 꺼내 보았다. 너무 얇거나 두꺼운 건 집어넣고 화려한 프린트가 있거나 구멍 뚫린 것까지 버리니 브이넥이 하나 남았다. 재영은 눈을 가늘게 뜨고 티셔츠를 살폈다. 톡톡한 재질에 쇄골이 드러나는 시원한 디자인이었고 푹 파인 목둘레에 검은 라인이 있었다.

'이 정도면 추상우를 위해 만든 옷 아닌가?'

재영은 티셔츠를 상우의 몸 위에 쓱 대 보고서, 같은 디자인으로 녹색과 버건디까지 집어 곧바로 계산했다. 이번에도 결제할 타이밍을 놓친 상우가 매장에서 나오며 투덜거렸다.

"이럴 거면 전 왜 데려왔어요?"

"짐꾼."

재영은 그리 대답하며 상우에게 쇼핑백을 넘겼다. 상우는 못마땅
한 표정이었지만 쇼핑백을 들고 조용히 따라왔다. 핸드폰으로 시간
을 확인하자 마음이 급해졌다. 재영은 대형 캐주얼 브랜드 매장에
들어가 남성 속옷 코너를 살폈다.

"어서 오세요! 어느 분께서 입으실 거예요?"

남자 직원이 쾌활하게 맞아 주었다. 상우가 재영을 손가락으로 가
리키자 점원이 고객님에게 딱 어울릴 만한 게 있다며 여러 종류를
꺼냈다.

"어떤 거 찾으세요?"

"무조건 예쁜 거요."

"그럼 이거 보세요. 요즘 젊은 분들 사이에서 제일 잘 나가는 복서
브리프예요. 극세 섬유로 만들어서 엉덩이 싹 감싸 주며 피트감 있
구요. 밴드에 포인트도 있고, 재질 만져 보세요. 굉장히 섹시한 느낌
이죠. 고객님하고 딱 잘 어울릴 것 같은데."

재영은 어느새 멀리서 딴청 부리는 상우가 도망치지 않는지 확
인하고서 점원이 내민 드로즈를 쭉쭉 당겨 보았다. 품질이 좋아 보
였고 밴드에 브랜드명이 적힌 걸 빼면 튀는 구석도 없었다. 재질도
반들반들하니 편할 것 같았다. 재영은 성기를 받쳐 주는 부위를 만
져 보고서 중얼거렸다.

"거기가 큰데, 이거 끼지 않을까요?"

점원은 그를 미친놈처럼 바라보면서도 L 사이즈를 권유했다. 색
깔별로 든 다섯 개들이 세트를 결제하고 상우에게 던지자 그가 상자

를 쇼핑백에 넣었다.

"속옷은 왜 샀어요? 제 거 두 개나 가져갔으니까 넉넉할 텐데……."

"내 마음인데."

이제 정말 시간이 조금밖에 남지 않았다. 아쉬운 마음을 누르고 돌아가려는 찰나, 재영은 야구 의복 매장에서 발길이 묶여 버렸다. 볼캡이 벽을 가득 채우고 있어서 도저히 그냥 지나갈 수 없었다. 재영은 손목시계를 보는 상우를 질질 끌고 모자 천국 앞에 섰다.

"마음에 드는 거, 빨리."

"모자 많던데, 뭘 또 사요."

그에게 뭘 기대하겠는가. 재영은 직접 진열대를 살폈다. 야구팀 로고가 크게 박힌 건 제외, 모양 특이한 것 제외, 색이 너무 튀는 것 제외, 까만 건 맨날 쓰고 다니니까 제외, 제외, 제외, 제외. 그러자 몇 가지 남지 않았다.

'이거네.'

재영은 가장 위쪽에 있는 흰 볼캡을 꺼내 살펴보았다. 야구팀 이니셜이 수놓아져 있긴 했지만 그 역시 흰색이라 자세히 보지 않으면 티 나지 않았다. 챙은 얇지도 않고 너무 두껍지도 않고 모양도 예쁘게 잡혀 있었다.

"이거 어때?"

"괜찮아요."

"그래?"

상우의 몸 사이즈를 잘 안다는 자신감으로 옷을 주저 없이 골랐지만 모자는 씌워 보지 않고서 가늠하기 어려웠다. 재영은 상우가 거절하기 전에 불시에 검은 볼캡을 걷어 내고 흰 모자를 푹 씌웠다.

"뭐예요?"

재영은 어색하게 선 상우를 빤히 바라보았다. 모자 색만 바뀌었을 뿐인데 인상이 환해진 느낌이 들었다. 조금 큰가 싶었지만 스트랩을 조절하면 될 것 같았다.

'잘 어울린다. 귀여워.'

재영은 상우를 그 자리에서 껴안고 싶은 마음을 애써 눌러 참고 모자를 다시 벗겼다. 재빨리 결제하고 쇼핑백 중 하나에 쑤셔 넣었다. 상우는 불안하다는 표정으로 손목시계를 자꾸 힐끔거렸다.

"끝났어. 이제 가자."

"돈이 많은가 보죠, 필요도 없는 옷을 한꺼번에 이렇게 많이 사게."

"다 필요한 거야."

상우가 노골적인 비웃음을 지었다. 티 일곱 벌과 바지 세 개를 돌려 가며 입는 그가 듣기에 우스운 소리일 것이다. 이제 알바 시작까지 30분 정도밖에 남지 않았다. 그들은 에스컬레이터를 타고 서둘러 1층으로 내려갔다. 늦었다고 갈굴 줄 알았는데, 상우는 핸드폰으로 버스 도착 시간을 확인할 뿐 별말 하지 않았다.

"나 다리가 너무 아픈데 택시 태워 줘."

"다리 아픈 사람이 옷을 1시간 반 동안 사요?"

재영은 불쌍한 표정을 지으며 기침을 꾸며 냈다. 허리를 접고 한참 콜록거리고 다시 일어서니 상우가 눈을 가늘게 뜨고 있었다.

"다리가 아픈 거지 폐가 아픈 게 아니잖아요."

"콜록, 콜록! 콜…… 록!"

"많이 아파요?"

"어."

"알았어요. 어쩔 수 없죠."

상우는 마침 다가온 택시를 친히 잡고서 재영더러 타라고 턱짓했다. 그러고 홀랑 가 버리려는 눈치길래, 팔을 끌어당겨 택시 안으로 납치했다. 문을 재빨리 닫고 PC방 근처 지하철역을 얘기하자 택시가 출발했다. 자리에 널브러진 상우를 일으켜 앉히자 그가 씩씩거렸다.

"아 진짜⋯⋯. 오늘 왜 이렇게 막무가내예요? 계속 말도 제대로 안 하고."

"내가 뭘?"

"원래 그런 건 아는데 오늘은 좀 심하잖아요."

어쩔 수 없지 않나, 시간이 별로 없다고 생각하면 마음이 급해지는 건. 재영은 쓸쓸한 심정으로 좌석에 등을 푹 기댔다. 옷가지가 든 쇼핑백을 보자 갑자기 기분이 답답해졌다. 이 정도로 부족하다. 재영은 상우에게 더 주고 싶었다.

"상우야."

"왜요."

"아니야."

무덤덤한 표정으로 손목을 만지작거리는 그에게서 고개를 돌렸다.

가을에는 트렌치코트도 입혀 보고, 겨울에는 산악용 패딩도 입혀 보고, 봄에는 카디건도 입혀 보고 싶었다. 운동화는 브랜드별로, 색별로, 용도별로 사서 올챙이 같은 발가락이 달린 발에 신기고 미용실에 데려가 여러 가지 헤어스타일을 한 걸 보고 싶었다.

오늘 쌀국수 먹었으니 다음에는 짬뽕, 그다음에는 10첩 반상, 그다음에는 브리또와 엔칠라다, 그다음엔 베이징덕, 커리, 부대찌개, 아귀찜을 함께 먹고 싶었다. 그런 생각을 하니 숨이 턱 막혔다.

"그래도 오늘 신기했어요."

"뭐가?"

"주말인데 옷에 미친 사람이 그렇게 많이 모여 있다니. 깜짝 놀랐어요."

재영은 피식 웃으며 상우의 머리를 쓰다듬었다. 상우는 가만히 있더니, 손을 머리 위로 올려 재영의 손을 끌어 내리며 잡았다. 자연스럽게 깍지가 껴지며 전날부터 그에게 들었던 섭섭함이 씻겨 나갔다. 재영은 아무렇지 않은 표정으로 창밖을 보았지만 두근거림 때문에 속이 울렁거렸다. 택시만 아니었다면 그를 뒤로 눕히며 키스했을 것이다.

"선배랑은 늘 새로운 걸 해 보는 것 같아요. 어머니와 옷을 살 때는 이렇게 오래 걸리지 않았거든요."

"좋다는 거야, 싫다는 거야?"

"장단점이 있긴 한데, 굳이 말하자면…… 어, 다 왔다. 저 여기서 내려 주시면 됩니다."

택시가 PC방 근처에 도착하는 바람에 재영은 좋다는 말을 듣지 못했다. 상우는 택시비를 결제하고서 재영을 바라보았다.

"티셔츠값 송금했으니 이따 확인해요. 잘 가요."

아무튼 꼼꼼한 놈이었다. 재영은 돈을 받아 주머니에 쑤셔 넣고서, 상우의 손에 쇼핑백을 모조리 쥐여 주었다.

"다 네 거야. 가져가."

"……뭐요?"

"너 입으라고 산 거라고."

상우는 택시 문을 연 채 엉거주춤하게 서서 표정을 찌푸렸다. 그는 한동안 내리지 않고 쇼핑백을 노려보다, 심각한 얼굴로 재영을 바라보았다.

"됐어요. 이런 거 못 받으니까 환불해요."

"금잔디 같은 소리 하네."

재영은 상우를 쇼핑백과 함께 바깥으로 밀었다.

"재워 준 값이야. 푹 쉬어."

그리고 황당하단 얼굴을 한 상우를 앞에 두고 문을 닫았다. 주소를 말하자 택시가 다시 출발했다. 창밖으로 고장 난 로봇 같은 실루엣이 멀어졌다. 그가 새끼손가락만큼 작아질 때까지 창밖을 보던 재영은 다시 똑바로 앉아 머리를 등받이에 기댔다. 전날 밤에 느낀 찜찜함과 고민은 어느덧 흐려져 있었다.

〈2권에서 계속〉

시맨틱 에러 1

1판 1쇄 발행 2020년 1월 10일
1판 8쇄 발행 2023년 5월 31일

지은이 저수리
펴낸이 최원영
편집장 예숙영
책임편집 이세련
편집디자인 한방울
영업 김민원
물류 이순우 박찬수

펴낸곳 ㈜디앤씨미디어
출판등록 2002년 5월 1일 제117-90-51792호
주소 서울시 구로구 디지털로 26길 111 JnK디지털타워 503호
대표전화 (02)333-2513 팩스 (02)333-2514
전자우편 tone@dncmedia.co.kr

ISBN 979-11-264-4955-2 (04810)
ISBN 979-11-264-4954-5 (세트)